胡经之文集

胡经之文集 第五卷

美的追寻

海天出版社（中国·深圳）

图书在版编目（CIP）数据

美的追寻 / 胡经之著. — 深圳：海天出版社，2015.10
（胡经之文集；5）
ISBN 978-7-5507-1471-7

Ⅰ. ①美… Ⅱ. ①胡… Ⅲ. ①胡经之—回忆录 Ⅳ. ①K825.6

中国版本图书馆CIP数据核字（2015）第224732号

胡经之文集·第五卷·美的追寻
HUJINGZHI WENJI·DIWUJUAN·MEIDEZHUIXUN

出 品 人	聂雄前
项目负责人	于志斌
责 任 编 辑	孙 艳
责 任 校 对	万妮霞 陈少扬
	叶 果
责 任 技 编	蔡梅琴
装 帧 设 计	龙瀚文化

出版发行	海天出版社
地　　址	深圳市彩田南路海天综合大厦 （518033）
网　　址	www.htph.com.cn
订购电话	0755-83460293（批发） 83460397（邮购）
排版制作	深圳市龙瀚文化传播有限公司 33133493
印　　刷	深圳市新联美术印刷有限公司
开　　本	787mm×1092mm 1/16
印　　张	40.25
字　　数	590千
版　　次	2015年10月第1版
印　　次	2015年10月第1次
定　　价	180.00元

海天版图书版权所有，侵权必究。
海天版图书凡有印装质量问题，请随时向承印厂调换。

目　录

美的追寻

前　言 …………………………………………… 2
家园受劫人遭殃 ………………………………… 5
少年多愁好艺文 ………………………………… 12
报国不忘多读书 ………………………………… 25
憧憬未来试筑梦 ………………………………… 35
黎明初起学从政 ………………………………… 50
北大求学好时光 ………………………………… 77
燕园湖深波澜多 ………………………………… 116
蒙冤落难鲤鱼洲 ………………………………… 187
重获青春更奋发 ………………………………… 210
深圳开辟新天地 ………………………………… 235

附编　文友抒怀

学术生涯五十年 ………………………………… 252
壬午之春怀经之 ………………………………… 256

第一辑　钟情文艺美学 ······ 257

- 汇入了生命体验的美学探索 ······ 257
- 胡经之教授与文艺美学学科 ······ 262
- 博采众长求创新 ······ 270
- 深邃严密的理论思维 ······ 275
- 打通古今　融汇中西 ······ 278
- 文艺美学的教父 ······ 287
- 理论创新潮流的先觉者 ······ 295
- 当代中国文艺美学的学术拓展 ······ 302
- 文艺美学的启示 ······ 319
- 文艺学的新开拓 ······ 325
- 与时俱进的文艺美学探索 ······ 339
- 文艺美学学科的拓荒者 ······ 349
- 让美学回到艺术 ······ 355
- 从分蘖走向整合 ······ 360
- 醉心艺术探秘 ······ 363
- 艺术审美特性的探求 ······ 369
- "诗意栖居"于大地上的美学家 ······ 377
- 我的文艺美学之缘 ······ 383
- 超越和整合 ······ 391
- 美学与诗学的融合 ······ 403
- 人文精神是家园之魂 ······ 406
- 关注文化研究 ······ 408
- 从文艺美学到文化美学 ······ 412

第二辑　寻求审美人生 ······ 423

- 共同的希望 ······ 423
- 特区文化开荒牛 ······ 428

过从二十年	432
在梅村读书时光	435
文如其人——真善美	438
哲人学养　诗人胸怀	443
编织着美的花瓣	447
经之老师印象	457
难得的师友	459
人生难得此相知	464
深圳"菩萨"	471
学者风范处处在	474
深圳精神的守望者	477
徜徉美的文化	485
苏州老乡	489
交友深圳	492
生命不息　开拓不止	496
领悟诗性智慧	499
经历未名湖	508
想念老师	513
学术路上提携人	516
北大红学小组的热心顾问	520
在美好的境界中跳跃	524
大半人生何所求	530
胡经之与他的《文艺美学》	542
走向美学与诗学的融合	545
踏实的美学开拓	547
学者风范审美人生	551
美的探索与美的人生	555
《美的追寻》编后记	558

第三辑　晚霞余晖犹存 ········· 561
　外柔内刚的诗性美学家 ········· 561
　妙德吉祥　智慧威猛 ········· 566
　吾爱吾师 ········· 570
　我眼中的胡经之先生 ········· 581
　坚守在深圳文艺评论现场 ········· 590
　老当益壮仍从容 ········· 593
　人文学科第一人 ········· 597
　从燕园到荔园 ········· 602

生平要略

　胡经之编年事略 ········· 612
　胡经之著编书目 ········· 638

跋 ········· 640

美的追寻

前　言

人过八十暮年迟，沧桑三度渐远逝。
留得些许影像在，犹可追忆往昔时。

江南稚子

1933年我出生于苏州、无锡之交的江南第一古镇梅村。此乃泰伯南来最初定居之地，古称梅里，吴文化的发源地，国学大师钱穆老家离此不远。父亲胡定一长期在太湖周边教书，祖父在苏州当丝织技师，小康之家，从小受吴文化熏陶，温、良、恭、俭、让，看重自力更生。自幼上过私塾，也进过教会学校，最后读了师范，梦想教育救国，却在少年时代就投身学生运动，反征兵，反内战。解放前夕，领导了迎解放、护学校的地下活动，加入了新民主主义青年团。

1949年春无锡解放，还在读书的我，被推举为无锡县学联主席，第一至第四届人民代表，苏南首届人民代表。但在三年后，1952年，正值全国院系调整，我在苏州考入了北京大学，从此远离江南老家。

北大学子

三十多载居北大，最初八年是读书：先读本科，再读副博士研究生。然后留在北大，教书，编书，写书。

北大中文系重中国文学史，但我的志趣在文艺学和美学，所以在入学第二年，即从1953年起，我就在课外集中精力研读中国现代美学。自蔡元培、王国维、梁启超以来的中国美学吸引着我，进而，我开始向朱光潜、宗白华、蔡仪、王朝闻等美学家当面讨教。

北大在1956年始招副博士研究生，我本科毕业后投入"五四"老人杨晦门下，以四年时光攻读文艺学副博士学位，逐渐走向融合文艺学、美学的学术之路。

作为北大的兼职教授，周扬在1958年率领邵荃麟、光未然、何其芳、林默涵来北大开设"建设马克思主义美学"讲座，我被任命为讲座助教。由此而进入了文艺界，受聘为《文艺报》特约评论员，开始发表文艺评论，后又参加蔡仪主编的《文学概论》的编撰工作。

1960年底通过文艺学研究生毕业论文，留校任教，由助教、讲师、副教授而教授。

岭南游子

在燕园蛰居了30多年，已届"知天命"之年的我，却被改革开放的暖风从未名湖吹到了后海湾。这一人生的更大转折，使我走向了更为宽广的天地，亦已将卅年时光。

1984年，应深圳大学首届校长张维院士之邀，我和汤一介、乐黛云一起来到这里参与创办中文系。开初三年，我们要兼顾北大、深大两边，来往于两地奔忙。后来，我深深爱上了深圳这块正在开垦的处女地，终于在这里沉淀了下来。

人生难得几回搏。深圳的召唤，激发了我的潜在活力，吸引我多方面地投入了文化学术建设。我先是担任国际文化系主任、特区文化研究所所长，后又担任校学术委员会副主任、人文社会科学委员会主任，积极参与了许多文化学术活动。

一是，为了适应深圳向国际化城市发展的需要，我以建设国际文化系为重心，致力于为深圳打造一个国际文化交流的平台。起先是最早在深大开设对外汉语课程，率先招收海外的学生，传播中华文化。继而多次举办国际学术会议，请海外华文作家，国际美学、文化学者来深圳作文化交流。然后，进而推进学者互访，直接交往。我先后访问过美、德、法、俄、日等国的数十个城市，国际美学学会会长、国际比较文学学会主席以及美、英、日等国的著名美学家亦曾先后来访。

二是，为推进经济特区的文化建设，我以特区文化研究所为基地，开办了特区文化研究生班，意在提升文化人才的理论水平和文化自觉。

三是，直接从事文艺评论和文化研究，有志于推动文化学派的建构。我先后被推举为深圳市作家协会主席、文艺评论家协会主席、美学学会会长，受聘为深圳市社会科学院顾问，主编了《深圳文艺20年》，和文联共同主持了《深圳文艺理论批评丛书》10卷的编撰。

从最古老的最高学府到最年轻的新型大学，我始终未曾忘情于学科建设。20世纪80年代初，我开始招收研究生，就在北大力争率先开辟了新的专业方向：文艺美学。90年代，我和饶芃子合作，在华南地区争取到了第一个文艺学博士点，我先后培养了十届文艺美学博士生。承蒙学界厚爱，我先后被推举为中国文艺理论学会副会长（会长徐中玉、钱谷融）、中外文艺理论学会副会长（会长钱中文）、广东省美学学会长、深圳市文学艺术协会副主席等。

近几年仍在参加国内的学术活动，如第十八届世界美学大会（2010），太湖文化论坛首届国际年会（2011），蔡元培、梁启超美学研讨会（2012）。笔耕尚在继续，一年约写十万言。

读万卷书，行万里路，此乃我终生追求。如今，我每天必做三件事：读书、弹琴和游泳，乐此不疲，坚持不懈。

<blockquote>
纵浪大化中，天地一书生。
精神筑家园，安下游子心。
</blockquote>

人生活在这世界上，美的存在常短暂，美的追寻却永恒。我永远相信，未来一定会更美好。

2013年3月15日于望海书斋

家园受劫人遭殃

我在1933年的闰五月出生于苏州与无锡之交的梅村。因为妈妈朱蓉珍体弱多病,我出生后很快就断奶了。我爸爸胡定一,常年在外教书,顾不上家。幸好,我有三个姑妈,当时还都没有出嫁,她们三个轮流照顾着我,给我喂米汤。因为从小缺奶,我的体质一直比较孱弱。

1936年,我三岁时,是胡家的鼎盛时代。那时,我祖父胡锦堂在苏州城里的著名丝织厂当技师,我父亲胡定一在钱穆老家鸿声里当小学校长,我叔叔胡定千也在无锡城里荣德生开办的申新纺织厂当职员,我又添了一个弟弟胡纬之。春节来临之时,我祖父、父亲、叔父都回梅村团聚,特地去一家新开的照相馆拍了一张全家福,祖母许招娣和三位姑妈都在里边,一共是十一口人,真的是人丁兴旺,温馨和睦。这是我少时留下来的唯一一张照片。一年多后,日本侵略者打进来了,灾难来临,家破人亡,从此再也没有出现这样的场景。

上有天堂,下有苏杭。明清以来,太湖流域已发展成为繁华之地,是适合人类安居乐业的好去处。梅村,人称江南第一古镇,正介于苏州和无锡之间。一条伯渎江穿越而过,东经苏州,流入了连通上海的苏州河;西通无锡,通向连接杭州和扬州的南北大运河。这太湖流域,在远古时代只是个"水乡泽国"。原本这里是一片大海,长江的泥沙日积月累,不断冲积成泥地;海水也在不断后退,海底不断露出水面。大自然的造化,在泽国之上,又造就了一个水乡,就成了"水乡泽国"。

梅村古称梅里,是在古代一个港湾上冲积出来的水乡,古吴文化的发源地。古人司马迁的《史记》中的《吴泰伯世家》,近人范文澜的《中国通史简编》中都记载了梅里这个"蛮夷之地"如何发展了吴文化。商末周兴之初(公元前11世纪),中原文化兴盛起来,周太王的长子泰伯和次子仲雍,看出了父亲的意向是想把王位传给三子季历,为了谦让,泰伯和仲雍商量好了，就一齐从中原避离，千里迢迢来到了太湖之滨的梅里，定居于此。先进的中原文化，经他俩带来吴地，和当地的习俗相结合，发展成为自成特色的古吴文化。此举史称为"奔吴"，梅里也就成了吴文化的发源地。《论语》中有《泰伯》篇，孔子赞曰："泰伯，其可谓至德也已矣，三以天下让。"泰伯、仲雍的后代，在梅里起家，进而发展，才有了后来的苏州古城，成为吴国的首府。泰伯死后，被埋在梅里附近的鸿声里，是钱穆老家那里。钱穆依《梅里志》所说，把泰伯墓所在地称之为"皇山"。这"皇"就是泰伯，梅里人把泰伯尊崇为"让皇"，他把皇位谦让给了三弟，他就是"让皇"。为纪念泰伯，在梅村早就建了一座泰伯庙，每年春节过后，从正月初九（传说乃泰伯的生日）开始，连续好几天要在这里举办盛大庙会，这是我们从小就最喜爱的重大文化活动，就是在日寇占领梅村的八年中，也没有停止过。泰伯定居后常在这里洗身洗脚的那片江湾，也被后人称之为伯渎江，泰伯洗渎之江也。随着岁月的流逝，人口的增多，这伯渎江越变越窄，最后也就变成了伯渎河。但我们少时，这伯渎江还清澈见底，鱼虾游弋，我们这些小孩随时可以跳到水里去捕鱼抓虾，自由游泳。

我就是在这伯渎江边的那所百年老屋中出生的。那时，我们这三世同堂的十一口之家，虽然只有祖父、父亲、叔父三个人有固定的收入，但我祖母也在镇上租了房开了一小间工艺杂品店，我三个姑姑都能在自己的桑田采桑养蚕，菜园里种上蔬菜，过上丰衣足食、自食其力的小康生活。

我们一家，从小就受古吴遗风的熏陶，遵奉"温、良、恭、俭、让"，"仁、义、礼、智、信"。但是，日本军国主义扩张到这江南水乡之后，我们的安定生活就被打破了，再也不能安居乐业。1937年日寇侵占上海，随即溯苏州河而上，攻占了苏州。不久，就又发动了对无锡的进攻，无锡人对日本兵恨之入骨，呼之为"日本赤佬"。我那时还只四岁，尚不懂事，数年后我上梅村高小，父师辈才陆续告诉我日本赤佬侵占无锡的情景。1937年初冬，日本赤佬兵分两路：一路是从苏州出兵，沿着那条大运河而下，攻下浒墅关、望亭等关隘，自东南方向进攻无锡；另一路则是从上海出发，溯长江而上，直奔常熟和江阴之间的白茆口登陆,然后自北向南,逐个占领安镇、许巷等村镇。南北交攻,最后占领无锡城。日本赤佬所经之地,沿路抢掠烧杀,无恶不作,无锡经历了千年不遇的浩劫,遭受了前所未有的苦难。

日本赤佬借助于当时科学技术武装兵力,欺凌善良的中国人民。在进攻无锡之前,日本赤佬就先用飞机在上空对无锡狂轰滥炸。10月中旬,日机集中轰炸了火车站、发电厂(戚墅堰)、储粮仓等重要设施。每次轰炸都投下数百颗炸弹,每次都要炸死数百口人。日本赤佬的狂轰滥炸,逼得无锡县长带着部下逃到西乡去了,两路日本兵就长驱直下。11月25日,无锡沦陷,日本兵在城里实行了大屠杀,尸横满街,血流成河。一万多人被杀,六万多间房被烧。

日本占领无锡城之后,又陆续派出20多个小分队,到周围乡镇实施"扫荡",以巩固其在无锡的统治。其中一个分队就沿着无锡南门进入伯渎江,乘着汽艇入侵梅村镇。家园受难,人民遭殃,当时年仅四岁的我,亲历了这场民族的灾难,眼看我那温馨和睦的家园被一下击碎,在我那幼小的心灵上,留下了永远的创伤。

梅村的家园被日寇扫荡时,正是即将入严冬季节。那时,我祖父因东吴丝织厂关闭而回了梅村家里,我的小妹婉蕴,出生才几个月。一听到日寇要来梅村扫荡的风声,全家都紧张了起来。祖父当机立断,决定暂时离开梅村这个家园,带我们全家到小镇附近的几个村庄,分散在亲戚家里寄住,躲过扫荡的劫难后再说。于是,我妈妈怀抱才几个月的小妹,带上我和弟弟三个人到鱼池村我外祖父母家逃难。我的二姑和小姑去了另一村庄松木桥去逃难,我的大姑妈刚嫁到那里,有了新家。我的祖父母老两口则到了稻梗村去逃难,那里有他的一房亲戚住着。就这样,我们这三代同堂之家,除了父亲、叔父仍在外乡奔忙外,在家的妇幼老少就分割成三处。

我们即使逃难到了乡下,也仍然不得安宁。日寇侵占梅村以后,以这古镇为据点,不时向周边村庄发动"清乡",妄想消灭潜伏在那里的抗日力量。那时,梅村周边有好几支抗日队伍,既有受新四军领导的江南抗日义勇军,又有受国民党指挥的忠义救国军,经常出没于太湖各岛和芦花荡里不时向日寇出击。1937年年关将近,天气特别冷,我外祖父听说日寇要到鱼池村来"清乡",就在江南抗日义勇军的帮助下,转移到白丹山的山洞里去躲避。白丹山离鱼池村有近十里路程,我和弟弟还小,走不动,妈妈也已迈不开步,走不远了,怎么办?我外祖父只好请邻村的亲戚来帮忙。我的大姑父陈松林是一位专做竹器的能工巧匠,他在竹林里砍了好几棵毛竹,做成三个大竹筐,让我和弟弟一前一后躺在竹筐里,由他挑着送我俩去白丹山。我妈妈怀抱小妹,半卧在另一个大竹筐里,请两位村民抬着送去。我们在白丹山下的地窖里蜗居了三天,等日寇退回梅村,才回到鱼池村,只见大片竹林被砍得七零八落,狼藉满村。丧心病狂的日寇,临走时还在竹林边的鱼池塘投了炸药,大片死鱼在水上浮着。外祖父痛心地在池塘边站了好久,流下了眼泪。民族恨、家国仇,刻骨铭心。

我和妈妈、弟弟在鱼池村住了近半年,到1938年春天才小心翼翼地回到梅村。日寇在梅村过了春节就撤走了,只留下一个小队的人马约二十人,驻守在镇上看守,小镇逐渐平静下来。我祖父母先从松木桥搬回梅村家里,然后带着二姑、小姑把我们几个人从鱼池村接回小镇。我父亲和叔父因为都和新四军有联系,地下组织告诉他们都不要回梅村,隐蔽一阵再说。这样,我们几个需要有人照顾的,就只有靠祖父母和两个姑姑了。我祖父负责照顾我这个长孙,我祖母照顾我弟弟纬之,我妈妈和小妹就由我二姑、小姑照顾着了。

1938年初夏,我妈妈身体越来越消瘦,已很难下床。妈妈身体本来就瘦弱,从小只在绣房里描红绣花,从未下过田里劳动。这半年多,兵荒马乱,鸡犬不宁,她经历了颠沛流离,产后身体每况愈下,只能卧床静养,一直没有缓过气来。到了秋后,妈妈竟一病不起,永远地离开了我们,才刚过三十。我父亲从苏州那边冒险秘密回来时,妈妈已奄奄一息,临终前紧握着爸的手向他交代:好好照顾留下的三个孩子。

真是祸不单行,日寇入侵以来给我们带来了一连串的灾难。妈妈过世才不过两个月,我那不到一岁的小妹妹婉蕴接着也因病夭折了。我这不幸的小妹,出生在乱世,先天不足,营养不够,从小就缺奶水;妈妈死后,又受了风寒,低烧不止,饮食不进。幼小的生命,就无声无息地悄然离去。那时我五岁,就永远失去了我的小妹。

更令我悲痛的是我祖父的病逝。祖父这年刚过六十，从小就在苏州城里东吴丝织厂当学徒，倾心于钻研丝织技术，当上了技师。却因为日寇入侵苏州，东吴丝织厂关闭，他只好回到梅村，等待赶走日寇后重返丝织厂，再操旧业。没想到，日寇很快打到了梅村，兵荒马乱中，媳妇、孙女接连离世而去，他心里又急又恼，整日闷闷不乐，终于心脏病发作，倒在地上再也没有起来。我自生下来之后，身体不好，一直由三个姑妈照看。祖父从苏州回来后，就由他照看我，每天晚上都由他陪着睡，为我讲故事。在所有亲人中，就数祖父和我最亲，我永远不会忘怀他那慈善祥和的脸孔，说着一口道地的苏州话，吴侬软语，像音乐一样令人陶醉。这一切，都突然消失了，离我而去，永远见不着、听不见了。

就这样，在日寇入侵梅村后的一年里，我接连失去了三位亲人。

也就在这一年，我这幼小的生命也几乎夭折了。那是在我祖父逝世后几天，我父亲、叔父也分别从苏州、无锡城里回来奔丧，请木匠来家里专做一副棺材，正在涂抹一层清漆。不料，我一闻到这清漆的特殊气味，立即晕倒在地，接着，我的头脑发昏，整个头部发肿，头胀大了一大圈。我父亲连夜走了十里地，请来专治此病的一位中医，方知道，这是对清漆的过敏反应，极为危险，如不及时治疗，就会伤害脑筋，人变痴呆，甚至慢性死亡。一般人无过敏反应，但我是个过敏体质，对清漆有过敏反应，对其他植物也可能会有，所以要特别小心谨慎。那位祖传中医为我配制了一种中草药膏，每天涂抹在脸部，变成了京剧里的大花脸。我经历的这次磨难，在一个月以后才有了好转。

祖父过世之后，我的二姑也在这个冬天出嫁。于是，马上就产生了新的问题：我本是由祖父、姑妈照顾的，我弟弟纬之则由祖母照顾，如今祖父远逝，姑妈又都已出嫁，我怎么办？家里如今只有祖母一个人了，她也已年近六旬，照顾弟弟一人，已够劳累，若要再带我，已不可能，那怎么办？

我爸和我的外祖父一商量，外祖父一口答允：由他和外祖母来带我。

刚过五岁的我，还年幼无知，尚不明白人生的意义和价值，但已开始体验到了人的生命的脆弱和失去亲人的痛楚。梅村这个老家已经破碎了，我迫切需要新的依靠，所以很快融入了鱼池村这个新的家园。

我外祖父朱桑复虽然只读过私塾，书读得不多，但德高望重，是鱼池村朱姓家族最受尊敬的族长，热心全村的公益。那时，自蔡元培当了教育总长之后，才在梅村镇上有了新学堂，有书可读，鱼池村还没有一所小学。我外祖父就积极张罗，从外村请来一位私塾秀才，在村里也开设了一家私塾，可以供十多个小童来就读。我的一位表兄朱寿根，比我大一岁，已经进了这私塾。1939年，我已六岁，我外祖父就在春节过后也把我送进了这所私塾，每天由我表兄带着去上学。

这私塾本是清末的遗物，自辛亥革命以来倡建新学，私塾已逐渐为新式学堂所代替。但自日本赤佬侵略我国之后，在沦陷区推行奴化教育，甚至在许多城市强迫推行日语教学，广大农村地区的教育则陷于倒退，一些乡村又办起了私塾。这就使我在即将跨入新式学堂之前，还有缘上了一年私塾。教我们的塾师朱青竹是前清的一位老秀才，写得一手好字，为人温良恭俭让。他先教我们诵读《三字经》，讲人之初，性本善，再教《百家姓》，赵、钱、孙、李、周、吴、陈、黄，然后一步步让我们背《千字文》。这位朱老先生虽然已六十多岁，但也受了新学的一点熏陶，能自己创作新词，然后配上他的作曲，教我们学唱歌。他创作的一曲《春游》，我至今还记得开头，"三月三，清明到，去游山"。春天来了，他还带着我们这十几个学童到附近去"远足"，我和表兄跟他去过鸿山、白丹山。他还教我们用毛笔写字，我的书法练习也是从这时开始的。后来，他又教我们背《唐诗三百首》。

鱼池村虽小，只20多户人家，但一派田园风光，景色宜人。村子的东、西、北三面，都是连片的竹林，村后一条小河，通到梅村的伯渎江。村前是桑树林，家家都用桑叶来养蚕，有的还自家缫丝。竹林、桑田之间有两个池塘：一个池塘年年放养鱼仔，到过年时鱼长大了收捕，每家都能分到几十斤大鱼，过一个欢乐年；还有一个池塘则供村民洗菜、游泳。到了夏天，我和表兄就常到这池塘里游水摸鱼，在水中游戏，其乐无穷。在日本赤佬入侵之前，这里的村民自食其力，丰衣足食，过着小康之家的安乐生活。1937年冬鱼池村被日本赤佬"扫荡"了一次，受到重创。打击更大的是，苏州、无锡城里的丝织厂纷纷关闭，这里的蚕桑也就日渐衰落，民生凋敝，已大不如前了。

我在鱼池村的私塾就读了一年,在外祖父家过了春节。春节后,我父亲来把我接走,去了苏州城里,不再读私塾了。

但我始终忘不了鱼池村,在以后数年的暑假,总要回到鱼池村看望我的外祖父母,直到我后来进了北京大学,也曾重访了三次。鱼池村的竹林、桑田、池塘永远留在我的心中。

在我这童年的最后一年,六岁的我从"镇上人"转成了"乡下人",过了一年道道地地的乡村生活,亲身体验到了一生中难得的自然和温馨。在此之前,我一直生活在梅村,小镇的生活很热闹,也很方便。我祖母、姑姑在自家园地种菜,吃的是自家的蔬菜;在自家的桑园里采桑养蚕、缫丝。但其他日常用品都可以在镇上买来,过的是一种半自给生活。道地的乡村生活,却是一种自给自足的生活,我外祖父一家,吃的是自家地里种的稻米,自家养的鸡鸭、猪羊,甚至,吃的鱼也是村里池塘放养的。这种自给自足的生活,使我从小就懂得,人长大后要自食其力,自力更生。乡村生活使我从小就和大自然有了亲密接触,我跟着表兄奔跑在田野,放风筝、抓野兔、采蚕豆,陶醉在大自然中。秋收之后,在月夜中和邻居小孩一道围着稻柴堆捉迷藏,放声大笑,其乐融融。也许,就在这一年,在我心中已孕育了酷爱自然的情结,永世未改。

少年多愁好艺文

1940年,在我即将跨入七岁之时,我父亲胡定一为了让我得以接受当时最好的教育而动了一番脑筋,作了较为周密的安排。

当时,在蔡元培等老一辈教育家的倡导和实践下,江南一带新学最为发达的要数苏州、杭州和南京、上海。苏州已有了东吴大学,苏州中学、新苏师范和蚕桑学校等也已赫赫有名。美国教会在苏州办了两所中学,晟成中学和慧灵女中,里边都附设了小学,从小就接受英语教育。我父亲奔走了几次,终于在春节后把我送进了晟成中学的附小去读书,插班进了一年级。

为了让我和弟弟能接受良好的教育,我父亲在苏州城里重新组织了家庭。我的继母吴祖琇,宜兴人,曾在丝织厂从事过职工教育,属于贤妻良母而又懂得新式教育的人。那年春节,我父亲和继母二人一同来到了鱼池村,拜见了我的外祖父母,认了亲,然后把我带到了苏州城里的新家。我弟弟纬之,因为还不到上学年龄,仍放在梅村镇上由我祖母带,到下一年上学时才进入新家。

就这样,从1940年起到1943年夏这三年多,我都在苏州城里上初小。只有到了1943年的初夏,我才跟着我父亲去了荡口、鸿声里的钱穆老家那里读了一个多月。我弟弟胡纬之就一直跟着我父亲读小学。于是,我又从无锡的"乡下人"变成了苏州的"城里人"。

这所附属小学就设在晟成中学的校园之内,好几排的平房,窗明几净,前边就是中学宽阔的操场。中学部却是三层的楼房,在苏州城里令人注目,因为当时苏州城里的建筑,一般都是两层木楼,只有极少的教会学校才能用钢筋水泥建起三层高楼,远远就能让行人见到。当我爸妈亲自送我到附小见一年级的班主任薛叔成时,我就为这敞亮的校园深深吸引,从来没有见到过这样宏伟的建筑。在这里受到的是欧式的教育，入学不久，就要学习英语，从最简单的字母学起，英语课时最多，其次才是语文和音乐。但是，在这三年多中，给我留下最深刻印象的，却是音乐。

这所教会学校崇尚天主教，校园里就建有一座洁白的天主教堂。每逢礼拜天，学校的教徒就会到这里做礼拜，举行隆重的宗教仪式。附小成立了一个唱诗班，班主任把我编入唱诗班参加童声合唱，每到礼拜天，我就穿着白色童装，衣领上扣着蝴蝶结，整整齐齐地去参加表演。我不懂天主教的教义，甚至不晓得那天主究竟是神还是人，但却深深陶醉在那虔诚肃穆的礼拜情景中，全身心地融入了童声合唱的和谐乐声里，感到乐趣无穷。中学里的哥哥姐姐们还组织了一个西洋乐队，有时为我们合唱队伴奏，有时单独演奏一些宗教乐曲，那些乐曲也令人着迷。当时我不懂得演的是些什么名目的乐曲，后来我进北大听了星期日音乐讲座，才知道这里有巴赫的《弥撒曲》、贝多芬的《庄严弥撒曲》。

在礼拜日的童声合唱中获得的乐趣，激发了我对音乐的喜爱。而附小三年多的音乐教育，使我从少年时代起就深深爱上了音乐，在所有艺文中，音乐成了我一生的最爱。教我们音乐的是一位年轻教师，叫高天赐，毕业于本地的新苏师范，瘦高个儿，从容潇洒。他用中英文两种语言教我们音乐，配上钢琴伴奏。先从最简明的乐曲教起，第一首就是《可爱的家》，英国的乐曲，中文的首句就是"我的家庭真可爱"。第二首教的是美国乐曲《故乡的亲人》，第三首是《友谊地久天长》。这些乐曲充满了浓郁的亲情、乡情、友情，一下子就叩动了我的心灵，使我为之深深吸引。以后又陆续深入，由易及难，《红河谷》《苏珊娜》《露琪亚》等都动人心扉。最后一年，到我初小四年级，我竟沉潜到《宁静的湖水》《夏日泛舟海上》《夏天最后一朵玫瑰》这样的乐曲中了，引发无数愁思，却又其乐融融，不能自拔。说来也怪，我自己也不敢想象，这些在少年时学的略带愁思而又深情无限的西洋乐曲，在60多年之后，已过古稀之年的我，还能记得背出，并把主旋律付诸琴键，在钢琴上重新奏出，其乐趣不减当年，且别有一番滋味。

沦陷后的苏州，当时正在加紧推行日本的奴化教育，在中小学里强制教日语，唱日本歌，倡武士道。但是，美国教会在苏州办的中小学里，仍能将此拒之于门外。这是因为美国在"二战"的开始几年，声称保持中立，不对德日宣战，日本军国主义也不想马上扩大战线，对美国也暂作容忍。直到两年后，日本在珍珠港偷袭美军，美国才对日本宣战。正是在美国保持中立的这两三年里，我躲过了日本的奴化教育，而在教会学校接受西方较为自由的教育，自少小时就自然而然地向往自由。

姑苏，这座当时已近千年的历史古城，文化底蕴极为深厚，传统文化源远流长。我在学校受的是西洋教育，但生活在校园之外的我，却不知不觉地受的是浓郁的吴中文化的熏陶。苏州园林、姑苏评弹和江南丝竹乐，深深吸引着我，令我陶醉，自此始，成为我一生的挚爱，永世难忘。

那几年，我家里住处搬换了三次。先是住蒋庙前巷三年多，后迁东花桥巷，住了一年。最后，抗战胜利，我父亲在小太平巷买了一套住宅，从此定居于此。蒋庙前巷和东花桥巷都离晟成中学很近，走路十分钟就到，父亲为了我上学方便，所以就在学校周边租了房居住。我最早住的蒋庙前巷，东边是临顿路，西边是护龙街，北边是东北街，南边就是晟成中学和慧灵女中。这里原是清代进士蒋家的府第，三进式的豪华老宅，结构就像周庄的沈万三家的那种。第一进是三间平房，按当时的居住格局，蒋家后人把这第一进租给一家裁缝店。裁缝做手工活，都是在家里，后面二进的住户，进出都经这里，所以起看守门的作用。第二进，原是主人家的客厅，二层楼房，前面有宽广的天井，因而显得敞亮。我父亲看中此地，租了二楼的三间房作为我、继母的住处。楼下的两间房和那大客厅是蒋家后人自己住的。此时蒋家后人只有一位已过六旬的苏州老太太，和她的一位正在上慧灵女中的小孙女一起住在这老宅里。她的儿子、儿媳本来住在这二楼，但自抗战开始，就到重庆去了，这才把二楼租给了我们。穿过一条长长的走廊，进入老宅的第三进，也是一座两层楼房，租给了一家姓高的银行职员，听说是在贝氏家族所开的银行里当会计，是住在这老宅里最富有的一家，雇了两个保姆。我有生以来第一次在这家的客厅里见识到了使人眼花缭乱的豪华吊灯。我们把房东尊称为"蒋家好婆",她就是靠出租的收入来生活的。

  我就在这时开始了亲近园林的日子。离我家不远,在东北街上就有拙政园和北寺塔,在临顿路东就有狮子林。小学一放学,住在这一带的小同学就相互约好,一同去这些地方玩耍。狮子林最近了,走十分钟就到。那时狮子林还属于银行家族贝家的私产,美国华裔建筑大师贝聿铭从小就在这里长大。我们小时,狮子林就已对外开放,而且不收任何费用,这就成了我们住在这一带的孩子的天堂。一放学,就去那里捉迷藏。狮子林最吸引人之处是那曲折多彩的假山。这些假山都是由从太湖中移来的湖底石块叠成,造型独特,跌宕起伏,变化多端。从任何一个口进去,在里边盘旋而行,竟有二十多个出口,看到的是不同的境界。我从小就和小伙伴们在此捉迷藏,其乐无穷。拙政园比狮子林更为宽阔,不仅是苏州最大的山水园林,而且是全中国最大的私家花园。最早乃明代的苏州艺术家文徵明设计布局,亭台楼阁俱全,结构巧妙,最大特点还是融自然和人文为一体,山水和文化相连。置身其间,最能真切体验到天地人的和谐统一,人和大自然之间的亲密无间,从而引发起对祖国大地无限热爱的感恩情怀,家乡和祖国如此美好!北寺塔占地虽少,但却是苏州城里的最高之处,八面九层,乃东吴孙权为其母所建,人称"江南第一塔"。居高临下,可以从塔顶俯视苏州全城,更可远眺吴中的田园风光,令人赞叹姑苏之美。

  反顾我这一生,童年固受日本军国主义之害而遭受了人间苦难,但一年多的乡村生活,使我初次领略到了自然之美,开始向往生活的美好;三年多的苏州生活,既受到了西洋教育的影响,又受到了传统文化的熏陶,深深爱上了融合自然之美和人文之美的园林艺术。之后,我又跨入了开启领会艺术之门。最早吸引我的,乃是苏州评弹和江南丝竹乐。

  那几年,我们的家虽安在苏州城里,但我父亲胡定一却还在钱穆老家荡口鸿声里教书,在1941年,我弟弟胡纬之也跟他到那里读书。这荡口,是一片长满芦花的浩瀚的鹅肫荡边的口岸小镇,正处在苏州和无锡之间,虽属无锡县管辖,却反而离苏州城更近。每逢节假日和礼拜天,我父亲就带着纬弟乘夜航船(乌篷船)回苏州,当天早上就到家。我叔叔胡定千也已从无锡的荣氏棉纺厂转移到苏州,在东吴丝织厂继承我祖父的技师之职。每逢礼拜天,我父亲、叔父就常在一起,带我和纬弟到茶馆、书场去吃点心、听评弹。很快,我就被苏州评弹迷住了。发展到后来,我已不满足于跟着父亲、叔父去听书,还自己一个人跑到太监弄旁北局的光裕书社去,那里有苏州城里最好的苏州评弹,听了真是过瘾。我和老乡金开诚一样,听评弹成了终生的爱好。

苏州评弹怎么会有这样的魅力?这是因为这是道道地地在吴文化土壤上自然而然地生长出来的自成特色的精美艺术,雅俗共赏,为广大的苏州人喜闻乐见。苏州评弹在清中叶已经从民间产生,逐渐进入堂会后又走向茶坊酒肆,逐步扩大到公共场所,已有两百年的历史。评弹有两种。一种是"大书",有点像山东评书那样,一个人在台上评说,道具只是一把折扇和一块惊堂木,说的都是历史故事,如《岳传》《三国》《包公》等。还有一种叫"小书",是我最喜爱的品种。"小书"又说又弹又唱,融合了"说噱弹唱演",不仅充分发挥了吴侬软语的苏白之美,而且弹唱的曲调优美,从江南民歌和丝竹乐中吸取了精华,娓娓动听,精彩绝伦。这"小书"以二人为主,一男一女,男拨三弦,女弹琵琶,各扬所长而又和谐一致。所唱的曲调更具个性特色,已出现了许多评弹流派,如徐丽仙的"丽调",蒋月泉的"蒋调",朱雪琴的"琴调"。经过历史的积累和艺术的磨炼,到我懂事时,已流行了不少优秀曲目,如《三笑》(唐伯虎点秋香)、《珍珠塔》《玉蜻蜓》《描金凤》《白蛇传》,脍炙人口,让人百听不厌。我从少年时代开始一直到19岁我离开苏州之前,几乎都欣赏过这些曲目,回味无穷。

江南丝竹乐,在苏州虽然不像评弹那样流行,但历史比评弹还要稍久。这是在苏南民间音乐基础上,吸收了民族古乐的精粹,逐渐发展起来的民族器乐。在新文化运动的推动下,在苏州、无锡一带兴起了民族器乐合奏,主要由丝弦乐器(琵琶、三弦、二胡等均靠拉动丝弦发声)和竹管乐器(笛子、箫管等均吹奏竹管发声)组合而成,是典型的中国特色的管弦乐。起先只在室内演奏(赶喜庆堂会),是室内管弦乐,后来逐渐到园林、公园、剧场演奏。我还清楚记得,是一个春天，父亲带我去游拙政园。在三面环水的岛中央，正好赶上了有江南丝竹音乐在演奏，我父亲告诉我这叫江南丝竹乐。我一边听，一边听他说，这一曲叫《三六》，这一曲叫《行街》，接着又听了《姑苏行》《江南好》《春花秋月》等，我听了，感到特别悠扬悦耳。这优美的丝竹乐在水面上飘悠，和周围古色古香的亭台楼阁和满园春色融成一片，让人全身都舒畅，世界多么美好！我喜欢上江南丝竹乐后，就密切关注着上海和苏州的电台，一旦电台播放丝竹乐，我就全神贯注地静心收听。有时还在心里不自觉地把丝竹乐和我在学校教堂里听到的欧洲室内乐作过比较，这是两种不同风格的精美艺术，各自都有独特的无穷魅力。相比之下，我惊异地发现，远在南海之滨的广东音乐却和江南丝竹乐颇为接近。我父亲常拉二胡，演奏了不少江南丝竹乐曲，但有时也演奏广东音乐，如《雨打芭蕉》《平湖秋月》《梅花三弄》，我那时分不清哪个是江南丝竹乐，哪个是广东音乐，觉得格调相似。多年之后，我才弄清楚，广东音乐自有其源头和特色。但我也参证过，广东音乐在发展过程中，确实也吸收了江南丝竹乐的元素，甚至有些曲名竟直接标上《平湖秋月》《苏堤春晓》等西湖景名。在20世纪二三十年代，广东的音乐社团和江南丝竹乐就有频繁的交流，相互借鉴，在国内有较广的影响。半个多世纪过去之后，我在古稀之年仍能凭记忆在钢琴上弹奏出其中一些乐曲最优美的旋律，乐在其中。

那时，苏州还保留着明清以来的古城墙，城里城外分得很清。两三年间，城里边的名胜古迹我都陆续见识过，网师园、沧浪亭、怡园、耦园、鹤园、曲园、颐园等都去玩过了，真个是苏州园林甲天下，被国学大师俞樾赞为"天然画本"。但园林虽好，看多了渐觉得格局稍窄，俗称在"螺蛳壳里做道场"。古代的文人雅士，一家人住在独家园子里，常邀三五知己，在鱼池旁赏景赋诗，琴棋书画，其乐融融，早就诗意地栖居了。但一旦向外开放，游人蜂拥而来，可就不能那样优游从容了。随着年纪稍长，我就想到城外去见识更大的世面。从十岁开始，父亲、叔父就不时带我和纬弟去城外游山玩水，欣赏自然风光。

走出城里，我先由近及远，从东向西，视野逐步开阔。父亲先带我向东出相门，观赏了范成大晚年定居的石湖，见识了古代留下来的跨湖石桥宝带桥。第二次就出阊门，游了留园、西园。再后来，就乘了游船，穿过七里山塘，去了吴王在此磨剑的虎丘山。为了去亲身体会一下张继《枫桥夜泊》的诗意，父亲还特地陪我去探访了寒山寺、枫桥。以后又陆续去了天平山、灵岩山，最远的一次，是"远足"到了苏州西南六十里地的邓尉山，那已是苏州和无锡的交界地方了，离我老家梅村只有二十多里地。正是我生活在苏州城里的那几年，我在少年时代第一次真正见识了江南山水。忆起我童年时代所经历过的乡村风光，这次见识到的江南山水绝不是一个层次。这是江南独特的天地境界，它永远铭刻在我的心上，一生梦萦魂牵。并非一切自然之美都能达到这境界，但江南山水之美，在我心目中却是高于艺术之美，我更爱江南山水之美。园林艺术、苏州评弹、江南丝竹乐，都是我之所爱，但相比之下，我更爱那自然天成的江南山水之美。

老辈苏州人说，苏州最好的山水是太湖里的洞庭东山和西山。我父亲小时曾跟着我祖父去过，我也很想去见识一下，可是，我父亲说现在去不了。日本人在太湖里有快艇来往巡视，怕太湖游击队袭击。那时，交通不便，要去洞庭东山、西山，都只能到胥门外去租一条船，摇上一天一夜才进得去，危险太大，去不成。退而求其次，1943年初春，我们一家五口人（我爸妈、叔父、纬弟和我）去了一趟邓尉山，我的感受是这里的自然风光比虎丘山、天平山、灵岩山都要好。

那时，苏州还没公共汽车。城里的街道都是石子路，市民大多还是用脚走路，三轮车、黄包车也不多。只有那些大汉奸汪精卫、周佛海、陈公博到苏州来度假（陈璧君就把家安在苏州），街上才出现小轿车。从苏州城西的金门到邓尉山有六十里路，就更没有汽车可去了，那里，主要的交通工具就是马车。我叔父托了一个熟人，租到了一辆可坐五人的马车，包了一天，接送我们来回，使我们得以尽兴而归。

邓尉山在太湖北侧，已靠近无锡边界，从我老家梅村去那里，可以近一半路程，但没有马车可去，所以一直没有去成。这次我们从金门乘了马车去，天蒙蒙亮就马蹄嘚嘚地赶路，直奔邓尉山里那片最美的地方：十里湖和香雪海。邓尉山周边还有很多小山，在万山丛中，若登上最高峰，可以眺望太湖三万六千顷，但我们此行，时间不够，登不了高处,就游邓尉山的内侧最美之处。

早春三月,阳光和煦,马车驶到山脚下时,就远远看到山坡上的梅花成片成丛地开放,真是山花烂漫,煞是好看。车夫说,这邓尉山的梅花地有三十里,真正是香雪海。传说汉代一位邓尉,不当官了,隐居在山中,喜欢种梅,村人代代相传,就形成了如此蔓延三十里的梅花雪海。清乾隆时代,一位江苏巡抚早春来此赏梅,在崖壁上刻下了"香雪海"三个大字,至今还在那里。

我更喜爱香雪海下坡的那片湖:东淹湖和西淹湖。这两个湖都有十里阔,两湖之间隔着一道石梁,把两湖稍分而又连接成一体。为什么叫淹湖,我父亲说,这两湖的水,都是从太湖里流进来的。太湖之水,通过山峡缓缓流来,成为山溪,山溪的水又流入这一大块平地,就成了这两湖,是太湖之水淹没而成,所以叫淹湖。不过,西淹湖的水面更为浩荡,画船舢板,往来湖上。我们一家租了一条小艇在湖里游荡,船娘一边摇橹一边唱着《姑苏好风光》。有些豪华画船,船夫撑篙,还有数人组成的乐队在演奏江南丝竹乐,美妙的乐声,随着水面飘扬。此情此景,如今犹历历在目。

为了让我们亲身体验一下太湖边上的农家生活,父亲特地带我们上坡去山边的一个小村庄吃农家饭。路经虎山桥,桥上方是香雪海,桥下方是十里湖,把湖、山连接在一起。苏州《光福志》上说,这虎山桥一带,乃是古吴王阖闾在此圈的一块溪地,为养虎之用(虎丘山是另一处养虎之地)。山村依山傍湖,粉墙黛瓦,梅树成林,错落有致,比起我童年时代所居的鱼池村,别有一番风致。明代诗人曾留下《湖上梅花歌》(王稚登),有一首中写道:

> 虎山桥外水如烟,雨暗湖昏不系船。
> 此地人家无玉历,梅花开日是新年。

我最羡慕这里的村民懂得按照自然的规律来生活。日升日落,花开花落,村民随着自然的起伏而劳作、休歇。感谢大自然的恩赐,这里的出产特别丰富,有一篇散文《谈山家十八熟》(郑逸梅)详细列数了这里丰盛的出产,除了著名的杨梅、枇杷、桃子之外,还有竹笋、青梅、樱桃、绿茶、桑仁、杏子、白蒲枣、莲子、塘藕、菱角、茭白、柿饼、石斛等等。一年四季,出产不断。太湖周边最有名的吃食叫"三白",即白虾、白鱼和茭白。我们是早春天气来赏梅,尚无茭白可食,但白虾、白鱼都吃到了。村边小店为补这一白,特地送上了一道"翡翠白玉汤",这道汤其实只是少许荠菜加上几片自磨豆腐,一绿一白。听说,康熙、乾隆两代皇帝都来过邓尉山里的光福寺,吃过荠菜豆腐汤,美其名曰"翡翠白玉汤",村人以此为荣。我们在此还吃到了"御麦",即曾进贡过皇帝的御用麦食,送来一看,其实是去年秋后收藏的玉米,苏州人叫"珍珠米",穷人吃的杂粮。因为曾送给皇帝吃过,所以这里呼之为"御麦"。苏州人处处都很在意对生活的美化。

这是我少年时代唯一一次到邓尉山,以后再也无缘重来。半个多世纪以后,20世纪90年代,洞庭东山和西山都建了跨湖大桥,过去要花一天一夜乘船才能到的太湖深处,只要一个多小时就到了。我有缘三次登临东山、西山,远眺太湖三万六千顷,却再也没有重访邓尉山。但那次去邓尉山给我留下了美好的印象,深深刻在我的脑海中。我至今仍怀有一个美好期望,在有生之年,想再去看一次邓尉山下的十里湖、香雪海和小村庄,这就有赖天意,老天肯否垂赐我这个机缘了。

依我的切身感受,邓尉山的自然景色,要比我当时所能看到的山水画中的自然风光更美。苏州城中的玄妙观常有山水画展,叔父曾陪我去过好几次,父亲每逢过年,总要买一两幅山水画在家里挂着。照我当时的眼光,没有一幅画里的山水能比得上邓尉山的真山真水。我也喜欢那些山水画,因为我不能常去那真山真水中生活,只能看看山水画来唤起对真山真水的回忆和想象。但我更爱那真山真水,那才是人生最大的享受。纸上得来总觉浅,亲身体验才显真。当然,自然风光并不都比文学艺术来得美,具体情况要具体分析。那些优秀的文学艺术,在作品中反映出来的自然风光就可能比真山真水更加美好,更能感动人。这就要看作家、诗人、艺术家的本领了。古来吟写苏州的诗文不少,但给我印象最深的还是唐代诗人张继所作的那首《枫桥夜泊》,流传千古,仍然不朽。我年少时,先是读了这首名诗,然后方知道苏州城外有枫桥、寒山寺。为了去亲身体验一下诗中的情景,父亲特地在1943年的秋冬之交带我去了这河边的枫桥，还到寒山寺周边转了一圈，看过后心里很不是滋味，只是当时没有说出来。在近四十年之后，我正在北大开设"文艺美学"一课，说到艺术美和自然美的比较时，曾举出了《枫桥夜泊》来说明，艺术美不必然比自然美，但可以而且应该高于自然美。当时杨牧之正在中华书局参编《文史知识》，1981年冬，约我写些古典诗文的美学赏析。我写的第一篇就是对《枫桥夜泊》的赏析，而且在对诗篇作文本分析之前，发表了一番感慨。不料我的师兄和老乡金开诚（原名金申熊）后来在《漫谈"想诗"》的评论中，对我那篇赏析大加赞扬，说我把自己的切身感受融合到诗的意境中了，入乎其内而又出乎其外，自成一格。袁行霈在主编《历代名篇赏析集成》时，把我这篇赏析也收进了第一卷。

在那里我发了一番什么感慨呢？其实就是随感而发，把我十岁时所看到枫桥的真实感受说了出来，痛惜当时现实中的枫桥，已失去了张继诗中所表现出来的美妙。那年，我已过十岁，离日军垮台还有一年多。这枫桥不仅傍依京杭运河，南到杭州，北通扬州，而且还能直达松江通向上海的苏州河，乃交通要道，南往北来必经之地。日军在这一带设置了军营，还办了一片养马场，马粪的化粪池，用运河里的水灌满发酵，利用这廉价的马粪制造成一种粗糙的纸张，苏州人称之为"马粪纸"。那化粪池臭气熏天，令人恶心，我们赶快匆忙逃离。所以，我在那篇赏析中写道：在日寇铁蹄的踩躏下，享有盛名的古迹枫桥，满目疮痍，一片衰败景象——桥上乱草丛生，河边树木凋零，河道里冷冷清清。赶到寒山寺，只见大门紧锁，既进不去，更听不到钟声，只好绕寺一周，怅然而归。看来，"月落乌啼霜满天，江枫渔火对愁眠"的情景一去不复返了，再也不可能在现实中重现。

我再次见到枫桥，那已是近40年以后了。1982年，苏州大学中文系主任范伯群邀我去讲学，苏州作家陆文夫在苏州酒家宴请我和范伯群、应启后等。席间畅谈，他们三人都劝我，已经在北大三十年了，还是落叶归根，回到苏州来教书罢。我心有所动，乘在此讲学的机会，多走一些我少时熟悉的地方，重温昔日旧梦。我不乘任何车子，从苏州大学出发，踏着石子路一路步行，沧浪亭、大公园、狮子林、拙政园、北寺塔，还去蒋庙前巷、东花轿巷、小太平巷等旧居重访。这次我特地去了寒山寺，重点考察了我当年没能进去的地方。这一看，我的收获极大，理解更进一层了，张继这首《枫桥夜泊》对苏州人来说，功莫大矣。在张继来苏州之前，其实还没有出现过"寒山寺"的名称，以后苏州在重建寺院时，因张继诗里道出了"姑苏城外寒山寺"，所以才把改建后的寺院称为"寒山寺"。苏州因寒山寺而闻名天下，所以，到苏州来的人，都想见识一下寒山寺。

其实，张继诗中所说的"姑苏城外寒山寺"，并非我们所见到的寒山寺。古来苏州枫桥一带早有寺院，但不叫"寒山寺"，梁代始建时叫"妙利普明塔院"。那时枫桥也称封桥，不叫枫桥，宋人《豹隐纪谈》中说："旧作封桥，后因张继诗相承作枫桥。"之所以改称枫桥，仍是因为张继夜泊枫桥，诗出了名，枫桥也就名闻天下了。妙利普明塔院后来简称普明禅院，因为枫桥出了名，所以又把普明禅寺称为枫桥寺。要到明代永乐年间，重建枫桥寺，才把它称之为"寒山禅寺"。也要到这个时光，寒山寺才开始供奉寒山、拾得的图像。寒山子是唐代高僧，也可能到过苏州，但要比张继晚得多。张继也不是苏州人，出生在湖北襄阳，在天宝十二年（753）中了进士，但两年后就发生了安史之乱。在乱世中，张继流寓吴越，才来到苏州，晚泊枫桥，写下了流传千古的这首名诗。而寒山子此时还默默无闻，多年后才流落浙江天台山，经十余年而成为高僧。所以，苏州的寺院，在张继之前不可能以寒山子来命名，当时苏州寺院还不曾以寒山子为崇敬对象。

自明代重建寒山寺之后，供奉了寒山、拾得的图像，确实使寒山寺更出名了，但那已是张继写此诗后的数百年了。寒山、拾得的石刻形象，为寒山寺增添了万丈光芒。寒山塑像，手持一枝荷花，满脸笑容；拾得塑像则双手执一圆口净瓶，眉开眼笑。荷花与净瓶，谐音"和平"，象征着平民百姓喜爱和平，深得民心。特别是发展到清代，雍正帝敕封寒山、拾得为"和合二圣"，民间则尊称为"和合二仙"，家喻户晓，广受尊崇。我小时就看过不少人家，结婚生子，阖家喜庆，都要挂上一张"百年好合"的寒山、拾得图像。寒山、拾得在寒山寺的光辉形象，使寒山寺更加出名。但苏州人并没有忘记张继之诗对苏州的贡献,文徵明曾书写张继诗,刻成碑文,历经劫难后,清末著名学者俞樾重书再镌。寺内走廊,辟有碑壁专廊,排列历代诗人题咏寒山寺的诗文碑刻数十方。李大钊手书张继《枫桥夜泊》碑刻,弥足珍贵。俞樾在《新修寒山寺记》中特别提及《枫桥夜泊》一诗,说道:"其名独脍炙于中国,抑且传诵于东瀛。余寓吴久,凡日本文墨之士,咸造庐来见,见则往往言及寒山寺。且言其国三尺之童,无不能诵是诗者。"

张继笔下的寒山寺,悠远清冷,绝不像现今那样"闹忙"。但年轻时去过寒山寺的现代诗人施蛰存,却嫌此诗太突出了寒山寺,冷落了枫桥。他为枫桥叫屈,推崇唐代另一诗人张祜的《枫桥》一诗:"长洲苑外草萧萧,却算游程岁月遥。惟有别时今不忘,暮烟疏雨过枫桥。"我却觉得,张祜此诗,固然也好,通过枫桥的凄凉,道出了友情的珍贵,但我更喜爱张继的《枫桥夜泊》。张继写寒山寺只寥寥数笔,却带出了夜半钟、到客船,烘托出了客居苏州的羁旅心情。诗中没有孤立地写寒山寺,而是把山寺和月落、乌啼、霜天、江枫、渔火、钟声、客船都联系起来,这就像中国传统的山水画,人置于天地之中,不是孤立而存。这些张继所见的"眼前景",和他有感而发的"心中意"结合起来,融为一体,构筑出了"天地人心"一世界,意境深远,韵味无穷。后来也有不少诗人写过寒山寺、枫桥,如宋代大诗人陆游在《宿枫桥》诗中云"七年不到枫桥寺,客枕依然半夜钟",他也夜宿过枫桥寺,听过半夜钟,但写来终不如张继诗。宋代另一诗人范成大,也写过《枫桥》诗,对寒山寺这个驿馆作了更为详尽的描写:"朱门白壁枕湾流,桃李无言满屋头。墙上浮图路旁堠,送人南北管离愁。"这首枫桥诗比张继的多了不少细节,但却没有《枫桥夜泊》那样深远的意境。就连张继晚年重访寒山寺所写的《枫桥再泊》,也大大不如他早年所写的《枫桥夜泊》:"白发重来一梦中,青山不改旧时容。乌啼月落寒山寺,依枕尝听半夜钟。"优秀的文学艺术,有可能比普通生活更美、更高,但并非必然。所以,优秀之作,人生难得,难能可贵,不可重复。

在我少年时代,正是蔡元培在江南大力推行美育而初见成效之时。蔡元培执掌北京大学之时,就倡导要以美育代宗教,20世纪30年代又在江南推行美育,我的父辈、师辈得益匪浅。虽然蔡元培在40年代初已在香港逝世,但他推行的美育在江南得到了逐步发展,我这一辈从小就受到熏陶。回顾当年,我虽然进的是教会学校,礼拜天去教堂唱诗班表演,但我从不信教,而是醉心于艺术之美,特别是自然之美。所以,我后来也相信蔡元培美育可以代宗教之说,但我也以为,美育应该而且可以代宗教,但不是必然,关键还在于怎样实施美育。从我个人的人生经历出发,我相信,人类之所以要审美、创美和育美,其最终目的就是要使我们这个世界更美好。审美教育不仅应充分发挥审美的功能,给人以审美享受,满足人的审美需要,而且,还应逐步培养和提高人的审美能力和创美能力,学会审辨美丑和创造美。更进一层,审美教育更应深入到人的灵魂深处,培育和提升人的审美趣味,树立审美理想,不断使人的精神世界升华,走向"天地境界"。审美教育应该而且能够参与到人格塑造之中,使真、善、美成为人类的共同信仰和永恒追求,促成人的全面发展,走向马克思所说的全面发展的自由个性。

报国不忘多读书

我在晟成中学附小读到四年级，还有一个多月就快初小毕业了，却在1943年的5月就离开那里，跟我父亲去了苏州、无锡之交的小镇荡口，把初小读完，然后在秋季回到老家梅村，进入梅村小学读高小。

那几年，我父亲一直在阳澄湖周边的荡口小学教书，钱穆老家鸿声里就在荡口镇旁。钱穆在常州读过中学，因辛亥革命而辍学回老家，从18岁开始，在周边投入了十年的乡教生涯，1913年就在荡口小学教过书。我父亲要比钱穆小十多岁，20年后也来到了荡口小学，钱穆则早在1930年就离开苏州，去了燕京、北大。我之所以要离开苏州来到荡口，那是因为父亲已受荡口小学之聘去当校长，我继母吴祖琇也在荡口找到了工作，全家从此迁到荡口。这荡口离苏州更近，钱穆在荡口小学当过校长，基础较好。但荡口小学只有初小，我只是在这里过渡一下，然后再决定到哪里读高小。

在我们到荡口小学不久，我父亲的好朋友陈友梅从梅村来访，就问起准备把我送到哪里读高小，苏州还是无锡。那时，梅村这地方虽属汪伪治下，但抗日势力甚强，新四军的影响很大。他当时就劝我父亲：还是回梅村老家读高小罢！他当时正在梅村高小教国文，从1943年开始，他又将担任五年级的主任，如果我去梅村高小读书，他会对我特殊照顾、精心教育。我父亲很感激老友的这番好意，决定把我托付给他，回梅村老家读高小。父亲作了一番筹划，原想我在梅村高小读两年，毕业后再到苏州城里去读初中。但我这一去，不仅在梅村高小读完了小学，而且两年后又选择进了梅村的一所初中——中华中学；读完三年初中，又在梅村进了当时初创的一所师范学堂——无锡县师。我在梅村老家读了整整八年的书。在这里，我从少年时代跨入了青年时代。在蔡元培"救国不忘读书，读书不忘救国"的精神鼓舞下，我在读书之外，还投身进步学生运动，逐渐确立了我的人生道路。

那年暑假，父亲带我们全家回到梅村，探望祖母，并对今后的生活作了重新安排。我和鱼池村的表兄一同上梅村高小，住在我祖母家里，生活由她照顾。我父亲带着我弟弟纬之和继母吴祖琇一起生活，纬弟在荡口小学读完初小，后来就进了无锡县师读书。我叔父胡定千还是在东吴绸织厂当技师，苏州的住房就由他在那里照看。

陈友梅是我的级主任，梅村高小给了他一间房，作级主任办公和备课用。他博学多能，熟悉无锡乡土历史，我常到他的办公室听他讲梅村历史和校史，听得津津有味。他是梅村本地人，本是书香门第，但到他父亲一代就破落了。他生在1904年，比钱穆小九岁，比我父亲大四岁。他小时读了好几年私塾，遇上了辛亥革命。孙中山被推为临时大总统，立即任命蔡元培为教育总长，大力推行现代新教育。当时的无锡，一下就创办了六所高等小学。梅村在1914年就创建了无锡的第四所高小，来不及建校舍，就先借用泰伯庙招起学生来。梅村高小的首届校长华澄波，是荡口人，高小办学之初，他就立即请了他的同学和同乡钱穆、钱挚兄弟二人来任教。钱挚是钱伟长的父亲，德高望重，当了梅村高小的学监。他的弟弟钱穆，自学成材，擅教国文、历史。陈友梅赶上了好时光，读了多年私塾的他，被录取为第一批读高小的学生，得以直接受教于钱氏兄弟。我父亲虽然自幼也进了梅村高小读书，但比陈友梅晚了几年，钱穆已从梅村高小去了荡口小学当校长。幸好在后来，我父亲去省锡师读书，钱穆在1923～1927年四年间在省锡师当老师，他才得以亲聆钱穆教诲。

陈友梅对钱穆这位年轻的老师极为崇敬。我在梅村高小这两年间，陈友梅不止一次地说到钱穆刻苦自学的故事。钱穆在梅村高小教书时才20岁，给学生讲国文，钻研古文已很深，还开设了《论语》专门课程，三年下来，就写出《论语文解》这本专著，这是钱穆出版的第一部著作（1918年由商务印书馆出版）。陈友梅告诉我们，钱穆没有上过大学，中学也没有毕业，但勤奋好学，诲人不倦。他热爱教书，一再说：中国文化源远流长，从未中断，这要得益于中国一向尊师重教。普通百姓对老师极为尊重，"天地君亲师"，老师仅位在亲人之后，多重要!当老师就不能不学无术,自己就要有真学问,不然就是误人子弟。在梅村高小那几年,钱穆每周要来上近二十堂课,但家在荡口,当时梅村和荡口之间无其他交通工具,只有航船可通。钱穆每周要乘船几次,在伯渎河里来回于这两个水镇之间,每次在船上就要花两个小时。为了抓紧时间,钱穆就在船上读起书来。他这样勤奋好学,教了三四年书,第一部著作也出来了。1927年秋,钱穆在南方著名的苏州中学教国文,侄子钱伟长跟他到这里读中学,后来考取了清华大学。钱穆在苏州中学,一边教书,一边写书,写出了《国学概论》等好几部书,被当时已享有盛名的历史学家顾颉刚发现。正是这位伯乐,把钱穆这个从乡镇学校中脱颖而出的小学教师,推荐到燕京大学、北京大学当教师,成为国内外著名的国学大师。陈友梅每说到这里,总要加上他自己的评语:这叫皇天不负苦心人,天生我材必有用。你们从小就要有志气,好好读书,有了真学问,不怕没有机会报效祖国。

陈友梅对蔡元培的"救国不忘读书,读书不忘救国"的精神十分叹服。他从小爱好国学,钱穆后来把他推荐给了国学名儒唐文治,陈友梅得以进入唐文治当馆长的无锡国学专修馆,聆听过朱东润、钱基博(钱锺书的父亲)等名师的讲学。在专攻国学期间,陈友梅还常去寄畅园、鼋头渚参加由钱穆、蒋锡昌等无锡学者所组织的读书会活动。国学专修馆结业后,陈友梅就在无锡城里好几所中学教国文,市一中、市女中、竞志、辅仁都有他的足迹。他还在上海附近的松江教过书,严朴之女严慰冰在松江女中读书,就曾受业于他,听他讲国文,爱上了文学,后来去了延安。在无锡城里教了近十年书,陈友梅结交了许多朋友,其中有不少是从事抗日的文化人,严朴、钱俊瑞、陈枕白、张卓如等都是在这时相识的。日军占领无锡城后,推行奴化教育,陈友梅愤而离职,回到梅村老家,想徐图发展,在家乡创办了一所私立中学,受到共产党人陈枕白、张卓如等友人的支持。奔走了一年多,陈友梅终于在1939年2月办起了一所初中,取名吴风学校,其意在发扬"吴泰伯遗风",抵制日本奴化教育。

陈友梅担任了吴风中学创校校长,在偏僻的香径禅庵内艰苦创业,从数十人发展到三百人,为当时的太湖抗日游击队培养了不少抗日战士,也为江北的新四军输送了不少人才。1943年初,陈友梅因奔波劳累,经常生病,这才转到离家甚近的梅村高小来教书,担任高级部主任。我正是在这段时光,直接接受了他的教诲,幸甚。

我在梅村高小读书的最大收获是,在这里我爱上了文学,而且,从此开始,我一辈子就和书本打上了交道。

这要归功于教国文的老师陈友梅。在苏州读初小那几年,参加的活动多,爱上了音乐、园林、山水,但不懂得读书。陈友梅讲国文,声情并茂,融德、智、美三育为一体,使我对文学发生了兴趣。

陈友梅是属于那种新旧兼通、文史博学的一辈教育家。他在读梅村高小和无锡国专时,直接受到钱穆、唐文治等早一辈国学家的教育,国学底子深厚。他在梅村高小毕业后又去上海的洋学堂读了好几年中学,受到了新式教育。他能把学到的中西、新旧文学融为一体。历史学家严耕望去台湾后回忆三四十年代的苏南教育时说,那时,"江南苏常地区中小学老师多能新旧兼学,造诣深厚。今日大学教授,当多愧不如"。

陈友梅极具爱国情怀,在国文课上,他常跳出教科书上的课文,挑选一些古典诗词中的爱国诗篇,在课堂上边咏边讲。文天祥的《正气歌》、岳飞的《满江红》、陆游的《示儿》,他讲解这些诗篇时,满腔热情,慷慨激昂,讲课深深打动人心。在讲到陆游的"死去原知万事空,但悲不见九州同;王师北定中原日,家祭无忘告乃翁",陈友梅禁不住呜咽无声,凄然泪下。他在讲这些诗篇时,都是先作一番吟咏,抑扬顿挫,铿锵有力,先从感情上激荡我们的心灵,然后再作精彩分析,提升我们的精神境界。有些诗篇,在辛亥革命以后,已被陆续配上乐曲,陈友梅还能在咏诗之后,又教我们歌曲,引吭高歌,更能深入人心。像《苏武牧羊》一曲,悲怆深沉,表现了苏武的"威武不能屈,贫贱不能移"的崇高气节,20世纪30年代已在江南广为流传。陈友梅为我们讲了苏武牧羊的故事,然后又教我们唱了此曲。70年过去,全曲的歌词我已记不全了,只记得开头几句,"苏武留胡节不辱,雪地又冰天,苦忍十九年;渴饮雪,饥吞毡,牧羊北海边"。但是,当我在钢琴上弹奏时,却能把《苏武牧羊》的全曲旋律重新再现出来，可见，当时印象之深。

也就是在梅村高小，陈友梅开始为我们讲解作文之道。他不是说些抽象道理，而是紧密结合实例来讲文章怎样才算好。当时的小学语文教科书经过了新文化运动的洗礼，大多是用白话文来编写了，但要编写得好，还是很不容易，这里就要讲为文之道。陈友梅在讲课时，吸纳了好几本小学语文教科书中的精华，重点讲解了孔融分梨、周处除害等故事，分析哪本教材中编得好，好在哪里。他分析司马光幼时救人砸缸的故事，最为精彩，令人难忘。这故事最早源自《宋史》，以文言简略记叙了司马光幼时，"群儿戏于庭，一儿登瓮，足跌没水中，众皆弃，光持石击瓮破之，水迸，儿得活"。辛亥革命以后，好多小学国文教科书都用了白话文改编成短文，基本情节类似，但文笔好坏相差甚大。陈友梅为此作了对比，他特别赞赏商务印书馆在1933年出版的《复兴国语教科书》中所收的《聪明的司马光》，说的也是白话，但全篇结构完美，句式工整，而且讲究押韵，读起来朗朗上口，气韵生动，一气呵成，今天读来，仍觉别有风味，余味无穷：

> 花园里，假山旁，许多孩子捉迷藏。
> 忽然间，不提防，一个跌进大水缸。
> 跳不起，爬不上，大家顿时惊得慌。
> 逃的逃，嚷的嚷，一点没有办法想。
> 好孩子，司马光，人又聪明胆又壮。
> 只见他，急忙忙，搬了石头就敲缸。
> 一阵敲，一阵响，水缸敲破开小窗。
> 满缸水，窗外放，救出朋友没受伤。

通过这短小的篇幅，显现出了司马光砸缸的生动具体情景，而司马光的仁爱之心和应急的智慧，也都展示出来了。在这里，德育、智育和美育密切结合在一起。

依陈友梅之见，作文之道最要紧之处是要深入而浅出。他对陶行知的深入浅出之说甚为赞赏，并进而作了发挥。他以为，文以载道，这"道"要作更为广泛的理解，"道"有大道、小道，这"道"就是道理，写文章就是要说出个道理。但无论是大道理还是小道理，不管这道理多少深奥，表达出来要让人懂得，这就必须浅出。思索要深入，但表达要浅出，依他看来：

> 浅入浅出算通俗，深入浅出方成熟。
> 深入深出犹可恕，浅入深出最可恶。

陈友梅所发挥的这番道理，深深刻在我的脑海里，使我一辈子受益无穷。当我后来学写文章时，我首先要自问：我要阐明的这个道理，我自己弄懂了没有？有没有和自己的人生体验联系起来？如果自己都没有体会，如果自己都没有弄懂，写出来别人能懂吗？那不就变成概念的游戏，还有什么意义？

正是陈友梅的这种国文教学，把我吸引到文学爱好上来，我喜欢上了文学。由爱好文学进而又推动了我的课外阅读，从泛泛而读转向细读文学精品的道路上来。在此之前，我在课外也读过一些书，那都是《七侠五义》《隋唐演义》《封神榜》《西游记》一类的武侠小说、神怪小说，是在好奇心理驱使下，猎奇逐新，看看好玩。陈友梅劝我别把大好时光都消磨在这通俗小说上面，从小就要抓紧时机，多读历史上积累起来的文学精品，要多读好诗文。取法乎上，仅得其中；取法乎中，仅得其下；若取法乎下，则就每况愈下了。在高小的最后一年，陈友梅为我们推荐了鲁迅、郭沫若、茅盾、曹禺、巴金等大作家的作品，但那时还不大懂，所以读得不多。我对新文学发生兴趣，是在读了朱自清、冰心、郁达夫的散文后才开始的。从此，我对武侠小说、神怪小说失去了兴趣，再也不读。后来，金庸小说热兴起，我却一点兴趣也没有。

当读书成为一种爱好，发展下去，就逐渐成为一种习惯。但是，阅读的内容会随着时间的推移而不断发生变化，文学阅读曾长期成为我关注的中心，甚至我一度几乎走上文艺批评的道路。但过了古稀之年，我的自由阅读范围大大扩展，从最精微的脑神经系统，一直到无限广大的多重宇宙究竟是怎么从"无中生有"地生成的，世界上最美好的地方在哪里，哪里在日益走上丑陋，大国的悲剧是怎么发生的，种种困惑引起我更为广泛的阅读兴趣。我渴望真正了解我生活其中的真实世界，我对纯属虚构的作品失去了兴趣。数十年来，一些文艺理论把虚构和想象混为一谈，一谈想象就是要虚构。其实，任何显现了生活真实的作品，都需要想象，但不一定是虚构。建构艺术真实需要想象，但想象有多种多样。有些想象把人引向空想、幻想，和生活真实切断了联系，这些都已引不起我的兴趣。但我仍然相信理想，理想是如今还未出现但将来能够实现的想象，而不是空想、幻想。文学艺术因为渗透了审美理想，所以能够超越现实。但是文学艺术的超越性奠基于生活现实，作家、艺术家必须穿越生活现实，才能创造出可信的艺术真实。所以，到了晚年，我反思再三，觉得文学创作可以有多种多样的方法，但现实主义和浪漫主义相结合，不是唯一，却是最好的创作方法。

在梅村高小期间，陈友梅除了为我们开了两年国文课，还为我们开设了一年的新课，名叫"乡土"。20世纪20年代后期，蔡元培离开北京大学，在南方推行新式教育，力倡由教育家、学者、专家来办教育，鼓励中小学教育和大学教育打成一片，提倡教育要把科学化、艺术化和劳动化结合起来，让受教育者在德、智、体、劳、美各方面得到全面发展。那时，陈友梅在上海读中学，深为蔡元培的教育精神所感染，所以在梅村高小教书时，积极参与新课的建设。

为什么要开这"乡土"课？陈友梅说得清清楚楚：教"乡土"是为了要让大家爱"乡土"，这"乡土"就是家园、故乡、乡亲。爱乡又是为了爱国，这两者是不可分割的。国家不是虚空的，它离不开故乡、家园和乡亲，要爱国，就要从爱乡土起始，包含了爱故乡、家园和乡亲。国学泰斗、反清斗士刘师培，早在1906年就编写出了《江苏乡土历史教科书》。他在《编辑乡土志序例》中说得好："若一郡一邑均编乡土志，则总角之童垂髫之彦，均从事根柢之学，以激发起爱土之心。"

陈友梅的"乡土"课，从无锡的历史人文说起，涉及自然地理，然后进入风土人情的描述。陈友梅在无锡土生土长，他教乡土，多举实例，生动活泼，甚至还和教"远足"课的老师相互配合，让大家作实地考察，所以效果很好。

从商末泰伯和仲雍为把皇位谦让给三弟而躲藏到梅里，吴文化已有三千年的历史，这一带的山山水水，已逐渐刻上了吴文化的烙印，自成特点。以梅村为起始，陈友梅带领我们考察了离阳澄湖不远的鸿声里、鹅肫荡那一片的乡土。那时伯渎河里已开通了无锡到苏州的轮船，到这一带已很方便。沿着伯渎河的两岸，不时出现像周庄、同里那样的小镇，如方泉、马塘，基本结构类似，街道、民居沿河而建，真个是江南人家尽枕河，河水清澈见底。这样的家园、故乡，哪个不爱？陈友梅告诉我们，当初他读梅村高小时，钱穆就有好几年时光来回于荡口、梅村之间的伯渎河上。多年之后，我见到钱穆回忆故乡的文章，说他在1949年离开无锡之后，流寓香港、台湾半个世纪，但对家乡总不能忘怀。钱穆深情满怀地写道：

> 中国乃如一幅大山水，又必有人文点染。即如余乡，数里内即有小丘，称"让皇山"，乃西周吴泰伯让国来居，葬于此。则已有三千年以上之历史。亦称鸿山，乃东汉梁鸿偕其妻孟光来隐，亦葬于此。则亦已接近两千年之历史。又有鹅肫荡，亦在数里内。明末东林大儒顾宪成在此教读，常扁舟徜徉其中，则亦有三百年以上历史。有《梅里志》书，环余乡数十里，古今人物名胜嘉话，穷日夜更仆缕指不能尽。

钱穆在这里以故乡为例，说明祖国就像一幅山水画，是自然和人文的相互整合，很有说服力。

虽说"无锡锡山山无锡"，却是"常熟熟稻稻常熟"。其实，无锡和常熟都是鱼米之乡，而且早已进入中国四大米市之列。像苏州这样的历史文化城市，在物质生活和精神生活都极为"精致"，手工艺水平（特别是丝绸织锦）也堪称登峰造极，但是却没有发展出无锡那样的新兴现代工商业。在辛亥革命之后，无锡紧随上海之后，迅速发展了棉纺、缫丝和面粉三大支柱产业，被称为"小上海"。江南水乡，地灵人杰，无锡得天独厚，依仗地处长江、运河、太湖的优势，在新兴现代经济的土壤上，培育出一些新型的人杰，像荣德生、荣宗敬弟兄这样的民族资本家。随着工人运动和农民运动的兴起，无锡还出现了无产阶级革命家,如严朴、陆定一、钱俊瑞这样的人,在新思想基础上,发扬顾炎武东林书院的"国家兴亡,匹夫有责"的精神。

说到荣德生,在无锡可说是家喻户晓、老幼俱知。在20世纪初,无锡荣巷上的荣宗敬、荣德生兄弟就从开办面粉厂开始,陆续发展出碾米厂、棉纱厂、染织厂、缫丝厂等民族工业,又从无锡发展到上海。在抗日战争前夕,荣氏兄弟已成无锡首富。无锡的缫丝业,规模和产量甚至已超过上海。荣氏被国内尊为面粉大王、棉纺大王、缫丝大王。但是,日寇入侵无锡,申新三厂等被烧,茂新厂被毁,部分工厂只好转移到内地,无锡的民族工厂遭受重大打击,一落千丈。荣德生受日寇迫害,只能逃离无锡,到上海的租界避难。荣宗敬则去了香港,再图发展。陈友梅在为我们讲解荣氏家族的发展史时,对民族工业所受的重创深表惋惜,而对日寇于民族工业的摧残,甚为愤慨。

在那个时代,知道严朴、陆定一、钱俊瑞的无锡人就不那么多了。但作为教育界的有识之士,陈友梅就一直在追踪这些无锡文化人的足迹。钱俊瑞是陈友梅的中学同学,又是钱穆的同乡,也是鸿声里人,只是钱俊瑞比钱穆小七八岁。陈友梅和钱俊瑞交往甚多,早在20世纪30年代,钱俊瑞就在上海的塔斯社(苏联的通讯社)任记者,并且参加了中国共产党,在宋庆龄领导的爱国组织中工作,后又随叶挺到新四军中作宣传部长。陈友梅在和钱俊瑞的交往中,又逐渐知晓了严朴、陆定一的革命经历。严朴要比陈友梅年长十岁,是无锡地区农民运动的领袖,20年代在上海读书时就参加了中国共产党,被派回无锡开展革命运动,竟变卖了自家的家产(在张泾桥寨门村),创办了一所中学,名江苏中学,作为革命活动的基地。参加长征后,他曾被派送到苏联,进入列宁学院学习。抗日战争中,严朴在八路军中任要职,先后在西安、重庆的办事处当秘书长。严朴的长女严慰冰,1937年从无锡到延安参加抗日,后成为陆定一的夫人。陆定一是无锡西乡人,20年代在上海交通大学读书时就参加了中国共产党,不久就被派到莫斯科,担任共青团驻少共国际的代表,和瞿秋白共事多年。在长征途中,接替邓小平,主编《红星报》,后又担任红军的宣传部长。1942年在延安任《解放日报》总编辑,从1944年开始担任中央宣传部长,直到全国解放。

那时，国共合作，共同抗日，无锡人都知道，新四军、八路军、太湖游击队，都是抗日的英雄部队。所以，当陈友梅向我们这些高小学生介绍严朴、陆定一、钱俊瑞这样的无锡前辈时，我们肃然起敬。正是从这时开始，我也逐渐关注起这些人物的历史动向来。严朴在全国解放前夕就已在北京逝世，成为烈士。陈云曾和严朴共事，亲撰《严朴同志传略》，深切怀念。严朴的夫人过瑛，解放后一直和陆定一、严慰冰在一起，住在中南海增福堂，我在北大时有幸能每年去她那里两三次，用家乡话说家乡事，倍感亲切。60年代初，严慰冰写了叙事长诗《于立鹤》，就是写她父亲严朴的革命事迹。唐弢的夫人是严慰冰的中学同学，唐弢曾为严慰冰此书写了书评。我在北大读书期间，见到了陆定一、钱俊瑞这两位无锡前辈。那时钱俊瑞是教育部的副部长，后来，又当文化部副部长。陆定一的地位更高，长期担任中央宣传部部长，后又任国务院副总理，在中共高层竟达50年。"文化大革命"后，陆定一回顾自己70年的革命生涯，以切身体会反思了党的斗争的历史经验，留下了宝贵的精神财富，1996年以90岁高龄谢世。

陈友梅的"乡土"课，把我引入了无锡的历史深处，使我懂得了什么是"人杰地灵"。我也逐渐体验到了，爱祖国、爱人民，是和爱家乡、爱乡亲紧密联系着的。爱家乡、爱乡亲和爱祖国、爱人民一体相通，相互促进。陈友梅20多年前去世了，但我永远怀念着他。

憧憬未来试筑梦

一

抗日战争胜利那一年,我从梅村高小毕业,就地又在梅村上了初中,开始了人生的新旅程。

我清楚地记得,1945年的10月10日是抗战胜利后的第一个"双十"节,当时的国庆。放假时,我回到苏州城里,和父亲、母亲、纬弟和才三岁的小妹蕴坚一起过的节日。那时,我父亲已离开鸿声里,不在那里当校长了,而是调入苏州高等职业学校主管教务。抗日战争刚胜利,逃难到内地的苏州本地人开始陆续回到老家。我父亲当机立断,在调入苏高职的同时,就在靠近观前街的临顿路小太平巷买下了一栋独门独户的楼房,准备从此就在苏州城里安居乐业,长住久安了。苏州人对前景开始乐观起来,把日本人赶走了,开始憧憬未来,动手建设自己的家园,好好安排自己的生活。

我是第一次到这个新家,以前住过的蒋庙前、东花桥巷,都在拙政园、狮子林、北寺塔一带,不靠近玄妙观、沧浪亭。这个新家就紧靠观前街这个闹市中心了。门前是一条小河,直通盘门的水城门,驾一小舟,可以直达苏州河,去上海,或者穿过相门,去范成大晚年隐居之处——石湖。不过,这新家的那栋房却并非新建,而是清末所建的老房子,那整体格局就和周庄的沈万三老宅类似,当然气魄就差远了。住宅的架构也是三进。第一进是平房三间,可以单独住一家人。按照苏州当时的习俗,这一进是租给一家裁缝,开一家裁缝店。店主戴着一副老花眼镜,整天坐在中间最大的那间,裁布缝衣,两边是住房和厨房。要入第二、三进,却必须经过这里,若有来客,也都必须向他打听。所以,这裁缝还起着门卫的作用。第二进,先是一个大天井,种有几棵花木,然后进入主体,两层楼。楼下是大客厅,两旁有两个侧厢,分别可住两家人。楼上则有四间房,可供主人一家住,楼后还有个大阳台,可以在那里品茶赏月。第三进则又是平房,有两间房可供勤杂人员住,最占地的是一间宽大的厨房,有两个大灶,一个小灶,可以三家人用。这套住宅本是清末建筑营造社的一位建筑设计师为自家设计的,按大户人家的架构加以缩小建成,开始还是供自家住。但到了第二代就吃喝嫖赌,吸鸦片上瘾,眼看坐吃山空,只好把楼下的房出租给别人住了。到了第三代,只剩下一对中年夫妇,无儿无女,靠房租生活。抗日战争一胜利,他们也开始策划后半辈的生活,夫妻俩商量好,在老家甪直镇去领养了一个小男孩,然后把苏州这套房卖掉,回家乡去开个小店,把小孩养大,好有人传宗接代。那夫妻俩急着出手,以当时最便宜的价格把这套房卖给了我父亲。所以,这是一套住过三代人的老房子。我父亲没有把那些老房客赶走,仍然把那几间房租给他们,只把楼上四间留给我们一家自己住。我父母带着小妹只住两间,还有那两间,一间给我住,一间给纬弟住。

  这是我有生以来住的最好的房子,晚上又有生以来第一次看到放焰火,心情极为爽快,印象深刻,对前途充满了希望。夜里,我们一家人坐在二楼的宽敞阳台上,品着龙井茶,吃着苏式月饼和洞庭东山来的水果,眼睁睁地等着观赏焰火。那年,苏州以贝家为首的名门望族、乡绅雅士自集经费,庆祝抗日胜利后的第一次"双十"节,在苏州公园旁五洲路体育馆举办了一次盛大的焰火晚会。那里离我们新家不远,只十分钟路程,我们在阳台上看得清清楚楚。只听猛然一响,焰火升天,照亮公园上方,然后一幕幕出现亭、台、楼、阁、塔、桥、山等花样。这不是我们如今看到的几何图形,而是一幅幅的具体物象,一忽是像苏州沧浪亭的亭子,一忽又是像虎丘山的尖塔,一忽又是像拙政园的厅阁,一忽又像石湖中的石桥……观瞻这一幕幕的焰火,就好像在欣赏一幅幅空中山水画,犹如置身于名山大川、深深园林之中,美不胜收,韵味无穷。这是我少年时代所经历的唯一一次焰火晚会,在我脑海中刻下了深深的印象,以为放焰火,就是在空中展现祖国山水。但是，当我进入青年时代，50年代在北京再次观摩焰火晚会，一直到如今去香港维多利亚港观赏现代焰火，都再也见不到那时的空中山水画了，我把那称作古典焰火。每一次观赏现代焰火，我总会想起苏州的古典焰火。我每次回苏州，总要向老家的熟人，包括作家陆文夫，询问那古典焰火怎么没有了，是不是那工艺失传了。大家都说不出一个所以然来，可这困惑一直在我心头，至今不能释然，却也无可奈何。

二

日本人走了，中国人可以自己掌握自己的命运了。1945年夏，高扬"吴泰伯遗风"的吴风中学在新四军的支持下，从香径禅院迁入梅村镇上，扩大招生，以求发展。

正好我在此时高小毕业，当时担任梅村高小校长的陈友梅把我推荐给了吴风中学校长强式之。于是，我轻松地进了吴风中学，开始读初中。

我之所以乐于进吴风中学，那是因为可以住校寄宿，吃住都在学校，不需再由我已经年迈的祖母来操劳了。我父亲开始想让我到苏州城里读初中，但陈友梅劝我父亲，吴风中学的校风好，学风好，教师教书认真，先把基础打好，将来再到苏州发展。再说，吴风中学的校长强式之，不仅是陈友梅的中学同学，而且和我父亲也熟，一听说我是胡定一的儿子，表示一定会好好照看我。我父亲也就放心地让我住进吴风中学了。

那年我十二岁，离开了照看我多年的老祖母，开始过一种独立的生活。那时，在学校寄宿的人不多，也只十来个人，分两桌吃饭，和老师在一个食堂，真个是朝夕相处。我最感新鲜的是晚上自修，在饭堂里挂上一盏汽油灯，亮晃晃地照耀着这十几个学子夜读，心里顿感舒畅。在那个年代，汽油灯还是稀罕之物，戏院里演戏才点这种灯。我在祖母那里住，晚上只点一盏小小的煤油灯，昏暗沉闷。可寄宿在学校，晚上一点这汽油灯，精神就来了，读书的时间不仅多了，而且精神振奋，读书效果更好了。正是从这里开始，我逐渐养成了晚间安心读书的习惯，夜深人静，只要一读书，心情就安定下来了。

吴风中学的发展，迅速而有序。在吴风中学迁梅村的第二年，钱穆老家附近的一所中学也从数十里外的荡口迁到梅村。这所学校叫启新中学，因办学宗旨和吴风中学相近，经过友好协商，两校合并，改名为中华中学。于是，校园一下子就扩大了一倍，学生也达三百多人。

1946年秋季，和钱俊瑞有密切联系的中华中学校董主席俞庆棠、秦柳方，推荐了一位新校长来管理中华中学。这位新校长名叫潘超，儒雅风度，文质彬彬，但在他的办公室，却挂着一大幅佩带军刀的蒋介石像。当时，我们一些已对国民党有所不满的学生开始心存戒备：这位校长是不是国民党派来的？大家避而远之。他为我们开一门"公民"课，对"三民主义"一笔带过，却离开课本另加发挥，大讲人生之道，"我为人人，人人为我"，鼓励大家把这作为座右铭。这是我第一次听到这样的人生道理。当时，我不知道这位校长是什么样的人。多年之后，要到解放之初，我才知道他是地下共产党，抗日战争期间潜伏在台湾做抗日战争工作，抗日胜利后受命转移到苏南来从事教育，还带来了好几位老师共图发展。他之所以在办公室挂上蒋介石的大幅照片，就是要让那些国民党人知晓，他是和当局上层有关系的人，以掩护自己的真实身份。1949年解放之初，在钱俊瑞的安排下，他去了北京，参加中国社会科学院的筹建工作了。直到50年代我去北大后，方去他三里河的寓所再次见面，回忆往事，开怀畅笑。

潘超带来的几位教师，来自天南海北，见过大世面，视野广阔，讲起课来，头头是道，极受欢迎。

教导主任李文松，一口北方官话，为我们讲地理课，生动活泼。特别是讲到他去过的那些省份，常带着他的感情，黄河长江，峨眉黄山，深深吸引着他，也感染着我们，都想将来要去亲眼看一下。五洲四海，虽然他也没有去过，但娓娓道来，使我们大大开阔了视野，知道世界那么大。解放前夕，他就去了浙南游击队，听说后来当了浙江一个军区的政委，但一直没有再见，他的声音容貌却历历在目。

音乐教师黄月娟，是潘超从台湾带来的新竹人，当时还不到二十岁的一位小姑娘。她手持一根小小指挥棒给我们上音乐课，第一堂就教了一首《小黄鹂鸟》，声音清脆，曲调优美，一下就吸引了大家。我们这些学生在底下为她起了一个绰号，就叫她"小黄鹂鸟"。她最喜欢教我们唱中国民歌，王洛宾改编的那些新疆民歌《在那遥远的地方》《马车夫之歌》，江苏民歌《茉莉花》《姑苏风光》等，都是她的最爱，她把这些歌教给了我们。那时学校还穷，连风琴也没有，更不要说钢琴了。她教唱，只带了一个小口琴，好定一下音，然后先唱一遍，再从头教起。那时，我也对民歌着了迷，但不善唱，故叫父亲特地给我买了一把二胡，学起胡琴来拉奏民歌曲调，觉得这实乃人生一大享受，乐此不疲，受用一生。解放后，这位比我辈学生大不了几岁的"小黄鹂鸟"去了上海，听说她后来进了上海音乐学院专攻声乐去了。

教我们美术的是一位木刻家，叫李志耕，长得又高又大，一脸胡子，不修边幅。在二年级时，学校的学生自治会选我当文艺部长，办了一个油印刊物，名叫《嫩芽》，登载诗文以外，每期都刊发他的好几幅木刻，很受欢迎。解放之初他去了上海，不时在《文汇报》上发表木刻作品，成为著名的木刻家。

这是一个新的历史时代，抗战一胜利，流散在内地和海外的许多进步文化人士纷纷来到江南，寻找落脚之地，梅村这江南古镇一下也成了藏龙卧虎之地。等到全国一解放，这些文化人士又从这古镇走向北京、上海等大城市，参加新中国的文化建设去了。我这刚进初中的求学少年，正逢其时，受到了这些人的教诲，启发我这幼小的心灵，从少时就向往走向更大的世界。

三

在中华中学那几年，接触最多、对我影响最大的是教我们语文的老师何阡陌。

何阡陌不是共产党，无党无派，也不是潘超带来的，而是由教育家俞庆棠推荐来的。来中华中学时，也就三十多岁，但戴着一副金丝眼镜，穿着中式长袍，一看就是饱学之士。他毕业于武汉大学，湖北人，抗战期间去了重庆教中学，抗战胜利后来了苏州、无锡，一下就爱上了江南这地方,想在这里安居乐业,做学问。他做学问时对研究音韵发生了兴趣。他发现,吴语方言和音韵,沉淀了古典诗词中的平上去入四声,想作深入探讨。为了研究吴语音韵,他又进而研究起苏州评弹、苏州文戏和无锡滩簧来。他潜心学术,一直单身,到了四十岁也没有结婚。

我开始是被他的讲课所吸引。他讲课用的是开明书店语文课本,但他的讲课却不限于课本,常常自选一些资料作为补充。他讲一口标准的普通话,从容自若,抑扬顿挫,娓娓道来。他讲解鲁迅的《祝福》,深入剖析祥林嫂为什么会有这样悲惨的遭遇,层层深入,步步递进,使我们不少同学流下了同情之泪。最使我倾倒的,是他讲解朱自清的《背影》,饱含深情,以生动形象的语言,把其中蕴含的父子亲情深刻揭示了出来,刻骨铭心,终生难忘。我从来也没有如此体验到文学的艺术魅力,能达到这样神奇的境地。

何阡陌不仅讲得好,对作品的分析鞭辟入里,令人倾倒,而且还在课外指导我们的文艺活动。初二时,我被学生自治会推为文艺部长,负责三件事:一是出版油印刊物《嫩芽》,二是策划编辑学生墙报,三是组织文艺阅读社。我请何阡陌担任指导老师,帮助策划、审读,开阅读书目,有时还来参加阅读讨论会。

我有幸得到了何阡陌老师的更多关怀。接触多了,他知道我对文艺的特殊爱好,就不时为我讲一些文坛轶事。那三年,我一直在校寄宿,何阡陌也住在学校,有一间宽敞的地板房,放一张书桌、书橱,允许我借他的书看。最能敞开心扉畅谈人生的时机,是在晚饭后去校园外作漫步之际。何阡陌差不多在每天晚饭后都要走出校门去郊外散步,我也喜欢跟着他出去。经常是跨过石桥(名叫金亮桥),沿着一条河,向附近的村庄走去。这条河是从伯渎江分出来的一条支流,徐徐向西南方向流去,然后通过去杭州的大运河。那时的河水碧清,河底水草摇曳,水岸杨柳依依,在河边散步,真是人生中的一大享受。有时,住在桥边小村庄的一位同学沈伟烈,也加入了散步行列,时常会从村里借来一只小船,用竹竿撑着船,在河上徐行,别有一番风味。何阡陌常在散步时睹景生情,咏吟起一些古典诗词来。他最喜咏吟的是元人马致远的那首脍炙人口的《天净沙·秋思》:"枯藤老树昏鸦,小桥流水人家,古道西风瘦马。夕阳西下,断肠人在天涯。"此时,他想起湖北的老家,中年在他乡漂泊,情不自禁,乡愁油然而生。但他也深深爱上了杏花春雨江南,所以,他也常吟咏白居易的《忆江南》:"江南好,风景旧曾谙。日出江花红胜火,春来江水绿如蓝。能不忆江南?"吟咏之后,还为我们阐释,说及白居易在苏州、杭州当刺史的故事。他告诉我,三首《忆江南》是白居易晚年回忆中年在苏州、杭州当官时光的感受,深情怀念江南之好,感人肺腑,令人难忘。

在何阡陌的引导下,我在那几年就如饥似渴地迷恋起新文学作品来,鲁迅、郭沫若、茅盾、巴金、曹禺的作品都有所接触。但我读的最多的还是散文,朱自清、叶圣陶、郁达夫、冰心、萧乾等散文家的美文,都吸引着我。

最初引起我阅读兴趣的是那些抒写江南好的美文。苏州前辈叶圣陶,热爱故乡山水,他写的《记游洞庭西山》,一下就把我吸引住了。他第一次深入到太湖中的洞庭西山,体验到太湖之美:"以前在无锡鼋头渚,在邓尉还元阁,只是望望太湖罢了。现在可亲身在太湖的波面,左右看望,浑黄的湖波似乎尽量在那里涨起来,远处水接着天,间或界着一线的远岸或是断断续续的远树……这时候太阳已近地平线,黄水染上淡红,使人起苍茫之感。湖面渐渐升起烟雾,风力比先前有劲,也是横风,船身向左侧,船舷下水声哗哗哗,更见爽利。"那时我年少,只去过无锡的鼋头渚和苏州的邓尉山,却还没有去过洞庭东山和西山。读了叶圣陶的这篇美文,我脑海中有了悬念,一直想去太湖深处一看究竟,亲身体验,但这个愿望要等到四十年后方得实现。

稍后,眼界逐渐扩大,郁达夫的散文把我从家乡引入江南其他地方,见识了浙东风光。读他的《苏州烟雨记》,进而欣赏他的《江南的冬景》《雁荡山的秋月》《西溪的晴雨》等,读到特别精彩处,情不自禁,发出会心的微笑。坐在汽油灯下一起自修的同学,就会过来问我,看了什么这样傻笑。我会把郁达夫的那篇《半日的游程》递给他看:郁达夫笔下的那个"我"在杭州作半日游,坐在茶室里欣赏那秋天的夕阳,乐而忘返。忽听得耳旁传来一位老翁的声音,用道地的杭州乡音在和茶伙计算账,抑扬顿挫,煞是好听。"我"侧耳一听,那老翁认真地在说:"一茶,四碟,二粉,五千文!"那声调真像是在吟咏古诗。"我"就半开玩笑似地问他:"老先生!你是在对课呢?还是在作诗?"那位老先生莫名其妙,问"我"说啥?"我"幽然地说道:"你不是在对课么,三竺六桥,九溪十八涧,你不是对上了一茶四碟,二粉五千文么,真是一副好对啊!"那老先生一听,也乐了起来。郁达夫的散文,在写自然风光时,常喜渗入人文,此篇亦然。我特别喜爱郁达夫写他富阳老家的富春江的美文,深深激起我对富春江的向往,但这愿望也长期未能实现,要等到半世纪之后,才得机缘一睹富春江的真面目。

再稍后,冰心的散文把我带进了一个更为宽广的境界。她的《寄小读者》,大多写在赴美留学的海船上,以一颗纯怀的童心来看待海上和海外世界,让我这从未见过海洋、从未出过国门的初中少年,跟着她一起去体验从未经历过的世界。冰心虽然从小就跟着当海军军官的父亲在青岛、烟台生活,但也从未漂洋过海,去过海外。这次远涉重洋,使她对世界和人生有了特别深切的感受,忍不住在海船上写了下来。《寄小读者》中的二十多篇散文,渗透了一种精神,把童心、母爱和自然融成一片。在她的童心观照下,深切悟到"世界上最难忘的是自然之美",而大海就像是自己的母亲,对大海充满了爱。她在寄小读者的第七封信中这样说道:"我自少住在海滨,却没有看见过海平如镜。这次出了吴淞口,一天的航程,一望无际尽是鄰鄰的微波。凉风习习,舟如冰上行。到过了高丽界,海水竟似湖光。蓝极绿极,凝成一片……湖上的月明和落日,湖上的浓阴和微雨,我都见过了,真是仪态万千……海好像我的母亲,湖是我的朋友。我和海亲近在童年,和湖亲近是现在。"冰心把自己称作"海的女儿",远离家国,只有大海给予自己无尽的安慰,她感恩大海,把这称作"慰冰"——给冰心以心灵上的慰藉。

是何阡陌老师把我引进了文学鉴赏之门,逐渐懂得如何鉴赏文学作品。文学为我展示了另一种世界,从而引发我开始构筑自我的美梦,对前途充满了美好的憧憬。

四

也就在中华中学，我也开始学着接近社会。

中华中学的教学模式，是学陶行知在晓庄师范实行的做法，倡导知行合一，走向社会。潘超特地去晓庄师范作了观摩考察，在中华中学除了广揽文化进步人士来任教外，还鼓励学生自治、课外活动，积极推进师生结合的社会调查。何阡陌老师还承担了一项社会调查的课题——研究吴文化。他叫我也参加这项社会调查，我因此有机会常跟着他到无锡城里去寻找资料，观察现状。

何阡陌把考察的重心放在吴地的俗文化。那两年，我跟他到无锡城里去过五六次，主要做三件事：一是到市图书馆查文献资料和到旧书店买书；二是到市中心崇安寺和北塘米市去考察民间演艺（滩簧、说唱、评弹等）；三是到中心公园去喝茶，他边和他朋友聊天，边观察园内行人的来去行踪。他教我这学生如何学会观察人，从行人的动作表情中，了解人的性格特色。

我虽然出生在梅村，但从小很少到无锡城里，反而在苏州城里好几年，所以，我对无锡城里还不如何阡陌熟悉。在无锡城里他有好几位朋友在无锡师范、竞志女中教书。那几年，他差不多一到放假就会乘轮船去无锡城里，看电影，听评弹，公园品茶，书店购书。一次，他从城里买回来一尊石膏像，亭亭玉立，放在他的书桌上。他告诉我，这就是世界著名的维纳斯雕像，无锡的泥人店把这像用石膏复制了，效果还不差。他用手电从不同侧面照射这雕像，教我如何欣赏这美神。这是我有生以来第一次见到维纳斯像，再次进城时，我要他带我到那泥人店，也买了这样一尊白石膏像。我把这尊像带回苏州，放在我家里房内的书桌上；1952年我进北大，又带到了燕园，在我身边30多年。1984年我到深圳，又带到深大校园，至今也已30年，虽脚上已有些破损，但我仍把此像放在我的窗台上。这尊像竟跟随我走过了近70年岁月，半个中国。

正是因为何阡陌带我到无锡城里作社会调查，我得以目睹了瞎子阿炳在南门清名桥一带拉二胡卖艺。在此之前，早就听说瞎子阿炳的

"说唱"十分了得,但没有见到过这位艺人,不知究竟是什么形象。阿炳的本名叫华彦钧,是梅村西北十多里地的东亭人,离梅村不到一个小时的路程。阿炳的生父是无锡一家道观里的道士,是属于可以结婚成家的那一种,叫华清和,精通道教音乐,吹拉弹唱,就靠做道场为生。阿炳从小就跟父亲学了好几种乐器,对二胡和琵琶这两样特别喜爱,后来又学江南丝竹乐和演奏江南民间小调,逐渐形成了自己的演奏特色,受到道教界的欢迎,被称为"小天师"。

但阿炳在无锡的出名,当初并非因为他的二胡演奏,而是缘于他的说唱。阿炳三十多岁的时候,父亲过世,他接任主持道观,不仅不善经营,而且生活失检,染上吸毒宿娼的恶习,双目失明,经济上也入不敷出。成了瞎子的阿炳,只好走向闹市小巷,靠卖艺为生。年过四十以后,另一个苦命人董催娣和他走到一起,陪着他上街卖艺,照顾生活,俩人相依为命,直到老死。阿炳虽然穷困潦倒,但甚有志气,敢于在日寇统治下,用"说新闻"的方式在大庭广众之下,唱出爱国情怀。当时就流传着这样一首说唱:

东洋兵,西洋兵,东放火,西杀人,
南抢金,北夺银,弄得处处不太平。

我也是从阿炳的"说新闻"才知道此人,觉得他有骨气,令人敬佩。但何阡陌这次调查,要我多关注阿炳的音乐,他在崇安寺"三万昌"茶馆听过阿炳演奏二胡和琵琶,觉得大家对阿炳的音乐不大了解,颇值得作些研究。他叫我去市图书馆查些资料,我终于查到《锡报》上报道过阿炳卖艺的一张曲目折子。阿炳出去卖艺,随身带了一本曲目折子,上面明码标价,就像郑板桥卖画标出价钱一样,免得引起纠葛。阿炳的曲目分成三大类,那就是弹、拉、唱。第一类的弹奏乐,阿炳会弹二十多种琵琶曲,常弹的《大浪淘沙》《昭君出塞》《龙船调》之外,曲目上还列有《春江花月夜》、《梅花三弄》(江南丝竹乐,俗称"三六")等。这一类价格最高,弹一曲收五角钱。第二类是拉奏乐,阿炳会拉近百首,常拉的《听松》《寒春风曲》之外,曲目上列有《三潭印月》《翠堤春晓》《雨打芭蕉》《小桃红》《昭君怨》等,其中大多是江南丝竹乐和广东音乐。每拉一曲，收两角钱。第三类就是说唱了，有五十首左右，有说有唱。这些说唱，说辞是阿炳出口成章，评说世事，唱的曲调却是从江南民歌、民间小调、无锡滩簧，甚至越剧、沪剧中信手拈来，他常唱的《无锡景》《四季调》就是如此。这些说唱为无锡市民所喜闻乐见，所以在当时最为流行。阿炳也常去当时无锡的"红灯区"（火车站一带，旅馆、客栈云集之处）弹拉唱。为了招揽顾客，曲目中也列有一些"荤曲说唱"，如《梳妆台》《十八摸》《哭七七》等，每首也要收五角。

我把这些资料送给何阡陌，他看后大为赞叹：这是位音乐奇才啊！他会那么多，应该请他到上海大都会开阿炳专场音乐会！他告诉我，这些弹拉唱曲目中，最有艺术价值的其实是第一、第二类的纯器乐，其中不少乃民族音乐中的精华，只是普通市民听不太懂；而那些世事说唱，特别是"说新闻"，通俗易懂，众人关切，所以流行了。也许将来，时过境迁，大众的艺术水平提高了，就会去欣赏那些器乐曲了。

当时，我有两次目睹了阿炳的演奏。

一次是在无锡城里崇安寺前的广场上，约是1947年秋天。那天是星期天，天气清爽，阿炳来了兴致，说、拉、弹、唱全部展出来了。他穿着长衫，戴着铜盆帽和眼镜，带来琵琶、二胡之外，还有一把三弦。那天的说唱，在《无锡景》之外，给我留下深刻印象的是一出《金元券满天飞》：

> 金元券，满天飞，花花绿绿好东西。
> 早上可以买头牛，夜里只好买只鸡。
> 身有十万金元券，只够去量一升米。

隔一会，阿炳又唱出了一出讽刺当时苛捐杂税的说唱，令人发笑：

> 印花小，发票长，本来印花贴在发票上。
> 捐税多，印花长，发票只能贴在印花上。

那天阿炳的精神好，还拿出了他的一手绝技，施展了一下他的"反弹琵琶"。只见他脱了长衫，抱了琵琶上场，先用左手弹奏，边弹边举起琵琶到头顶上,琵琶转了一圈,落下后又由右手接着弹,又举起琵琶在头顶上转了一圈,然后落到身背后,在背后接着用手弹。阿炳把精彩的杂技也结合到弹奏中来了,我看得目瞪口呆,和大家一道拍手叫好。

再有一次是在半年之后,1948年初春,我从梅村乘船在无锡南门上岸,沿着这河的长街向市中心走。就在这运河的长街上,只见阿炳身上挂着琵琶布袋,由催娣扶着徐徐行走,手里拉着二胡,奏出的就是那后来称作《二泉映月》的这首乐曲。不过,那时阿炳没有为它题名,只是随着自己的思绪,感叹自己的人生,遂心而发。后来听说,那年春节过后,阿炳被收容到太湖里的中独山,强制戒烟。初春放出来后,阿炳的身体、精神都差了,不敢在大庭广众下去卖艺,但为了生活下去,就只好沿街卖唱,挣些小钱以求生,心情十分凄凉。

这首后来被题名为《二泉映月》的乐曲的价值,要到解放后才为世人认识。我在解放后又见到阿炳两次,不久他就逝世了。这都是后话。

在我脑海中留下了阿炳的两首乐曲的痕迹。一首是《二泉映月》,另一首是他的说唱《无锡景》,用的江南小调。这两首乐曲,我至今尚能在钢琴上把它们弹出来,亦是一乐。《无锡景》的曲辞,经过了阿炳的整理加工,雅俗共赏,普通百姓也能唱得会。开首就这样说道:

> 我有一段情,唱拨诸公听,
> 诸公各位,静呀静静心。
> 唱段无锡景,大家好散散心。

然后,阿炳就一一摆出无锡的景致,我记得的是说太湖、惠山的那两段:

> 第一个好景致,要算鼋头渚,
> 顶顶惬意,热天来避暑。
> 水连山来山连水,山路曲折多幽静。
>
> 天下第二泉,惠山脚旁边。
> 泉水生生清,茶叶喷喷香。
> 锡山对着惠泉山,山脚开满泥佛店。

五

到1948年初,社会调查已近尾声。何阡陌老师对我说,无锡城里已去了几次,差不多了,但没有去苏州城里,这是缺憾。他想安排一次去苏州,考察一下苏州园林、评弹和昆曲。

我当然兴高采烈,想在寒假里多花些时间陪老师走走,尽尽地主之谊和师生之道。我提议何阡陌老师到我家里过年,就住在我家,我知道家里有两间房空着,足够他住。何阡陌老师想了一想,答应就在寒假里去苏州,但时间安排在春节之后,住十天左右。他已和无锡城里的几位朋友约好,春节在那里过,过完春节,他就从无锡直接去苏州,暂不回梅村。

那年一放寒假,我就回到苏州。我父亲、母亲听说老师要来,都很高兴,打扫了房间,安放了床铺和书桌。那年,我外公也从鱼池村来苏州家里过年,他听说我的老师要来,再三叮嘱我要隆重接待。在我国文化传统中,"天地君亲师",老师一直受到尊重,老一辈人更是如此。

我弟弟胡纬之帮我一起接待何阡陌。纬弟在1947年小学毕业后,就直接上了无锡师范的初师班,放假也回苏州住。我小妹胡蕴坚,那时才五岁多,还需父母照看。春节后的第四天,我和纬弟一起去苏州南面胥门把何阡陌接了来。从无锡到苏州,最方便的当然就是乘沪宁线的火车,但何阡陌说要体验航船的味道。乘船也有两条道可走,一条是在运河里走,从无锡往南,经过苏州,再直往杭州拱辰桥,有很多船可走。还有一条是走伯渎江,经过梅村、鸿声里、鹅肫荡,进入苏州河上流,经虎丘山到平门上岸。何阡陌挑了走运河这条路,轮船直接开到苏州胥门。他说,回去时再走另一条路,直接回梅村。这是一种最佳选择。

十天的日程十分紧凑,老师的活动排得满满当当,他说要多看看,多听听,多走走。天蒙蒙亮,他就早早起来了,我和纬弟就陪他到街上吃点心,不在家吃早饭。苏州的早点太丰富了,大饼、油条、麻团、脆花、春卷、馄饨、阳春面,到处都有,信步而行,随遇而安。我这家,离观前街闹市只十分钟路程,动中有静,静而可动,出门极为方便。走出大门,有三条路走向不同的大街。向前走是一条城河,跨过石桥就上了临顿路,花岗石方块石子路,通过狮子林、拙政园、北寺塔。向右走,就到了松鹤板场,走向中心公园、体育场、沧浪亭、网师园、图书馆、东吴大学。向左走,穿过青石板小巷,就到了宫巷,穿过太监弄,就到了市里最大的娱乐中心,中为一个广场,四周布满说书场、影院、戏院、茶室、酒家。这地方名叫北局,是古吴的宫中内务管理机构。从我家到这里和玄妙观,都只要十分钟左右。何阡陌和我们说好,在苏州十日,基本上不在家吃饭,倒不是不愿领我们的情,而是苏州的美食太多了,难得一来,想遍尝一下。他说他带足了钱,足够在苏州和我们一起花。为节省时间,我们吃了早点,就去赏识园林,中午也就在园林周围吃面点,有时还吃糕点。苏州的糕点也是花样繁多,糯米磨成粉后,可以做成各种各样的点心,玫瑰糕、薄荷糕、红豆糕、松花糕。到了傍晚,就赶回北局、太监弄、观前街,找一家酒家,坐下来好好享受苏州的美食,然后就在光裕社听说书、评弹,或者到开明戏院欣赏京戏、苏昆。回到家里,都是十点以后了,倒头便睡,但我看老师的兴致始终很高。

我们走得最多、看得最多的地方,当然就是苏州的园林,这是何阡陌要考察的重点。

我们去的第一个景点是沧浪亭,这不仅是苏州历史上最早出现的园林,而且离我家最近。出家门,走草桥、公园路,穿过三元坊苏州中学,就到了沧浪亭。这本是苏州城外的一块废宅地,湖州长史苏舜钦,"一日过郡学,东顾草树郁然,崇埠广水",就以四万青钱买下这废园,得以修葺成沧浪亭。苏舜钦是宋代名相范仲淹的门生,和梅尧臣齐名的诗人,"开宋诗文一代面目"。诗人之所以取名"沧浪",就是因为沧浪水清可濯足,"卷却诗书上钓船,身披蓑笠执鱼竿",晚年过隐逸生活。何阡陌深知沧浪亭的来历,所以在这里徘徊了整整半天。他特别赞赏沧浪亭石柱上的一副楹联,让我们用笔记下:

清风明月本无价,近水远山皆有情。

老师告诉我们,这副楹联,上联是取自欧阳修《沧浪亭》一诗中的名句"清风明月本无价,可惜只卖四万钱",下联则取自苏舜钦的《过苏州》一诗中的名句,集成这副楹联,这是一副极好的对联。他说,一副好对联,不仅呈现了"眼前景",还联想了"过去事",更能说出深刻的人生哲理。所以,他到每一园林,在赏景之时,特别关注亭台厅阁上的楹联。拙政园的荷风四面亭上的"四壁荷花三面柳,半潭秋水一房山",秋香馆的匾额,"此地秋花多说部,曹雪芹记稻香村","四时园景好诗家,范成大有杂兴作",都引起了何阡陌的兴趣。留园里的"雨后静观山意思,风前闲看月精神",他也细看沉思,我们都一一用笔记下。

何阡陌老师这一次来,我们不仅去了沧浪亭、狮子林、拙政园、留园、西园,还去了网师园、怡园、耦园、曲园和一般不常去的天平山庄、环秀山庄。我父亲还请熟人租了一条小船,直接从家门口的城河,开到盘门水城和虎丘山的山塘去走了一遭。我们全家,请老师去太监弄吃了三次苏式菜,一次是松鹤楼,一次是得月楼,一次是王四酒家,都是苏州的名店。

我们去光裕社的书场听了五场评弹、说书。何阡陌老师说这一次真过瘾,真切体会到了评弹和说书的不同艺术风格,"大书"和"小书"有着不同的风味。在"大书"和"小书"中,他也更欢喜"说噱弹唱演"融为一体的"小书",《珍珠塔》《玉蜻蜓》《三笑》《描金凤》等评弹保留节目,百听不厌,脍炙人口,长盛不朽。这次唯一的缺憾是昆曲听得少,只听了一次折子戏。何阡陌老师说,这次时间太紧,下次再找机会来,走更远些,去洞庭西山。他对这次姑苏之行已很满意了。

十天后,我就跟他到平门乘轮船回梅村了。临走前,何阡陌特地要我陪他去观前街的采芝斋,买了两大盒苏式糖果和糕点,说是孝敬我外公的。我父亲也就只好领就了,欢迎他以后再来。

回到梅村,我把一年来我所经手的调查资料作了初步整理,然后都交给何阡陌老师,由他去统稿,写成正式的社会调查报告。我就转而去准备毕业考试,考虑中华中学毕业以后,再上哪所学校。在中华中学的最后一个学期,又面临着一次人生的选择。我在1948年夏初中毕业,离开了在此攻读三年的中华中学,何阡陌老师也在1948年秋去了市区的无锡县中当教师。新的学习生活开始了。

黎明初起学从政

一

经过再三的酌酌，在中华中学即将毕业时，我选择了在梅村就地进入无锡师范的中师科继续学习。

劝我进无锡师范就读的还是陈友梅老师。他是我家乡积极推进教育的热心人，在担任梅村高小的校长三年，接着又和一些热心人共同促进教育的提升，积极参与了无锡师范的筹建。1946年夏，无锡县立师范正式招生，校址因陋就简，就设在泰伯庙内。当时的无锡，只设县，未立市，无锡县不仅管市区，还辖城镇和农村，面积广大。无锡的市镇，教育已较发达，但乡村教育薄弱。之所以要办师范，就是要为无锡培养乡村教师，在乡村推广教育。无锡师范学校的教学分三个科层：一是简易师范，只培养一年就毕业，以应当年急需；二是中级师范，学三年，毕业后教初级小学；三是高级师范，收初中生，要学三年，毕业后去教高级小学。陈友梅是高师科的主任，全盘负责高师的教育，自己还为高师开设语文课。

在中华中学读了两年多，眼看初中就要毕业了，高中到哪里上？我心里还没有定。1948年5月，我先去了陈友梅家里（住在陈房村），想先听一听他的意见。他教过我两年高小，又是我父亲的朋友，想听他说一说，我将来适合做什么。我说明来意后，他先问我：你父亲是怎么想的？我告诉他：我父亲当然希望我回到苏州城里，到他那职业专科学校，专攻织锦技艺，踏踏实实学一门手艺，将来到苏州丝织厂去当技师，好继承我祖父的事业。我对父亲明确表示，我对理工没有兴趣，还是对文科感兴趣。我父亲表示也不勉强我，让我自己选择，读普通高中也可以，读师范也可以，自己拿主意。陈友梅听后，就说你这个人将来还是当教师好，文静，有耐心。说着说着，他有些激动起来，滔滔不绝地说起中国多么需要发展教育。他特别崇敬蔡元培，推崇蔡元培的"教育救国"论。抗战八年，百废待兴，要建设中国，就急需培养人才，但人才的培养就得靠教育。只有教育才能兴国，这，蔡元培早觉察到了。蔡元培自己已是进士及第，在翰林院当了编修。他痛感中国太落后，必先兴办教育，培育新民，未来才有希望，所以他在辛亥革命之前就跑回老家浙江，投身教育事业。孙中山当临时大总统，任命他为中华民国第一任教育总长，更在全国推行新式教育。江南在十多年里的教育发展得比较快，蔡元培的倡导，功不可没。要不是日军侵占八年，中国的教育肯定会有更好的发展。蔡元培的"教育救国"虽然是一种理想，但还是有道理的，抗战胜利，教育应该大有作为。

　　陈友梅对教育的热忱，感染着我。我又去找何阡陌，想听听他的意见。他知道我的志趣在人文学科，自然就劝我不要去苏州职业专科学校。他告诉我，一个人的兴趣很重要，有兴趣，做什么事都会事半功倍，没有兴趣，就做不好。梁启超说他的人生，最看重两样，一是责任心，一是兴味。他提倡趣味主义，自己做那么多事，都兴致勃勃。何阡陌说梁启超说得很有道理，他也很重视兴趣，做自己感兴趣的事，自得其乐。当然，自己的志趣和对社会的责任这两者能够一致起来，合而为一就最理想了。依他看，当医生、作家、律师、教师，都是自由职业，又自由，又对社会有所贡献。他当教师，就是他自己的选择，觉得当教师比较自由，既教学生知识，又能自己做点学问，想写作也可以。

　　听了两位恩师的话，我心中有了数。最后，我回了一趟苏州家里，和父亲一起敲定：我上无锡师范。父亲看我已拿定了主意，也高兴起来，并为我讲当教师的好处，鼓励我，将来要当个好教师。他又说到钱穆，从十八岁开始就教小学，后来又到苏州中学教书，又被请到北京大学、燕京大学去教大学生，如今又回到江南大学来当文学院院长。当教师还是自由，教教书，还能做学问，写写书。说起钱穆，在当时的教育界无人不知，陈友梅也好几次说到过他，在他看来，这是无锡人的骄傲。荣德生在1947年拿出一大笔钱来，在太湖边上办起一所大学,叫江南大学,为无锡家乡造福。他把钱穆从西南联大请了回来,为家乡发展高等教育,无锡的父老乡亲都为之称好。父亲鼓励我,好好读师范,好好读书,做做学问,将来还可以考江南大学。

我父亲胡定一,恩师陈友梅、何阡陌三人都是一辈子投身于教育事业的人,对我所说的都是切身体会、肺腑之言,受他们的言传身教,我终于也准备走上这条道路。我弟弟胡纬之也感到高兴,他比我早一年就已跨入无锡师范的大门,1947年他小学毕业时就已进入中级师范科(三年制)。他告诉我,这高级师范班是去年新设的,还只招了一届,我进的是第二届。

就这样,我和纬弟一起从苏州乘轮船到梅村,跨入了泰伯庙的大门,从此就在泰伯庙的后院,住了三年。

那时的无锡师范分为两大区域。以泰伯庙前的牌坊和香花桥为界,南区是新建的十间平房,供教学之用,算是教学区。北边是生活区,住宿、吃饭、夜读全在泰伯庙内。泰伯庙是我从小就熟悉的地方,每年春节过后,正月初九为纪念泰伯生日,这里都要举行朝拜泰伯塑像的盛会,三天都有热闹的庙会。从小起,我每年都来,有时还会和几个同伴,闯到泰伯庙后边的道院去探看。但都是匆匆忙忙,没能坐下来好好体察。如今要在这里住上三年,就不能走马观花而要仔细体察了。

泰伯庙最早建成于明代,辛亥革命之后,民国初期有过一次大修。高高的泰伯庙堂大殿里塑着高大到顶的泰伯雕像,两旁高悬着当时政要送来的匾额,其中就有北洋政府的最高巨头黎元洪(大总统)、冯国璋(代总统)、段祺瑞(国务总理)分别撰写的三块匾额,在那个时代,算是国家级的最高礼遇了。这些匾额,当时还都保留着,我们这些莘莘学子每天都在这大殿里吃饭,每晚都在这大殿汽灯下看书,也都没有再去理会那段历史。反而在半个世纪之后,无锡出现了不少吴文化学者,潜心研究泰伯和仲雍南来梅里的历史,也关注起那些北洋政府的首脑怎么会看重起泰伯庙来。

泰伯庙前是一个宽敞的庭院,庭院里古柏参天,营造出庄严肃穆的气氛。庭院的两旁是两条长廊,长廊后是一排白色厢房,辛亥革命之前是供达官贵人来朝拜泰伯时休息的场所。但从梅村高小在此开办以后，就成为教师的宿舍，钱穆在此教书时，住的就是这样的房间。我入校就读时，仍然是教师宿舍，教我们音乐的老师李克平日就住这里，一到礼拜天就回无锡城里。

我们这些学生住哪里？那时，无锡师范的学生已有二百多人，全是住校生。县政府拨给的钱，只够盖十间平房作教室用，不可能给学生盖宿舍。学校就只好向泰伯庙的后院发展，把泰伯庙后院的一些小殿稍作改造，安上床铺，让学生住。等我们入学时，又向庙旁的道院发展，租用了道院的房屋作为宿舍。这才发现，这泰伯庙旁的道院，庭院深深，别有洞天。泰伯道院有东西二院，一直延伸到伯渎江边，最兴旺之时，曾拥有一艘敞篷大船，常停在伯渎江旁的浅水湾里，用来运载外出做道场的设施。我们这高师班的男同学二十多人，分住在西院的三间厅堂里，以前是道士的活动场地。厅堂前有一个小院落，有几棵老银杏树高耸入云，常有好几只乌鸦在黄昏时盘旋树巅，呱呱乱叫，越加反衬出这道院的清静。这住所的情景，不时在我脑海中涌现，令我终生难忘。

初入无锡师范的两三个月，我潜心读书，非常投入。我们这一届的学生男女共四五十人，不少是来自无锡城里，不太习惯这小镇的生活，一到星期六就要乘轮船回城里。大家推选我当班长，因为我从小就在这里长大，熟悉学校情况。还有人说我是陈友梅的得意门生，由我去和学校打交道，最好不过了。陈友梅的语文课教得好，我也学得上心，读课外的书也多起来了。陈友梅从城里买来一册朱光潜的《诗论》，留给我作为入学纪念。在此以前，在中华中学时何阡陌曾送我朱光潜的《谈美》，更早些，我父亲在苏州给我买过《给青年的十二封信》。这三本书看下来，我才渐渐知道，原来世界上还有这么一门学问叫作美学。慢慢地，我对这美学发生了兴趣。

但我进县师后，花时间最多的还是学弹琴。教我们音乐的教师叫李克，长得又高又帅。他教我们唱了不少讽刺当时社会腐败现象的歌曲，《古怪歌》《你这个坏东西》《茶馆小调》等。后来我才知道，他是中共地下党。他还教了不少歌颂解放区的歌曲，《沂蒙山歌》《山那边呀好地方》，以及别有风味的《五月的风》等。这些都使我感到很新鲜。李克弹得一手好钢琴，从一入学开始就教我们弹琴。这师范教育和中华中学不一样，黄月娟教音乐，只凭口授，没有风琴和钢琴。但这师范有两架钢琴和近十架风琴，专辟两间音乐室，教授学生练琴。因为琴少人多，不可能人人都来练琴，只能采取先自愿报名申请，经李克审查批准，再按排名定点练琴。好不容易，我被核准参加练琴，一下就对弹琴发生了浓厚兴趣。一到星期天，城里的同学回家去了，我就趁机在星期天弹上半天甚至一整天。所以，我这梅村本地人，花在弹琴的时间上最多。钢琴难学，不仅要读懂五线谱，而且还要弹奏出和声，很难学会，只有极少数同学能合格。幸而李克还学得了另一手，教我们一种中国式的简易弹奏法。他坦率告诉我，钢琴在西方有一套严格的演奏章法，本是有钱有闲的少爷小姐学的。传到中国，也只有极少数人学得会。30年代上海，流行音乐鼻祖黎锦晖和他的弟弟流行歌曲"歌仙"黎锦光，尝试用钢琴来演奏中国歌曲和民间小调，没有和声，太单调，于是就在钢琴上即兴式地配奏起简单的和声。这简单的和声总比没有和声好，又容易学。后来不少人在弹奏无和声的中国民族音乐时，就采用这种简易和声演奏法，也能表现出中国音乐的美来。这种简易和声法，后来称之为"黎式演奏法"，颇为行之有效。

这种潜心学习的平静生活，没有持续多久，两三个月之后，随着时世的剧变，打破了平静，我就投身于忙碌的学生运动。有近三年的时光，我奔波于学校和社会之间，体验到了另一种生活。

二

1948年的"双十"节十分冷清，已经不可能再出现三年前的那种热烈场景。内战正在激烈进行，还过什么"双十"节！

同学们都利用放假的机会，回到家里去了。我不回苏州，正好可以集中精力练琴。在琴房里我正练得起劲，门房沈叔带了一位客人来找我。我一看，原来是"老大哥"朱浩奎，赶紧带他到我住处的银杏树下，听他细说。

"老大哥"朱浩奎是中共地下党,这,我早在上中华中学时就知道了。称他为"老大哥",这不仅仅是说他比我大五岁(生于1928年),对我生活上很是照顾,而且他还在政治上十分关切我,是我的政治引路人。中华中学成立学生自治会,他就被大家推举为主席,我是他的属下,当文艺部长。他开始时也住在学校里,但在半年后就搬出学校,在伯渎江北边租住了一间民居,以便开展地下活动。他在那里组织了一个"红梅"读书会,比我年纪稍大的蔡永年、李枫、强汝静、朱寿根等都常去那里聚会。我年纪最小,当时才十三岁,也被他吸收进来了。在他那里,我开始接触苏联文学如《钢铁是怎样炼成的》《青年近卫军》,也开始读解放区的作品,如赵树理的《李有才板话》《小二黑结婚》,柯蓝的《洋铁桶的故事》等。读书之外,"老大哥"还常给我们说些故事,透露出一些不见于报刊的信息,毛泽东最近说了些什么,蒋介石准备发动内战,等等。后来我知道,这"红梅"读书会实际是由"老大哥"领导的中共地下党的外围组织,"红梅"者,红色梅村之谓也。1947年秋冬之交,我们这些人曾有过一次行动,以学生自治会的名义,发动全校学生反征兵、反内战。那年,我虽然只有十四岁,不在征兵之列,但中华中学已有好几个到了十八岁,都有可能被征去当兵打内战,当炮灰。我积极参与了反征兵、反内战的政治活动,作为中华中学学生自治会的代表,我和朱浩奎、蔡永年、朱寿根、李枫等五人,曾带了请愿书,步行十多里地,到当时的区政府的所在地查家桥,当面向区长陈时生递交了请愿书,抗议打内战,抓壮丁。这是我有生以来第一次参加政治活动。

从中华中学一毕业,我们这些人就分散开了。朱浩奎和李枫到城里的省锡师去就读了,蔡永年进了一所私立中学,我表兄朱寿根因为患了肋膜炎,没有再考高中,就回到老家鱼池村去养病了。1948年开学之初,朱浩奎曾和我告别,说到了省锡师之后再和我联系。时隔两个月之后,这次来找我,我想一定有什么事要向我说。

果然,朱浩奎这次来找我,确有重要的事向我交待。他首先告诉我他很快要离开省锡师去苏北解放区了,特地来通个消息,向我告别。这一次他是奉命转移,转到苏北革命根据地是为了准备解放军南渡长江，解放南京。"老大哥"对我比较了解，知道我对政治不很关心，在中华中学时就常提醒我：要多关心政治，你不关心政治，政治就会作弄你，受政治摆布。这一次，他又再次提醒我：你思想上要有准备，时势发展很快，解放军随时都可能渡江南下；希望你在无锡县师能密切注视形势的发展，团结周围的同学，开展护校活动，不要让国民党、三青团（三民主义青年团）破坏，好安全地迎接解放。他特别告诉我，县师有国民党，训育主任项一天就是国民党，学生里也有三青团，要防止他们捣蛋、破坏。县师还来不及建立新民主主义青年团，他说他已请"梅北"（梅村北面）青年团支部吸收我作团员，由"梅北"团支部和我联系，指导我如何开展护校活动。

这变化来得真是太快，没有想到一直盼望的解放大军很快就要南下了，我当然听从"老大哥"的安排，准备投入战斗。当晚，朱浩奎就领我到伯渎江北的旧丝厂里，和"梅北"团支部的三位负责人见了面。这三位农民打扮的青年我从未见过，领头的一位姓陶，说是附近的陶埂村的竹匠。朱浩奎当着他的面对我说："以后有什么事，由小陶找你，你不要主动找他，免得引起当局猜疑。"他们三人为我举行了一个简短的入团仪式，由小陶举手领头宣誓，朱浩奎作为地下党负责人在旁监誓。最后唱了《你是灯塔》。这首歌在两年前参加"星火"读书会时我就已学会，曲调是从苏联的乐曲移植过来的，忧伤而沉重，歌词则充满了信心和豪迈：

> 你是灯塔，照耀着黎明前的海洋。
> 你是舵手，掌握着航行的方向。
> 年青的中国共产党，
> 你就是核心，你就是方向。
> 我们永远跟着你走，中国一定解放。
> 我们永远跟着你走，人类一定解放。

这首《你是灯塔》，我至今仍能背得下来，还能在钢琴上弹奏出那忧伤的旋律。

朱浩奎在第二天就回他老家去了，那里离长江已很近。我们互相道别，互祝珍重。但他一走，我的心情就沉重起来，心里开始压着一副担子。在以前，这"老大哥"在，心有依靠，心里踏实，有他指引方向，不会有错。他这一走，就要自己辨别方向，要靠自己走路了。当务之急，就要考虑我今后如何行动。我自己一个人做不了什么，必须像"老大哥"所说，想法团结周围的同学，面对黎明前的黑暗，共同奋斗，迎接光明的未来。

正当我要开始着手启动时，麻烦就来了，这对我是一次重大的考验。在朱浩奎走后的几天，我听完陈友梅的语文课后，正要过香花桥回泰伯庙大殿用晚膳，一个陌生人迎上来，声称他是梅村镇公所的，有事要请我去镇公所一趟。我心感不妙，但又无可奈何，只好跟他走一遭，就马上低声对和我一起走的同学说，请他赶快告诉陈友梅老师，让他知晓。

镇公所离学校不远，就在泰伯庙东侧，占用了泰伯道院的三间大厅。我一进去，就看见镇长强学曾和区长陈时生两个人坐在太师椅里，喝茶聊天。这两个人都是梅村本地的地头蛇，我父亲和他们同过学，他们也都认识我，所以，我也不太感到紧张，静听他们想问我什么。他们叫我坐在对面的椅子上，镇长先发话：小胡，我和区长都知道你是胡定一的儿子，不会故意找你麻烦；区长特地来梅村，想问你几个问题，你实话实说，我们也好向上面有个交代。我静静听着，心想，看他们提什么问题，我再随机应变。

接着是区长陈时生提问。他呷了口茶才说：我们掌握的情况，朱浩奎去苏北之前曾找过你，他对你说了些什么，你要好好说清楚。我一听，脑海里一闪念：是不是"老大哥"出事了？我可绝不能说对他不利的话。我冷静地说：是，"双十"节放假，他回家经过这里，来看看我这个"小弟弟"。我们是中华中学的同窗好友，他一直关心着我。这次来是他身体不好，想休学一年，又怕兵荒马乱，被抓壮丁，不敢在家养病。他家有个亲戚在启东，离上海近，他就要到那里去养病，所以到梅村顺道看一看我，向我告别。

区长说：真是这样？我说：就是这样。区长接着追问：他是怎么走的？走了哪条路？区长这么追问，我心里就像一块石头落了地，反而踏实了。我原来担心，"老大哥"是不是在北上途中为他们截获了，如今来"诱捕同党"。区长这么一追问，我就隐隐觉察到，朱浩奎可能已经安全到达苏北解放区，没有落入他们手中，国民党当局是想弄清朱浩奎所走的秘密通道，堵塞漏洞，以阻止更多的人走向苏北；或者，掌握这秘密通道后，可以截获更多的共产党人。但是，"老大哥"究竟是通过什么秘密通道去苏北的，我确实不知道。朱浩奎也没有必要告诉我是怎么走的，即使告诉了我，我也不会向他们如实说，因为这事关重大。所以，我平静地回答陈时生：这，我真不知道，朱浩奎怎么会告诉我？也没有必要告诉我啊！

那两个人有些失望，沉默了一下。强学曾又追问了一下：你还知道些什么，要实话实说，知道什么就说什么。我说：我只知道这些，别的我真不知道什么了。那两人看我说不出什么来，没有油水可榨，也就懒得再问。那年我15岁，在他们眼里，可能是个年幼无知的读书人，不值得再浪费他们的精力和时间。这时已近八点，我的班主任陈友梅急匆匆从学校赶到了这里，他从我同学那里知道我被带到了镇公所。他吃完晚饭就匆忙过来弄清究竟。陈友梅气喘吁吁地一进屋里，那区长和镇长就站了起来，迎向陈友梅说道：这怎么惊动你陈老师了，请坐！陈友梅坐定后就急着问道：什么大事要你们两位亲自出马，兴师动众，大动干戈？陈友梅虽然没有教过陈时生、强学曾，但却是比他们大过半辈的学长，都是熟人，所以他敢当面直言。他弄清原委后，就直率地向他们说：胡定一这个儿子可是个好学生，读书勤勤恳恳，踏踏实实，我教过他好几年，对他了解。你们不要做得太过分，把这样的老实学生也逼到共产党那边去！区长陈时生对陈友梅说：这你放心，友梅兄！我这也是奉命行事，如今是敏感时期，一有风吹草动，上面就非常敏感。我们都是本乡本土人，你来得正好，我们一同来了结此事。这样罢，你友梅兄为小胡写一个担保书，保他出去。叫小胡当晚就写一个书面材料，把朱浩奎找他的详细经过写下来，就回学校继续读书。另外，还请你友梅兄转告一下定一兄，请他马上来一趟，也写一张担保书，有你二位的担保书，我们也就可以交差了，还望你友梅兄协助一下。

我写完书面材料，已近晚上十点。回到学校，陈友梅还在学校等我，找到我弟弟胡纬之，要他第二天一早就乘轮船回苏州找我父亲。当天，我父亲和纬弟就乘了火车到望亭，又走了十里路赶到县师。陈友梅陪我父亲一起去找了镇长（区长已回查家桥区政府），这事才算了结。父亲临走时，再三叮嘱我：时势不太平，斗争已到你死我活的地步，你在县师还是好好把书读下去，千万别出大事。

"老大哥"朱浩奎再次出现在我面前，那已是半年以后的事了。他已改名韩克，以共产党代表的身份来接收无锡，纳入军管。这个时候，我方知道，他和蔡永年、李枫等去苏北，没有走江阴最近的路，确是走了秘密通道，绕道走了崇明岛，然后再从崇明岛转到野战军，为南渡长江，接收无锡做准备。1949年春来接收无锡之后，韩克再也没有离开过无锡，长期在市区做人事工作，最后在无锡市档案局局长的位置上离休，如今已经86岁了。解放以后，我们一直交往不断，就是我进了北大，每次回家乡，都要见面畅叙。

经这次波折，我体会到政治斗争的严酷，不仅需要坚强的意志、高度的勇气，而且还需要富有智慧，不能粗枝大叶，莽莽撞撞。我的政治信念没有动摇，但逐渐懂得谨慎，注意静观默察，思而后行。"梅北"团支部小陶秘密约见过我一次，他告诉我，他们只熟悉梅村镇北的情况，对县师内部的情况不熟悉，要我暂时不要和他们联系，等他们摸清楚情况再说。他要我先从团结同学着手，选择志同道合的伺机开展护校活动。我先联络了几个最要好的同学，沈伟烈、陈季梅、吴干城、华耀明、包冠群等五六个人，密切注视着时局的变化和校园的动向，一有风吹草动，就在一起商量如何应对。沈伟烈、陈季梅、华耀明三人是我中华中学的同学，又是这高师班的班委，我们可以无所不谈，我是班长，找他们一起商量，名正言顺，不会引人猜疑。

那年寒假没有好好过。我和纬弟一起回苏州看望了爸妈和小妹蕴坚，但在那兵荒马乱的岁月，苏州古城也不安宁了。成批成批的"流亡"学生不时从江北涌来，东北口音的、湖南口音的、河南口音的，吵吵嚷嚷乱哄哄，真是不忍心看下去。在苏州停留了十天左右，我一个人先回到了梅村，静观待变。"梅北"小陶在道院找到了我，告诉我，为了迎接解放,"梅南"的地下党已在县师开展秘密活动。"梅东"的地下党也已介入中华中学,开展护校斗争。"梅南"地下党会派人和我联络,要我好好配合。那时的中共地下党,依据秘密分散的原则,各自发展力量,分散活动,各司其职,要到解放后,才把这些秘密分散的力量统一起来,公开出来。

三

时势即将发生急剧变化,黎明前的黑暗不会很久。1949年县师一开学,高师班的第一届学生安成、过楚生两位找到了我。"梅南"的地下党通过他们两人和我联系,商量如何统一部署,开展护校活动。

我们在一起分析,在县师最不能轻忽的是训育主任项一天,他常来往于梅村和城区之间,活动频繁,必须盯紧他。我们要首先防止他纠集三青团破坏校产(如纵火、偷盗),其次要防止他欺骗少数不明真相的人,跟他逃跑,做"流亡"学生,把县师解散,卷款逃跑。

我们三个人分了下工,相互配合,分头行动。过楚生在城区熟人多,消息灵通,就请他密切注视项一天和三青团的活动,城里一有风吹草动,就赶快和我们沟通。安成负责组织初师班的同学参加护校活动。我就负责组织中师班的护校活动,安成把他同班的平文正介绍给我认识,一起参与组织发动。后来强惠元也参加进来了。在第二届中师班里,我主要依靠陈季梅、沈伟烈、吴干城、华耀明、包冠群这几位。后来,我又和中师班的班长姚汉荣联络,相互配合。以此为核心,逐渐发展到近二十人,形成了一个小小的队伍,积极参与护校活动。白天大家照样上课学习,同时关注学校有什么异样动向。一到熄灯以后,就三个人一组,在校园里巡夜,一有情况,就赶快告知。江南三月,还只是冬末初春,太阳下山之后,还是寒风逼人,半夜里更是阴冷,还要穿上棉衣才行。在那黎明前一个多月的黑夜里,我度过了一个又一个的不眠之夜。身上虽冷,但眼望北斗,心里却是热乎乎的,充满了对光明的渴望,对未来的无限向往。

盼星星,盼月亮,终于迎来了解放。1949年4月下旬,无锡地区解放,那个胖胖的训育主任项一天已经不知去向,溜了。地下党已通知县师女校长吴震新在校看守,等候无锡县委派工作组来接收。

我欢欣地松了一口气,要开始崭新的生活了。那几天,我天天去琴房练琴,都说县里已派出了工作组,很快就要来接收县师了,我又可以安心坐下来读书练琴了。那天,我又在琴房练琴,弹完一曲《沂蒙山歌》,接着就弹奏《解放区的天》,这是一首在解放区广为流传的歌曲,曲调是由河北民歌发展而来,歌词简单明了,但朗朗上口,极易背记:

> 解放区的天,是明朗的天,
> 解放区的人民好欢喜,
> 民主政府爱人民啊,
> 共产党的恩情说不完。

我正弹得起劲,门房沈叔走了进来,背后又跟了一个人,瘦长个儿,头发长长的,穿着一身便装,二十多岁的样子。沈叔说,这位同志要找你,你们谈罢!我赶紧停下来,带他到我的宿舍。

来人名叫叶枫,他自我介绍说,他是受命和其他两个人一同来接收县师的,就住在镇政府那里,准备在明天正式到校见校长面洽。他说,在来梅村之前,见到了韩克,也就是朱浩奎,要他一到梅村就先找我谈谈,让我把县师的情况说一说,然后再正式去找校长,心中有数,才能立于不败之地。还有,他告诉我,县师正式接收之后,最先要开展的是要尽快建立起新青团和学生会,有了自己的队伍,才好开展其他活动。他告诉我,正式接收县师后,县里会很快派两个人来做组织人事和政治教育工作,一位叫蒋尧生,一位叫孙平。叶枫叮嘱我,我的职责是配合蒋尧生尽快把新青团、学生会建立起来。临分别时,叶枫从他的挎包里取出一张表格,要我立即填写。我一看,这是一张"新民主主义青年团"的登记表格,以前从未填过,在地下秘密活动的年代,不能为国民党当局留下任何文字痕迹。如今,共产党执政了,要公开了。

第二天,叶枫他们三位组成的接收工作队,穿着黄色布衣军服,到县师来正式见了吴震新校长,完成了接收手续。吴震新还暂时留着当校长,到放暑假再说。过了几天,蒋尧生来了,一位瘦瘦的书生,三十岁不到,却已戴着深度眼镜。孙平也来了,是一位女士,三十岁左右,活跃开朗,说话的声音爽朗洪亮。她主管全校的政治教育,蒋尧生只是配合她,上些政治教育课,但一来就直接抓新青团的组建,迅速在学生中发展团员。我把我了解最多的陈季梅、沈伟烈、吴干城、华耀明、包冠群等几位都推荐入团了,又发展了几位在护校活动中表现出色的积极分子。蒋尧生说县师的女生多,要注意在女生中发展。我同班的袁雪芬最先加入了新青团,随后又发展了李凤琴、陈蓉珍、陶家兰、张丽中等入团。比我高一届的安成、过楚生、强惠元、文正平等也推荐了好几个人入团,县师已有了20名左右的团员。蒋尧生很快把县师的团支部公开建立起来了,蒋尧生任团支部书记,我和过楚生、袁雪芬等被推为支部委员。我的任务是要和各班的班长赶快联系、协商,尽早把学生会成立起来。

那时,无锡县师的学生已有300人左右,共有8个班。经和各个班的班长多次磋商,县师的学生会终于在1949年的红五月建立起来了,离无锡解放后不到一个月,中华人民共和国还没有宣告成立。全校学生在泰伯庙大殿的汽灯下,举行了隆重的选举大会,我被大家推举为学生会主席。我有生以来,第一次在那么多人的面前发表了我的就职辞,要为大家全心全意服务。

从这一年的红五月开始,我投身于忙忙碌碌的社会活动,直到1951年的暑假,从无锡县师毕业方告结束。

我的社会活动范围在逐渐扩大。先是应梅村镇政府的安排,不时在镇上和周围村庄参与宣传活动。土地改革、农田除虫、夏粮抢收等等,镇上不时来找我,要组织学生去协助。每次我都向蒋尧生请示,然后让八个班的同学轮流出动。那时大家的热情都很高,过去这些都没有参加过,现在解放了,人民的事业大家做,有了一种当家做主的自豪感。我自己当然要带头行动,去过周围的近十个村庄,尽管是走马看花,但确确实实感受到了村民在解放之初的欢欣鼓舞。

进一步,我又走出县师校园,参与了无锡全县性的学生活动。那年暑假，苏南地区已全部解放，无锡就立即举办了首次苏南青年夏令营，苏州、无锡、常州、镇江、江宁、常熟、宜兴、松江、昆山等地的学生领袖近200人，全部聚集在无锡城里，学习了半个月。解放之前，无锡不分市、县，统称无锡县。解放之后，无锡市和无锡县是分开治理的，无锡县下属有20多所中学，我们都集中住在省锡师，一起听讲座，一起讨论。叶枫作为无锡县团委的代表，参与我们的活动作指导。在讨论中，他已提出，无锡县20多所中学的学生会，应该逐步联合起来，"团结就是力量"，能在革命建设中发挥更大作用。果然，那年秋天，无锡县真的成立起了全县的学生联合会。后来，我还被推举为无锡县学生联合会的主席，去过十多所中学，东边最远去过上海附近的松江，西边到过常州交界的洛社。那时还没有汽车可乘，只能乘轮船或火车。学校也没有招待所，都是我自己背上背包，自带铺盖，住在学生宿舍，睡木板床或者打地铺。

　　再进一步，我又走出了学校圈子，和县里其他各界（政界、商界、文界）发生了联系，共议国家大事。1949年10月1日，毛泽东庄严宣告：中华人民共和国正式成立。随后，无锡县很快召开了全县第一届人民代表会议。我和新任校长薛成章，团支部书记蒋尧生、教育工会主席孙颂德被推举为无锡县师的代表去无锡东门参加了第一届人民代表大会，选举出县长张卓如、薛永辉（太湖游击队的指挥）。那时，无锡县政府连个招待所也没有，更不要说宾馆了。我永远记得，我这第一次参加的人民代表会议，是自己背了铺盖，乘了轮船，上岸后自己走到会场报到。住的是一所废弃了的旧厂房，地上铺了一层稻草和芦席，几十名代表把各自的行李铺出，一字排开。当初百万雄师渡长江，到无锡来接管的解放军也就是这样住的。我们这些来开会的，不管是学生界、文教界，还是工商界，尽管不很习惯，但也都兴高采烈，热情高涨，为如何复兴无锡献计献策。那时，无锡也是处在百废待兴，急待复兴的年代，更需群策群力，加倍努力。开过第一次代表会议之后，1950年就开了两次，1951年上半年又开了一次，共四次。从第一次到第四次，我都是学生界的代表，不仅议政参政的水平在逐渐提高，住宿的条件也日益提升，从第二次开始，就住进了县政府的简易招待所了。

1950年是最忙碌的一年，我还当上了苏南首届人民代表。无锡县开过第一次人民代表会议之后，苏南人民代表会议就在1950年于无锡市召开，而且在这一年中，开了两次全体会议。那时江苏省还没有成立，江南和江北，还只有苏南和苏北两个行政区，苏南公署在无锡，苏北公署在扬州。苏南公署的党委书记是陈丕显，那时还只有35岁，生气勃勃，奋发有为。苏南人民代表会议在无锡市召开时，由陈丕显作了主题报告，行署主任管文蔚主持会议，部署苏南地区的建设。苏南的经济发达，最先要做的当然就是经济建设，所以邀请来的无锡市工商界代表较多，过去早已闻名却未见过的几位实业家如钱孙卿、钱钟汉、赵章吉等都来了。最引人注目的还是那鼎鼎大名的荣德生也来出席会议，他一身中式服装，长袍马褂，戴着红顶瓜皮帽。别看他服饰很传统，思想却很开明。他在会上发言，话虽不多，说的却是肺腑之言：我伲工商界，一心一意跟着共产党，要为建设新中国多做贡献。我的"老大哥"韩克告诉过我，就在无锡解放的前夕，1949年2月，当时的无锡县商会会长钱孙卿（钱基博的兄弟）和荣德生一起商定，派了钱孙卿的儿子钱钟汉（钱锺书的堂兄）特地到苏北解放区去考察，受到了陈丕显、管文蔚、顾风（后来的无锡市首任市长）的热忱接待。陈丕显要钱钟汉转告荣德生，要他放心，共产党要没收的是四大家族的官僚资本，对民族工商业则是保护和发展；解放以后，要实行"发展生产，繁荣经济，公私兼顾，劳资两利"的兴国方针。荣德生听后，坚决不去香港，更不去台湾，执意把荣氏产业留在无锡和上海，让四子荣毅仁打理上海的产业，自己则定居在荣巷老家，安度晚年。

那年，荣德生已76岁，是出席会议年龄最大的一位代表，钱孙卿60多岁，钱钟汉才30多岁。年龄最小的代表则是18岁，有3个，我虚岁正好18岁，另外两位，一位是王忍之，一位是女的，叫吴文琍，都是中学生，无锡市学联的副主席。可惜，荣德生在1952年7月就因病过世了，葬在梅园。那时我正在苏州家里，准备考大学，从《苏南日报》见到这一消息，心里很不平静，民族工商业界的一代高人离去了，令人惆怅。

因为自1949年红五月起我常来往于城区与梅村之间，我有机会又见到了瞎子阿炳两次。无锡解放后，靠近火车站附近的"红灯区"，理所当然就被取缔了,阿炳就不可能再去那里卖艺。可阿炳夫妇俩还要生活啊!我的一位梅村的同乡许布,此时已调到无锡市团委做学生工作,告诉我说:阿炳很爱面子,也不愿再在崇安寺一带卖艺了,就悄悄地到南门清名桥附近去活动,赚些小钱过活。那两年,来往于苏州、无锡之间的苏锡轮船公司的一位经理很同情阿炳,允许阿炳在轮船上卖艺,不收阿炳一分钱。来往于苏锡之间的轮船有两条航线,一条走运河,一条走伯渎江,阿炳可以随便走,但都在清名桥那里上下。1950年春天,我从县政府开会回梅村,在工运桥那里上了轮船,船开到清名桥,就要进入伯渎江了。我瞥见董催娣扶着阿炳从桥墩下到轮船。两年不见,阿炳瘦了,更显得衰老,身上带的乐器比以前少了,琵琶没有了,三弦也没有了,只有一把二胡。他也不带点唱本了,也不再说新闻,只默默地向船上客人深深一鞠躬,然后就拉起二胡来。《无锡景》《四季调》还是保留曲调,但已经不配上唱词了。但阿炳还尽力变些花样,吸引听众。他的二胡上还装了一架口琴,时而拉二胡,时而吹口琴,变换着吹拉。他时而用胡琴拉奏来学鸡鸣狗吠,时而又模仿小孩哭闹、小贩叫卖,或仿无锡乡音来作问答对话。看来,他的精神已大不如前,功夫已不花在创新上,只求一饱。轮船还没有到梅村,他俩就在方泉镇上岸,在镇上茶馆再去卖艺、吃饭,下午等苏州开来的轮船,再返无锡城里,回雷尊殿住。阿炳平日还是常走运河那条航线,偶尔才走伯渎江这条线,我在船上也就只见了他这一次。最后一次见到阿炳是在1950年的秋天,我白天参加了苏南人民代表会议,傍晚去崇安寺附近的无锡市看望我的老师何阡陌,他已在两年前从中华中学调到无锡县中来教语文。就在经过崇安寺附近时,我看到董催娣扶着阿炳从南向北走,是不是从苏锡班轮船上卖艺回来?他还在断断续续拉着那《二泉映月》,徐缓行走着。这是我最后一次见到阿炳。苏南行政公署的文教处长陶白在开苏南人民代表会议时告诉我:就在前不久,中央音乐学院杨荫浏教授(也是无锡人)带人来为阿炳的演奏录了音,三首二胡曲《二泉映月》《听松》《寒春风曲》,三首琵琶曲《大浪淘沙》《龙船》《昭君出塞》,都带到北京去了。

在我最后一次见到阿炳后不到两个月,阿炳就在1950年12月肺病复发而逝世,一个月后,董催娣也随他而去。当许布告诉我这个消息时,我在梅村的轮船上长久注视着船后的浪花,为之深深叹息。他还不到60岁,就离我们而去了。多年后,日本著名指挥家小泽征尔听过《二泉映月》之后说:这种音乐只应该跪着听! 诚哉,此言。

四

那是一个革命热情高涨的时代。正当我沉浸在频繁的社会活动之中而忘了时光流转的当儿,转眼间,1951年的春节到了。

回到苏州家里,阖家团聚。父亲问我:你在无锡县师只剩最后一个学期了,毕业后你准备上哪里去? 当时我自己还心中无数,所以无言以对。

但父亲这一问却提醒了我:该到自我决断到哪里去的时候了。

春季开学,我回县师时,新来的校长陈焕文找我,说高师这一班即将毕业,全部毕业生要安排到梅村高小去实习。学校决定,由我来担任实习校长,张永初当实习教务主任,让我们跟着梅村高小的实任校长赵锦文学习如何安排小学教学。

原来的校长薛成章和团支部书记蒋尧生都调到市里去了。新派来的团支部书记俞坚平看到县师的青年团已迅速发展,很快把支部扩建成了总支,他任总支书记,比我低一届的邹燕琴担任了副书记。我仍然是总支委员,还当学生会主席,但已经把总支宣传委员姚汉荣安排作学生会副主席,等我半年后毕业,接我的班。

我周围最要好的几位同伴也发生了变化。中央团校、华东团校来县师招学员,陈季梅、袁雪芬没有毕业,就走了。吴干城、华耀明在半年前就被保送到军事干部学校,跟着军队走了。我们常在一起活动的同窗好友,就剩下了沈伟烈、包冠群,一直坚持到毕业。

回想那几年,我忙忙碌碌参加社会活动,组织活动,宣传活动,上下沟通,其实都是在围绕着一个中心转,就是在忙着为县师的同学如何走上社会而奔走。无锡一解放,野战军就来招募学生上西南服务区,为解放大西南做准备。我在那时就开始为此而在县师开展各种活动,甚至劝动了我中华中学的老师何阡陌来讲社会发展史和艾思奇的大众哲学。然后是苏南公学、华东革命大学等来招募。最大规模的招募是军事干部学校,在1950年就有两次。无锡县政府还成立了全县的保送委员会,在全县的中学中选拔。我被列入县保送委员会的保送委员,去无锡东部的十多所中学作过宣传鼓动,组织发动和考察面试。我约摸估计,县师在一年多中,就陆续被招募去五六十人。走向大社会,解放全中国,成为广大青年学生的向往。

那时去军事干部学校的学生大多集中在南京。俞坚平当了教导主任后的第一个行动,是在开学之初组织了一个慰问团去南京慰问。作为教导主任,他代表学校行政部门,邹燕琴代表青年团,我代表学生会,三个人走沪宁铁路直奔南京。以前,我的活动只是在太湖周围,苏州、无锡、常州、镇江之外,去过上海、杭州,但从未到过南京,这是第一次去。

我们先去了小汤山,南京炮兵学校就在那里,住了一晚,顺道瞻仰了中山陵,然后到玄武门外的航空学校慰问。最后一天参观了总统府,蒋介石在南京最后盘踞的地方。南京给我的第一印象,确是气势不凡。那紫金山,真是虎踞龙盘,我以前见过的虎丘山、白丹山、鸿山等等,相比之下,只是些小丘了。当时就引发出我的第一个念头:这世界大得很,我应该走出以前的生活圈子,走向更大的世界。在炮校见到老同学路甬祥,在航校见到老同乡蔡永年,从相互交谈中,我又听他们说到,如今部队里缺的不是一般干部,而是缺乏学有专长,有专业知识的专门人才。我听了,心里不觉动了一下:我是否该重新思索一下今后的人生。

南京之行重新唤起了我在中华中学读书时的少年梦。郁达夫笔下的富春江,冰心笔下的大海,又重新涌上我的心头。对未来新的憧憬和向往,引发了我想在毕业后接着上大学的念头。

从我的兴趣来说,我还是喜欢过一种顺应自然、安心读书、静赏音乐的简朴生活。抗战胜利之后,以为可以平静生活了,但国民党太腐败,抢着在全国接收胜利成果,贪污腐化,中饱私囊,拼命发展官僚资本主义,发动内战,镇压革命,弄得老百姓不得安宁,民不聊生。正因为对国民党的统治深为不满，我才参加学生运动，投身社会活动。如今，共产党来了，进行新民主主义革命，即将迎来国泰民安，正如歌里唱的"解放区的天是明朗的天，解放区的人民好欢喜"。我这新民主主义青年团员，是不是可以续接少年梦了？这当然不是说，我不需要关心天下大事了，躲进自家小楼成一统。老一辈共产党人拿起枪杆子"打天下"，夺取了政权。第二辈人有责任"保天下"，像"老大哥"韩克（朱浩奎）这些地下党人，从"地下"转到"地上"，开始治理一方乡土。这两年，我也逐渐在走向这个行列，细想起来，我这是出于责任，而不是如梁启超所说的对此有"兴味"。我的兴味不在于此，而是想"走天下"，或"闯天下"，即古人说的行万里路，读万卷书，从而为"兴天下"做一些力所能及且能引发兴味的事。

南京之行引发我做起了"大学梦"。

五

我的大学梦在一年多后得以实现，真个是有志者事竟成。但好事多磨，这一年多里我也经历了几番波折。

我要考大学的想法，最早我只告诉了三个人：我父亲、陈友梅、何阡陌。

我父亲感到有些意外。因为，在此之前，他的估计只有两种可能，一是一毕业就任教当老师，二是被调到县里去做青年团工作。我曾和他说起过，县长张卓如很关心我，问我愿不愿意到县里当干部。我每次去县里参加人民代表会议，张卓如都要跟我打招呼，问一问有什么困难，有困难就找他。1950年冬，县里开军事干部学校保送委员会，最后审核保送名单，张卓如在会后就问我：你愿不愿意毕业后来县里工作？青年团和教育局都缺人。他说，青年团的李明中书记，教育局的赵子方局长都是苏北人，一口苏北话，无锡本地人听不懂，不大好交流，工作就不容易做。他们都提出要加快提拔本地干部。你若肯来，我就可以拍板定下来。这张卓如是我父亲的小学同窗，老早就去新四军，后又转太湖游击队，对本乡本土了如指掌，所以，无锡一解放，他就和薛永辉一起当了县长。但薛永辉专心于军队,不大来管县里的事,后来就由张卓如一个人来顶地方事务。我父亲知道张卓如的为人,当然很乐意我到他这样的领导身边去做事。这次听我一说想去考大学,颇感意外。但父亲知我是一个自有主见的人,倒也并不阻拦。但他希望,要考,还是不要离开江南一带,"上有天堂,下有苏杭",最好在苏州、杭州,当然上海、南京也可以,不要过长江。

陈友梅是我的班主任,从高小起就教过我。他当然很乐意我去考大学,他教过的学生中,还没有人去考过大学,县师的学生中,我是第一个想去考大学的。但他提醒我,如今解放了,考大学有什么新的章程要弄清楚,要顺着章法走。

何阡陌在中华中学教过我两年多语文。在解放前夕的三个多月,为了要写出一本吴语音韵学和吴文化研究的书,他向潘超请了三个月的假,住到我苏州的家里,闭门著书。解放前夕,就去了无锡城里教书。他听我说想考大学,也很高兴,并给予我具体指点:要考,从现在起就要复习一年,要复习一些师范不大重视的课程。为此,他还把无锡市中学所用的高中语文、历史、地理课本找来送我。

听过三位老人的教诲,我心里有了底气,但我确实不清楚,师范生考大学,应按什么样的步骤。我想起了"老大哥"韩克,他即将升任无锡市主管组织人事的副局长,应该去向他请教。他仍然像对待小弟弟那样笑着对我说:你的感觉挺敏捷,中央真的已开始在策划,如何加快提高干部水平,急需培养大量学有专长的专门人才;下一步要在全国调整高等学校,扩大规模,增加招生名额,加快专业人才的培养,你赶上好时光了;为了增加生源,今后不只招应届高中毕业生,还多设了一项"同等学力",允许社会知识青年以"同等学力"来报考;中等师范毕业的学生,在教了两年书后,还可以不需考试,就保送到高等师范学校去继续学习提高。

韩克的这番话,对我来说意义重大。这些信息,使我脑中开了窍,心中有了数,知道下一步该如何行动了。我清楚:今年(1951)我没法去考,没有足够准备;明年(1952)则是我关键的一年,我要以"同等学力"资格报考,必须力争一试而中。在这一年里,我必须找一所学校能安顿下来，一边教些书，一边抓紧自修，到高考时，好解脱出来，全力应考。我想好之后，就在那红五月开始，全力投入梅村高小的教学实习，以便尽早熟悉小学教育。学生会的工作，全部转移给了姚汉荣，我退出了校外的社会活动。由于有一年的准备时间，第二年应试，我才得以不慌不忙，从容对待。果然如韩克所说，1952年全国院系调整，我以同等学力资格报考，一试而中。我恰好赶上了这好时机。那两年，高校院系调整不久，应试的基本还是应届毕业生，以同等学力资格报考的人极少。而从1954年开始，为了加速培养工农干部上大学而设立的"工农速成中学"，大批毕业生开始进入大学。1955年，教育部开始鼓励在职干部和转业军人入高校读书，称"调干生"，可以带着工资来就读，张炯、谢冕等就是这一年入了北大。我的无锡同乡，后来当了中国人民大学校长的李文海，曾任北京大学校长办公室副主任的郭罗基等，也从各自的岗位上进了人大、北大。我的老同学陈季梅、我弟弟胡纬之等也分别在后来进了北大、人大，沈伟烈则进了军政大学。从此，所谓"同等学力"资格之说，也就销声匿迹了，我碰巧遇上了这一个短暂的历史机遇，以后再也没有。

为了能有时间复习高考功课，我特地去了一趟县政府。一是向张卓如县长说明，我还是选择了当老师，不去县里当干部，对他多年的关怀，表示感谢；二是找教育局局长曹子方，帮我安排到比较偏僻清静的地方去教书。正好，在无锡和江阴交界之处的陈墅小学校长顾文同来寻求曹子方的支持，希望派一个年轻教师去那里建立少年先锋队，开展课外活动。我和顾文同见面一谈，我一口答应，等我在梅村高小实习一结束，拿到毕业文凭，就立刻去投奔陈墅小学，条件是等我帮他建立起少年先锋队后，容许我自由行动。

陈墅是一个清静安宁的小镇，坐落在无锡的东北角上，已是无锡市区的边缘，离江阴反而更近。因为地处边缘，年轻人不愿到这里来，所以，解放已一年多了，少年先锋队却一直没有建立起来。校长顾文同已过50岁，感到压力很大，脸面没有光彩。我去了一个月，就把少年先锋队建起来了，而且成立了大队，我当大队辅导员，并且带动全校开展起课外活动来。校长很高兴，给我留出了空余时间，好开展活动。

我只上两门课，一门语文，还有一门是音乐。我教音乐，不需花多少时间准备，我弹着风琴，边弹边领唱，教一些我熟悉的江南民歌和当时流行的革命歌曲，如《解放区的天》，新出来的《志愿军之歌》，"雄赳赳，气昂昂，跨过鸭绿江；为人民，为和平，保国卫家乡"。这小学在小镇旁侧的清静小河边，还没有电灯，晚上就点着洋油灯复习高中课文。那时，给我的薪水是每月35元，只要花8元钱来吃饭，比我在县师读书吃得好多了，每餐四菜一汤。有一个老校工专门为教师做饭，都是新鲜而健康的食品，当天从河里捕捞出来的鱼、虾，湖里的茭白，新摘出来的各色蔬菜，偶尔还能吃到新宰的鸡、鸭。这里是过简朴、清静生活的好地方。老校长是个老实人，晚上有时爱喝几杯，高兴了，就会拉着我说：小胡，我老了，赶不上新时代了，过不了多久，我就退休；你是这个时代的新青年，我会推荐你来接班。我姑妄听之，也不好向他解释什么，我不能直率告诉他，我到这里来是图清静，好去考大学，这会伤他的心。

　　就在这个学期快结束之时，我领了少年先锋队的合唱团到严家桥中心小学去参加全区的学生歌咏比赛，逢见了我县师时的老同学强惠元。我们两人不仅是同一镇上人，而且都是县师最早的新青团员，在护校活动中，结下了深厚的友谊。他比我高一届，1950年毕业就到这小学来教书，只一年工夫，1951年暑假后就当上了这小学的校长。严家桥是座大镇，这中心小学是区里的重点小学，他毕业后一年就担此重任，说明他做得很出色。老熟人一见面，当晚就坐在他住所促膝而谈。他就老实告诉我，他的压力也很大，教育要大发展，很多学生高小毕业，升不上中学，中学太少。区里要他作个试验，能不能在中心小学试办初中班，以缓解升不上中学的压力。他苦于找不到合适的人选，所以拖了一个学期也没有办起来。他说：你一来，我的心就动起来了，想动你的脑筋，请你来中心小学，一起来试办个初中班，然后帮他们转学到正规中学，或者，干脆在中心小学上加顶帽，小学办初中，办得好，就独立出去，成为正规中学。因为是老熟人，我也就坦率告诉他，如果我答应明春来三个月，办起初中班，你就放我走，我就过了春节来。他一听我想考大学，也就一口答允愿成人之美，只要把初中班办起来,开了头,就放我走。

一言为定,说办就办,这初中班真的很快就办起来了。强惠元神通广大,他要学区派了一位年轻老师去陈墅小学接替了我,我一过春节就从苏州直奔严家桥中心小学。强惠元给了我一个初中班的学生名单,近五十人,都是高小毕了业,还没有升初中,或者准备就业而还未找到工作的严家桥镇上人。强惠元要我为这个班通盘设计一下课程。我为他安排了语文、历史、地理等课程并确定了教师,但难的就是还要开设符合学生就业需要的课程。于是,我就找了一些镇上学生,到他们家里去家访,亲自听一听学生和家长的要求,以便针对他们的需要再确定开些什么课。

走出校门,家访了好几家,才知道这严家桥镇很大,有好几百户人家。严家桥地处无锡、江阴、常熟的交界之处,水陆交通均方便。严家河穿越全镇,可通长江、太湖。河岸两边,店铺林立,商业发达。严姓是这里一个大家族,严氏家谱载,此乃浙江富春江畔严子陵之后裔。因兵荒马乱,严氏后裔从富春江畔北迁,分成两支,一支去了苏州甪直,一支来到无锡寨门。这严家桥是寨门那边来的严氏后裔所建。严慰冰就是寨门人,她的父亲严朴,就在这一带发动和领导农民运动。这里有好几个大家族,唐家也是,香港唐英年的前辈就是在严家桥兴盛起来,而后发展到上海,再发展到香港。

更使我感到惊喜的是,我发现这严家桥不仅商业发达,而且文化昌盛。没有想到,这里竟是深受无锡老百姓所喜爱的锡剧的发源地。锡剧在这里,不仅家喻户晓,而且每家都有人会唱上几曲。这锡剧,被叶圣陶赞之为"太湖一枝梅",已有一百多年的历史,最早就在这严家桥兴起。锡剧最初称为无锡滩簧,乃由古代吴歌发展而来。所谓吴歌,其实就是江南吴地民歌,到了清代,严家桥的吴歌向两个方向发展。一是以唱为主,称为"唱春"。一到春节,这一带就有人以此为业,纷纷到太湖周边人家去唱江南小曲,我小时在梅村就听过"唱春",如《孟姜女过浒墅关》《十二月花开各有名》。二是唱演结合,成为无锡滩簧,这是锡剧的雏形。进一步发展,滩簧又吸收了江南丝竹乐,作为伴奏,不仅在无锡流行,而且还广为流传到常州一带,所以被称为常锡文戏。严家桥兴旺时期,出现了好多戏班。民国时期,有一袁家戏班还发展到了上海,在"大世界"舞台占有一席之地,后来在上海竟发展到十多家常锡文戏的戏班。瞎子阿炳的家乡东亭,离这严家桥不远,阿炳年轻时曾到严家桥拜袁家戏班的班主袁仁仪为师,勤学江南丝竹乐。严家桥确是锡剧的摇篮,解放之初,仍有不少人在高小毕业后想去锡剧戏班里找点事做,到初中班来读书,是想提高文化水平,为进戏班做准备。

  我弄明白这些情况之后,我就和强惠元商定,为初中班开了一门"锡剧常识"的新课。这门课由三个人来讲,其中两人是请了严家桥镇上的文化馆里两位老艺人来讲,一位讲锡剧表演,一位讲锡剧伴奏(包括江南丝竹乐、民间小调),都是结合他俩在锡剧戏班中得来的实践经验,边表演边讲。我在这课的一开头,就讲戏曲的基本常识。这门课别开生面,很受学生的欢迎。初中班已办起来了,我的戏曲常识也讲完了,时间正好满三个月,我向强惠元交了差。我要在五月底回到苏州,好赶上报名,复习,应考。我走后,这个班由另一位徐老师接办,教学趋于正常化。多年之后,强惠元到中国人民大学学习,他特地到北大来告诉我,那年办初中班是解放之初的创举,在区里受到肯定。后来,在这个班的基础上,发展为一个颇具地方特色的锡剧学艺班,常规化了,不断为严家桥一带培植锡剧艺术的幼苗。我这位梅村老乡在北京学习一年之后,他又回到了江南,任常熟市党校校长,一生都沐浴在吴文化之中。我离开那里时是19岁,从此漂泊大江南北,再也无缘去陈墅、严家桥了。

六

  1952年5月底,我离开严家桥回到了苏州城里,全力以赴投入应考。

  我之所以要回苏州去应考,乃是因为我的户籍一直落在苏州。苏州有我的家,楼上有我一间宽敞的卧室兼书房,可以安心在此复习。苏州市立图书馆就在草桥,中心公园旁,离我家很近,漫步十分钟就到,随时可去查阅图书资料,对我复习功课十分有利。

我报名和应考都是在江苏师范学院的钟楼里。江苏师范学院的前身是赫赫有名的东吴大学，为美国教会所办。漂亮的欧式校园，整齐的绿色草坪，宁静而高雅，离我的家也不远，所以在填志愿时，我也把它列入了。1952这一年是全国统考的开始，以前都是各校独立招生。这一年真的如韩克所说进行了院系调整，全国统一招生，每个人可以填五个志愿。开始，我听从父亲的劝告，就在上海、杭州、南京这些地方挑选学校，华东师范大学、杭州师范学院、南京师范学院、江苏师范学院都在内。但真领到表格要填写时，我心有不甘，心想，人生就这么一次机会考大学，还是应该搏一下全国最好的大学，测试一下自己的潜力。考不上，就说明自己不济，也不用怨天尤人。于是，我把第一志愿填上了北京大学，以江苏师范学院保底。

　　我不像应届毕业生那样，一切手续都可由中学代办。当时也还无"调干生"之说，不可能由组织保送。幸好，那一年允许社会青年可以凭"同等学力"来报考，给社会知识青年开了一条生路。强惠元帮了我的大忙，让严家桥中心小学为我开了一个证明，说我是那里的教师，想继续深造，允许我离职，以"同等学力"资格报考。团支部也给开了个证明，说我是新民主主义青年团员。终于，我获得了报考的资格。后来我入北大后知道，那一年以"同等学力"资格考入中文系的还有好几位。多年后我们一起攻读副博士研究生的同学刘学锴，先是在1951年中学毕业时考取了东北一所大学，去看了看，觉得不满意，不去读了，回到浙江老家教了一年书，1952年又考了一次，这次也是以"同等学力"资格考进了北大中文系，在此，我们同窗了八年。在北京京剧院当编剧的纽隽，在中央乐团当演奏员的宋鹕，也是在那年以"同等学力"的资格，辞职报考而进了中文系。以"同等学力"考入北大的，苏州仅我一个，其他十多人都是应届毕业生。这是在当时历史变动过程中我的一段独特经历，难得一遇。

　　当时，全国统考才开始，尚在摸索。一些名校如北大、清华还是各自派了富有经验的教师到考生较集中的城市，最后敲定采取名单。我入北大后教过我"写作"课并成为忘年交的章廷谦（川岛），当年正在北大校长办公室当秘书，后担任北大的国文教学委员会主任，他告诉我，那年他受命到老家江浙一带最后审核录取。当时中文系的录取标准，除了看文化综合知识，很重视"作文"，因为从作文可以看出考生的综合能力。他说，他最后录取时，调看过我的"作文"，虽不认识我，却留有很好的印象，觉得年纪虽小，却有丰富的经历，具真情实感。那一年的"作文"考试，章廷谦参与了出题。我记得，是要考生在当场写出他感到最有意义的一件事，给考生自由发挥的余地比较大。我想了一下，可写的事不少，但当机立断，集中笔力，写了我在中华中学"红梅"读书会时，如何和朱浩奎（韩克）、朱寿根、蔡永年、李枫等一起到十多里路外的区政府，向区长陈时生面递请愿，反内战，反抓丁。因为是亲身经历，不是凭空虚构，所以写来得心应手，颇为顺畅。

那年全国统考的录取名单，先是在全国各大报纸发布，然后各校才发出开学报到的通知。我在《解放日报》和《苏南日报》上见到了我被北京大学录取的信息，只好如实告诉了父亲。我在报这第一志愿时没有和父亲商量，估计不一定会被录取；如今被录取了，不能再瞒。我父亲当然感到很意外，还是劝我不要去北京。那里风沙大，天又冷，南方人去不一定能适应，再说，那里人地生疏，没一个熟人，无人可以照应。我父亲、母亲都不放心。我也不忍心伤他们的心，就去梅村找老师陈友梅求教：我该怎么办？陈友梅听说我已被北京大学取了，甚为我高兴：这是一生难遇的大好事，怎么能轻易放弃？他就亲自跟我走了一趟苏州，劝他这老朋友，还是放我去北京，经风雨，见世面。好男儿志在四方，做学问也还是要去北京，像钱穆那样。他还劝我父亲放心，北京他有两位熟人，一位是他一起同过事的钱俊瑞，听说是教育部的领导；一位是他中学教过的学生严慰冰，是中宣部部长陆定一的夫人。在北京遇上什么困难，可以找这两位同乡帮助。我父亲见木已成舟，我又搬了他这老朋友来劝说，他也就答应放我远行。只是他再三叮嘱我，出门在外，一切要自己当心。

那年北京大学在苏州就录取了近廿人，来自不同的中学。等录取的那几天，我们这些人天天到观前街去等报纸来，都相互认识了。发榜那天，被北大录取的这些人，立即相约，第二天一同到中心公园聚会。我们这些苏州人，没有去过北京，聚在一起就是商量能不能组织起来，一起走。我们推了一个人领头，考入历史系的顾文壁，乃晟成中学的学生会主席，年岁也最长，少年老成，大家推他为首。我们在集体北行之前，在苏州已聚了三次会，相互都熟悉了起来。这些人，学理科占绝对优势，名校苏州中学出来的全都是入数、理、化系科。"学好数理化，走遍天下都不怕"，这在解放之初，乃是广为流传的口头禅。我们入读北大文科的只有寥寥数人，顾文壁入历史系，我进中文系，两位女同学孙凤城、倪静兰入读西语系。尽管北大的文、史、哲在当时是全国最出名的，但还是没有数理化吃香。多年以后，我为中文系学生讲课，编了一个顺口溜来鼓励大家："学好数理化，走遍天下都不怕；通晓文史哲，腹有诗书气自华。"

我们这些苏州学生一起上了沪宁铁路火车，到了南京，在浦口上了长江轮渡，又上了津浦铁路，走了两天两夜才到北京。这一去，就在北京停留了好几年，但我们这些苏州人在北京沉淀下来的还是寥寥无几。在北大读书之后，苏州人大多还是回到了家乡，三年困难后，走的更多。好几个学理科的，有的去了同济大学，有的去了浙江大学。晚一些走的，顾文壁回无锡市当了文化局长，学数学的潘承洞去山东大学当了校长，姜礼尚去了苏州大学当校长。我在20世纪80年代初期也跑到深圳来了，终于也离开了蛰居了30多年的北京。当年从苏州入北大的，如今只有两位女士留在了北京，一位是西语系的孙凤城，一位是生物系的曹卓，早已安居乐业当了祖母，离不开了。追忆60年前从苏州乘火车到北京的情景，犹在眼前，不禁感慨系之。

北大求学好时光

在北大30多年,从民主主义革命经社会主义革命,一直到改革开放,人生经历了多少事?实在难以胜数。但凭我的实际感受来说,到北大的最初十年,是我可以潜心读书为学的岁月,一生中最宝贵的年代,留下了最美好的回忆。而在经历了三年困难时期之后,进入"以阶级斗争为纲"的年代,平静安宁的日子一去不复返,想当学者之梦渐趋破灭。发展到"文化大革命",我差一点葬身于鄱阳湖畔的鲤鱼洲,遭遇到我人生中最大的厄运,留下了一生中的噩梦。

是改革开放重新唤起了我的学者之梦,重振精神,再返潜心读书为学之路。正是在改革开放的30年中,我得以在读万卷书、行万里路的实践中实现了自我。

饮水思源倍感亲,我时常想起北大那最初十年的好时光。

一

我本以为,那年的9月就可以到北京了,正好赶上新中国第三个国庆节,就可到天安门广场去参加全国青年大联欢,这多好!

可北大通知我们这些新生,要到10月下旬才去报到,比老生晚一个多月。一打听,方知道,北大还没有安排好我们这些新生的居住之处。这一年,正好是全国高校实行院系调整之时,北京大学原址在沙滩,分散在好几处。调整后,北大全部迁入西郊的燕园。燕京大学的发展规模,一直保持在800名学生之内,湖光塔影,小桥流水,燕园尚能保持着宁静的气氛。但一经调整,北大、清华、燕京三校的文、理、法三大学科的师生全都要集中到这里,人数超过了5000,这精巧玲珑的燕园如何容纳得下这么多人!当时负责调整三校的建筑规划委员会主任梁思成（清华），力主保存燕园原貌不动，向外发展，另辟蹊径。一是向南发展，在燕农园建教学区，把农场改建为学生宿舍区；二是向东发展，把教师生活区建在中关村。可是，直到9月，在燕大农场新建15套两层简易楼，只完成了一半，只好先让老生入住，而让我们这些新生推迟入校。

调整后的北京大学在10月4日举行了隆重的开学典礼，由马寅初校长主持，请来了陆定一、马叙伦（教育部部长）、钱俊瑞（教育部副部长）在会上讲了话。我们新生没能赶上，所以，我也失去了此次能见到陆定一、钱俊瑞的机会。

幸而我们这些苏州学子约好了一起进京，路上得以相互照顾，因而尚算顺利。我们在苏州上车，乘沪宁线到南京渡长江，到浦口转津浦线，到天津，再转京津线上北京，一共走了两天两夜，在浦口、天津都停留了好久。从苏州到南京，沿途风景如画，大家兴致勃勃，不时靠窗远眺，有说有笑。但过了浦口，大地和山坡都没有了绿色，天色显得灰暗，大家也就沉静下来，不大谈笑了。我就躺在自己的铺位上看自己带来的书。这次北上，因带铺盖衣物太多，我只随身带了三本书。一本是周扬所编的《马克思主义与文艺》，原是1944年在延安出版，1951年自苏南新华书店翻印，我在参加苏南政协会议时购得。一本是朱光潜的《诗论》，是我在上无锡县师时陈友梅所赠。一本是杨晦的《文艺与社会》，上海兴华出版社在1949年出版。这也是我考取北大后，何阡陌送给我的。他说他看过杨晦这本书，听说杨晦如今是北大教授，说不定会教我，就送了此书作为对我的祝贺。有了这三本书可以看，这一路上也就不寂寞了。

我们是在第三天的早上9时左右到的北京。我们在前门车站下了车，就在公用电话站给北大打了电话。听我们说有近20个苏州学生来报到，北大就要我们在前门车站等候，学校马上派汽车来接，估计一个小时以后到。我们有七八个人，不愿坐着静等，一商量，趁着等车的时光，就赶紧快步穿过正阳门，走到天安门广场去看一看究竟是什么样。那时的天安门广场前，由几堵红色的土墙围着。走进围墙一看，场内全是泥地，地上积了厚厚的一层尘土，一刮起风，泥尘卷地而起，迷得我们眼都睁不开来。我们这些人赶快躲开风沙,逃出墙外。天安门广场怎么是这个样子?它给我们这些苏州学子留下的印象并不美好。

北大派来了一辆黑色破旧木炭车,我们近20人挤在三排长椅子上,紧靠着车身,动弹不得。那木炭车的燃料是木炭,震声隆隆,排放着浓浓黑烟,一路上颠簸不平,很多路段还是旧的石板路。那时,北京的城墙还没有拆掉,长安街上的牌楼也还在。我们的车走出西直门后,过了动物园就像进入了农村,人烟稀少。在这一带,骆驼还是常用的交通工具。要不是北大派了车来,我们还真不知道如何找到北大,所以还是心存感激。

汽车把我们拉到了西校门内的办公楼,当场就办完了报到入校手续。我们这些新生们不能入住学生宿舍,新建的简易房还是没有建好,在年前,还只能住到体育馆的篮球场地板上。办完手续,已是中午12点,接待我们的老生把我们领到德斋和才斋之间的教师食堂吃中饭。一进食堂,只见那桌上放着一只大扁筐,里面装着的是和着胡萝卜丁的米饭,桌旁放一大桶,里面装的是漂着菜叶的清汤。老生让我们自己动手盛饭舀汤,爱吃多少吃多少,因为是接待新生,特别优待,平日是有限量的,米饭难得供应。一位苏州同乡疑惑地问:菜呢?那位师兄笑笑说道:你们这次是吃的"抓饭",里面已放了菜,那就是胡萝卜。这"抓饭"是北方人接待客人的,难得能吃到一回。我一听,心里就明白了,这"抓饭"其实就是我们老家常吃的"菜饭",不过,北方人放的是胡萝卜,而南方人放的是青菜。而且,这菜饭不能用来请客,只是自家为了省事,不用去市场采购,只在自家园里摘了几棵青菜,对付一顿,是最简单的食品。如要请客,平常人家,至少也得有两荤两素,即所谓的四菜一汤。我在无锡当小学教师,日常生活也是如此。

初上京城,我对北京的印象稍感不佳,心里留下少许遗憾。但我还是喜欢上了北大。一来,觉得燕园宁静,在未名湖漫步,常使我想起苏州的拙政园,有世外桃源之感。二来,觉得北大藏书丰富,宜于读书。图书馆副馆长梁思庄(梁启超之女)告诉我们,北大、燕京的藏书合起来,仅次于国家图书馆(北京图书馆)之数。三来,新的北大,名师荟萃,特别是文史哲、东西俄等人文学科,国内居首,实乃研究学问的好去处。

于是,我很快就安下心来,忙于听课读书。

二

反顾自己在北大的三十多载,我感到幸运的,是在进校的最初十二三年里,能安心坐下来读书为学,向科学进军。

从50年代初到反右斗争(1957年)这期间,乃我师辈这一代的黄金时代,得以专心致志著书立说,在讲台上展现聪明才智。王瑶就对我说过,他的主要著作都是在50年代前期出来的,《中国新文学史稿》不用说了,还出版了《鲁迅与中国文学》《中国诗歌发展讲话》《中国古典文学问题》《陶渊明集》,就是以他的研究生毕业论文《魏晋文学思想与文人生活》为基础而增改的《中古文人生活》《中古文学思想》《中古文学风貌》三书,也是在1951年出版。1957年反右派以后,他就很少写东西了。林庚也和我说过,他在那几年也陆续出版了好几本书,除去他在厦门大学所出的《中国文学史》不算,他在50年代前期写出了《中国文学简史》(上)、《诗人屈原及其作品研究》、《诗人李白》。反右斗争以后,不想再发展什么"创见",就只编些资料书籍,要到"文化大革命"后,才再有了《中国文学简史》(下)、《问路集》、《唐诗综论》、《天问论笺》等著作出来。全国解放之后,马寅初来北大担任第一任校长,决心提高北京大学的学术水平。他请教育家江隆基来当他的副校长,协助他治理北大,激励教授专家进行科学研究,提高教学水平,形象地称之为"各炒名牌菜",发挥了广大师生的教学积极性。

全国院系调整,北京大学得益最多。北京大学不仅从分散在沙滩一带的旧址迁入了古典园林式的燕京大学,不断发展壮大,而且还把清华大学、燕京大学甚至中央大学、中山大学的一些名师也集中到了这里。特别是文科,真个是名师云集。清华大学著名的"人文四剑客",季羡林、吴组缃、林庚三位全到了北大,只有李长之一人在北师大。全国鼎鼎大名的古汉语专家、中山大学的王力(了一)也到了北大。当时,全国著名的美学家也集中到了北大,朱光潜本就是北大人,蔡仪也从中央美院来了北大,从南京大学来了宗白华,又从中山大学来了马采,真是人文荟萃,令人神往。

我记得,我入北大第一堂课是听杨晦讲"文学概论",开一年,我是此课的课代表。第二堂是听吴组缃的"现代文学作品选讲",开两年。再下来就是章廷谦(川岛)的"写作实习课",也是两年。王瑶的"新文学史",讲一年。第二年的课就更多了,中国古典文学史,先由游国恩讲,从《诗经》《楚辞》讲起,专说先秦两汉文学。林庚接着就开讲魏晋南北朝、唐代文学,吴组缃讲宋元话本、明清小说,浦江清讲宋元明清戏曲,季镇淮讲近代文学。中国古典文学是当时中文系的重点学科,一直要讲到本科毕业。外国文学虽然不是中文系的重点课程,但参讲的教师可都是著名的大家,曹靖华讲苏俄文学,季羡林讲印度文学,冯至讲德国文学,闻家驷讲法国文学,杨周翰讲英国文学,李赋宁讲美国文学。

这些名家的课,在我面前展现出了一个新的世界:文学的世界是那样的丰富多彩。几年学下来,我发觉,北大的教师有三种类型。一类是学术著作有名,上课效果也好,这是最受学生欢迎的;二类是学术著作虽有名,但讲课效果欠佳;三类是学术著作并不出名,但讲课效果甚好,生动活泼,学生也乐意听课。在老一辈中,既无学术著作,讲课又不好的,基本已被历史淘汰。但名师的差别仍然存在,自蔡元培时代开启的学术自由的传统延续了下来,各显神通,发挥专长。他们的讲课风格各异,自成特色。游国恩说话徐缓平和,娓娓道来,讲到得意处,就会放声吟诵起来。浦江清的吴语口音很重,讲起戏曲来,忍不住就会用苏昆的曲调徐缓唱来。王瑶给我们上中国新文学史,基本上是用他那山西口音为我们念讲稿,但是,念着念着,有时会停下来,离开讲稿,独立发挥,这时常会发出惊人之语,我们的精神为之一振。比如,他说鲁迅在《狂人日记》之前,虽然也作作品,但不大为人所知;要到《狂人日记》发表,才引人注目。说到精彩之处,他自己就咯咯地笑了起来。

林庚更是把讲课提升到了艺术的水平,在他那里,讲课本身就成了艺术。林庚上课，风度翩翩，神采飞扬，一口音质优美的标准普通话，潇洒自如，从容不迫。吟诵到"念天地之悠悠，独怆然而涕下"时，他把双手微微抬起，喟然长叹，一股浩然之气，油然而生。他盛赞"建安风骨"、"盛唐气象"、"布衣寒士"、"少年精神"，从内心深处热爱着传统的优秀诗歌，有着自己的深刻体验，从而能从那些我们常见熟识的名篇精句中，不时阐发出新意，作出新的阐释，使我惊叹不已。他讲杜甫的名句"无边落木萧萧下"，联系到屈原的"洞庭波兮木叶下"，黄庭坚的"落木千山天远大"等诗句，对"木叶"这一意象作了美学的、历史的分析。我们听得心驰神迷，屏息凝神，鸦雀无声，不知不觉，一堂课就过去了。后来，他把这对"叶木"意象的精彩分析，写成短文发表，成为经典范文，被收入高中语文教科书中。他选取了唐诗中的名句，李白的"黄河之水天上来"，王之涣的"黄河远上白云间"，对这两句诗作了对比研究，再作分析发挥，精彩之极。同样都是写黄河，但两诗呈现出来的是不同的境界。李白的"黄河之水天上来"，是从远处说到近处，黄河顺着水势而来，呈现的是黄河水势的动态，富有动感，引发出来的奔流到海不复返的奔腾的热烈的感情；而王之涣的"黄河远上白云间"，呈现的是一幅静态的画面，由近而远，静静地流着，从而衬托出孤城远山的僻静幽怨的境界。林庚的美学分析，真正把我们这些听课人引入到了诗歌所写的意境之中，听课本身就是一种美的享受。

吴组缃的讲课，却又是另一种风格。他为我们开设了两年"中国现代文学作品选"，这课和其他所有课程都不一样，真是别具一格。他先把每一学期所要讲解的文学作品提前告诉我们，如孙犁的《荷花淀》，魏巍的《谁是最可爱的人》，鲁迅的《离婚》《阿Q正传》，茅盾的《春蚕》，曹禺的《日出》等。他先要我们自己精读作品，然后在开讲之前，每人先写出一篇读书的心得，集中到他那里。他看了大家的读书报告，写上他的评语，发还给各人，最后他才开讲。他的讲课，不仅阐发了他对这一作品的理解，而且还针对我们在读书报告中的一些问题，提出他的看法。这样的讲课，真正成了他的解读和我们思想的交流，极富针对性，做到了教学相长。最得益的当然就是我们这些学生，从他那里学到了分析作品的方法。吴组缃是著名的小说家，以现实主义为特长，这和林庚不同，林庚是位诗人，极富浪漫主义色彩。他们讲课，都吸引学生"入乎其内"，而又"出乎其外"，都要我们进入作品展现的意境之中。但林庚更擅长诗情的抒发，使我们沉醉在诗境之中；而吴组缃更擅长作冷静的理性分析，解剖人物的性格，分析事件发生的缘由和环境。林庚更喜作美学的透视，吴组缃更爱作社会学的剖析。吴组缃每讲解完一部作品，都成为一篇严谨的论文，交给当时中文系的教务员冯世澄，刻印成册，发给我们人手一份。后来这些讲稿，就在刊物上陆续发表。我后来也学写文艺评论，首先就得益于吴组缃这两年的课，给了我勇气和方法。我后来参加中国作家协会，又是承蒙吴组缃和王瑶两位的推荐，给了我直接的帮助。我同班的崔道怡，也是由吴组缃的推荐，毕业后去了《人民文学》杂志社。当时，吴组缃是《人民文学》的编委，王瑶是《文艺报》的编委，杨晦是《文学研究》（《文学评论》的前身）的编委，这三位是北大中文系活跃在当时文坛的三位著名学者。

杨晦为我们开设"文学概论"，讲课又是另一种风格。那时，教育部还没有制定教导大纲，更不要说教科书了，因此，讲些什么，全由杨晦自己来定。杨晦讲"文学概论"，虽然他自己有讲授提纲，但没有来得及写出讲稿，所以临场发挥较多，很多同学记笔记感到困难。我是这门课的课代表，尽可能把他讲的都记下来，可以供同学们课后补全笔记。那时，何其芳夫人牟决鸣也常来听课，蔡仪夫人乔象钟偶尔也来听，就要找我，看我记的笔记，好知道以前讲了些什么。杨晦讲"文学概论"不是从宏大叙事入手，而是从现实的文学现象出发，从实际中引发理论问题。他先从文学是语言艺术说起，然后深入分析文学作品的内在构成，不同体裁的作品——叙事作品、戏剧作品、抒情作品——有不同的结构方式。解析了文学作品的构成之后，他进而把文学现象放到社会生活中考察，阐明文学的社会功能，文学能在社会生活中发挥什么作用。最后转入讲解文学的创作方法、文学的批评方法。杨晦从一开头就要把文学是语言艺术这一点说清楚，只有先把所要研究的对象弄明白，才能展开以后的讲解。自古以来，对文学的界说,向来众说纷纭,最宽泛的理解,是把所有用语言文字来表达的文章,都称之为文学。杨晦则认为,时代已发展到现代,世上出现的文章已花样繁多,错综复杂,还是应在文章中区分出艺术的文学和非艺术的文学。他的"文学概论"是把目光注视于作为艺术一个部分的文学。作为艺术的文学,是以语言作为艺术形象的手段,但本身还不是艺术,艺术还是有自己独特的意蕴,不同于一般的文章。杨晦讲文学,由近及远,由小至大,由浅入深,逐步展开,重点阐明了文学与社会的关系。他把文艺活动和社会活动的关系,比作地球和太阳的关系,地球既随太阳公转,又有本身的自转,文艺活动既有随社会运动的他律,又有自转活动的自律。文艺创作既要服从社会发展的规律,又要遵循自身特殊的规律。所以,文艺学还要深入研究创作方法,不懂得文学艺术的创作方法,就创作不出艺术形象。

  杨晦讲"文学概论",紧密联系着他自己的创作经验和他的文艺评论经验,不发抽象空论。杨晦1920年在北大毕业后,一直都在从事教育工作,先后在中央大学、中法大学、西北大学、青岛大学、北京女子师范大学等15所学校任教。但在任教之余,积极参与文艺创作和文艺评论。他在30年代的文艺创作,致力于戏剧这一体裁。1925年,他和冯至、陈翔鹤、陈炜谟等成立了"沉钟"社,出版《沉钟》周刊。冯至钟情于诗歌,陈翔鹤、陈炜谟擅长小说,而杨晦则对戏剧创作情有独钟。他在20到30年代先后创作了8部戏剧作品,其中有《除夕》《来客》《笑的泪》等话剧和长篇历史剧《楚灵王》,因而具有丰富的戏剧创作经验。到了40年代,杨晦转向文艺评论,也是先从戏剧评论入手,1944年写的《曹禺论》,闻名于世,影响深远。此后,他的文艺评论,视野广及当时的文艺运动,对文艺运动和社会运动的关系尤为关注,1949年结集为《文艺与社会》一书。杨晦有着丰富的创作经验和评论经验,所以他讲"文学概论"就不是发些高调空话,而是紧密联系文艺实践。如说到为什么在"五四"新文化运动起来之后,会有"京派"和"海派"之别,就是由社会运动的他律和文艺活动的自律相互作用而形成不同的合力。相互作用的合力不同,就有了京派文学和海派文学。

章廷谦(川岛)教写作实习课又是另一番情景。他是散文家,擅长写散文,所以,教我们写作,主要也是学写散文,偶尔写短篇小说,不写诗歌,更不写戏剧。他和鲁迅是同乡,更是好友。但他在1919年进北大读书时,入的也是哲学门,比朱自清、杨晦低两届。在当学生时,就因为文章写得好,即在课余去当了校长蔡元培的文字秘书。1922年毕业后,他就留在北大当了蔡元培的专职秘书,当时北大的重要文稿,均出自他的手笔。蔡元培在1917年到北大当校长后,创办了《北京大学日刊》,就是由川岛在具体落实编撰,从而为北大的校史留下了一份极珍贵的资料。胡适当北大校长后,章廷谦就进入中文系当教师,面向全校教大一国文,1948年担任了全校的国文教学委员主任。我们报考北京大学那年,他就代表北大,参与了语文测试的设计和评判,怪不得我入学后他说曾看过我的作文。后又因我先和海婴相识,很快我和川岛也熟识起来。他教"写作实习"两年,也是和吴组缃教作品分析一样,重在发挥学生自己的积极性。在简略讲过写作的基本法则之后,他就出题,让学生自己去写,写完就由他审阅,在每篇习作后都写有详尽评语,阐明优缺点。然后,川岛又把大家集中起来,针对每次习作中的问题,予以重点剖析,这对提高学生的写作水平,启发甚大。

此时的北大,语言学名家也云集中文系。为我们开设的语言学课程有:王力的"古汉语"、魏建功的"音韵学"、朱德熙的"现代汉语"、高名凯的"普通语言学"。这些名家,也都是各炒各的名牌菜,各擅其长,把自己的研究专长在讲台上发挥出来。曹靖华、冯至、闻家驷、季羡林、李赋宁等为我们开的外国文学,讲得虽然简略,没有充分发挥出他们各自的特长,但他们的讲课,启发和引导了我们去寻找和阅读许多世界文学名著,这就使我们进一步扩展了文学的视野,知道世界真大,世界上产生了那么多的文学珍宝。

在北大那几年,课堂教育以外,蓬勃兴起的社团活动,使我的视野更从文学天地扩展到艺术世界。

马寅初在1951年受中央人民政府政务院之命,担任了新中国第一任北大校长,来时并未带来副手。1952年院系调整之后,北大的规模大大扩展了,马寅初就要求周恩来总理派一个副手来协助他管理北大。于是,教育部就派了教育家江隆基来当马寅初的副手,任党委书记、副校长。马寅初、江隆基继承和发扬了当年蔡元培学术民主的作风,逐渐将一年一度的"五四"校庆改建成为"五四科学讨论会",鼓励师生向科学进军。同时在校内广泛开展课外社团活动,鼓励学生纷纷成立了国乐社、文学社、新诗社、摄影社、合唱队、舞蹈队、武术队。蔡元培时代的《北京大学日刊》已在解放前停刊了。到马寅初时代,1953年新办了一个《北京大学校刊》,每半月出一期。我适逢其时,从创刊起就荣幸地参与了校刊的采编工作。那时,马寅初、江隆基倡导,北大学生要三好:身体好,工作好,学习好。马寅初带头锻炼身体,爬山,洗冷水浴,号召学生不能只读书好,还要参加一定的社会工作。负责《北京大学校刊》创建的刘文兰、张静山知道我在解放之初曾被《苏南日报》聘为特约通讯员,写过新闻报道,所以就找到我,给我安排的社会工作是当校刊记者,重点采访校内文科的学术活动和文化社团活动。当时中文系被安排到校刊从事社会工作的,还有郭超人、王瑾希、丁韵嫣,这三人都是新闻专业的学生,都是专业对口。后来郭超人当上了新华社社长,而王瑾希曾任中国新闻社香港分社社长,丁韵嫣则去了国外,此是后话。那些文化社团,我都曾分别采访过,作过报道。我的前届同学石安石是二胡能手,国乐社社长,邀我参加国乐社;海婴爱摄影,拉我参加过摄影社的活动。但我最喜欢参与的还是每星期日举办的西洋器乐欣赏会,在一个教室里听放唱片,静静地欣赏欧洲的器乐弦乐曲。亲身参与了这些活动,我深切感受到了,蔡元培在北大一直倡导的美育精神,在北大仍在延续着,成为北大的一个传统。

三

一旦潜心于读书听课,我面前就展现出了一片浩瀚的知识海洋。我投身于汪洋大海之中,如饥似渴,尽情地吸收知识营养。那个时代,真是我们奋发读书的好时光。

正是在这时,我有生以来首次深切体验到了时间的珍贵,时间就是生命,全身心都要投入抢时间。那时,一天里除了吃饭、睡觉,都在抢时间读书听课。清晨6时,天还没有亮,听到铃声,立即起床,做完早操,就立即奔向大饭厅,以最快速度用过早餐,有时甚至抢上一个窝头就直奔图书馆去占座位。等到上课,又快步奔跑,冲向教室。那时的教室与图书馆,教室与教室之间,相距甚远,若走慢了,就会迟到。自行车在当时还是稀罕之物,我们这个班50个人左右,只有家在城里的曾宪法一个人有一辆半旧的自行车,可以骑着去上课,大家都羡慕得不得了。我们大家都匆匆忙忙奔走在三点一线上:从宿舍到教室,再到图书馆。晚上回到宿舍,10点熄灯,即刻睡觉。那日子过得紧张而又充实。

　　我们这些新生,先是睡在体育馆的地板上,不到半个月,中文系和东语、西语、俄语三个系的新生又搬到了民主楼住。这民主楼本来是燕京大学的宗教楼,就在办公楼右侧。楼有两层,楼上乃作祈祷用的礼拜堂,安放了上百张双层木床。我们终于有床睡了,我睡下层。没有想到,我在北大才两个月,水土不服,就得了胃病,不时胃疼,到校医院查了几次,说是胃炎,我也没有在意。北京入冬以后,骤然降温,那是刺骨的冷,和南方的冷不大一样,我不大适应。饮食也和南方不同,主食最多的是玉米窝头,面食只占三分之一,还有少量的大米只用来煮稀饭,偶尔吃一顿"抓饭",一下就一抢而空。再加上抢时间在三点一线上奔走,连星期天也不休息。日积月累,不知不觉就得了胃炎。发展到新年元旦后几天,我的胃病越来越厉害。有一天,晚上冷得厉害,半夜里我剧烈胃痛,痛醒了全身翻滚,失声尖叫。睡在我上铺的杨壮伯被我惊醒,立即唤起了同班的沙作洪来问我怎么回事。沙作洪是我们班的总干事(班长),我是学习干事,一直关心我,他毕业后去当了胡耀邦的秘书。他看我痛得那样,就立即决定,马上送校医院。他叫起了曾宪法,用他那辆自行车把我半夜送到了校医院。值班医生孙宗鲁当即诊断为急性盲肠炎,需马上动手术割除。可那时的校医院尚十分简陋,连割阑尾炎的设施也没有,只能叫了一辆救护车送到了北京人民医院。这是我有生以来,第一次住进医院。我从北京人民医院手术后回校,校医院就安排我入住均斋(即后来的红三楼),不再去民主楼了。那时的校医院,还没有建病房,暂占用均斋让一些病人入住。我被安排住在均斋的一层,吃饭就在均斋和备斋(红四楼)之间的教师食堂,其间设有专为胃病患者食用的病号桌。和我同一桌用餐的一位又高又瘦的老大哥,主动问我:你是中文系的吗?当他知道我是从苏州来的,也就用上海话来和我交谈。攀谈下来,我方才知道,这位老大哥就是鲁迅的儿子周海婴。他比我大4岁,在物理系就读,高我两届。他半开玩笑地说,他不懂文学,遵从父亲遗言,不做空头文学家,但他对中文系的同学感到亲切,愿意亲近。他说他常去看章廷谦(川岛),就在中文系教书,他叫川岛为章叔叔。我告诉他,章廷谦是我的老师,正在为我们开讲"写作实习"课,一口浙江官话,北京人听不大懂,我听得满身舒畅。从这一次相识开始,我们在同桌吃饭有两年时光,由此而有了近30年的交往。

那时我初到京城,真个是人地生疏,举目无亲,如今遇到了一个同操吴语乡音的老大哥,真使我惊喜万分。海婴是我在京城可以推心置腹的第一个熟人。他比我早到北京两年多,1949年初春就随许广平由地下党安排好来到了北京。他在上海长大,从小体质就差,3岁时就得了过敏性哮喘症,对上海的潮湿天气过敏。长大后发展为肺气肿,痛苦不堪。1948年秋,国民党垂死挣扎,在上海又对许广平暗中监视,地下党潘汉年作了精密安排,把许广平和海婴转移到香港。当年冬天,地下党又把他俩用船秘密接到安东(丹东),再转到北京。那年海婴还只19岁,在海上走了10天,同船的有30多人,全是当时民主党派的领袖人物和文化学术界的名家,其中有郭沫若、茅盾夫妇、马叙伦、翦伯赞、侯外庐、沙千里、胡绳等人。12月在沈阳会合,又见了李济深、章伯钧、何香凝、沈钧儒等人。1949年初春到北京后,他随许广平入住北京饭店,又见了柳亚子、马寅初、郑振铎、胡愈之等人。当年,许广平被周恩来总理任命为政务院副秘书长,从此定居北京。海婴那年20岁,先在华北大学受训了3个月,然后考入了辅仁大学的社会系,正想从事社会科学。但在辅仁大学两年,发觉自己的兴趣还在无线电的技术科学,因为他从小就爱自己动手装配收音机。于是,在1952年高校院系调整时,他转入北京大学的物理系。正是在这里,我和海婴得以相识。他不仅给了我许多具体的帮助,而且在人生发展的路途中给予指点,使我受益良多。

海婴平日里沉默寡言,话语不多,但相互熟悉起来之后,我就发现,他只要一打开话匣,敞开心扉,说话就会滔滔不绝。他见多识广,特别对北京上层,所知甚多。我对他所说的,听得津津有味,对我这个见识不多的人来说,真个是见所未见,闻所未闻,大大开阔了我的眼界。给我印象最深的是他从上海到香港,再从香港到东北的那一段经历,真是惊心动魄,扣人心弦。1948年深秋,海婴接到北上的通知,地下党发给许广平和他一笔补贴。海婴省吃俭用,大大压缩了置装费,想在香港买一件在大陆买不到的心爱之物,犹豫再三,走遍港岛店铺,最后当机立断,买了一架价格便宜的"绿莱"牌照相机。海婴这一别出心裁的举动,显示出了他的远见卓识,使他一生受用不尽,连我也沾了他的光。1953年我在北大校门口照了第一张相,就是海婴用他从香港带到北京的那个相机照的。相机在那解放之初,还是十分名贵之物,我们这些刚入学的新生,更无人有。海婴买下那架相机之后的最大贡献,是在从香港到丹东的海船上,照下了那些一同北上的政界要人、学界名流的许多照片,以及在新中国成立前夕民主人士齐向北京会合的许多照片。海婴曾为我展示了其中的一些,李济深、沈钧儒、李德全、章伯钧、沙千里等,都存在他的照相本中。那时,尚无专门的摄影记者来追踪这些要人名流,只有海婴的私人相册中才有,所以十分珍贵。

海婴还保存了一件极为珍贵之物。他在香港带回来一本精美的纪念册,上面写着许多文化名人、学者政要的手书。我一看,真是琳琅满目,熠熠生辉,使我大开眼界。何香凝的赠言,称海婴为"世侄";李济深的祝辞,却称海婴为"世兄";章伯钧的赠言题词则称海婴为"老弟"。给我印象最深的是郭沫若的题词,写得最长,满满两大页。一页上,先写上了鲁迅的"横眉冷对千夫指,俯首甘为孺子牛"。然后接着写出了郭沫若的阐释,说鲁迅的这两句诗,乃"新民主主义人生哲学",并为毛泽东、周恩来诸公所服膺。最后,郭沫若赠言:"愿与海婴世兄共同悬为座右铭。"另外还有一页,是郭沫若自己题写的一首诗,抒发了他对许广平的拳拳慈母心的敬重之情。这首诗有八句,我已记不得了,但最后有个附言,是说1948年11月,由香港乘华中轮北上,"广平大姐"在船上日夕为海婴织毛衣,以备到东北时用,使他十分感动,因而写成此诗,书奉"海婴世兄以为纪念"。这是极为珍贵的历史文献。还在数年前,我在无锡县师读书时,就听到文化人士的流言,说鲁迅和郭沫若两大文豪如何不和,我也不明真相,将信将疑。一看海婴这纪念册上的郭沫若题词,我疑云顿消,印象改变。在12月初,轮船快到丹东之前,许广平也在这纪念册上写上了她的祝福,希冀海婴在新社会大有作为。其中说到,照旧俗,男人二十曰冠,成人了。在海婴20岁的时候,她把海婴亲自送到新的大中国摇篮里,要他在这里"长大,生息,学习,坚壮",对新社会作出贡献。做母亲的慈爱之心,溢于言表。鲁迅不要儿子做空头文学家,许广平则不期望海婴走仕途。果然,海婴后来走上的是科技兴国之路。

全国院系调整之时,国家已在筹划要发展导弹、原子弹。北大受命在物理系要生长出一个新系,即后来的技术物理系。海婴一进北大,就是边学习,边为这个新专业筹建实验室到处奔走。教他的老师是朱光亚、虞福春,以及后来曾当北大校长的陈佳洱,当时是个助教。我们的专业方向虽然不同,但政治经历却有不少近似。我们都是在新中国建立之前就参加了青年团,又都是在向科学进军的号角吹响之时,被吸收加入了中国共产党,加上又是江南大同乡,所以共同语言就多起来。我们相识不久,海婴曾邀我去他城内的家里做客。那时,他和母亲住在一起,家在北海公园东侧的大石作胡同,独门独院的一座四合院。这是已在北京住了较久的章廷谦(川岛)为许广平挑选的,离中南海很近,许广平去政务院上班很方便。这里闹中有静,抬头就见蓝天白云,出门不远,就可去北海漫步或上景山爬坡。这是我有生以来第一次见识到了北京的四合院是什么样子。那时海婴已经结了婚,但还没有孩子,夫人马新云就在北大俄语系就读,常到胃病食堂来接海婴一同回家,他们夫妇俩就和许广平在一起住。海婴此时对摄影技术情有独钟,在这个四合院里他有一间单独设置的摄影洗印暗房。他让我参观了一下,里面放了好几架底片放大机,既有苏联的,也有英国的。这是海婴的业余工作室,只要星期天回到家里,他就一头钻进这暗房,摆弄他这业余爱好。

有一次,海婴给了我一个惊喜,送了我一套1938年出的《鲁迅全集》。那时,许广平常要接待外宾,住在大石作胡同不方便,周恩来总理为她另安排了一个新的住处——景山东前街5号。这也是一所独门独院的住宅,但不是北京的四合院,紧靠景山,不远处就是故宫北门,东边就是沙滩,交通极方便。一个星期天,海婴约我到这新家去取书,正好许广平也在家休息,见面聊了一阵。她说着广东口音较重的普通话,和蔼慈祥,一点没有当官的架子。她听海婴说我是北大中文系攻读文学的,又是川岛的学生,川岛是她全家的好朋友、座上客,所以很乐意送一套《鲁迅全集》给我,我当然感激不尽。这套《鲁迅全集》很珍贵,那是鲁迅逝世后,由蔡元培、宋庆龄带头,亲自成立了一个委员会,发起全集的出版。蔡元培亲自作序,赞誉鲁迅为"新文学开山"之人。海婴告诉我,他妈妈为出此套全集付出了全部精力,设计了三种装帧。一种是精装纪念本,装在预制好的精美木匣里,高贵华丽,成本很高,只能制作少量精品,赠送珍贵客人;一种是无匣精装,也甚精巧,但未配名贵木匣;还有一种是红布面装帧,朴素大方。海婴送我的是一套布面装帧,我已经心满意足,高兴得不得了。那两种我也在海婴那里见识过了。后来,我当西哈努克王子那拉·迪波的"太子太傅",专门通过海婴去景山东前街拜访许广平。她亲切地拉着这位18岁的王子,向他介绍了鲁迅的生平,最后她叫秘书王永昌捧出那樽精美的木匣,里面装着全套《鲁迅全集》,亲手送给了王子。那王子高兴得跳了起来,紧握着她的手,连声道谢。我事先也不知道许广平会送这样珍贵的礼物。海婴悄悄告诉我,他都感到有些意外,因为这样的有匣精装,已经不多,他也舍不得,劝她送套无匣精装算了。但许广平觉得西哈努克和周总理的友谊不比寻常,为了加深中柬友谊,她最后还是决定送王子一套最好的精装,给王子留下美好的印象。在回友谊宾馆的车上,我特地把许广平的这番深情厚谊向王子作了转达。

因科技发展的急需,海婴在北大提前毕业,留校参与技术物理系的建设。当时钱三强在中国科学院主持物理研究所工作,曾通过何祚麻的夫人（也在北大技术物理系任教），想商调海婴去中国科学院，但北大一口回绝。海婴留校不久，北大就很快为他安排了家属宿舍，就在北大西校门不远的镜春园78号院落。这里虽只是两排简易平房，但靠近未名湖畔，离技术物理系也近，所以能安下心来，向科学进军。住在镜春园三年，海婴和马新云有了第二个孩子，取名一飞。他们的第一个男孩是在1953年生的，名叫令飞，因他俩还在北大读书，由许广平帮着抚养。鲁迅在快到50岁时才有了海婴，许广平当然希望海婴能早生孩子，让周家后继有人。海婴在北大为建设技术物理系忙碌了几年，但还是在数年后依依不舍地离开了北大而去了中央广播事业局。那是因为，许广平年岁大了，身体不好，心脏病、糖尿病等都来了。她和周建人都是民主建国促进会的领袖人物，中央统战部出面，和北大磋商，为照顾许广平的身体，把海婴调入市内。那时，中央广播事业局要加快发展，广播之外，要发展电视。海婴既懂无线电技术，又对摄影技术钻研苦深，很乐意为发展我国的电视事业作出贡献。他一到广播大厦，就被委以重任，参与了中国广电事业发展规划的技术设计。离开北大后，他俩又陆续生了两个孩子，一个男孩叫令一，一个女孩叫周宁。鲁迅的第三代，可称得上人丁兴旺，够海婴、新云俩辛苦的了。在那艰苦的年代，实在不容易。

　　海婴到中央广播事业局去后，他就不在北大住了，搬到了景山东前街，和许广平一起住。那时的广播事业局在复兴门外的广播大厦，我去看过海婴数次。我正在攻读文艺学副博士研究生时，中央人民广播电台新辟了一个《阅读与欣赏》节目，常找我撰文写一些诗文赏析，如评论王愿坚的《七根火柴》一类的文章。为适应广播的需要，就要去电台改稿，每次去，我都会到海婴的办公室里去看看他，坐一坐，聊一聊。三年困难时期，他在上海的一位熟人为他带来了两瓶绍兴黄酒，海婴知道川岛爱饮一杯，特地要我带了一瓶送给川岛。经历"文化大革命"的浩劫之后，中央人民广播电台又开辟了一个美学讲座，请在京的一些美学界人士去讲。我讲的是"艺术美略论"，后又要收入广播电视出版社的书中，我又去了海婴那里几次。他告诉我，他早已从景山东前街搬出来，到三里河住了几年，又要搬到木樨地了。我问他：怎么不回到大石作胡同去住，那里多好啊！海婴长叹了一声，说不用提了，提起来就伤心。原来，大石作胡同那独门独院的四合院，在"文化大革命"中已被支"左"的军队所占用，成了四位军官的家属宿舍。海婴一介书生，哪敢和"枪杆子"去争啊！劫难结束之后，那四合院也没能收回，等到"落实政策"，给了海婴两套单元居室作为补偿，但居住面积就缩了一半，不可能再像许广平那时宽敞了，真是无可奈何。他这一说，也勾起了我家的类似伤心事。我家在苏州小太平巷的那十几间房，自我父亲离开苏州到南京电力专科学校之后，由我叔父胡定千和他的女儿小娟住着。"文化大革命"中，亦为多家占用，到80年代初"落实政策"，说我叔父家人少，只给了一套单元居室，只是原居住面积的三分之一。那时，我在北大一公寓居住，也没有再想回苏州，就任其自然，未去理会。海婴为此伤心，这心情我完全理解，"革命"已经"革"到我们这些新中国培养出来的第一代知识分子身上了。但我这时已心平似镜，反过来劝海婴，这些都是身外之物，犯不着为此心烦，还是要自己身心愉快。

  我最后一次去复兴门的广播大厦看海婴，乃在1982年的初春。那时中央广播事业局已经升格为广电部，原来的新华社社长吴冷西当上了广电部长，海婴当上了事业办公室的副主任，53岁的人了，公务繁忙，劲头很足。我也是奔五十的人了。正兴致勃勃地在讲"文艺美学"，招收了研究生。但我自我感觉，我的身体已大不如前，慢性胃病好不彻底，时有急性发作。在三年困难时期，我又得了对北京气候的过敏反应症，在协和医院诊治了整整10年，也不见好，心里不踏实，时有南归之心。因我和海婴乃多年病友，相互了解，我就直率向海婴吐露了我的心事，让他帮我分析一下，今后我该怎么办。海婴真的设身处地为我作了一番分析。他以为，做学问，当然在北大好，但论生活，肯定江南老家好。身体好不好，既受制于社会环境，又决定于自然环境。有些事，人算不如天算，由不得自己。他先以自己为例，说他在上海19年，从小身体就不好，哮喘、肺气肿，苦不堪言，那是因为上海的气候潮湿，特别是黄梅天，更是难受。可是，北京天冷，多吃杂粮，胃又坏了，近年还发展为十二指肠溃疡。他说，他脑海里也在开始考虑，能不能退休后在北京、上海、杭州等南北两地居住,这样就能两全其美。他举宋庆龄为例,她喜欢常住上海,很适应上海的潮湿空气,一到北京,空气干燥,身上就起过敏反应,浑身不舒服。可她是国家副主席,又不得不来北京参加国事活动。怎么办,她后来终于摸索出一套自己的生活规律,什么季节在上海住,什么季节在北京住,真的做到了两全其美。

海婴的这番话,激起了我内心的波澜,想起了协和医院变态反应科创始人叶世泰曾经对我作过的提示。三年困难来临之时,我的免疫能力大减,只要秋风乍起,西北风一吹,我就浑身不自在,眼泪、鼻涕不停地流。我到北医三院看病,说是受凉感冒,可吃了三个月的药也不见好。到西苑的中医研究院求教于扬州名医耿老先生,又连续吃了好多中药,也不见效。最后转到协和医院的变态反应科,叶世泰为我作了多次测试,诊断我是对北方的气候有过敏反应,开始对我作针对性治疗,增强免疫能力。可是,我在那里先后治了10多年,仍然年年发病。叶世泰是我苏州老乡,是从东吴大学的医学院出来的。他就对我坦率相告,对气候的过敏,原因复杂,目前的科学水平尚未全能解说清楚。杨振宁,著名的大科学家,他在美国就得了气候性过敏反应。美国的医疗水平那么高,也没有治好杨振宁的病,可在发病季节一到北京,就不治而愈。杨振宁从小在清华园长大,从小就适应北京的气候。叶世泰劝我:你不妨在发病季节,到苏州老家去试一试,看看反应怎么样。他还叮嘱我,回苏州老家以后的反应怎么样,一定要告诉他,对他来说,这是一种科学实验,好记录在案,供进一步研究作参考。如今海婴的一番话,使我立即想起了叶世泰在三年前的提示,并向海婴说了。

海婴一听,就说道:这就叫自然规律不可抗拒,不服从自然规律不行;你还是要适应自然规律,平日里,在北大教教书,当教授,到发病季节,就到外地去讲讲学;你要到外地多走走,发现哪里好,适合你,你就可以常去去。你要找到最适合你安居乐业、常住久安的地方。

这一次和海婴的相见,正是我向"五十而知天命"的时段跨进,对我今后的人生道路,启示甚大。在以后的两三年中,在北大教书,编北京大学《文艺美学丛书》之外,就每年都去外地,从苏州、无锡、扬州、南京、杭州一直到厦门、福州、汕头、深圳。最后,我的人生在深圳定格,受清华大学副校长、深圳大学创校校长张维院士之邀,和汤一介、乐黛云去深圳大学创建中文系。而我们商定的最初模式就是:一年中,有半年由汤一介、乐黛云去,还有半年正是我发病季节,则由我去。其他时间,仍在北大教书,带研究生。这一模式,正是海婴当初给我的启示。我将永远记得这位北大老大哥对我的指点和关怀。

四

也正是由于海婴的帮助,我找到了严慰冰。

从1953年初开始,我在未名湖畔的均斋住了半年。因为这里离图书馆很近,我把听课后的全部时间都用来查阅"五四"新文化运动以来出版的美学书籍,对读书以外的事,无暇旁顾。未名湖,一到冬天,就结了厚厚的一层冰,是天然的溜冰场,我也没有顾上去学滑冰。

一个冬天过去了,迎来了我到北大后的第一个春天。1953年初春,我和海婴在均斋旁的胃病食堂用餐时,发现海婴身上背了那架从香港带回来的照相机。他也是来北大后第一次欣赏到燕园的春天,觉得真美。那天他是特地带了照相机来,专照未名湖的春天。饭后,我跟着他绕未名湖走了一周,照了不少美景。机会难得,最后,海婴把我带到西校门口,为我留了个影。这是我到北大后第一次照相,那时我们同班同学都没有照相机,幸得海婴帮忙,才有了这张我的"初入北大第一影"。

就在未名湖畔,闲聊中我说起了陆定一夫人严慰冰,不知她在哪里工作,住哪里,我中学老师陈友梅教过她,要我和她取得联系。海婴一口答允,帮我打听。果然,没有多久,海婴就告诉我,他妈妈说陆定一的家在中南海,地址保密。但听说严慰冰本人还在中国人民大学马列主义研究班当研究生。我一听,当时的瞬间感觉,觉得"侯门深似海",也就打消了去找严慰冰的念头。

不料,那年冬天,海婴兴冲冲地在餐桌上告诉我:好消息,知道严慰冰的下落了。她已在中国人民大学学完,来北京大学教中国革命史了。多巧!海婴真是个乐于助人的热心人。没过多久,他又告诉我,严慰冰来北大上课,在体斋给了她一间房,来讲课那天,就在那里休息。他打听好了严慰冰来北大的时间,亲自陪我去体斋,见到了严慰冰。严慰冰也是第一次见海婴,当我向她介绍海婴时,她兴高采烈地说:鲁迅的孩子都这么大了!那时严慰冰也还没有和许广平相识,要数年后,陆定一兼了国务院副总理,她才和许广平有了交往。

由于海婴的帮忙,我初次见到了严慰冰,从此和她有了联系,一直到"文化大革命"为止。严慰冰是我在北京继海婴之后相识的第二位熟人。和海婴一样,她是个乐于助人的热心人,在我人生发展道路的关节点上,给了我莫大的关切和帮助,令我一生一世不能忘怀。海婴比我稍长,应属同辈。严慰冰却应是我长辈,那时已近40岁,而我才过20岁。但严慰冰从不以长辈自居,而是像老大姐那样真心帮我,从不居高临下。她说,陈友梅教过她,是她的老师,我又是陈友梅后来的学生,她是师姐,我应该是师弟。她是中国人民大学马列主义研究班的研究生,我晚她几年也去了那里,更应该说是前后同学。

严慰冰在公共政治课教研室当教师,面向全校,教中国革命史。她和赵宝煦、钟哲民三位是教研室党组织的负责人,我因认识了严慰冰,她介绍我和这两位也相识了。严慰冰每周来北大三次至五次,平日就住在体斋一间房备课、休息,在教工食堂用餐,和大家吃一样的饭菜,生活简朴,平易近人。我平日去看望她,就在体斋二层楼,推开窗户就能见到未名湖、博雅塔和岛亭。星期六她就回中南海。慢慢熟悉了以后,她邀请我去中南海做客,但必须是在节假日。元旦、春节、国庆、劳动节,这些重大的公众假日都可以去中南海找她。从1954年开始,我每年都会去中南海三四次。严慰冰的妈妈过瑛,那时已年近六十,只会说无锡话,在北京生活也不习惯,希望有个无锡同乡去说说话,聊聊天。她听我说起,我曾在严家桥教过书,高兴得不得了。她是无锡寨门人,离严家桥很近。严慰冰的父亲严朴,年轻时就在严家桥、寨门等一带领导农民运动,是锡北赫赫有名的革命领袖。过瑛一再叮嘱我,欢迎我常去她那里做客,说家乡话,吃家乡菜,聊家乡事。

我第一次去中南海是在1954年的国庆休假日。严慰冰住的地方叫增福堂,靠近怀仁堂,必须走中南海西门才让进,不让走北门,更不能走南门。我穿过灵境胡同,到了西门,先在警卫室登记,然后由警卫打电话到严慰冰家里。严慰冰必须亲自到西门来领我,才让进门。严慰冰把我领进西门,就是一片平坦广场,广场北面就是那名扬全国的怀仁堂。当时还没有建人民大会堂,国家的重大会议,都在这里召开。我第一次见识了这景仰已久的怀仁堂。越过怀仁堂往东走,就来到中海的岸边,中海里停着几只木船,岸边杨柳依依,颇似江南景色。中海的北侧是一座跨水大桥,桥北就是北海,已辟成公园,不归中南海管辖了。而到中海,向南一拐,就进入南海地域,中央人民政府是在南海,车辆由南门出入。严慰冰住的地方,属于中海,增福堂是独门独户的一所四合院,正房居北,东西两侧是厢房。增福堂的前院,也是独门独院,当时住着彭德怀。增福堂的后院,是喜福堂,由李富春、蔡畅一家住着。

我去那里,过瑛最高兴了。我按老家的称呼,叫她好婆,她说好,感到亲切。她从小在无锡寨门长大,严朴在外搞革命,很少在家,她的四个女儿,都是她一手带大。抗战期间,在家乡实在挺不住了,过了不惑之年的她,带了女儿,辗转来到了革命圣地延安,吴玉章介绍她参加了共产党。可是她心里始终装着在那里生活了40多年的无锡家乡。她拉着我的手说:小胡啊,你还年轻,不觉得,我这年岁的人,人越老,就越想家乡。那次去,陆定一参加国庆的庆典活动去了,不在家。严慰冰的三个孩子,陆德、陆瑞君(女儿)已上了中学,小儿子陆健也正在上小学,都去学校参加活动了。严慰冰忙着做饭,只有我陪着好婆聊家乡事。我告诉她,荣德生,我还在1951年的苏南行政公署成立大会上见过,他和钱孙卿(钱锺书的叔父)都被推选为苏南行署的副主任,管文蔚是主任。但在第二年(1952),荣德生就过世了,77岁。她熟悉的另一位严慰苍老先生,她的寨门同乡、邻居,当过无锡县女中校长,我们也在一起参加过无锡县一、二、三、四届人民代表会议,也在1952年去世了。过瑛听了,这些熟人都不在了,感叹良久。我正要接着说华彦钧,严慰冰来叫吃饭了,我们三个就走到西厢房坐下用餐，我又接着说阿炳。我说，1951年，我在无锡参加苏南人民代表会议，还在南门清名桥见过阿炳，听说那年中央音乐学院的杨荫浏为他录下了几首二胡、琵琶乐曲，但到冬天，阿炳就过世了，没能把阿炳的全部音乐遗产都抢救下来。

说到阿炳，激起了严慰冰少小时的一些回忆。阿炳给她留下的印象，也是他的说唱。严慰冰说她在六七岁时就听到过阿炳的说唱。那时阿炳已入中年，两眼渐瞎，已不能去道教乐班演奏了，只好以卖艺为生，常来往于无锡北门开到江阴的轮船上。寨门处在这条航线的中间站。每年旧历三月初三，是一年一度的踏青节，寨门都要举办盛大的游乐活动，游附近的黄玫山，祭祠堂。此时，阿炳就会出现在踏青节的游乐场上。严慰冰那时就听过阿炳的说唱，觉得好，当场就把她口袋里仅有的两个铜板全给了阿炳，感到还不过意。她叮嘱阿炳，下次再到寨门，可以到"三少爷"（当地人都称严朴为"三少爷"）家找"大小姐"（当地人称严慰冰为"大小姐"，她是严朴的大女儿），她要送他一根好手杖。果然，阿炳后来摸到了严朴家，严慰冰不仅给了他一根有七段竹节的上好手杖，还给了他两升好米。阿炳对"大小姐"感激万分，对"三少爷"更是无限敬仰。以后，阿炳在好几曲新编说唱中，都融进了严朴抗日打鬼子的故事。严慰冰不仅从小就富有对穷困人家的同情心，而且记忆力极好。她在说到阿炳的说唱时，竟还记得那次说唱中有这么四句："做人莫做富家翁，朝积金银夜积铜；积得金银无用处，千家叫苦万家穷。"严慰冰说，她之所以还记得，那是觉得这里说出了在世做人的人生哲理，从小就觉得有道理。严朴、过瑛一家在当地乃有钱人家，但长大后就投身革命，钱财散尽，献身于穷人的解放事业，令我肃然起敬。

从1954年国庆开始，到1965年春节最后一次去中南海，我每年去好几次，主要就是去看望过瑛、严慰冰。有时陆定一在家，我也不会去打扰。但有时陆定一有空，他也叫我坐在客厅里，问我北大有啥"新闻"，在听我说的过程中，常发表他的评说和见解。有感而发时，偶尔也会站起来，来回走动，说起来滔滔不绝，我就细心静听。给我留下印象的有过这么几次，值得略说一下。

美的追寻

1956年，对我来说，是很重要的一年。在向科学进军的号角声中，我得以在北大先当杨晦的助教，跟从他研究中国文艺思想史，然后在过年之后，再从助教转为他首次招收的文艺学副博士研究生。我遇上了好时光，就在那年春天，郭沫若作为中国科学院院长和中华文学艺术家联合会主席，邀请陆定一在怀仁堂作了《百花齐放，百家争鸣》的著名报告，在京的著名科学家、作家、艺术家都去听了。北大的马寅初、江隆基、周培源、冯友兰、翦伯赞、魏建功、季羡林、冯至、杨晦、游国恩、王力、朱光潜等都去听了，反应热烈，学术研究的春天到了。这年国庆期间，我又去中南海看望过瑛和严慰冰，午饭后在客厅聊了一阵，就要告退。正好这时陆定一从外边回家，叫我先别走，他下午没有事，要我坐下来聊聊。

这一次，陆定一很关心"百花齐放，百家争鸣"方针提出后，北大的教授有什么反应。我如实告诉他：反应热烈，皆大欢喜。为响应百家争鸣，好多教授都准备在必修课程之外开出新的专题课，江隆基（当时北大的党委书记、副校长）鼓励大家要炒名牌菜。杨晦在中文系带头开出了"中国文艺思想史"，王瑶开出了"鲁迅研究"。吴组缃已在准备开出"《红楼梦》研究"，文研所的何其芳也在准备开讲《红楼梦》。林庚正在准备开设他最喜爱和擅长的唐诗研究。然后，我又说到了朱光潜，他也已作了准备，很快要开出美学课了，以回应蔡仪。蔡仪已先开出了美学课，宗白华也在作准备。百家争鸣的风气，已在北大开启了。

说到朱光潜，陆定一就又进而追问起他的近况来。幸而，我自1953年起，一直和朱光潜保持着联系，所以能说得出来。我告诉他，朱光潜最近参加了中国民主同盟，成为民主党派人士。前不久写了近两万字的《我的文艺思想的反动性》，以自我批判开始，想继续他的美学研究。我去过他家里几次，他住在校医院后面的破平房里，房子太旧了，但他心情却平和，安心做学问。我听杨晦说，江隆基已经向他打了招呼，准备要他搬到燕东园27号去住，那是原来燕京大学校长陆志韦的住宅，陆志韦走了，准备给朱光潜住。听到这里，陆定一就说开了：这就对了！对朱光潜先生这样的老教授，生活上还是要给予照顾。在政治上，他是国民党的中央监察委员，但解放时没有跟着国民党跑。北平快解放时，蒋介石派飞机来，要把一些文化名人接到台湾去，名单里就有他，但他没有走，这精神就可嘉。解放后，他能自我批判，清算以前走过的道路，愿意学习马克思主义，我们应该欢迎才对，不要把愿意进步的老知识分子拒之于门外。去年中国科学院要大家推荐学部委员，你们北大的党委书记、副校长江隆基想把朱先生列入哲学社会科学学部当学部委员，引起不少争议。不少人还说，像蔡仪、黄药眠这些进步教授都不是，怕摆不平。既然一时争论还挺大，那就先暂时搁一搁，等下次再说。但我对周扬、乔木都说了，对他的生活待遇还是要照顾，学术上要发挥他的作用。看来，北大已经在落实了，这就对了。

"百花齐放，百家争鸣"的方针出来后，知识分子确实欢欣鼓舞，但也有一种担心，怕这只是暂时性的策略，就怕不久会一风吹。我就听说吴组缃在底下说过，他当然希望这是长期政策，不要只是权宜之计。他当时正在申请加入中国共产党，真心诚意盼望通过百家争鸣来发展学术。他说，我们有些人，就像大人对待小孩一样，为了让孩子听话，就给孩子一块糖吃，让他顺着大人，如若小孩不听话，立刻就伸手打。他希望共产党不要这样。我当时脑海里闪过的也正是这个困惑，所以，就对陆定一说：大家都盼望"双百"方针是个长期政策；也有人担心，怕这只是权宜之计。陆定一听我一说，就站起身来，面向我说："你们这些年轻学者要做老一辈学者的工作，要相信'双百'方针可不是权宜之计，是要长期实行的。提倡'百花齐放，百家争鸣'可不是我一个人的想法，这是毛主席的主张。毛主席在1951年就为中国戏曲研究院题词'百花齐放，推陈出新'，1953年就针对中国科学院的历史问题争论，提出要'百家争鸣'。我个人在苏联多年，亲身感受到斯大林时代的教条主义太厉害，中国不能这么办，文化艺术还是要'百花齐放'，学术研究还是要'百家争鸣'。学术问题、艺术问题、技术问题不能和政治问题混为一谈，必须区分开来，不然就会变成乱麻一团，混战一场。政治上要区别有益、有害、无害，要分清敌我。艺术、学术问题，当然也有对错、是非、真假、好坏、优劣，但要和政治区别开来。艺术、学术问题应由文化界、学术界自己通过自由讨论来解决,共产党不要管那么多,把握住政治就行。各行各业都有自己的专家,要靠行家里手来解决本门专业的问题。前几年,中国科学院要编中国史,光历史分期就有好几种不同的说法,郭沫若、范文澜、翦伯赞都不一样,要我们中宣部来裁决,我对毛主席说,这是学术问题,不能由我们中宣部来敲定。毛主席也同意不要去干涉,还风趣地说,中宣部就是请马克思、恩格斯、列宁来当部长,也解决不了这些学术问题。要繁荣文化艺术,发展科学研究,还是得靠'百花齐放,百家争鸣',这是历史的必然。"他接着说,在大学课堂上也不要只许"一花独放"。他已经和江隆基打了几次招呼,在高年级应该允许开一些资产阶级学说的课程,罗素哲学、凯恩斯经济学等都应该让学生知道,要引起争鸣,学术才能发展。真理越辩越明,就说美学,那是一门精微的学问,就更需要大家争鸣。你们北大集中了那么多老一辈的美学家,就可以从朱光潜先生的自我批判开始,展开美学的争鸣。我已和周扬说过了,让大家自由争鸣,不要妄加干涉,蔡仪、黄药眠、吕荧都可以充分发表自己的见解,慢慢在学术界形成一种风气。

那天,陆定一的精神很好,兴致勃勃地为我说了一大套。这是我听陆定一说得最多的一次,给我留下了深刻印象,使我真诚相信"百花齐放,百家争鸣"的方针在北大能够实施,能开花结果。我本就对美学饶有兴趣,听他这么一说,我更关注起当时正在展开的美学讨论。在此后数年的美学争论中,学界陆续发表了美学文章约200篇,我绝大部分都看过,尽管理论水平尚不高,还曾出现相互间扣"唯心"的帽子,但没有像《红楼梦》的争论那样,后来发展成了政治批判。

时隔一年多之后,1959年元旦期间我去中南海,第二次见到陆定一。半年前,1958年的暑假我回了一趟江南老家,过瑛要我为她细说回老家无锡的所见所闻。说过后,我正要走,陆定一从书房走出来,叫我再坐一会,听我说说北大有啥新闻。我当然高兴,乘此机会,正可以向他讨教一些问题,听他发表高见。我说了北大的三件事。一是周扬自己主动带了邵荃麟、张光年、何其芳、林默涵来北大开设文艺理论讲座,周扬已讲了第一讲"建设中国马克思主义美学",大家反应热烈。陆定一说,这事他知道,周扬对美学感兴趣,也有雄心壮志,这是我党的好事。看来,周扬曾向他打过招呼,得到他的首肯。二是我说了朱光潜,江隆基已在前年安排他住进了原燕大校长陆志韦的住宅里,为他恢复了一级教授的待遇(在此前只拿七级工资),还被请为全国政协委员。朱先生如今全力投入学术研究,修订了译著《美学原理》(克罗齐)并重新出版,黑格尔的《美学》,他已翻译了第一卷,亦已出版。他还把三年来所写的自我批判十篇论文结集成《美学批判论文集》,也出版了。陆定一听了很高兴说,你看,还是要发挥老专家的特长。我又告诉他,北大已在筹建美学教研室,请朱光潜、宗白华、马采等老一辈美学家参加,让他们各显神通。陆定一连声说好。然后,我说了第三件事,那就是在1958年,北大中文系学生发动了"拔白旗,插红旗"运动,把游国恩、林庚、王瑶作为"资产阶级学术权威"批判了,接着就在暑假里编出了红色文学史,受到了新来的党委书记陆平的表扬。

听到这里,陆定一就说:批判权威,编写新史,这都是好事。他也听周扬说过此事。批判是破旧,但不是为破而破,而是为了立新。不能只破不立,而要又破又立,破旧立新。破,不是批倒一切,要有说理,讲出个道理来,持之有故,言之成理。就他的感觉,这几年的美学争论虽有缺陷,还时常有扣"唯心"的帽子,但大体还可以,今后要克服缺点,继续前进,体现"百家争鸣"的精神。《红楼梦》研究的批判,就不如美学争论那样心平气和,李希凡批俞平伯,少年气盛,说理还不大够,缺乏足够的说服力,语调也比较激烈。其实,即使真理在手,也用不着盛气凌人,还是要平心静气,耐心说理。说到这里,陆定一用手指着我说:你们这些人还年轻,要虚怀若谷,善于学习,要把老一辈的长处学来。那年,还有人想批判周汝昌、吴恩裕,后来吴世昌从英国回来,也有人想批。何其芳向他反映,不要扩大打击面,还是要把《红楼梦》研究引向学术研究。陆定一说他同意何其芳的意见。

那时,我正在受命担任周扬讲座的助教,呼应他的"建设中国马克思主义美学"的召唤,投向于革命现实主义与革命浪漫主义相结合的讨论,应《文学评论》之约,撰写《理想与现实在文学中的辩证结合》。我抓住这次见陆定一的机会,想向他当面请教,问他如何理解。

不料，当时他就坦率地告诉我：他对这个问题没有研究，也没有深入考虑过，更谈不上有什么见解了。他说，你应该去请教周扬，周扬是中宣部分管文艺的副部长，很多文艺问题，都是由他直接向毛主席报告的。毛主席对文艺特别关注，不少文艺问题毛主席都直接过问，直接向周扬交代，他知道一下，都让周扬去处理。这"二结合"问题，也是直接和周扬谈的，他不在场。他这么一说，我从此才逐渐明白起来。自延安文艺座谈会以来，毛主席一直密切关注着文学艺术，直接过问文艺方针的制定，周扬是他的得力助手。陆定一虽是中宣部部长，但他主要关注"百花齐放，百家争鸣"这一大方针，对文学艺术不大过问。特别自1958年兼任副总理后，更多关注的是教育、新闻、出版等意识形态，文艺放手让周扬去管了。但在数年后，中宣部被打成"阎王殿"，恰恰正是以文艺领域为突破口，这是陆定一没有想到的。

我再次见到陆定一，是在一年多后的1961年春节期间。1960年底，我结束了4年多的副博士研究生的生涯，留校当杨晦的助教，住在19斋，和刚从复旦大学分配来的裘锡圭共处一室，开始了教学生涯。杨晦是当时教育部指定制订文艺理论教学方案的主持人，一次在教育部开会回来就告诉我，中宣部、教育部和社会科学学部已经成立了文科教材办公室，启动全国性的文科教材建设，周扬总负责，蔡仪负责《文学概论》的编写，要北大出人。杨晦说，他把吕德申和我两个人推荐给他了。吕德申半脱产，还有一半时间要在北大，管文艺理论教研室的事（他是副主任）；我则全脱产，可能要去中央高级党校两三年。晦师要我作思想准备，等来正式通知就去。我当然高兴，可我不知道究竟，怕不了解情况，就像数年前，人事处通知我去中国人民大学马列主义研究班，几个月后才弄清究竟。于是，我在1961年春节去看严慰冰，就问她知道不知道这是怎么回事。严慰冰一听就说，这是大好事啊！她想起，在闲聊中曾听陆定一说起过，周扬想要建设中国自己的"大百科全书"。正好那天陆定一在书房，严慰冰就叫我稍等一下，把陆定一请了出来。陆定一告诉我说：这是总书记小平同志在前不久拍板定下来的一件大事。中央决定要周扬来落实这个文科教材建设工作，这可是个大工程，准备奋斗好几年，编出几百种文科教材。新中国成立十多年了,文科的好多学科还没有教材,实在说不过去。中央书记处前不久研究了这个事,小平同志下决心要攻一攻这个关。如今遇上自然灾害,国家也要休养生息,但休养生息有积极的方式,也有消极的方式。这编教材就是积极的方式,咱们利用这休养生息的办法,不搞大跃进,而是静下心来,用老中青相结合的方法,相互切磋,好好讨论。要把咱们的冷藏库好好清理一下,把冷藏多年备战备荒的鱼肉鸡鸭分些出来,供应编书的专家学者,改善生活,补充营养,既保护了专家学者,又发挥大家的学术积极性,把自己的精神财富贡献出来。编书要老、中、青结合,把老专家的专长发挥出来,又为我们培养了年轻一代的专家,鼓励大家既有继承,又有创新。陆定一最后说,小平同志的这一决策十分高明,可说是一举三得。他鼓励我:这是一次难得的机遇。中共中央高级党校是中央培养高级干部的地方,可以在那里安心做学问,编教材,为将来的学术建设作贡献。

听得出来,陆定一的心里,对邓小平充满了敬佩之情。过去我对邓小平所知甚少,这是我第一次听到有人在谈论邓小平,而且这位又同是高层中人,当应真实可信。我对邓小平的初次印象,就来自这次陆定一的谈话。

这一次告别中南海,要在四年之后才有机会重访。我最后一次见到陆定一,是在1965年的春节期间。严慰冰郑重其事地邀我和已任国际政治系主任的赵宝煦、北大党委宣传部副部长钟哲民一同去中南海做客。严慰冰说是老熟人叙旧,但那天陆定一在家里,而且还和我们一起进了午餐。餐后,就同赵宝煦、钟哲民两人谈起北大的社会主义教育运动来。此时的政治气候已经有了山雨欲来风满楼之势,陆定一和彭真都已介入北大的社会主义教育运动,赵宝煦、钟哲民作为北大的中层领导,都已身历其境。我则在中共中央高级党校编了两年多教材,在1963年秋回北大教了半年书,旋即被北京日报社社长范瑾借调去写文艺评论,未曾经历北大的社会主义教育运动。这次,陆定一就是静听赵、钟说,不轻易发表他的意见。我插不上话,也无从谈起,于是,我和严慰冰就退到一边,说起她写的叙事长诗《于立鹤》来。这是严慰冰以父亲严朴为原型创作出来的,反映了解放之前无锡北乡的革命斗争，可说是无锡的革命史诗。《于立鹤》是她创作的第一部作品，诗如其人，热情洋溢，叙事流畅，融注了她对革命烈士的崇敬和对江南故乡的怀念之情。

真是风云难测，陆定一自己也没能想到，就在一年多之后，"文化大革命"的飓风刚起，最先遭殃的竟是他和彭真、罗瑞卿、杨尚昆。1966年5月，中央集中批判了彭、罗、陆、杨，撤销了由彭真、陆定一、周扬等组成的"文化大革命五人小组"，通过了发动"文化大革命"的"五一六通知"。从此陆定一沉冤受难十三年，全家都遭了殃。

五

严慰冰才思敏捷，内心丰盈，而又为人耿直，疾恶如仇，品性中刚柔相融，德才双馨，真是个女中豪杰，党内才女。只是她与人相处，毫无防人之心，习惯于直来直去，快人快语，得罪了人，别人怀恨在心，亦毫无所防。她得罪了林彪、叶群，被这些党内小人恨之入骨，必欲置之死地而后快。借发动这"文化大革命"之机，林彪、叶群一伙人把严慰冰打入了死牢，她的后半辈子遭受了极为悲惨的命运。

周海婴在1954年陪我拜访过严慰冰后，我就常去体斋她的住所拜访。在我学期考试期间，她回中南海时，甚至把体斋住所的钥匙借给我，我好在那里开一开夜车。在多次交谈中，我逐渐了解了她的过去。

她曾直率地问过我：你考中文系是不是想当作家。我说，我并没有想当作家，只想当个学者，研究研究美学，也想多懂得一些其他艺术。她年轻时就想当作家，不过想当的是像朱自清那样的学者型作家。

那是她少年时代的梦想。严慰冰生于1918年，小名阿宝，上学时叫严怀瑾。严家本为书香门第，可到父亲严朴，就投身于革命活动，四处流浪，是母亲过瑛把她和几个妹妹带大。她先是在寨门八士桥上小学，后过瑛到城里的县女中作宿务主任，她就跟着到了城里，初中就是在县女中读的。但读高中时，却到了无锡东面的松江女中，先后由陈友梅、王季思教过她的国文。1935年她17岁，此时已深深爱上了文学。读了《背影》，对朱自清佩服得五体投地。那年，她又读了朱自清所写的一篇散文《你我》，感动万分。她工工整整地写了一封长信，寄给了时任清华大学中文系主任的朱自清，向他请教为文之道，并且表达了她对朱自清的崇敬之情和对清华大学的向往。过了不久，严慰冰收到了一封署名"佩弦"的复信，是朱自清写的亲笔信，鼓励她要潜心学习，欢迎她毕业时报考清华大学中文系。朱自清同时还为她寄来了一本1935年出的《清华周刊》，是《迎新专号》。严慰冰此时真是喜出望外，如获至宝。她全心全意作了投考清华大学的准备，在临毕业前的半年，她在给朱自清的信里，表达她要考清华大学的决心，朱自清回信鼓励：相信你一定能考上清华。

也就是在这一年里，严慰冰和王瑶有了通信联系。严慰冰开始和我说起此事时，我颇感惊奇，迫不及待地问她：那王瑶就是如今在教我们中国新文学史的这个王瑶吗？她笑着说道：正是。后来，我又在和王瑶的交谈中，寻根问底，终于把此事的来龙去脉弄清楚了。原来，王瑶当时正在清华大学读书，当《清华周刊》的主编，那期《迎新专号》，就是王瑶受朱自清之命，寄给严慰冰的。王瑶在1934年21岁那年考进了清华大学中国文学系，积极参加学生运动，第二年加入了"左联"，第三年就加入了中国共产党，当了《清华周刊》的总编辑。1936年冬，朱自清把他叫到中文系办公室，给他看了一封署名严怀瑾的松江女中学生的来信，附有几篇诗文。朱自清告诉他，这女生所写的诗文，水平不差，明年想考清华，清华应欢迎这样的学生。朱自清说他已亲笔回了信，鼓励她考清华。朱自清要王瑶协助他，给这个学生作具体指导。若再来信提问，就由王瑶具体解答，多加鼓励。就这样，王瑶就和这位叫严怀瑾的女生通起信来，那时他还不知道她后来改名为严慰冰。

但是，历史多变，世事难料。1937年卢沟桥事变之后，兵荒马乱，国难当头，清华只好搬离北平，撤向昆明，进入西南联大时期。那年暑假，王瑶回到了山西平遥老家，就没有再去昆明到清华报到，而是"蛰居家中"，直到1942年29岁时，才又来到昆明，入西南联大复学。王瑶回山西老家后，和严慰冰音信隔断，未再联系。那年严慰冰想考清华的美梦也随即成空。清华虽然还在继续招生，但她去报名时，布告上赫然写着：因时局关系，凡报考北大、清华的考生，一律在昆明应试。这对严慰冰无疑是当头棒喝，她家哪有钱飞到昆明去应考啊！她只好放弃了报考清华的念头，改成报考中央大学，只需准备去上海应考的路费。1937年夏，19岁的严慰冰以考分第一名考上了中央大学中国文学系。她写信告诉了朱自清，朱自清亲自给她回了信，鼓励她在中央大学继续奋斗，不要以未能入清华而难过。就在朱自清复信后数天，日本人接管了清华大学校园。过了10年，1948年夏朱自清病逝于北平，严慰冰一生未见到过朱自清，但他永远活在严慰冰的心里。朱自清逝世30周年时，严慰冰被囚狱中，但思念着这位给予她精神支持的前辈，写下了她的《水调歌头》：

> 留得芳名长在，谁更与天公比美，
> 文章气节两难磨。依旧荷塘月，灯影秦淮河。

她的清华梦被击碎了，但她仍然没有断了文学梦。1937年暑假后，她狠了狠心，背井离乡，辞别慈母到汉口报到，然后又沿江而上，来到重庆求学。她在中央大学，如饥似渴，博览群书，刻苦钻研，希望将来成个作家。当时的中文系主任胡小石，是江苏著名的学者，对她极为赏识，认定她将来必有出息，准备培养她出国深造。但是，严慰冰在重庆不到一年，就逐渐感到精神压抑起来。前线将士，浴血奋战，国土沦亡，百姓受难，但是在这陪都，却弥漫着畸形的奢华之风，上层社会依然是莺歌燕舞，灯红酒绿，纸醉金迷。"商女不知亡国恨，隔江犹唱后庭花"，这古代的情景，如今又在重庆再现：阔少已抛亡国恨，直把雾都当南京。接着，她从邹韬奋主编的杂志中读到解放区奋力抗日的信息，特别是斯诺的《西行漫记》，在她面前展现出了一个新世界、新天地。经过了一段时光的不眠之夜，辗转反思，她在内心作出了一个决定：冲出雾都重庆，走向圣地延安。她找到了她父亲的一位战友又是同乡，中共中央驻重庆的代表秦邦宪，请他和父亲严朴帮助她由重庆转移到延安。当她最后向胡小石告别时，胡小石还是劝她，先读完中央大学，然后再去牛津或剑桥。但严慰冰去意已定，胡小石也不再劝阻挽留，祝愿她走上自己选定的道路，驰骋西北原野，报效祖国。

1938年8月1日,严慰冰踏上延安土地,进入了抗日军政大学,从此开始了她的革命生涯。自20岁到30岁,从抗日战争到全国解放前夕,严慰冰的最好年华,都献身于革命解放事业,在老解放区度过。在这里,她参加了中国共产党,驰骋在晋察冀边区,出入于吕梁一带,经受了战火的考验。但她还是不忘拿起笔来,写出了报告文学《从征行》,在《中国妇女》上连载,老一辈革命家蔡畅赞她把战火中的英雄战士写得"有声有色"。到了1941年,陈云介绍她和陆定一相识,由相识、相知而相亲,结成了一家。朱德亲自主持了他俩的婚礼。从此,严慰冰既顾革命又管家,革命生涯处理得井井有条,老一辈革命家朱德、康克清、陈云、李富春、林伯渠等都对她赞赏有加。

　　在1949年进北京以后到"文化大革命"前夕的17年间,是严慰冰感到最为安定的日子,可以安居乐业了。她在北大虽然教的是中国革命史,可是她最感兴趣的还是文学。在她体斋的住所里,书桌上放了胡华等的中国革命运动史的著作以外,更多的却是中国古典诗词,李白、杜甫、陆游、苏东坡等的选集,她都有。说起古典诗词,她就来了兴致,忍不住会抒发她对诗的见解。在她看来,诗不仅仅是情感的抒发,而且还是智慧的自然表露。所以,确切地说,诗就是情感和智慧的浓缩,而诗歌的表达,应更近于音乐,诗歌的语言,应是音乐的语言,抑扬顿挫,铿锵有力,才易于传诵。马雅可夫斯基的诗,内容很好,热情洋溢,但翻译过来,不押韵,太散,就吸引不了人。她说她还是喜欢读古典诗词,"数语发精微"。古典诗词中,她更喜欢词这种形式,更自由些,但又保持了精练的妙处。词派中的豪放派、婉约派,她都喜欢,但她最喜爱的还是李清照。依她看来,李清照虽说是婉约派的代表,其实,她在后期的词作中,也有豪放的作品。

　　我那时虽然在听苏联专家毕达可夫讲"文艺导引论",但我的真正兴趣还是中国现代美学,想研究一下梁启超、王国维、蔡元培、朱光潜、蔡仪等开创的中国现代美学传统。严慰冰所说的诗词歌赋自成特点,引发我也进一步从美学上思考文学艺术的独特作用。但在1955年底,北大人事处突然要我提前毕业,去中国人民大学马列主义研究班当研究生。我去了半年,就听两门课。一门课是哲学,讲历史唯物主义和基本原理,讲经济基础、上层建筑、意识形态,我听听和毕达可夫讲的差不多,还不及毕达可夫说的细致,至少,他还讲到了文学艺术为什么是上层建筑、意识形态。还有一门课是胡华、何干之来讲的中国革命史。这两门课,都引不起我的多大兴趣。半年之后,高教部决定在北大、复旦等名校试行学位制,开始招收副博士研究生。北大杨晦、钱学熙在全国范围内招收文艺学的副博士研究生,杨晦答应我可以回北大攻读副博士学位,中国人民大学副校长张腾霄也同意了,但高教部虽说要研究研究,却迟迟不放。当时钱俊瑞已离开高教部去了文化部,我就只好向严慰冰求助,希望她和高教部打个招呼放我。严慰冰就是在这马列主义研究班毕业的,知道从这里出来的人,很多是要走向从政之途的。她就紧紧追问我:你想清楚了,真不想向仕途上发展?我坚定地告诉她,我这个人有自知之明,不适合走政途,只适合做点学问,想多读点书。我还是想回北大读副博士,将来北大如果再搞博士班,我会一直读下去,到最高学位为止。严慰冰见我如此坚决,就真的给部长杨秀峰打了个电话,高教部就很快放我回北大了。那年我23岁,从此我就走上了为学之路,潜心于美学和文艺学。我一直记着严慰冰对我的支持和帮助。

那几年,我出入于杨晦家最多,其次就是和王瑶、川岛的联系也颇频繁。王瑶开始不知道严慰冰已来北大任教,是我最早告诉了他,那个当初想报考清华的松江女生严怀瑾,如今叫严慰冰,是陆定一夫人,正在北大讲中国革命史。王瑶知道我每年都要去几次中南海,我们的交谈也多了起来。我也把王瑶去西南联大以后的变化告诉了严慰冰。她颇为王瑶脱离了中国共产党而感到惋惜,但还是能谅解,王瑶最后走上了学术道路。1942年王瑶到昆明在西南联大复学后,他走向书斋,在朱自清、闻一多的指导下完成了毕业论文《魏晋文论的发展》,留校当研究生,师从朱自清攻读中古文学。1946年他33岁完成了研究生毕业论文《魏晋文学思想与文人生活》,留清华大学任教。他此时已由闻一多介绍参加了中国民主同盟,并和他的学生杜琇结了婚。在清华任教时,王瑶决定要成为研究中国古典文学的第一流专家。但解放之初,王瑶就受命要开设"中国现代文学史",从此他的学术转向，从古典变为现代。王瑶才思敏捷，以最快的速度完成了这一历史转向，适应了时代的急需。他在1951年就写成了《中国新文学史稿》上卷，到1952年转入北大为我们这些新生开讲时，他又快速完成了《中国新文学史稿》下卷。他为我们讲了一年课，课程结束时，全部书稿就在上海新文艺出版社出版了，立即引起日本学界的注意，准备由早稻田大学翻译过去。一时，王瑶名声剧增，1952年冬在北大提升为副教授，1954年被《文艺报》聘为编委。1956年春，王瑶在北大被评为三级教授，那年他只43岁。王瑶的名声大了，但他仍只能像季羡林、季镇淮、任继愈、冯钟芸、张世英、彭兰、章廷谦等一样，住在中关园的简陋平房里。原来燕京大学留下来的燕东园和燕南园的教授住宅，只够院系调整前的一级教授如汤用彤、冯友兰、翦伯赞、冯至、杨晦、魏建功、王力、游国恩等去居住。

　　那几年，每逢元旦，我总要先到燕东园向杨晦等几位老教授拜年，然后再到中关园向王瑶、章廷谦拜年。王瑶住262号平房，又矮又窄。门前是一小块花圃，一进门就是一间不大的会客室，安上一个火炉，挤不下几个人。王瑶谈笑风生，一口浓浓的山西话，说着说着，常常自己就哈哈大笑起来。他爱喝浓茶，接连不断地续水，嘴上大烟斗抽个不停，不时吐烟，牙都发黑了。王瑶常自我解嘲，说他终日在"水深火热"之中，但那腾云驾雾的乐趣，别人无法体会，所以尽管不时有人劝他戒烟，他却乐此不疲，一生未改。1954年新年，他送了我整套的《中国现代文学史稿》（上下卷同时在上海新文艺出版社出版）。到了1955年新年，他已听我说严慰冰到北大来了，就要送一套给严慰冰，我就把严慰冰在体斋的住处告诉了他。严慰冰真的把这六十万字的巨著认真看了一遍。一次她和我说起了读后的观感，说真不容易，能够把"五四"以来的复杂的文学现象理了一遍，弄清了脉络。王瑶在书中把"五四"以来的文学分成了四个时期：从1919到1927年，"五四"到"北伐"，是现代文学的伟大开启；1928到1937年，"左联"10年，是现代文学的发展；1937到1942年，抗日战争时期的现代文学，是民族解放精神的高涨；1942到1949年，是在毛泽东延安文艺讲话之后的现代文学发展的新时期。严慰冰说王瑶的这部著作，把文学与时代、文学与革命的关系说清楚了,材料丰富,这对她以后讲中国革命史大有帮助。作为文学的爱好者,她也感到稍有欠缺,就是文学的历史资料很多,但艺术分析略少。严慰冰的这些观感,后来我听王瑶说起,她当面向王瑶提过。王瑶这部巨著是在生活甚为穷困的日子里写出来的。王师母杜琇告诉我,解放之初,生活还很困难,冬天烧的煤都买不起,全家只生一个火炉,晚上全家老少睡一个屋。王瑶在白天就躲到图书馆去查资料,那时还没有复印技术,都要手抄。晚上等孩子睡了,他才坐下来写作,她就帮着誊抄。这部巨著,真称得上是中国现代文学史这一学科的开山之作,筚路蓝缕,辟出新路。尽管后来有学生批判他是"剪刀加糨糊",但若没有新的眼光和才、胆、识,能把那些埋在乱纸堆中的宝贵资料剪裁出具有学术价值和历史价值的著作出来吗?王瑶的这部巨著,是全国解放之后出现的第一部中国现代文学史的奠基之作,开启了一个新的学科,功不可没。

我在攻读副博士研究生期间(1957—1960),严慰冰在北大,一边仍在教中国革命史,一边却把业余时间都花在文学创作上了。她写的叙事长诗,先是陆续在《雨花》杂志上发表,每期都送我一本。她说她每期也送唐弢,请他发表评论。严慰冰和唐弢夫人是中学同学,由此而和唐弢相识。唐弢本在上海作家协会,是著名的杂文家、书评家。"大跃进"中,周扬、何其芳在中国人民大学创办了马克思主义文艺理论研究班,急需从事文艺评论和鲁迅研究的专职教授,1959年就把唐弢从上海调到中国社会科学院文学研究所当研究员,新设现代文学研究室。唐弢任主任,在文艺理论研究班开讲。那时,唐弢新来北京,住在铁狮子胡同的中国人民大学宿舍中。这里原是北洋军阀时代的总统府,但已陈旧,吴玉章争取了下来,归中国人民大学办各类研究班用,又见缝插针,新建了几栋教师宿舍。我进的马列主义研究班,以及之后新设的文艺理论研究班都在这里。唐弢进京不久,杨晦就要我到他家里,请他到北大来作过鲁迅研究的演讲。一说起来,我们都认识严慰冰,又是大同乡,于是我和唐弢就很快熟悉起来。唐弢在看过江苏的文艺杂志《雨花》上连载的《于立鹤》之后,写了一篇评论,题目叫《谈诗贵创造》,不仅对长诗的思想内容作了高度评价,而且十分赞赏艺术形式上的创新,把民歌、诗词等长处加以吸收,熔为一炉,为诗歌创作开拓了一条新路。1961年,《于立鹤》由江苏文艺出版社出了单印本,唐弢这篇评论就成了这本书的序。《于立鹤》出版后,严慰冰给了我三本,要我给王瑶、周海婴各一本。此后,严慰冰再接再厉,花了五年的时间,写出了30多万字长篇报告文学《风流人物》,热情歌颂了她在延安时代所遇所知的革命人物和英雄事迹。但是,还没有来得及修改完成,劫难就来到了。人入狱,家被拆,此部书稿就此失落,不知去向,再也没有找回。

严慰冰多才多艺,热爱中华传统文化,有极深厚的古典文化修养,是中南海里有名的才女。唐弢喜爱藏书,也爱谈论文人典故。有一次他说了严慰冰的故事,使我对她益增敬佩。那时,毛主席住在离增福堂不远的瀛台。陆定一去那里开会中午回家,说起在开会间歇,毛主席突然向与会者问了一个问题:都说王勃写出《滕王阁序》时还很年轻,到底他是在哪一年写的?在座有他和陈伯达、康生、胡乔木以及文化部的几位秀才,没有一个人答得出来,只好面面相觑,不敢答腔。陆定一回家说了此事,严慰冰听了,微微一笑,说着:"这有什么难的,王勃是在14岁时写的《滕王阁序》,这是有书为证的。"陆定一听说有书为证,赶紧说:"阿宝,你快把书找出来,在哪里有记载?"严慰冰不慌不忙,就从她的书橱里找出一本《唐摭言》,翻到十五卷指给陆定一看。陆一看,果如她所言,确实无疑,就催促她骑自行车把书送到毛主席住处。毛主席看过之后,大为赞赏,想不到许多大秀才答不出来的问题,这女秀才答出来了,笑对她说道:"如果在古时候,应科举,你能中个女状元。"毛主席看过《唐摭言》这本十五卷后,还要严慰冰借给他看其他几卷。两个月后,毛主席把看过的《唐摭言》看完,还给了严慰冰,她发现毛主席在书页上做了许多记号,有红点,有红线,甚至还有眉批。这部毛主席眉批过的《唐摭言》一直被严慰冰珍藏着,直到遭抄家后被毁。

可就是这样的能当"女状元"的江南才女,却被林彪、叶群恨之入骨,视为眼中钉、肉中刺,必欲除之而后快。在严慰冰平反以后所出的《魂归江南》以及他人所提供的一些资料中透露,严慰冰对林彪、叶群的有些作为，早有不满。疾恶如仇的她，想给他俩一些警告，就在"文化大革命"前的四五年，断续以"基度山"等名字寄发出了数十封匿名信，对他俩嬉笑怒骂，冷嘲热讽，气得林彪暴跳如雷，叶群又哭又闹，发誓要报仇雪恨，必欲置之死地而后快。严慰冰是最先遭的殃，早在陆定一之前，1966年4月就秘密被抓。许多匿名信，狠狠击中了林彪的痛处，例如，她勾画了这对夫妻的嘴脸，丑态毕露：

娄了一个骚婆子，生了二个兔崽子。
封官进爵升三级，终年四季怕照光。
五官不正双眉倒，六神无主乱当朝。
七孔生烟抽鸦片，拔光头上几根毛。
机关算尽九头鸟，十殿阎王把帖招。

那时林彪的地位正在节节高升，叶群靠了丈夫也水涨船高，连升三级，当上了林彪办公室主任，趾高气扬，不可一世。但严慰冰在林彪、叶群出逃前的七八年前，就预言了他们的必将毁灭，多行不义必自毙。

严慰冰愈到后来就愈执着于文学创作，文学给了她精神力量。她在秦城监狱13年，受尽折磨，但她始终不屈不挠。她不时背诵屈原的《离骚》，文天祥的"人生自古谁无死，留取丹心照汗青"，于谦的"粉身碎骨浑不怕，要留清白在人间"。她回顾自己的大半生，开始在狱中作诗填词，记下自己的悲愤：

今朝严子诵离骚，鱼肉由人乱执刀。
粉身碎骨今尚在，冯唐持节何日到？

终于盼到了出狱，重见了天日。她写道：

一片鹊嘈满院露，听了琵琶，饮了香茶，囚人今日喜回家。
心底开花，眼泪哗哗。
周身穿戴今潇洒，脱了囚衣，穿我旧褂，轻车片刻到堂下。
痛失阿妈，俯视孙娃。

严慰冰出狱后的第一桩心愿,就是回到江南故乡,把屈死狱中的母亲过瑛的骨灰,从南京移到无锡老家安葬。落叶归根,遂了母亲生前的心愿。严慰冰在从小长大的寨门、八士桥,广会亲朋好友,叙友谊乡情,写下了:

> 地北天南似往常,少年离别老还乡;
> 太湖惠岭风光丽,绿水青山气象昌。
>
> 从别后,忆难忘。门前路畔送壶浆,
> 亲邻父老人情厚,慰我刚强夜话长。

这些诗词,后来都收入了《魂归江南》诗文集中。她和母亲一样,就是离开了人世,她也要魂归江南故乡。

她的第二桩心愿就是参加中国作家协会,要把她的余生全部奉献于写作。唐弢和王瑶两位文学前辈帮她实现了这一愿望,介绍她参加了作家协会,潜心投身于写作。

可是,严慰冰此时已身患绝症,可怕的癌症正在破坏着她的躯体。她不顾身上病痛,争分夺秒地投入笔耕。她应中共党史专家胡华之约,写出了她父亲严朴烈士的传记。她还想把自己在"文化大革命"中所遭受的10多年苦难经历,写成40万字的纪实文学,以自己的切身体验警示后人,切勿重蹈历史覆辙。但是岁月不饶人,她只来得及写出了一个写作大纲和《我的回答》这一片断,1986年3月15日就在北京医院逝世,终年才只68岁。在离世之前,她写下了最后一篇词作《诉衷情》。该词字数虽不多,却精要地概括了自己的一生。

> 当年不羡万户侯,沙场灭寇仇。
> 麸米野菜充饥,一代竞风流。
> 妖气起,苦为日,渐白头。
> 峰回路转,晚晴笔耕,花满神州。

看得出来,严慰冰目睹了"文化大革命"的结局和改革开放新时代的到来,她对祖国的未来还是充满了乐观的期盼。但是,她个人在

"文化大革命"中的遭遇,实在太惨,是我一生中所知道的最大悲剧,印象极深,永生难忘。严慰冰逝世时,王瑶正在香港中文大学访学。我要在4月下旬去新亚书院接替他作一个多月的学术访问,就在3月下旬从深圳到香港去看望他,先熟悉一下情况。我们在香港中文大学山顶上的新亚书院会友楼,后来又在深圳大学粤海门客舍,有过多次长谈,自然就谈到了我们二人都熟悉的严慰冰。我不免为她感叹,一个江南才女,对人情世态的感觉特别敏锐,她从直觉上早就敏感到林彪、叶群的人品不佳,于是拍案而起,伸张正义,这就以"笔杆子"涉足了政治。可是,她虽然在延安有过十年革命生涯,其实她又不懂政治,更不懂得参与政治斗争需要极高明的策略,"笔杆子"怎么撼动得了"枪杆子",一下子就被投入牢狱。这是文化人的天大的悲剧,这悲剧的教训太深了,代价太大。王瑶则更深了一步,他一边抽着大烟斗,一边徐徐说道:"这不仅是她个人的悲剧,这是历史的悲剧。在那个时代,她即使没有写那么多骂林彪、叶群的信,她还是要倒霉,陆定一被打倒,照样全家受株连,都要遭殃。可惜的是,她有文学创作的潜力,却没有充分发挥出来,就这样走了。"

我在正式进入新亚书院报到之前,4月下旬,又把王瑶、杜琇夫妇接到深圳参观了两天,然后再送他俩到中山大学。时为1986年,他73岁,这是我最后一次见到王瑶。3年之后,严家炎告诉我,王瑶去苏州开会,逝世于上海的华东医院,享年76岁。

那几年,我在北大直接受教的老师一辈,已在陆续老去。最先走的是当过北大副校长的魏建功,在1980年春节时未到八旬,就带着浓浓的哀愁离世。接着是鲁迅的同乡好友章廷谦(川岛),也在1981年春闷闷不乐而去。1983年初夏,我的恩师杨晦也淡然逝去。1986年,和严慰冰同一年离世的有朱光潜、宗白华,他俩都活到了89岁。王瑶的精神一向比那些老师要好,但却只活到76岁,我和家炎都为之叹息不已。

燕园湖深波澜多

我在北大的求学生涯,紧张又平静,兴味盎然,乐此不疲。偶逢政治运动,为数不算太多,尚能平安而过。但在北大10年之后,阶级斗争这根弦越调越紧,政治运动越来越频繁,正如民间谚语所说,国民党的苛捐杂税多,共产党的大会小会多。时间就是生命,政治运动频繁,必然冲击学术生涯。

频繁的政治运动,不仅冲击了在"五四"新文化运动中成长起来的那一代——我的师辈,而且,步步进逼,累及我们这些在新中国成长起来的这一代。我有幸在平静度过大学本科的求学生涯之后,没有被卷进反右派、大跃进、批判资产阶级学术权威的斗争漩涡。但是,当时代跨入以阶级斗争为纲的20世纪60年代,我也被卷进了政治斗争的漩涡。从社会主义教育运动发展到"文化大革命",我们这年轻一代的学术生涯也受到无情打击而中断。我目睹的一些比较熟悉的老一辈学者的命运,则比我们这一辈更为坎坷多变,几经波折,不得安宁。

一

我1952年进北大时,中文系给我的印象,仍然是教授治系,无为而治。那时,系里的一切活动,都是以教学为中心,科学研究不在系的管辖之中,全由教授自己掌握,系主任也不去过问。学生对什么学术问题感兴趣,可以自己去找教授,登门求教。在那个时代,我们崇信的是学者教授,而不是行政领导。

听过半年课后,我就开始了我的兴趣阅读,把注视的目光集中到中国的现代美学领域。那时,朱光潜、宗白华、蔡仪、邓以蛰、马采等美学家都在北大,但没有一个人开美学课。我就先向杨晦请教,想研习现代美学,该从哪里入手。然后我又去拜访朱光潜,陆续又见了蔡仪、宗白华。我在动手术割掉阑尾之后,住在未名湖畔的均斋。我利用住均斋去图书馆很近的方便,整个1953年,除了听课,就是去查看中国的现代美学资料,做了大量卡片摘要。我已想好,到了三年级,就可以动手写一篇《美学初起半世纪》或《现代美学五十年》,作为毕业论文。要不是1954年来了苏联专家,使我把目光转向了文艺学,我很可能就一直往研究中国现代美学的路上走了。

杨晦是"五四"老人,虽然他最关注的是文艺和社会的关系,但对美学在中国的发展历程,亲身经历,了如指掌。他知道我已读过朱光潜的《谈美》《诗论》等书,就劝我,一定要先读读蔡元培倡导美育的论著,再读读梁启超的美学论著,近一点的就要读蔡仪的美学著作。他们谈美学,和现实的关系比较近,容易读得懂。杨晦特别推崇蔡元培的美育精神。1917年蔡元培当北大校长那年,杨晦就正好考入了哲学系。蔡元培在1912年当教育总长时就大力倡导美育,在中国历史上破天荒地第一次把美育列入国家的教育方针之中。周树人在当时作为教育部的主管美术、文博等的社会文化科长,协助蔡元培在北平推行美育。蔡元培在北大执掌十年,更亲自在这里实施美育,并且,在大学课堂上,他担当起了开设美学的使命,这在中国高等教育史上实为首创。在1921年,蔡元培为北大讲了十多次美学,杨晦适逢其时,亲身感受到了他的美学教育,如沐春风,终身难忘。确实,王国维、梁启超接触美学比蔡元培要早,王国维也最早呼吁要在京师大学堂开美学,但都没像蔡元培那样,采取行动,付诸实践。在北大实施美育、开讲美学,蔡元培是第一人。所以,我在1953年就听从杨晦的劝告,先读蔡元培,再读梁启超,然后又听朱光潜的教诲,再攻读王国维,其他人则都排在之后了。

我第一次见到朱光潜,就是为了向他请教,想研究现代美学,该如何着手。那是在1952年临近岁末之际,我事先从我在西语系攻读德文的苏州同乡孙凤城那里打听到了朱光潜的住处,就从均斋直奔校医院后的佟府。这佟府,本是清末民初留下来的一处老宅,在燕南园西北侧。北大迁入燕园时,把佟府的前宅拆了,建了校医院,而剩下的后宅,就分给了朱光潜,1952年秋他刚从城里沙滩附近迁入此地。我敲开了矮矮的小门,一位矮小驼背的女孩在门口问我找谁,我说我是中文系的学生,要找朱先生,她才向西边屋里喊:爸,有人找。我这才知道,那是朱先生的女儿。我走进屋里,感到这屋又矮又低,光线灰暗,中间还生着一个火炉,显得更小了。给我印象最深的是那地板,破烂发黑,人踩上去,发出咯吱咯吱的响声,我真担心哪天会塌下去。因为我是第一次来,心里的直觉就是:这么有名的美学家,怎么住的是这么破旧的老屋?朱先生比杨晦大两岁,但看上去比杨晦老许多,头发已经白的多、黑的少,背还微微有些驼,嘴里不停地抽着烟斗。他一边问我有什么事,一边叫我坐下。我就开门见山告诉他,我对美学有兴趣,看过他的美学著作,但一到北大,美学课没有了,只在听杨晦的文学概论,想自修美学,特来向他请教,该读些什么书。朱先生听后慢慢说道:"我当初攻美学,受影响最早和最大的是王国维的美学著作,你不妨也钻研一下王国维,再找吕澂的美学著作来读读;宗白华先生对美学也有自己独到的看法,你也可钻研一下,他现在就在北大,你也可以向他当面讨教。"说到他的著作,他说,你已读过《谈美》《诗论》,那就可以读读《文艺心理学》了。

此乃我首次登门拜访朱先生,不敢久留。告别时,他知道我是杨晦的课代表,常能见到杨先生,要我见到杨先生时代为问候。老北大在解放之初,杨晦是副教务长,朱先生是西语系翻译教研室主任,时有工作交往,都能相互尊重。由此始,以后我每年元旦都要到朱先生家拜年看望。

朱光潜在佟府住的三年多,正是他生活困难且精神紧张的年代。

政治运动在解放不久就开始了,老一辈学者受教育,朱光潜首当其冲。作为解放之初的思想改造运动的典型,朱先生的经历,映照出了老一辈学者文人的后半生经历。

朱光潜出身于书香门第,从小进的是私塾,受传统文化熏陶,但辛亥革命以后在中学受的是新式教育。1918年他21岁时,就进入香港大学,接受西洋教育,28岁时又到苏格兰去上爱丁堡大学,31岁获硕士学位后就开始从事美学研究。他在1927年出版的《给青年的十二封信》就是他第一本著作,由此而闻名国内。1933年他回国时36岁,即被北京大学文学院院长胡适聘为西语系教授,朱自清也请他在清华大学讲授"文艺心理学",为国内开辟了一条从心理学观点来研究美学的道路。但是,他在1942年45岁担任武汉大学教务长兼外文系主任之时,加入了国民党,后来又当上了国民党的中央监察委员。当时参加国民党的学者文人还有冯友兰、陈寅恪、贺麟、黎锦熙、伍蠡甫等,科学家华罗庚、竺可桢等也是在那个时代加入国民党的。所以,在解放之初的思想改造运动中,朱光潜、冯友兰等都被归入国民党的"御用文人"之列。

但是,身为国民党成员的朱光潜、冯友兰、陈寅恪、贺麟、伍蠡甫等都没有跟着国民党去台湾,却都留在了大陆。而从未参加过国民党的钱穆却离开了大陆,去了香港,最后又去了台湾。说起这,王瑶常发出感叹:历史很难捉摸。

当百万雄师兵临长江北岸之时,钱穆早已不在北京大学,而是回到了故乡太湖之滨,受荣德生之邀,担任江南大学文学院院长。1949年春,钱穆又应华侨大学之请,到广州讲学。随后,华侨大学迁港,钱穆也就随校到了香港。就在钱穆赴港之后,1949年夏,新华社连续发表了六篇抨击美国白皮书的评论,由毛泽东亲自执笔的社论《丢掉幻想,准备斗争》中,旗帜鲜明地提出,帝国主义及其走狗国民党,控制不了中国的知识分子,"只能控制其中极少数人,例如胡适、傅斯年、钱穆之类"。钱穆本来就对共产党所持的阶级斗争学说颇为不满,认为这是从西方搬来的异端邪说,不适合中国国情,中国传统文化还是以和为贵。如今被共产党点了名,定为知识分子中之极少数的异类,受帝国主义及其走狗的控制,钱穆的反应就更为激烈。他想不明白,怎么能把他钱穆和胡适、傅斯年归在一起?他们两个和国民党的关系多密切!而他钱穆自抗战胜利之后,足迹已不到平津和京沪,只在江南老家隐居,"单枪匹马,一介书生",怎么能和胡适、傅斯年归并到一起?为此,钱穆耿耿于怀、愤愤不平,从此就留在了香港,不再回内地。钱穆在无锡师范教过的学生、教育部副部长钱俊瑞,曾要钱伟长

（钱穆之侄）劝钱穆回来。钱穆的老师吕思勉、好友顾颉刚也都劝他回内地教书讲学，钱穆在回吕思勉的信中这样说道："回来虽无刀镬之刑，但须革新洗面，重新做人，这是学生万万做不到的。学生对中国文化薄有所窥……愿效法明末朱舜水流寓日本传播中国文化，也很希望在南国传播中国文化之一脉。"

朱光潜不仅受过中国传统文化的熏陶，而且吸收了西方的现代文化，思想开放度比钱穆高得多，对接受思想改造也早有精神准备，自愿洗心革面，重新做人。解放前夕，郭沫若就已在1948年香港出版的《大众文艺丛刊》第一辑上撰文《斥反动文艺》，把朱光潜、沈从文、萧乾的作品都归入"反动文艺"之列，邵荃麟也把朱光潜列为"反动文人"。今后将何去何从？朱光潜在内心已有思想波动。那个曾当过北大训育长，后又被蒋介石任命为代理教育部部长的陈雪屏，亲自劝告过朱光潜跟他赶快离开北京。朱光潜问：走到哪里？陈雪屏说：先到南京。朱光潜说：看来南京也保不住，下一步怎么办？陈雪屏说：最后到台湾。这时，朱光潜已意识到，跟国民党走，不会有出路，只会一起当丧家犬，这绝非他所愿。他相信，共产党来了，还是要办教育，总要有有学问的人来教书。经过深思熟虑，他决心留下来，做做文学教教书。他想起10年前，周扬曾亲笔写信，邀他去延安，虽未能成行，却使他心里涌起一线希望，共产党还是能容纳他这样的人。新的时代来临，他自信，只要奋起直追，自己应能适应。

1948年冬，胡适乘着南京派来的飞机走了，朱光潜和冯友兰都留了下来。1949年1月，北京和平解放，钱俊瑞奉军管会之命，接收了北京大学，不久，又由周扬来继任接管之责。但就是在那时，北大仍然是教授治校，由教授构成的校务委员会，选出汤用彤教授为主席。汤用彤请了政务院总理周恩来参加教授座谈会，畅谈新民主主义的教育方针。朱光潜聆听之后，不久就在《人民日报》上发表一篇《自我检讨》，表明了自己和国民党的决裂和对共产党的态度：以前不了解共产党，到解放以后才开始了解，"我才恍然大悟以前所听到的共产党满不是那么回事。从国民党的作风到共产党的作风，简直是由黑暗到光明，真正换了一个世界"。这是朱光潜在解放后首次发表文章，从此,他又投入了教学工作,虽然不当西语系主任了(先后由闻家驷、冯至接任),但仍任翻译教研组的主任。1951年春,朱光潜参加了土地改革考察团,回来又给《人民日报》撰文谈观感。这次毛泽东看到了,甚感高兴了,还给邓小平、习仲勋等写信说道:"吴景超、朱光潜等去西安附近看土改,影响很好。要将这样的事例教育我们的干部,打破关门主义的思想。"

北大解放之前的最后一任校长胡适南去后,两年多来一直未有校长。要到1951年夏,马寅初才从浙江大学校长任上调到北大,当了北大解放之后的第一任校长。马寅初来当校长,没有带来副手,而是请了校务委员会主席汤用彤当了副校长。马寅初来后做了一件大事,就是给总理周恩来写了一封信:北大教授中有新思想者,如汤用彤副校长,张景钺教务长,杨晦副教务长,张龙翔秘书长等12位著名教授,积极响应周总理改造思想的号召,发起在北大开展政治学习运动。为此,马寅初在信中提出:为推动政治学习,特敦请10位老师来为大家上课;这10位是毛泽东、刘少奇、周恩来、朱德、董必武、陈云、彭真、钱俊瑞、陆定一、胡乔木。周恩来把此信转送给了毛泽东,毛泽东告诉周恩来,"这种学习很好",支持大家去讲演,只是"我不能去"。于是,由北大教授发起,周恩来亲自主持了新中国成立以后的第一场思想教育运动。1951年9月,周恩来在中南海怀仁堂召开了京津高校3000名教师大会,全面讲解知识分子改造问题,从此开始了思想改造运动,同时也开始筹备院系调整。解放之初,中国约有知识分子200万人,这么多知识分子怎样才能适应时代变革的要求,涉及每个人的前途。

在这次思想改造运动中,朱光潜成为北大的典型,起了示范作用。他先后作了4次大会检讨,自我解剖—教师帮助—全面检讨。最后一次是在1952年4月,马寅初亲自主持,在会上声称朱光潜有进步。不久,朱光潜就随马寅初参加了在北京召开的亚太国际和平会议,担任会议的翻译顾问。但此时的朱光潜,生活仍在困苦之中。在老北大,他享受一级教授的待遇,但院系调整入新北大之后,他却只受七级教授的待遇,本来可迁入燕东园和燕南园的,他却无份,只能住到这破旧老宅佟府后院，自然郁郁寡欢，无可奈何。不过，好在朱光潜有自知之明，虽然他的美学已无用武之地，但自己的英语水平甚好，有这一技之长，可以靠翻译为生。为适应时代发展，57岁的他甚至又攻克了一门外语——俄语，可以直接阅读俄文书籍，增长新的知识。

在经历了思想改造运动之后，朱光潜又积极参加了批判胡适、胡风等运动，在文坛上逐渐活跃起来。1956年，这对朱光潜说来，乃是关键的一年。这一年年初，中共中央开了知识分子问题会议，毛泽东提出，社会主义改造即将基本完成，要转入社会主义建设了。中国怎样建设社会主义？就要进行技术革命和"文化革命"，"要革愚蠢同无知的命"，这就需要造就大批的高级知识分子。接着，在4月，毛泽东在《论十大关系》的讲话中提出，要发展科学和文化，就要实行"百花齐放，百家争鸣"的方针。紧接着，陆定一就在中南海怀仁堂向文化学术界作了"双百"方针的著名报告。主管意识形态的陆定一，为了推行"双百"方针，在生物界抓了一个谈家桢作典型，又在文化界找一个典型，这就是朱光潜，想从他对自己的美学思想的批判，引起美学界的百家争鸣。因而，周扬、胡乔木、邓拓等都分别向朱光潜打了招呼，要从朱光潜的自我批判开始，展开美学讨论，不是为了整人。朱光潜立即配合响应，写出了自我批判的《我的文艺思想的反动性》。《文艺报》在发表此文时，特别加了一个编者按，说明发表朱光潜的文章，乃是为了"充分地、自由地、认真地互相探讨和批判"，以达到建设马克思主义美学的目的。《文艺报》把朱光潜的自我批判和批判胡适、胡风作了区别，标志着朱光潜的自我批判，已从政治立场的转变，迈向美学思想的学术批判。这意味着，在新中国，美学仍可为，尚有他用武之地，所以，他在自我批判中"怀着由衷的感激"。

在北大，朱光潜的学术地位也正在逐渐恢复。马寅初校长在院系调整之后，特向周总理要来了一位得力的副手江隆基。江隆基是一位在1927年就加入共产党的教育家，先后在日本和德国留过学，在解放区当过陕北公学教务长和延安大学副校长。1952年10月，江隆基到北大，当马寅初的副手——党委书记兼第一副校长，另一位副校长是汤用彤。江隆基极为重视教学和科研，鼓励教师向科学进军，在研究基础上开设特色课程,鼓励朱光潜开设美学课程。1955年,中国科学院要北大推荐学部委员,江隆基曾试图把朱光潜推荐为英国文学领域的学部委员,因层层阻力,未能成功。北大入选的哲学社会科学学部委员只有向达、金岳霖、何其芳、季羡林、马寅初、汤用彤、冯友兰、翦伯赞、冯至、魏建功、王力共11人,朱光潜未入选。但是,江隆基鼓励他积极参与美学讨论,准备开设美学课程,在1956年就为他恢复了一级教授的待遇,聘为校务委员会委员。就在这一年,朱光潜搬离了破旧的佟府后院(后改建成校医院的中医室),迁入了燕东园27号楼上居住。这栋独立的小楼,是燕东园里最宽敞、最安静的地方,本是燕京大学校长陆志韦的住宅。院系调整之后,燕京大学并入北大,陆志韦离开此地后,就由历史系教授杨人楩、张蓉初夫妇二人居住,楼上一层就给了朱光潜一家,翦伯赞就住在旁边的一栋。这里绿树成荫、鸟语花香,确是居家读书的好地方。

  这一年,朱光潜59岁,即将进入"从心所欲"之年。他由董桂枝介绍,加入了中国民主同盟,成为民主党派人士,不久就被邀为全国政协委员,可以参与议政、商讨国家大事了。朱光潜迁入燕东园后,生活安定了,可以坐下来安心做学问了。他从1956年到1972年有10多年时光都是在燕东园度过,他的重要译著柏拉图《文艺对话录》、黑格尔《美学》、莱辛《拉奥孔》等都是在这里完成,他的《西方美学史》和参与美学争论的文章,也在这里写出。我在北大留校任教时,先是住在清华园,1966年"文化大革命"起来时,中文系负责人华秀珠、邵岳动员我搬到燕东园37号杨晦的楼下住,好对老师有个照顾。但我和杨晦都没有躲过劫难,都被抄了家,杨人楩动员我搬到他住的27号楼下,那里有两间空房。于是,我在1967年冬迁入,和杨人楩、张蓉初夫妇共处一层,正好是在朱光潜的楼下,有五年左右时光,几乎天天见面。朱先生一早起来,就下楼在绿地上练功,做一套他自己编的集气功、太极拳、广播操于一体的功夫拳,然后沿着燕东园的绿色小道,快步行走。下午,他还时常走出燕东园,穿过成府街,进入北大东北门,绕着未名湖行走。他说他的养生之道,就是生活一定要有规律,坚持运动,不暴饮暴食,适可而止,但每晚睡前要喝一杯红酒,就能安然入睡。从1967年冬始，我们当了五年多邻居。到了1972年，27号这栋独栋小楼被北大幼儿园看中，要从燕东园东南角上圈出来，单独新建一所幼儿园。在那个年代，没有知识分子说话的份，我们都只能听从安排，从27号楼搬了出来。我迁入了中关园一公寓，杨人楩、张蓉初夫妇迁入燕南园65号，朱光潜一家则迁入了燕南园66号，紧靠校医院的中医室，亦即当年他住的佟府后院。迁入燕南园那年，朱光潜75岁，在这里度过了他最后的10多年。我搬到中关园后，还常去燕南园看望两位老邻居。杨人楩刚分到房，还未及迁入，就因得急性肺炎亡故，能见到的只有张蓉初了。朱光潜家人丁兴旺，新居显得拥挤，但他神闲气定，安之若素。这燕南园66号的历史我较清楚，冰心和吴文藻从美国归来到燕京大学，结婚时住的就是这栋房子。林庚从厦门大学回京，到燕京大学任教，也住在这里，后来才移居62号。院系调整后，这里曾作过办公用的周转房，严慰冰到北大任教后，政治教育教研室常在这里开会。作为《北京大学校刊》记者，我就常出入这栋小楼。后来，北大的统战部迁入这里办公。朱光潜入住后，我多次看望他，他不时会谈起陶渊明。他经历了反右派斗争、批判资产阶级学术权威、社会主义教育运动，一直到"文化大革命"，波折不断，历尽苦难，但他在暴风骤雨中学会了"淡定"。陶渊明的"纵浪大化中，不喜亦不惧，应尽便须尽，无复独多虑"，已逐渐刻在他心头。他写文章少了，集中精力把维柯的文化巨著《新科学》翻译了过来；又应多家出版社之约，陆续编出了好几本朱光潜美学文集或选集。他把劫后的余生，都奉献给了美学。

　　对于他这一生的人生道路的选择，朱光潜采取了"既来之，则安之"的顺其自然的态度。但他对美学却情有独钟，后半生仍执着于此，美学成为他的精神安慰。"文化大革命"后，美学重振，朱光潜就起了积极推进作用。1979年，中国社会科学院的美学研究室主任齐一和李泽厚（副主任）正在筹备成立中华全国美学学会，给朱光潜（西语系）、杨辛（哲学系）和我（中文系）发了邀请书，要在1980年初春去昆明参加成立大会和美学研讨会。那时，我还在为东、西、俄三系开设"文学概论"，并开始准备开辟新课"文艺美学"。李泽厚事先给我打招呼,要我在大会发言谈论中国美学史的问题,所以我就提早预订了去昆明的机票,然后安下心来写我的发言稿。但在出发前的一周,负责筹建中华全国美学学会的齐一打电话来,要我去找一下朱先生,请问他要不要我陪他到昆明。西语系的总支书记孙坤荣也找我说,朱先生已83岁了,系里不放心,想在系里找个年轻人陪送去昆明,但朱先生坚决不同意。孙坤荣听说我也去,就要我陪朱先生一起去。我当然乐意,就立即去燕南园找朱先生商量。朱先生很感谢齐一的好意,但他说,他老伴奚金吾已和杨辛商量好了,由杨辛陪他一同乘火车去昆明。于是,我就只好一个人乘飞机去了,这是我有生以来第一次乘飞机。我在机场碰见文学研究所的涂途,听我说朱先生要去昆明出席美学会,他感到很高兴。但我听他说,蔡仪有事不能与会,我又感遗憾。

朱光潜极为重视这次大会,不顾家里的劝阻,坚持要来。大会也对他作了特别的安排,把朱先生和杨辛、我三人安置在昆明军区最好的一所独门独院里边。齐一作了特别交代,要我和杨辛负责照顾好朱先生。这是有着三间大房的厅室,朱先生住在最里一间,我和杨辛住中间一室,最外一间是客厅,可供会客之用。朱先生深为感慨地说,中国自蔡元培提倡美育并在北大开设美学以来,前40年教美学的人为数甚少,都是散兵游勇;后30年发展虽几经挫折,但改革开放后发展迅速,如今要成立全国性的中华美学学会了,这是中国历史上从没有过的。所以,他虽已经83岁了,也一定要来亲历盛会。来自全国各地的代表都住在这座院落外的宾馆,来院子里拜访朱先生的人陆续不断,朱先生都在客厅里高兴会见。老一辈的来了伍蠡甫、洪毅然等,都是朱先生的老熟人,经过"文化大革命"的劫难后在春城重逢,自然格外兴奋。我们一致推选朱先生为中华全国美学学会的首任会长,他兴致勃勃地游览了昆明的好几处名胜古迹。齐一专门向昆明军区要了一辆黑色专车,叫我专责陪朱先生去了石林、西山、滇池,甚至去了较远的、难得一去的筇竹寺。石林离昆明有160里,海拔近2000米,6月8日我陪朱先生乘黑色轿车到那里稍作休息,大队人马随后亦到,朱先生立即就随大家一起登高,爬石林,毫无倦意。我陪他到西山,劝他就不要爬龙门了,但他坚持上去,在三清阁稍作歇息,见到大门上一副对联——"置身须向极高处,举目还多在上人",朱先生连声称赞:"高,这境界很好!"大家挽着和朱先生在龙门拍照。我最担心他被挤倒,所以一再喊,要大家分开来,不要挤在一起。这一次,朱先生成了"学术明星"。大家对"美学老人"充满了崇敬之情。

　　这一次我们在昆明停留了近10天,天天在园子里陪朱先生散步,学他做功夫操,聊天时,自然也谈到了美学的今后发展。改革开放之初,周扬开始在中国社会科学院当副院长,不久,邓小平又要他当中宣部副部长,仍主管文艺。在昆明会议之前,美学研究室特地采访了他,要他对美学的今后发展发表意见。这个有关美学的谈话,在昆明开会时向大家传达了,李泽厚主持的《美学》杂志后来又发表了,题名为《关于美学研究工作的谈话》。在这次谈话中,周扬对朱先生作了高度评价,说他"数十年如一日,对美学研究用力最勤。全国解放以后,他转向马克思主义,力主用新观点来从事美学研究"。周扬谈到,美学是一门跨界学科,要吸取其他学科的成就,而且"美学本身也又细分为多种不同的专科",各个艺术部类,都有自己的美学问题,要作深入研究。我在和朱先生一起散步时,就说到,昆明会议开过之后,我就想在中文系开一门"文艺美学",专说文学艺术中的美学问题。我告诉他,近年我重读了他的《诗论》和《文艺心理学》,觉得他的《诗论》实际上就是一部诗歌美学,《文艺心理学》更是深入文艺的创作和欣赏过程,去作审美心理活动的分析。我想照着朱先生开启的这条路,从审美活动着手,来谈文学艺术的创造,文学艺术怎样按美的规律创造出来的。朱先生边走边听,连声说好。他特别赞赏紧紧抓住马克思所说的"按美的规律来创造"来研究文学艺术,说这个思路好。美学要开阔思路,不仅人类"建造"器物,而且一切"创造"都应按美的规律来进行,"创造"要比"建造"更广。他自己一直坚持,最好的译法,应把"建造"改成"创造"。文学艺术就不仅仅是"建造",而是"创造"。

　　正是受到周扬的启发和朱光潜的鼓励,所以我在昆明会议上提出,大学的文学系科和艺术院校,应该开辟文艺美学。昆明会议来的大多是在高等学校开设美学的教师,中国人民大学马奇、四川大学王世德倡议在昆明会议期间成立一个高校美学会,成为中华全国美学学会的下属机构。我在李泽厚主持的大会上,带了一个发言稿,遵嘱谈的是中国美学史方法论,后来在北大学报上发表了,但我在高校美学会上是即兴发言,无稿。我就在那次会上,倡导文学系科、艺术院校应开设"文艺美学",以区别于哲学美学。文艺美学应深入文学艺术本身,探索如何按美的规律创造,不能只停留在泛泛而谈美是主观的还是客观的这个层次上。我的这一倡议,受到了艺术院校来的教师的热烈响应。中央音乐学院的赵宋光、北京舞蹈学院的朱立人、研究建筑美学的王世仁、研究戏曲美学的张赣生、研究电影美学的张瑶君等,后来都在北京大学出版社出版的《美学向导》上发表了关于美学如何向不同艺术部类发展的见解。

昆明会议后,本来是要我和杨辛陪朱先生一起乘飞机回北大。但我在北大的师兄王世德,热忱邀李泽厚、杨辛和我这些北大学人去四川大学走一走。齐一挺身而出,自告奋勇,由他亲自护送朱先生乘飞机回北大。于是,这一次我们有机缘乘火车去四川大学住了几天,世德兄还陪我们三人上了峨眉山,然后从重庆乘江轮,穿三峡而下武汉、南京、上海。我在南京上了岸,回老家去了一趟,李泽厚则去了上海。这是我有生以来第一次过三峡,印象深刻,所以,忍不住在我的《文艺美学》的一开头,就从我在江上的审美体验说起,直抒我对枝江夕阳的审美感受。

中华全国美学学会的成立,对国内人文社会科学界影响甚大,积极参与了改革开放之初的新启蒙。许多省,如河北、福建、四川、广东、江苏等也陆续成立了美学学会。回北大后,我就在暑假后开出了"文艺美学"课程。1981年,杨晦82岁了,不再招收文艺学研究生,而要我接着招。受到晦老的支持,我坚持另设一个专业方向——"文艺美学",和"文艺理论"分开,北大同意了,而且得到了教育部的首肯。从此,我就在北大招收文艺美学的研究生。那时,麻子英受命筹建北京大学出版社,几次动员我去当总编辑。他原是北大留学生办公室主任,我当西哈努克王子的"太子太傅"时,常和他打交道,多次一起出席过外交部举办的招待酒会,他为人豪爽,所以可无所不谈。我半开玩笑地对他说:"我才是个副教授,我还想当教授啊!到你出版社就当不了教授,还是在中文系教教书罢!"不过,为感谢他的盛情,我还是向他表示,愿在出版社外为他出点力,帮他张罗一套大型丛书——北京大学《文艺美学丛书》。麻子英十分重视,专门安排了江溶担任这套丛书的责任编辑,北大出版社一开张,就把这套丛书推出来了。最早开路的是那本《美学向导》,一下就印了12万册,还供不应求。我们特请朱光潜、宗白华、杨晦三位老人作丛书的学术顾问。在《美学向导》出书前,还请邹士方特地采访了朱光潜、宗白华、王朝闻、蔡仪、李泽厚五位美学家,列入《美学家寄语》。朱光潜写了《美学》,李泽厚写了《什么是美学》,我则写了《文艺美学及其他》一文。当时,我们都对美学发展充满了期待。

越到后来,朱光潜就越重视学者的独立精神,珍视学术良心。1982年5月6日,正好是毛泽东发表《在延安文艺座谈会上的讲话》20周年,主持文艺的周扬要亲自组织一次纪念座谈会。周扬告诉齐一,务必要把朱光潜请到会。那年我也受到了邀请,并准备了发言稿。齐一给我打电话,要我那天陪朱先生一起来。这就让我犯愁:朱先生已85岁高龄了,总不能跟着我乘公共汽车去吧!我立即问齐一:"怎么个去法?"齐一说:"朱先生这么有名的教授,学校还不派专车?"我半开玩笑地说:"你在衙门久了,不知道我们普通百姓的生活。学校哪能给他派车?他去政协开会都是和大家乘大巴一起去,哪有专车?"齐一痛快地说,中国社会科学院派车去接,但要由我陪着一起来。开会那天,我陪朱先生去了中宣部礼堂,周扬亲自把他扶上主席座上,坐在周扬的旁边。这是过去从来没有过的,朱先生历来都是坐在听众席上聆听领导发言,这次朱先生是坐在周扬旁边发言,在回校的车上,朱先生感叹,周扬自己受了劫难,有了切身感受,感触良深,所以也礼贤下士、不耻下问、平等待人了。回校后,我把我的发言稿和朱先生的发言稿都给了北大学报。北大学报把我的《艺术创造为人民》发表了,但不敢登朱先生的《怀感激心情重温〈讲话〉》。朱先生听了,付之一笑,淡然说道:不登也罢,免得以后麻烦;但以后撰文,坚持一条,只说真情实感,只发由衷之言,登不登都无所谓,对得起自己良心就行。

北大学报为什么不敢登这篇文章？原来朱先生在发言中，针对"资产阶级自由化"发表了自己的意见，认为现在就要反"资产阶级自由化"，未免"为时过早，不符合历史唯物主义规律，也不符合我们的宪法"。朱光潜的发言，当时就已引起不同意见，北大学报就不敢发了。朱光潜当时的心态，常叫我想起王瑶所说的话：不说白不说，说了也白说，白说也要说。学者文人说的话，不一定有用，但还是要说出自己的心里话。

朱光潜晚年去了一趟香港，见了北大老友钱穆。这是牵动我辈人心的一件大事，标志着上一辈学者和我这一辈学人可以踏踏实实地进行对外学术交流了，所以令人难忘。

改革开放前，由于受"左"倾思潮影响，对内以阶级斗争为纲，对外封闭自守，与外隔绝30年，很难有对外学术文化交流的机会。改革开放之初，北大副校长季羡林带头筹建北大比较文学研究会，参与筹建的有英语系杨周翰和李赋宁、俄语系岳凤麟、西语系孙凤城、中文系吴组缃、乐黛云和我也参与了。1981年1月开过成立大会，就积极推动中外文化学术交流。但最初两年，都是海外来访的多，北大能去海外作学术访问的极少。乐黛云出去得早，1981年8月去了美国，很不容易。那两年，海外学者叶维廉、刘若愚、李达三、袁鹤翔、陈映真、叶嘉莹等都相继来过北大，我和杨周翰、张隆溪等都曾接待过。但北大的学者要出去，却仍困难重重，原因有多种。朱光潜的访港成功，在北大学者中引起了轰动，对促进北大对外学术交流是一个很好的推动。

1983年年初，香港中文大学新亚书院院长金耀基热情邀请朱光潜在春节后赴港，要朱光潜去主持钱穆（宾四）学术文化第五届讲座。朱光潜的女儿朱世嘉可同去照顾，应得报酬之外，在港一个月的生活费用均由港方承担。朱光潜在1919年在香港大学教育系读书，在校5年，1923年毕业后就再也没有来过香港，一眨眼就是60年了。这一次重返香港，自然振奋，他要好好看一看香港60年来的变化。更使他高兴的是，当他在3月下旬为讲座作了关于维柯《新科学》的学术报告后，金耀基扶了新亚书院的创始人钱穆一起上台，和朱光潜紧紧握手。钱穆比朱光潜年长2岁，此时已88岁高龄。他手执拐杖，身着长衫，和满头银发的朱光潜，并肩而立，互致问候，然后一起面向听众和大家见面。新亚书院讲堂1000多位听众，肃然起立，热烈鼓掌。这是不能忘记的历史的壮丽时刻。两位因两岸相隔而分别40多年的北大老友，在香港重新见面，作学术文化交流，感动的不仅是在场的香港听众，还有远距此地的我们这些北大学人。

这次，钱穆是特地从台湾到香港来同朱光潜会面的。钱穆在苏州中学任教时，和胡适相识，自1930年起，他就受邀到燕京、北大、清华讲学，在北京8年。朱光潜在1933年从英国留学回来，就受聘到北大任教。虽然钱穆在国文系，朱光潜在西语系，但都属文学院，由相识而相知。1937年抗战后，钱穆去了西南联大，朱光潜去了四川，曾在乐山的武汉大学当教务长、代校长。钱穆曾受邀到武汉大学讲学，和朱光潜比邻而居，每天都在一起共进午餐、晚饭，席间相谈甚欢，成为挚友。钱穆在1948年去了香港，就再也没有回来。不过，最初钱穆没有去台湾，傅斯年所列赴台名单中，没有钱穆的位置。钱穆在香港16年，白手起家，独立奋斗，创办了赫赫有名的新亚书院，过了古稀之年，才离开香港到台湾定居。此次钱穆以88岁高龄会见了86岁的老友朱光潜，而且叔侄相聚——从小就跟随钱穆读书的侄子钱伟长，已在1983年年初从清华大学调到上海工业大学当校长，这次也特地从上海赶到香港和叔叔钱穆相会。

改革开放的春风吹暖了人心，这次朱光潜在香港甚为开心。香港中文大学为朱光潜安排在山顶上新亚书院的会友楼居住，一套三居室的贵宾房，设备齐全，可以自己做饭，生活方便。朱光潜由女儿朱世嘉陪伴，每天沿着山顶小路散步，从这里可以远眺吐露港，看太阳从海上冉冉升起。朱光潜有个弟弟朱光澄，解放前就已在台湾，虽然已在几年前去世，但他的侄女、侄子、侄媳妇特意从台湾赶来探望，陪着他从新界跨海（维多利亚港）到港岛住了几天。香港大学就在港岛半山坡上，朱光潜旧地重游，像老小孩一样，乘着缆车上山，还去了海洋公园。母校香港大学和他约定，要在1984年隆重邀请他再次来港，为他颁发荣誉博士学位证书。可惜，一年后他就行动不便，难以行走，只能在北京大学接受香港大学荣誉文学博士证书了。1985年，香港大学校长黄丽松亲临北京大学临湖轩，为朱光潜颁发荣誉证书。朱光潜那年88岁，最后一次参与学术文化活动。那时我已来往于北京、深圳之间，这是我最后一次见到朱先生，牢牢记住了他的最后一次叮嘱。他轻声地问我："去香港了没有？"我说还没有，他轻轻叮嘱："一定要到香港去看看，人家是怎么办教育的！"

正是朱光潜开启了北京大学和香港中文大学的学术交往之路。北大学人跟踪而进，陆续受邀至新亚书院。北大中文系最先继朱先生去新亚书院的是王瑶，我有幸在王瑶之后也去了新亚书院，都是住在山顶上的会友楼——朱先生住过的那套客房。1986年4月下旬，我把王瑶夫妇从香港接到深圳大学，在深圳住了几天。然后我继他之后也去了新亚书院。是王瑶告诉我，朱光潜、严慰冰都在前不久去世了。深深的悲哀袭上我的心头。在赴港之前，我把朱光潜一篇回忆香港大学的文章找出来重读了两遍，寄托哀思。在新亚书院一个多月，我过维多利亚海湾去了香港大学3次，还特地按着朱光潜读书散步的路径，走了一遍，亲身体验一下那美好的时光。朱光潜1944年在武汉大学任教时写的这篇《回忆二十五年前的香港大学》中说道，在香港五年，最使他留恋的，就是和二三知己，在午后课毕，从所住的梅舍出发，穿过山路，走上山顶，远眺大海和港岛全景，"在山顶上望，蔚蓝的晴空笼罩着蔚蓝的海水，无数远远近近的小岛屿上耸立着青葱的树林，红色白色的房屋，在眼底铺成一幅幅五光十彩的图案"。这是朱先生在70年前看到的香港全景。我所见到的香港，白云蓝天，青山绿水，风光依旧，只是多了许多高楼大厦，维多利亚港显得小了。此后，我先后来了香港数十次，香港最使我留恋的，仍然是那蓝天白云、青山绿水，也还是这些，引发了朱光潜的美感。

朱光潜一生，着力于美学著译，"以出世的精神，做入世的事业"。安徽教育出版社赠我一套《朱光潜全集》，达20卷之多。胡乔木说到朱光潜在美学上的贡献时写道："在这个领域，我实在说不出第二个来。"周扬说他敬佩朱光潜的人品、学识，"他留下的精神财富却更为珍贵，将成为文学史册中的珍宝"。

朱光潜活到89岁，海峡彼岸的老友钱穆活得更长，但晚年颇为不快。钱穆在台北住在阳明山的素书楼20多年，不料在1988年，陈水扁之流掀起风波，诬指钱穆所居乃"非法修建"，扬言要"限期收回"。钱穆不愿卷入政治风波，1990年95岁高龄的他，毅然搬离素书楼，迁入台北市内杭州南路另觅住所。但迁离不到3个月，钱穆即因心力衰竭而逝世，享年96岁。钱穆在生前立了誓言，死后一定要葬在故乡，落叶归根，魂归江南。老家鸿山（无锡），太湖东山（苏州），湖中马山（无锡），都盼迎国学大师魂兮归来。最后，钱穆夫人胡美琦选中了湖庭西山，骨灰入葬，刻上墓碑，上书"无锡七房桥钱穆先生之墓"。2010年，我应"太湖世界文化论坛"之邀，去苏州参加首届国际年会，先到老家鸿山附近参仰钱穆故居，又到西山拜谒钱穆墓地。钱穆之墓，背山临湖，面向东南。钱穆背井离乡大半生，却一直未曾忘怀江南故乡，"太湖三万六千顷，一日相思十二时"。如今他永远回归了大自然，永留在太湖之畔，真正实现了天人合一。钱穆和朱光潜，一个专致于弘扬中国传统文化，一个着力于阐释西方文化，走了不同的道路，但在各自的领域都作出了辉煌的贡献，堪称20世纪学术文化的代表人物，对我们这些在新中国成长起来的一代学人起着不可忽视的作用。我深深怀念着他们。

二

在北大，随着岁月的推移，政治运动的风浪，由小到大，由缓趋急，逐步扩大，一浪高过一浪。风浪冲刷，首当其冲的是朱光潜、冯友兰这样的国民党座上宾。紧随其后的是教师中的民主人士作为资产阶级学术权威受到批判，游国恩、林庚、吴组缃、王瑶等都被卷入。更进一步，风浪就波及了"红色教授"，冯定、翦伯赞、杨晦这样的进步学者也在劫难逃。最后，风浪所及，进而冲刷到我们这一辈，我这在全国解放后才跨入高等学府之门的年轻学人，也被卷入风浪旋涡。

我在1952年秋进北大时，周恩来主持的那次思想改造运动已经结束，朱光潜也已在西语系投入翻译和教学工作。1953年的燕园，平和宁静，我也能集中精力去攻读中国现代美学。北京大学文学研究所也就是在这一年初春成立的，由郑振铎任所长，何其芳任副所长。原在中文系任教的俞平伯、余冠英、孙楷第等教授调入文学研究所，不必任教而专事研究了。1954年春节后，苏联专家毕达可夫就来到了中文系，为教育部组织的文艺理论研究班和进修班讲授"文艺学引论"。经班主任杨晦的特批，我也得以随班修了一年多的课程。我的学术视野也就从中国现代美学扩展到苏联的美学和文艺学。

那几年，风平浪静少运动，正是读书好时光，可以自由沉浸在书海中。从1954年冬批判俞平伯的《红楼梦》研究开始，北大校园也掀起了风浪，进而批判胡适，再到批判胡风，不时激起批判的浪花，但冲刷所及，还是我的学术前辈，对我们这一辈人触及不多。反而在对老一辈的批判声中，我借势学得了平日不甚关注的一些知识，受益不少。

对《红楼梦》研究的批判，锋芒指向北大名教授俞平伯，毛泽东是想由此而展开对"资产阶级知识分子"的批判。他为李希凡、蓝翎这两位青年学生敢于向名人挑战叫好，在学术文化界掀起批判资产阶级知识分子的运动。但毛泽东在此时并非要打倒俞平伯，他明确地说："俞平伯这一类资产阶级知识分子，当然是应当对他们采取团结态度的。"可是，俞平伯评《红楼梦》的错误究竟在哪里？对《红楼梦》究竟应如何评价？这里还有学术问题，需要学术争鸣。当时，在中国作家协会的座谈会上，周扬、何其芳、王昆仑、黄药眠、钟敬文等赞扬了"两个小人物"，批判了名家俞平伯；但杨晦、浦江清、吴组缃等虽然也批评了俞平伯，但还是肯定俞平伯的《红楼梦》研究有可取之处，不能一概否定。杨晦说俞平伯有自知之明，坦率承认，"我不懂马克思列宁主义，就不搞假马克思列宁主义"，这是当时许多学者、教授的心里话，愿意逐步改造自己。吴组缃、浦江清、范宁等还对李希凡、蓝翎的批判文章提出不同意见。批判者说俞平伯是自传主义，吴组缃说"我看不出来"。他还说，对曹雪芹文艺观，评价太高，把古人拔高了。北大文学研究所和中文系也开了好几次座谈会，我作为北大校刊记者也采访了数次，俞平伯也作了自我检讨，我感觉到基调还是温和的，采取的是和风细雨的方式。

这场对《红楼梦》研究的批判运动，促使我对《红楼梦》的研究发生了兴趣，不仅认真真读了《红楼梦》，而且对后来陆续出来的红学著述以及在北大开设的《红楼梦》讲座都密切关注。何其芳、吴组缃、周汝昌、吴世昌、吴恩裕、李希凡、蒋和森等的《红楼梦》研究，都陆续进入我的阅读视野之中，我的脑海里不时盘旋着这样的问题：《红楼梦》不是自传小说，那究竟是一部什么样的小说？爱情小说，家族小说，还是历史小说？女娲补天没有用上的那块顽石，来到世上亲历了人间热闹，最后为什么又回归青埂峰上？那封建大家族的兴衰，根本原因究竟是什么？

由对《红楼梦》研究的批判，进而发展为对胡适思想的批判。从1954年到1955年，中国学术文化界先后开过20多次讨论会，对胡适的哲学思想、政治思想、历史观点、文学思想都进行了批判。但对胡适的批判，重在政治批判，学术讨论的味道少了。在这次批判胡适的运动中，我还是有所收获，弄明白了胡适和北大的关系，还有便是了解了胡适的家世。我父亲胡定一告诉我，他的祖上是安徽人，原籍在绩溪。他的祖父从绩溪移居到屯溪，又从屯溪沿着新安江流落到浙江的湖州，从太湖的南端又来到了北端的苏州。他的父亲胡锦堂从小就在苏州城里学得一门手艺——织锦，然后在苏州、无锡之交的梅村落户成家。我读书期间，常有人问我：这胡经之和胡适之有什么关系？我赶紧说没有关系。这次，我借势查了一下胡适的家世，弄清楚了。胡适虽也是绩溪人，但和我不属于一个家族。绩溪乃胡姓家族聚居之地，但绩溪的胡氏，有三大宗族——明经胡、金柴胡、尚书胡。我祖上属金柴胡，乃指此族的祖师乃金柴光禄大夫出身，以区别于其他胡氏宗族。胡适之则属明经胡，明经是另一胡氏宗族祖师的封号。胡适说他祖上是唐朝皇帝的后裔。后人考证，这"明经"，原来是姓李的一位太子，叫李昌翼，逃难到婺源，隐在胡相国家里。宋太祖掌政后，赐姓胡，封号明经，所以后人称之为明经胡。胡适属明经胡，但上海的胡厥文、苏州的胡绳、盐城的胡乔木、南京的胡小石、北京的胡愈之等，都不属明经胡。在对胡适的一片批判声中，我乘势学了一点考证。

批判胡风的风浪掀起后，1955年的春天，也吹到了北大中文系。

可系主任杨晦说，用不着兴师动众、大动干戈，只让文学专业四年级组织了"研究"小组，作些研究，由王瑶作指导。我的印象中，王瑶写了批判胡风的文章，杨晦没有写。我当时是三年级学生，没有参加研究小组，只是班里开过会，说要批判胡风，谁也没有说出个道理来。我读过胡风的书，印象不好，引不起我的兴趣，所以在讨论会上只表了个态：这是文艺思想问题，要批判，但也说不上政治反动。那时，我正集中精力在写苏联专家的"文艺学引论"的结业论文，思索着古典文学中的人民性，对胡风问题不太关心，表过态就算了，也不再理会。可我的那番表态，班里有人反映到了系里；有人说，这是一种右倾动向，应该进行批判。我并不知道内情，到后来，系里负责科研的邵岳告诉我，当时杨晦听了底下的汇报，就说：这个学生我了解，不太关心政治，但勤奋好学，要求上进，行了，不要苛求，让他在学习中慢慢长进吧！在批判胡风的风浪中，我就这样过来了，有惊而无险，且我浑然不知。当我到结业论文指导教师钱学熙教授家，把《论文学的人民性——兼论现实主义和浪漫主义》结业论文送给他后，从中关园出来，我感到一阵轻松和愉快，这是我在北大第一次认真写论文。

反右斗争在北大是比批判胡适、胡风运动规模更大、打击面更广的急风暴雨式的政治运动。北大是反右斗争的重灾区，我目睹了、经受了这场风波，但侥幸没有被卷进旋涡。1956年夏，我从中国人民大学马列主义研究班回到了北京大学，暂时在文艺理论教研室，当杨晦的助教，准备在半年之后，再转为副博士研究生——那一年，北大试行学位制，招收了近200名副博士研究生。因为全国招考的人数太多，录取的名额超出了预计，北大来不及准备那么多宿舍，只好让全国各地研究生推迟半年入学。而我们北大应届毕业留校的几位，如刘学锴、陈振寰和我，先留在系里当助教，等半年以后再转为研究生。此时，苏联专家已回国，全国各地来进修的教师也回到各自的学校了，但文艺理论研究班的研究生却尚在做毕业论文，住在19斋。我见缝插针，也住到了这里，和赖应棠同住一室。但我既不参加研究班的活动，也不参加教研室的会议，只跟杨晦攻读中国古典文艺学，足有两年时光，"两耳不闻窗外事，一心只读圣贤书"。在大鸣大放的高潮中，大饭厅前的那个广场是最热闹的地方,偶尔我也会去看一下,但不多。给我留下印象的事,有三桩。

一是我去听了在广场开辟的"百花齐放,百家争鸣"的第一场辩论会,物理系的学生谭天荣在那里发表演说。他说他平日不关心政治,一门心思钻研物理学,但偶然听到了赫鲁晓夫的秘密报告《个人崇拜及其后果》之后,就开始思索:苏联怎么会产生个人崇拜?追究的结果,他以为苏联盛行教条主义,大家把领袖的话作为教条信奉。而教条主义的产生,又是因为苏联闭关自守,和世界隔绝,闭目塞听,故步自封,不知天高地厚,世界究竟发生了什么变化,自以为是,自高自大,自以为老子天下第一。我心里虽然觉得此话也太片面,但却确可引起进一步思考,闭关自守、故步自封确会让我们缺乏自知之明的。谭天荣在校内外都和人辩论,很有名,运动后期被定为大右派,在北大荒劳动了20多年,后来被遣送回湖南老家湘潭继续改造。幸运的是,老家谭氏家族保护了他,在山坳里找了间茅屋让他躲了起来,使他得以在轰轰烈烈的"文化大革命"中,潜心读书做学问,改革开放后在青岛大学当了教授。

二是我关注到化学系著名教授傅鹰的一番言论。傅鹰为人正直,在北大以心直口快著称。当时《人民日报》一篇社论说道:当前知识分子和共产党的关系最紧张,为什么?傅鹰从爱护共产党出发,说出了他的肺腑之言。他以为关键还在于共产党不把知识分子当知己,而是视作异己,不把知识分子当自己人,不相信知识分子,老是怀疑、防备;学校是知识分子成堆的地方,应该更加信任知识分子,发挥学者、教授的作用,把好的学风建立起来,如今,学校里的学术风气还没有建立起来,衙门习气却发展起来了;共产党和知识分子之间还隔着一座墙,应该在整风中拆掉这座墙。傅鹰的这番言论,在北大受到了猛烈抨击,反映到了上层。毛泽东在一个文件中说,自整风以来,异常迅速地揭露了各方面的矛盾。这些矛盾的详细情况,我们过去完全不知道,现在如实地揭露出来,很好。党外人士对我们的批评,不管如何尖锐,包括化学教授傅鹰在内,基本上是诚恳的、正确的。毛泽东的这番话救了傅鹰,左右北大运动局面的北京市委,没有把傅鹰定为右派，不算敌我矛盾；但还是在人民内部中作了区分，把他定为"中右"，于是傅鹰教授成了区分敌我和人民矛盾不同性质的标杆。杨晦告诉我，这解救了中文系里的好几位教授。当时，中文系对吴组缃、王瑶两位教授的定性，争论激烈。杨晦坚决反对把这两位定为右派，就把傅鹰抬出来加以对照。最后，中文系党总支把王瑶定性为中右，和傅鹰一样，由北京市委直接掌控，作为中右的代表人物，密切关注着他的动向。而对吴组缃的评价要更好些，肯定他解放以后能靠拢共产党，追求进步。但是，他在整风中，说共产党对待知识分子，就像大人对孩子一样，居高临下，听话时，给一块糖吃，不听话时，就打屁股。这是自外于党，不够党员资格，就没有再让他转正。吴组缃预备党员的资格，就是在反右斗争之后被取消的。就这样，北大中文系的老一辈教师中，没有出现右派，这真是万幸。但北师大的中文系可就惨了，那里的几位著名教授，如黄药眠、李长之、穆木天等都被打成了右派。杨晦后来对我说，北师大那是自毁长城，把自己的元气都伤掉了，今后还怎么办学？杨晦的女儿就在北师大教书，知道一些内情，所以他能这么说。

还有一桩更大的事，那就是我们的校长马寅初，亲自带头参加了学术争鸣，却最后受到了政治围剿。这使我陷入了深深的困惑：怎么会这样？

1957年春天，我兴致勃勃地来到大饭厅，要听他发表解放以后的第一次演讲，以他的"新人口论"来响应中央号召参与学术争鸣。那天，马老神采奕奕，穿着笔挺的中山装，手里拿着一根拐杖，由江隆基陪同一起来到大讲堂，两人谈笑风生，心情甚佳。江隆基主持，马寅初畅谈：解放后生活安定，出生率迅速增高，人口增长率已达3%，这样发展下去，物质生产的发展，就很难赶得上人口生产的发展，50年后，中国人口就会达到26亿，是目前世界人口的总和；中国是人多地少，若不及早控制人口，中国人在未来怎么生存？马老说的是一口浙江绍兴话，我听得清清楚楚，我们都属同一个方言区域：吴语。他说到高兴处，提高了嗓门，真个是声若洪钟，气吞山河。他提出的问题太重要了，事关中华民族的今后发展战略，具有高瞻远瞩的超前意识。"先天下之忧而忧，后天下之乐而乐"，这是中国历来知识分子的传统美德。马老继承和发扬了这种民族精神，先知先觉，忧国忧民，在普通百姓意识到之前，就超前提出了这个问题，作了多年的调查研究，对此作了深入的探索。这是我们这个国家之幸，应该感到欢欣鼓舞才是，更进一步就该鼓励后继者跟进，作进一步的学术研究。江隆基当时就想以马老的"新人口论"作为争鸣契机，以推动北大的科学研究。他和马老已经从1955年开始，把每年的"五四"校庆打造成为全校的科学讨论会。连马老、江隆基也没有想到，马老的这次"新人口论"演讲，竟成为北大反右斗争的靶子。

真是风云莫测，世事难料。马老在北大作"新人口论"演讲没过多少天，5月，毛泽东在《事情正在起变化》一文中发出了反击右派的号召，接着《人民日报》发表社论《这是为什么》，在全国发动了反右斗争。不久，《人民日报》发表文章，批判右派费孝通等以人口问题来向党进攻，不点名地称"一位经济学家"的人口论，不是什么学术问题，而是严重的政治斗争问题，应予反击云云。这就把学术争鸣的问题加以政治化了。接着，就有人向高层提出，要把马寅初定为右派。幸而，周恩来、陈云都出来说话，加以制止。周总理明确地对负责统战的许涤新说：马寅初这个人有骨气，有正义感，是爱国的；他是我国有名的经济学家，国内外都有影响，不能划为右派。正是在周总理的亲自过问下，马寅初才得以在1957年暂时保有了平安。

连马寅初这样在全国解放前赫赫有名、众望所归的民主斗士，也受到了反右斗争的冲击，这使身为北大党委书记、第一副校长的江隆基也措手不及。他和马老相互配合，执掌北大已5年，是很理想的合作伙伴。1952年院系调整之初，北大规模迅速扩大，马寅初主动向周总理提出，要政务院为他调配一位得力助手，江隆基就受命来到新的北大。江隆基早年曾在北大预科学习，虽未直接听过马寅初的课，但那时蔡元培是校长，马寅初是教务长，应属师辈。所以江隆基在燕园见马老，一见如故。马寅初坦率对江隆基说道："在政治上你领导我，业务上我管些事。"这确是马老的肺腑之言，他曾加入国民党，但早在解放前就对国民党造了反，退出了国民党，成为无党派民主人士，而且不时谴责蒋介石,指出"蒋介石一心想消灭共产党,但共产党是消灭不了的。中国的真正希望在中国共产党"。江隆基对马寅初一向敬重,立即向他表达了自己的一番心迹:您是我的老师,我是您的学生,您的助手,我来是协助您共同建设新北大的!

马寅初和江隆基都是教育家,院系调整后的5年,是教育家在办教育,不像反右斗争以后是政治家在办教育。马寅初早年留学美国,在耶鲁大学攻经济学,但回国后,在蔡元培时代的北大任教,当教务长,把蔡元培的办学精神继承下来了,在新北大推崇独立思考、学术自由,而且自己身体力行。江隆基留学日本、德国,长期在解放区从事教育,更注重教育规范、学以致用,他俩都懂得教育规律。更可贵的是,两人真诚相待,肝胆相照,同心协力,和衷共济,相互尊重,优长互补,逐渐在新北大建立起新的教学秩序。

经过5年实践,新北大从院系调整时的5000人,扩展到了8000多人,教学和科研逐渐步入正确轨道,实施"三严"(严密的教学计划、严格的基础训练、严谨的科学作风)和"三基"(基础理论、基本知识、基本技能)的方针。此时,也开始学习苏联的一些教育经验,如建立起了教研室,试行副博士学位培养制,接下去还拟发展博士学位制。从1954年开始,他俩就把"五四"校庆定为全校的科学讨论会的日子,在1955年立即举办了连续好几天的盛大的"五四"科学讨论会,马寅初亲致开幕辞,江隆基则在科学讨论会结束时致闭幕辞,对科学讨论会作总结。这种模式,连续了好几年,给我留下深刻印象。1955年,中国科学院施行学部委员制,江隆基为北大教授申报学部委员作了不懈努力。马首是瞻,马老当然在首列。江隆基知难而进,甚至还想把朱光潜推荐为学部委员,后因阻力太大而未能成功,但随后就力争恢复了他的一级教授待遇。这一次,北大教授中被列为学部委员的甚多,其中,哲学社会科学学部委员就有马寅初、向达、金岳霖、何其芳、冯至、冯友兰、汤用彤、翦伯赞、魏建功、王力、季羡林,共11位。可以说,马寅初和江隆基执掌北大时,为北大在全国的学术地位奠定了坚实基础。

1957年,正是我开始攻读文艺学副博士研究生的第一年,正在逐渐构筑我自己未来的梦。眼前的马寅初就是我心目中的一个榜样。马老在美国求学8年，获得了博士学位，1915年归国，北洋政府竭力拉拢，允以高官厚禄。但马老庄严宣示："一不做官，二不发财，竭尽全力，献身教育，教育救国。"他听从蔡元培的召唤，来到北大，投身于教育救国的事业。马老一直追随蔡元培，从教育着手，倡导"北大之精神"，其精髓就是：服务于国家社会，不顾一己之私利，勇往直前，以达其至高之鹄的。我进北大之初，也已想好了，一不去做官，二不要发财，相信蔡元培的教育救国。但教育者必先自己受教育，所以要多读书，当学者教授。到北大5年，我面前展现了这样一条路径：大学毕业后读副博士，将来再争取读博士，然后当教授，专心做学问。苏联的学位制和英美不同，副博士学位要略高于硕士，取得副博士学位后，很快可以当副教授。而博士学位的价值更高，取得博士学位，很快可以担任教授，甚至，还有当了教授才去申请做博士论文，得博士学位。著名的文艺学家巴赫金年过半百，才申请博士论文答辩，竟未通过。之后，他才获得博士学位。副博士—博士—教授，这样一条路径在当时对我很有吸引力，我正在沿着这条路径构筑我自己的美梦。

　　在北大的反右斗争中，我个人没有受到直接的伤害，也没有去伤害其他任何人。但是，严酷的急风暴雨式的斗争，在我的心头留下了深深的阴影，我的美梦开始破碎。反右斗争初起时，书生气未脱的江隆基估计，在北大，也就划上几个右派，作为警戒的标杆，起个警示作用就行了，对广大师生还是要爱护。当时的北大体制，党委是受北京市委领导的，不属教育部管辖。江隆基的言行，受到了党内严厉批评，说他太右倾了，要帮助他端正立场。于是北大的反右斗争逐渐扩大，到1957年10月为止，教师中有90人被定为右派，学生中的右派竟有421人。但北京市委还嫌江隆基太落后保守，为纠正他的"右倾"，在当年10月就另派了陆平来当北大的第一书记，领导全校运动，而江隆基被贬为第二书记，让他去管管教务之类。到了1959年年初，江隆基更被调离北大，遣送到西北，去当兰州大学校长了。北大的马寅初、江隆基合作时期，彻底结束，进入了政治家办教育的另一时期。陆平自10月进北大后，发扬了铁道兵集团作战的作风，雷厉风行，展开更加严厉的反右补课，仅用三个月，就补划了173名右派，使北大右派剧增至700人。其中教师新增了20人，中文系受伤害最大，一下就被补上了8名青年骨干。在大鸣大放初期，中文系的年轻教师乐黛云、金申熊（后改名金开诚）、傅璇琮、沈玉成、褚斌杰、裴家麟、谭令仰（毕达可夫研究生）、刘琼（进修教师、人民日报记者）8人，为响应号召，准备创办同人刊物《当代英雄》。当时王瑶就劝阻，不要冒那风险，但青年学者热血沸腾，仍积极推进。反右斗争袭来时，还尚有惊无险，但没有逃掉陆平补划这一关。新调来的总支书记坚决执行陆平的从严方针，就在1958年把这八人补划为右派。这些青年教师，当时都是中文系的学术精英，是老一辈教授挑选留下的助教。这次补划，对中文系可是一次重大打击，真可谓大伤元气。杨晦每次和我谈起此事时，总是深为叹息，却又无可奈何。

　　像马寅初这样的爱国民主人士，是从和合作者如江隆基的交往中来了解共产党的，有自己的切身感受。在大鸣大放中，出现了这样一种声音：要共产党撤出学校。马寅初就旗帜鲜明地站出来说："共产党不能撤走！学校党委制有好处，以北大为例，有8000名学生，怎么管理？叫我当校长，我怎么管得了？共产党管得好，还是要请共产党来管。北大教授是靠拢共产党的，大家都亲眼看到了共产党的英明，怎么能撤走！要拆墙，必须从两方面来拆，共产党整风，是拆墙，民主党派这一边也要拆墙，共同努力才行。比比过去，看看现在，学校中的党委制无论如何不能退出学校。"但在1958年的补划中，马寅初受到了更大规模的批判，而且和过去不同，被直接点名了。新的党委对马寅初校长的评价是：不愿参加斗争，严重温情主义。更进一步，北大新党委还向中宣部、教育部和北京市委打报告，要全国报刊加大批判马寅初的力度，以配合北大校内的批判。就在这一年，陈伯达和康生这两人，都分别来到北大助威，鼓动北大猛批马寅初。北大借"大跃进"的风浪，掀起了批判马寅初的高潮，马老自己作了个统计，到1959年，全国批判马寅初的文章和发言，高达200多人次。但马老直言，没有一篇有说服力能批倒他。马老在1959年10月，写了一篇5万字的长文《我的哲学思想和经济理论》，刊于《新建设》第11期，全面阐释了自己的学术观点，并对批判作了反驳。马老铁骨铮铮，毫不妥协地称："我虽年近八十，明知寡不敌众，自当单身匹马，出来应战，直至战死为止，决不向专以力压服、不以理说服的那种批判者们投降。"在这篇长文中，我认为他提出了对中国学术发展至关重要的、长期没有得到解决的两个问题。一是马老坦率指出，他提出的"新人口论"，"这不是一个政治问题，是一个纯粹的学术问题。学术问题贵乎争辩，愈辩愈明"。他提出这个问题，乃是知难而进，要作科学探讨。共产党应珍视"学术的尊严"，不应以政治批判来压制学术争鸣。二是他拜读了诸多批判文章，都是在"破"，没有一篇在"立"，"徒破而不立，不能成大事"。他以新中国的成立为例，说明"只破而不立，决不能有今天"。这是马老对当时所倡导的"破字当头，立在其中"之说，作了有力反驳。

可惜，马寅初的仗义执言，不仅没有得到理解，反而遭受到更大的打击。1959年秋，毛泽东主持最高国务会议，按例，北京五大高校的校长都要出席。中国人民大学吴玉章、清华大学蒋南翔、北师大陈垣、北农大孙晓村全来了，唯独马寅初未获邀出席，北大由副校长陆平取而代之。1959年冬，马寅初悲愤交加，又撰《重述我的请求》一文，重申要作学术争鸣。得到的反应是：马寅初向我们下战表，堪称孤胆英雄，独树一帜，也可以说是茅坑里的石头，又臭又硬。最后决定，就此请马寅初落马："理论批判从严，生活给予出路。此事不可手软。"终于，马寅初在1960年的最初几天，就从燕南园63号迁出，到城内居住，离开了北大。从此，北大就再也没有像马寅初这样的校长。20多年之后，胡耀邦、陆定一都扼腕叹息：批错一个人，多了几亿人。但历史已不可能重复，只是在我们这一辈学人心中留下一个创伤：北大永远失去了马寅初这样的校长。值得我辈庆幸的是，马老活到了1982年，101岁，真的是仁者寿。就我所知，北大教授中，能活到这年纪的，仅有三人。另一位是西语系的美国教授温德，1987年在校园中无病而终。还有一位，便是北大的教务长、著名的地理学家侯仁之教授，将近102岁时去世。

三

1958年初春,北大党委第一书记陆平在全校大会上宣告了反右斗争的伟大胜利。我心里松了口气,心想,北大经过了这番暴风骤雨的洗礼,该休养生息,坐下来安静读书了罢!

不,出乎我的意料,北大马不停蹄,再接再厉,很快又掀起了全面"大跃进"的热潮。1958年6月,陆平召开全校大会,动员全体师生立即投入生产、教学、科研的全面"大跃进",要在三年内,把北大建成一所共产主义大学。为了实现这一伟大目标,就要批判开路,破字当头,兴无灭资,展开两条道路斗争。中文系积极响应,召开了全系"跃进"大会,响亮地提出了"拔白旗,插红旗",立即展开两条道路斗争:一方面要狠批"资产阶级学术权威",另一方面要学生自己来编写"红色"文学史。"拔白旗"和"插红旗"左右开弓,齐头并进。

这一次的斗争锋芒,可不是指向《当代英雄》这些年轻学者了,而是矛头直指"资产阶级学术权威",主要集中在游国恩、林庚、王瑶三位,也触及了吴组缃,都是中文系的著名教授。王瑶、吴组缃两位在反右斗争中擦了点边,王瑶被视为中右,吴组缃虽被取消了党籍,没有转正,但不是开除,更不是右派,有惊而无险。两人余悸未消,不知如何是好。游国恩、林庚更是措手不及,一个是教研室主任,一个是教研室副主任,向来是温柔敦厚,不与世争,勤勤恳恳,教书育人,怎么一下子成了学生批判的靶子?学生敢想敢干,行动迅速,批判资产阶级学术权威的书本《文学研究批判专刊》很快就出版了。在"拔白旗"的同时,学生集体编写的《红色文学史》两大卷70万字也在当年(1958年)9月出版了,成为北大的国庆献礼,编书的学生代表光荣地出席了全国建设社会主义积极分子会议,为北大争了光。

在那个"精神振奋,意气风发,斗志昂扬"的时代,正在成长起来的年轻一代学人,跃跃欲试,纷纷投身到"大跃进"洪流中来,想一试身手。我那年25岁,虽然没有直接参加到这个"拔白旗,插红旗"的行动中来,但我在导师杨晦的引导下,也开始"厚今薄古",直接跨入了文艺界的门槛,参与了革命现实主义和革命浪漫主义相结合的讨论，为之助威呐喊。在此前的两年，我闭门读书，沉迷于古典文学的人民性、现实主义、浪漫主义的探索，跟着杨晦研习中国古典文论，从不接触文坛。就在这年的秋天，应《文艺报》之邀，我追随杨晦去参加了文艺界的座谈会，在老一辈作家、艺术家贺敬之、马少波、田汉、张庚、陈白尘、老舍等前辈面前，谈古论今，侃侃而谈，论说现实主义和浪漫主义相结合虽不是历来唯一的创作方法，却是文艺创作的最好的创作方法。我和杨晦的发言都在《文艺报》上全文刊登了，从此一发而不可收，又应《文学评论》王信之约，写了两万字的《理想与现实在文学中的辩证结合》。那年初春，《文艺报》主编张光年和副主编侯金镜在聘了李希凡、李泽厚为特约评论员的同时，在北大又聘了严家炎、王世德和我，加入特约评论员的行列。上海文艺出版社为推进全国的读书运动，出版一套读书辅导丛书，约我写了一本评论《野火春风斗古城》的小册子，一下就印10万册，一销而空。当时，我得了稿费1000元，是我近20个月的研究生津贴（每月52元），当时在北京可以买到两三间的四合院房。我却立即去东安市场买了一车的线装旧书，由旧书店直接送到25斋来。若照如今看来，这好傻，为什么不去买几间房，却去运来一车旧书。但在当时，价值观念不同，那书才是我们的命根子，既为书生，自当以书为生。

亦已投身于"大跃进"洪流中的我，对"拔白旗，插红旗"的举动自然而然地采取了赞赏的态度。参加"拔白旗，插红旗"的学生，尽管有一些年纪比我大（调干生），但大多都比我小，是我的师弟。著名作家阿英的得意门生吴泰昌就常来找我，交谈一些我们都感兴趣的问题，如中国的文学史是否可归纳为现实主义和反现实主义的斗争史，古典文学为何至今还具有艺术魅力，等等。从吴泰昌那里，我就感受到了青年的可畏与可爱，真的是初生牛犊不怕虎。他们比我晚了三届入学，但赶上了"大跃进"年代，学术的潜能一下就激发出来，敢于乘风破浪、勇往直前，精神可嘉。"拔白旗，插红旗"的举动，是北大两条道路斗争的进一步发展，兴无灭资由此而深入到学术批判的层次，而不是停留在政治批判上。批判马寅初时，马老应战时深刻指出，对他的批判，没有进入学术层次，而是只破不立，无立则无力。这次"拔白旗，插红旗"则进入了学术层次，而且又破又立。至于破得怎么样，立得又如何，乃下一步要深入探讨的问题，万事起头难。"拔白旗，插红旗"是一次群众性运动，由编写"红色文学史"开始，更低班级的学生也跟踪而上，陆续又编写了中国诗歌史、中国小说史等等，都是集体的成果。由此，对集体的重视，超过了以往。北大也进入了陆平掌政时期。1960年初春，在马寅初离职的当天，陆平立即接任北大校长，成为北京大学历史上一身兼校长和党委第一书记的第一人，在以往校史上从未有过。由这一年开始，北大特别突出了北大要选拔和培育共产主义接班人，党要在群众运动中挑选留校人才，不能放任资产阶级学术权威和党争夺接班人。在以往，老一辈学者教授在挑选学生留校任教时，决定权较大，同人刊物《当代英雄》中的主要人物，大多乃导师挑中的助教。此后，留校任教的助教，都需要党组织直接拍板了。我亲历了这个变化过程，在我的印象中，以往是"师徒"关系占优势，老教授带着青年助教，手把手地以一种手工业的方式传授如何做学问。此次，这种关系发生转变，好像转向大规模的机械化生产，标准化了，"师徒"关系逐渐转为"同行"关系，虽有先后，但都属"同行"。

  一向关注北大并担任北大兼职教授的周扬，对于科学研究的群众运动也持肯定的态度。1958年秋，周扬主动来到北大要为中、西、东、俄的学生开设"建设马克思主义美学"的讲座，就是想召唤北大的学生，让更多人来参与中国的马克思主义美学和文艺理论的建设。当时，北大的学部委员魏建功和中文系主任杨晦，一起和俄语系主任曹靖华、西语系主任冯至、东语系主任季羡林商定，每系都从高年级选送百多人集中在办公楼听课。我被任命为助教，负责和周扬沟通。这个讲座从1958年秋开始，一直到1959年秋才结束，周扬自己一个人就讲了两次，从序论"建设马克思主义美学"讲起，再讲"文艺与政治"。他除了自己开讲以外，还带来了邵荃麟、何其芳、林默涵、张光年，依次接着讲，这些都是当时文艺界的头面人物，周扬主管全国文艺时的领导核心。当时，中文系学生中有不少对美学和文艺理论感兴趣的学生，如刘烜、吴泰昌等积极性很高，想对周扬在延安时所编的《马克思主义与文艺》作进一步的增补，周扬就给予了首肯。进而，周扬又提出，要建设马克思主义美学和文艺理论，不能只知道马克思主义，还需要懂得中国自己的美学传统和西方的文艺理论，希望学生还能编出中国的和外国的两套文艺理论资料，作为建设美学和文艺理论的基本资料。在他沙滩北街的寓所，周扬还畅谈了建设马克思主义美学如何继承传统，我当时感到很新颖，以后就一直记住了。依他之见，中国要建设马克思主义美学，要面对两个传统，一个是新文化传统，一个是古文化传统。新文化传统是已开始吸收了西方文化来批判中国旧文化而形成的新文化，但经半个多世纪的发展，也成了一种不同于旧文化的传统。只是，新文化运动对中国古文化否定过多，吸收不够。所以，建设马克思主义美学，必须重新对这两个传统进行研究。

周扬所开的这个讲座，影响很大。多年来，美学常被一些人称为资产阶级的伪科学，百家争鸣开始后，北大虽已陆续有蔡仪、朱光潜开了美学，但美学究竟是一门什么学问，一时也难以说得清楚。如今周扬响亮地提出，要建设中国的马克思主义美学，北京、上海一些著名的报刊，闻风而来，要来听个究竟。周扬嘱咐我，可以来听，也可以报道，但绝不能给报刊讲义。他的演讲记录要我保存，再交给他本人。我遵嘱，只给北大学报写了学术报道，不给其他报刊。周扬讲第一讲时，即将上任北大副书记的哲学家冯定，亲自来主持。中文系主任杨晦、西语系主任冯至、俄语系主任曹靖华、东语系主任季羡林等都来听了，美学家朱光潜、宗白华、蔡仪等也在席下静听，中央高级党校负责文史教学的何家槐也特地从西苑赶来听课。自这次周扬倡导建设中国的马克思主义美学后，北大积极行动，杨辛受命组建美学教研室，把朱光潜从西语系借入哲学系，和宗白华、马采等集在一起，1960年完成组建，从此中国有了第一个美学教研室。何家槐在中央高级党校也迅速行动，成立了美学小组，开始向培养高层干部的后备力量讲说美学了，朱光潜、王朝闻、蔡仪等都先后被请去讲学。

在周扬第二讲后，我先后去请了邵荃麟和何其芳，都很顺利。邵荃麟第三讲"文艺与现实"，说的是文艺与现实的关系，突出反映现实的最好方法是革命现实主义与革命浪漫主义相结合。何其芳第四讲"文艺与传统"，说的是当今文艺要继承传统文艺之长，又要予以创新。可是，我去请林默涵来讲"文艺与人民"这一讲时，两次都未成功，不说不讲，但总是说时间安排不过来。我就去找张光年，请他来讲"文艺与批评"。因为比较熟悉，他就坦率告诉我，他也不讲了，已经顾不上北大这一头。原来，他们有新的使命：批判苏联修正主义。周扬带着林默涵、何其芳、张光年等已经转移阵地。中国社会科学院文学研究所所长何其芳和中国人民大学语文系主任何洛奉周扬之命，办起了马列主义文艺理论研究班，从全国各地抽调年轻文艺干部和本科毕业生来学习，专事培养文艺理论的人才，投入批判修正主义的新的战斗。他们已顾不上北大的这个"建设中国马克思主义文艺理论"讲座了。我一听，就全明白了，这个讲座就戛然而止。在1959年国庆前，周扬在沙滩中宣部办公室向我正式交代：讲座就算结束了，林默涵、张光年不去讲了。《马克思主义与文艺》一书的增补，他也顾不上了，要我代转达一下，感谢同学的热忱。

这是我最后一次单独见周扬，我抓紧时机向他请教：我的文艺学副博士论文，想选这个课题——古典作品为何至今还有艺术魅力，想思考一下古典文学中的真、善、美，想听听他的高见。周扬说：这是个好题目啊！沿着马克思之所问，继续探索，很有意义。这以后，我就再也没有单独见过周扬，但从此就改变了我的专业方向。在前两年，我一直跟着杨晦攻读中国文艺思想史，自当周扬讲座的助教以来，我的专业方向就转向文艺中的美学问题。杨晦也欣然支持，鼓励我向文艺学中的新领域做探索。

我每次从周扬那里回校，都要主动向杨晦做汇报，请他指点下一步该如何安排。1958年秋，第一次见周扬，他就提出，这讲座不能只听他讲，要让学生参与进来，最好找一部苏联的文艺理论著作，让大家讨论，然后批判其中的修正主义观点。周扬还提到过季莫菲耶夫的《文学原理》。此书在苏联和中国都有影响，查良铮在1953年就翻译过来了，苏联专家毕达可夫的《文艺学引论》，也以此书作为基本构架。1954年，高教部请毕达可夫来北大讲学，杨晦曾对苏联专家寄予过希望，他亲自来听课，连朱光潜、蔡仪也来听过。但杨晦听过基本原理的讲说后，有些失望，觉得不太适合中国的实际。他的印象，教条主义气息很重。所以,杨晦一听说周扬要批修正主义,一下就觉得突兀,不知说什么好。幸好,他见多识广,略加思索,就给我出了个主意:"那就这样,你告诉周扬,中文系学生准备开一场'现实主义与反现实主义'的讨论,一来,借此批判苏联的修正主义,二来,也可推动红色文学史的修改。"我觉得这是个好主意,在周扬面前也好有个说法,解了我的眼前之困。在斯大林时代,苏联的文艺理论界把哲学上的唯物主义和唯物主义斗争,套到文学艺术的历史研究中,把文学艺术的历史,归结为现实主义和反现实主义斗争。毕达可夫在《文艺学引论》中,也把文学艺术史归结为现实主义反形式主义的斗争。后来,苏联有位文艺理论家叫艾尔斯伯克,写了一篇《现实主义和所谓反现实主义》,引发了苏联文艺理论家的争论,在我国也有了反响,刘大杰、姚雪垠都发表了文章。茅盾一连发表了好几篇文章,以《夜读偶记》为名发表,他就坚持中国的文学史,就是一部现实主义对反现实主义的斗争的历史。北大中文系学生编写的红色文学史,即以此为纲展开论述。杨晦、何其芳都不同意此说。杨晦和负责撰写"绪论"和"结束语"的张炯谈了三个小时,劝说学生要赶快改写红色文学史,不要以现实主义和反现实主义为纲,因为这不符合中国文学发展的实际。中国的文学发展,丰富多彩,创作方法多样,而现实主义和浪漫主义是主潮,浪漫主义并非反现实主义,甚至唯美主义也不能说是反现实主义。不能把丰富多彩的文学史,简单归结为现实主义和反现实主义的斗争史。

  按照杨晦的安排,北大"五四"科学讨论会,1959年中文系的年会就以讨论"现实主义和反现实主义"问题为中心,吸收学生也参加讨论。文艺理论教研室对这问题进行了讨论,邵岳、张钟、周强等年轻教师都参与了。最后,杨晦授意我和师兄王世德撰写了长文《关于现实主义与反现实主义问题论纲》,在"五四"科学讨论会上宣读,并在《北京大学学报》1959年第2期上发表。全文分三大部分,一是现实主义与反现实主义,二是现实主义问题,三是现实主义和浪漫主义,全面阐发了杨晦关于创作方法的观点。后来蔡仪主编《文学概论》,就吸收了杨晦关于现实主义和浪漫主义的见解。

周扬对杨晦专注于"现实主义与反现实主义"问题并未提出不同意见,何其芳也向他反映过,文研所的学者在对"红色文学史"提意见时,也不同意以"现实主义与反现实主义的斗争"为纲。只是,我隐隐感到,他对杨晦不积极参与批判修正主义,微觉不快,但还是尊重了这位"五四"老人,未再说什么。后来周扬还是把批判修正主义的期望寄予从延安来的何其芳、何洛等身上,不再想在北大做什么了。我个人也松了一口气,可以静下心来,做我的副博士论文了。

确实,杨晦对批判修正主义并不积极,因为,他对周扬所说的修正主义究竟是些什么理论,还没有弄清楚。情况不明,批判什么?务必实事求是,不求哗众取宠,这是杨晦为学做人的一贯原则。杨晦在解放前是颇受学生爱戴的进步教授,解放之初就加入了共产党,并在北大掌握了一定的权力,但在历次运动中从不伤人。我惊异地发现,当了北京大学中文系近20年系主任的他,一级资深教授,写了不少文章,却没有一篇是批判别人的文章。比他资历稍浅的王瑶虽然不时挨批,但他也常写批判别人的文章,批胡风,批胡适,批右派。而杨晦却从不写批判文章,能沉住气;西语系主任冯至就很敬佩他,尽力学习他这位师兄的学风。我觉得,不妨把这称之为"冯至杨晦现象",值得对这种现象作进一步的解析。

时任中国社会科学院院长的胡乔木,在改革开放之初曾数次谈到冯至和杨晦。胡乔木说杨晦是"半生寂寞",这"半生"乃是后半生。杨晦的前半生可不寂寞,他不仅参加了轰轰烈烈的五四运动,而且还发表了不少戏剧作品,积极参加了文艺评论,既有参与社会运动的经历,又有参加文艺运动的体验,所以能说出文艺"自转"和社会"公转"之间的辩证关系。杨晦出身于东北的穷苦家庭,从小就艰苦奋斗,自食其力,1917年就考入北大的哲学系,和谭平山、陈公博、朱自清、潘菽等是同班同学。受进步爱国思想驱使,他和当时的学生领袖许德珩是最先爬墙进入赵家楼的几个人之一。北大毕业后,他就走向社会,先后在15所学校教过书,天南海北,居无定所。他本名杨兴栋,号慧修,但在走向社会后,深切感受到了那个时代,真是风雨如晦,一片昏暗,于是改名杨晦,以警示自己,要不时惊醒。1923年,杨晦在蔡元培所办的孔德学校任教时,在蔡仪的导师、教"文学概论"的张凤举家里,认识了还在北大读书的冯至和陈炜谟,成为莫逆之交;后来又认识了陈鹤翔。这四个人志同道合,志趣相投,1925年夏秋之交,他们在北海公园湖畔,共度美好时光,一起商定要办一文学刊物。当时夕阳西下,晚钟敲响,冯至受到启示,为刊物命名为《沉钟》,和德国一著名戏剧家的名剧《沉钟》寓意相通。这份由北大人创办的文学刊物从1925年创刊到1934年停刊,断续坚持了8年多。鲁迅当时也在北大任教,冯至每期都送鲁迅,还常到鲁迅家里请求指点。鲁迅对《沉钟》给予了高度评价:"看现在文艺方面用力的,仍只有创造、未名、沉钟三社,别的没有,这三社若沉默,中国全国真成了沙漠。"1935年,鲁迅在上海还说:"沉钟社确是中国的最坚韧、最诚实,挣扎得最久的团体。"

这四个人中,冯至年纪最小,生于1905年,杨晦要比他大6岁,生于1899年。他俩初次见面,就一见如故,相见恨晚,后来成为推心置腹、无所不谈的知己挚友。杨晦像老大哥一样,对冯至这小弟弟给予无微不至的关怀,大至事业方向,小至衣食住行,他都为之出主意、想办法。冯至说他的这一生,杨晦对他"影响最大",他从杨晦那里,"获益最多"。临近晚年,冯至饱含深情地怀念杨晦:"我个人一生中有所向上,有所进步,许多地方都是跟他对我的劝诫和鼓励分不开的。他对待学习和事物的认真态度也使我深受感动。"1935年,冯至在德国留学获得了哲学博士学位后,偕夫人回国,先到上海看望杨晦。冯至出国5年,回国想一展身手,做一番事业。不料,挚友杨晦就毫不客气地警示他:"不要做梦了,要睁开眼睛看现实,有多少人在战斗,在流血,在死亡。"此时日寇魔爪已伸到华北,上海亦已岌岌可危,杨晦的警示,一下使冯至清醒了不少。杨晦和冯至夫妇一起去看望了鲁迅,鲁迅鼓励他们要作韧性的战斗,投入民主斗争行列。想不到,这是杨晦、冯至最后一次见到鲁迅。一年之后,鲁迅病故,出殡那天,杨晦和冯至夫妇捧着花圈,走在送殡行列中,从殡仪馆一直送到万国公墓。哀歌声中,杨晦和冯至永远记住了心中发出的誓言:一生到老志不屈。

鲁迅逝世后，日寇入侵上海，杨晦和冯至也离开了上海。冯至随西南联大去了昆明，背井离乡，与杨晦天各一方。杨晦则辗转在西南和西北，颠沛流离，先后在西北大学、中央大学等任教；抗日战争胜利后，应教育家陈鹤琴之邀，到上海幼师专科当教授。抗战八年，杨晦积极参与了社会运动和文艺运动，不时在社会上发表抨击时政的演讲，而且活跃于文坛，写出了《文艺与民主》《论文艺运动与社会运动》《中国新文艺发展的道路》等著名文章。杨晦继承和发扬了鲁迅的传统，走了类似于马寅初的道路，不时受到国民党的恐吓和警告。杨晦曾戏拟了一副对联，横眉冷对国民党："忽接党部来函，谓我言论时有轶出范围之处；暂留学府待罪，看他结果谁是国家民族罪人。"终于，在全国解放前夕，1948年秋冬之交，杨晦由共产党秘密转移到了香港，然后在1949年春北上，参加了全国第一次文学艺术代表大会。从此，杨晦留在了北京，开始了他的后半生。

　　杨晦的后半生，是和挚友冯至一起在北京度过的。杨晦回到北京是在1949年的春天，那年他正好50岁。一回北京，他就和冯至重逢畅叙。冯至自西南联大回京，就一直在北大任教，已经成为德国文学的研究专家，名副其实的专业知识分子。冯至作为北京代表团的副团长和杨晦一起参加了全国第一次文代会，杨晦作为当时已负盛名的公众知识分子，被推为主席团成员，参与了大会报告的起草，由茅盾在开幕时宣读。冯至劝说老大哥杨晦，开完文代会后不要去文艺界，而是到北大任教，并向北大校务委员会主席汤用彤作了推荐。当时的老北大，正缺少像杨晦这样的公众知识分子，杨晦立即被邀请到北大任教。杨晦同时还受聘为清华大学和辅仁大学的兼任教授。第二年，杨晦就接续魏建功，担任了中文系主任，参加了中国共产党，还兼任了北大的副教务长，主管文科的教学。冯至也在1951年接替了朱光潜，担任了西语系主任，并在1956年参加了中国共产党。1952年院系调整之后，杨晦和冯至都迁入了燕东园，杨晦、冯至、蔡仪、何其芳都在此毗邻而居。20世纪50年代，这些人都在这里安居乐业，真可谓得其所哉！

　　胡乔木在中国社会科学院说杨晦"半生寂寞"，缘由何在？乃因杨晦"不合时宜"。其实，杨晦在解放之初那几年，也还并不寂寞，而且也颇合时宜，只是慢慢发生变化，退出文坛。杨晦积极参加了周恩来主持的第一次知识分子思想改造运动，在马寅初的领导下，杨晦和冯至都参与发起成立新民主主义理论学习会，主持北大的时事学习。新北大急需增设的新课，诸如"文艺学"、"文教政策法令"等等，作为主管文科的副教务长和中文系主任，杨晦都勇于担当，敢于开创。但在1954年请来苏联专家以后，杨晦觉得松了口气，拱手让出了文艺学课程，逐渐转向研究中国自己的文艺思想史，想深入专业领域，开启一条学术新路。

  杨晦在前半生，颠沛流离数十年，教书首为稻粱谋，不能坐在书斋里安心做学问。后来，中国共产党取得了政权，正在进行全面建设，杨晦像马寅初一样，觉得有共产党的英明领导，政治上放心了，可以安下心来做学问了。杨晦当中文系主任，实施无为而治，学术自由，政治上由总支书记去管，行政事务由专职行政副主任去管，他的心思就放到科研和教学上。就这样，杨晦就逐渐由面向社会的公众知识分子，转为面向学院的专业知识分子。特别是在1956年"双百"方针提出之后，他对专业的钻研深入一步，研究的兴趣日益高涨。在解放之初，杨晦还有积极性去中央文学讲习所为年轻作家讲如何学习延安文艺座谈会讲话，为文艺青年作辅导报告，分析《钢铁是怎样炼成的》，讲解《红楼梦》《三国演义》《西游记》等在今天还有什么意义。而在反右斗争之后，在"大跃进"声中，杨晦连续奋斗，热情高涨，写出了《论关汉卿》《再论关汉卿》等长篇论文。他还参加了革命现实主义与革命浪漫主义相结合的讨论，写出了关于现实主义问题的论文。也就在1959年，杨晦开出了一门新课"中国文艺思想史"。那年，杨晦整60岁。所以，我说，杨晦后半生的最初10年，也还并不寂寞，只是，已经日益"不合时宜"了——他从不去提起棍棒批判别人。

  那个时代的学术风气，是以批判资产阶级为荣。当时流行的是"破"字当头，立在其中，破了，也就是立了。杨晦反其道而行之，力倡"立"字当头，破在其中，这就不合时宜了。杨晦以为，马寅初说的是对的，马老面对批判热潮，他勇敢说出："徒破而不立，不能成大事。"

自己的道理都立不起来,怎么能批得对呢!杨晦说,批判容易,立起来难。立,就要自己花功夫深入研究。再说,学术界也要与人为善,人家花了心力作了研究,就不要轻易否定人家。所以,他尽管不同意文学艺术史是现实主义与反现实主义的斗争史之说,但决不采取批判态度,而是通过学术讨论,正面论证现实主义之外,还有浪漫主义,还有其他主义,是相互补足、相互丰富,并不一定是斗争。

自1957年春节以后,我和严家炎、王世德经常出入于杨晦家(燕东园37号)。他担任文艺学副博士研究生的导师,时常提醒我们要遵守为学之道,千万别学李希凡、姚文元,动不动就去批判别人。马克思劝导青年人要攀登科学的高峰,就要不畏险阻。毛泽东也说,无限风光在险峰。杨晦则常规劝我们,若要登临科学的高峰,就要全心全意认准目标,勇往直前,中途不要为路上的野花小草所吸引而停了下来。国家培养副博士研究生,就是培养未来的科学研究人才,目标要远大,不要东一棒、西一槌,追逐时风,忘了根本。杨晦不止一次地这样跟我们说,当然是有的放矢、有感而发。《文艺报》主编张光年和副主编侯金镜,先是聘请了李希凡、姚文元、李泽厚为特约评论员,后来我、家炎、世德兄也受邀了。我们虽然没有见过姚文元,他在上海,从不参加《文艺报》的活动,但当时"南姚北李",名声甚响,成了当时年轻人学习的榜样。杨晦却一再提醒我们,不要学李希凡和姚文元,这在当时,真的是"不合时宜"。

由于杨晦的一再提醒,我就开始注意起李希凡和姚文元的文章为什么会引起老一辈学者的不满。不只是杨晦,我也听过吴组缃、何其芳对他们表示不满。对李希凡,我较为了解,他在中国人民大学马列主义研究班,高我两届,早就去了《人民日报》文艺部,和我都是《文艺报》的特约评论员。我从北大去《文艺报》参加活动时,常先到王府井大街的南口,去文艺部见一见李希凡、姜德明等,聊一聊文艺界的新闻,然后再走到北口,去文联大楼参加活动。李希凡为人豪爽,心直口快,不隐瞒自己的观点。文如其人,他写的文艺评论,也是自己怎么想,就怎么写。只是,他太自信,自恃真理在手,以马克思主义者自居,有点盛气凌人,缺乏可以商榷的口吻。对姚文元,我却知之甚少,看他的文章也不多。正好我中学时的一个同学在复旦大学中文系读书,知道姚文元的情况较多,我在信中问起时,他在来信中就作了一些介绍。这我才知道,姚文元是作家书屋姚蓬子的儿子,生于1931年,本是个无名小卒,没有上过大学,在上海卢湾区里当个理论教育科长,因为批判胡风而出了名。胡风本是姚蓬子家中的座上客,姚文元尊之为"胡伯伯"。姚文元从小就是胡风的信徒,在卢湾区从事理论教育之时,还对胡风毕恭毕敬,认认真真撰写了一篇《论胡风文艺思想》,只是还未来得及出版。1954年冬,姚文元看到了周扬在《人民日报》发表的《我们必须战斗》,知道要批判胡风了,就立即闻风而动,见风使舵,抢先放出了第一枪。姚文元以《文艺报》通讯员的身份,在《文艺报》1955年第1、2期合刊上发表了《分清是非,划清界限》一文,不仅狠批了胡风,而且还批评了《文艺报》忽视"新生力量"。姚文元的反戈一击,一鸣惊人。这位"新生力量"乘势追击,再接再厉,1955年上半年,他竟在《解放日报》等报刊上发表了13篇批判胡风的文章,声名大震,成为上海的名人——"青年文艺理论家"。在反右斗争中,姚文元更是广泛出击,横扫一切。我看了他1958年出版的《论文学上的修正主义思潮》一书,王若望、施蛰存、许杰、徐中玉、徐懋庸、陆文夫、流沙河、冯雪峰、艾青等等,全在他的横扫行列之中。因批判有功,姚文元被柯庆施点名调入1958年创刊的上海市委刊物《解放》的文教组,任组长,成为上海的"名笔"。

我耐着心读了姚文元的一些批判文章,最突出的感觉是,这里没有多少文艺理论,不是什么学术交锋,而是借批判文艺思想之名,行政治斗争之实。在这里,文艺理论不过是政治斗争的工具。姚文元善于把文艺思想问题上纲上线,上升为政治批判。他的批判手法,首先是把自己封为"马克思主义者","站在无产阶级立场",居高临下,摆出大批判的架势,动刀子,打棍子,扣帽子,必欲把被批判者置之死地而后快。怪不得杨晦、何其芳、吴组缃等前辈学者,对此都很反感。杨晦不想我们这些副博士研究生变成像姚文元这样哗众取宠、靠批判为生的"金棍子",而想我们成为专家学者、专业知识分子。

1959年,我在那本评论《野火春风斗古城》的小册子出版后,就立即回到书斋,专心致志地做起我的文艺学副博士论文来。在我脑海里,两种不同的路径慢慢清晰起来。一种是李希凡、姚文元的路径,高举批判大旗,走向社会,成为面向社会的公众知识分子。一种是李泽厚、蒋孔阳的路径,力求安身书斋,自立新说,成为面向学院的专业知识分子。受杨晦熏陶,从1960年开始,我就越来越向李泽厚、蒋孔阳的道路靠拢。

在经历了全面"大跃进"而自食苦果之后,国家在1960年提出了"调整、巩固、充实、提高"的八字方针,深得民心。杨晦从此全心全意地投入对中国文艺思想史的研究和教学,精心培养研究生,加紧步伐培育专业接班人。1960年年底,我研究生毕业,杨晦劝我不要去南京大学而留在北大,把我列入重点培养对象,鼓励我加入文艺学学科建设者行列。当时,北大中文系经历了多次政治运动的冲击,消耗甚大,老一辈教授学者大多已在60岁上下,渐现青黄不接之势。杨晦等师辈商定,还是要适当采取师傅带徒弟的办法,重点培养一些年轻学者,如陈贻焮、袁行霈、赵齐平、严家炎等,都由指定的导师林庚、吴组缃、王瑶等加以重点指导,我的导师仍然是杨晦。杨晦想竭力恢复马寅初、江隆基时代的北大学风,重建"三严"(严密的教学计划、严格的基础训练、严谨的科学作风)和"三基"(基础理论、基本知识、基本技能)的教学秩序。

此时,这位"五四"老人已经安于寂寞,难合时宜了。当三年困难暂已过去,"千万不要忘记阶级斗争"的口号又一次响亮起来之际,65岁的杨晦竟就成了下一次阶级斗争的目标、批判的对象。

早在"文化大革命"风浪起的前两年,杨晦就作为党内的"资产阶级代表人物"受到批判了。1964年夏,北京大学党委书记陆平在十三陵新建的昌平分校召开党内工作会议,提出要以"阶级斗争为纲",全面清算北大工作中的右倾思想,在北大进行社会主义思想教育运动的试点。作为党员的杨晦和冯至都去参加了,会议有80余人参加。因为是党内会议,出于对党的爱护,杨晦坦率说出了自己已思考了多年的真实想法。面对一波反右倾的声浪,杨晦语出惊人:当前的问题,哪里是什么右倾;反右斗争以后,动不动就停课"闹革命",

一忽儿去抢麦收,一忽儿去修水库,哪还有教学秩序。杨晦还拿出了为"调整、巩固、充实、提高"而制订的《高教六十条》,逐条加以对照,一一指出了不符合条例的种种举动,最后呼吁校方,当务之急乃是落实《高教六十条》,而不是什么反右倾。杨晦这些不合时宜的言论一出,大出意料,全场哗然。冯至说"一时议论纷纭,与会者感到惊奇"。有人说,杨晦平日沉默寡言,如今忍不住气了,语出惊人。有人说,这都是右派言论,早几年说出来,准是右派无疑,是个漏网右派。还有人说,眼前正要抓党内的资产阶级代表人物,如今杨晦自己跳出来了,正好!

面对责难和批判,杨晦沉着应对,不慌不忙,摆事实,讲道理。他说,北大是高等学府,是人才生产部门,既不是物质生产部门,也不是阶级斗争部门,不能和工厂、农场、部队一样,不能动不动就要开展阶级斗争。把旧中国留下来的知识分子都归为资产阶级知识分子,也不符合实际。像中文系吴小如先生,解放时还是青年,如今已算中年,十多年来一直勤勤恳恳,教书做学问,前几年应急开了一门新课"工具书使用法",立了大功,很具开创性,受到了学生欢迎,听课的有两三百人。可是,系里就有人批评杨晦重用了资产阶级文人(吴小如在解放前当过报纸副刊主编)。杨晦说,像吴小如先生,如今还把他归入资产阶级知识分子就不公平,他应该算是周总理、陈毅所说的"劳动人民知识分子"。

北大党委正准备对杨晦的"右倾"言论做进一步批判时,校内却出现了对陆平威胁更大的言论。哲学系整风运动开始后,聂元梓就跳出来批评陆平"右倾",说陆平在反右派和批判资产阶级学术权威时,立场还算坚定,但自三年困难开始,就逐渐讨好资产阶级知识分子,走向右倾。杨晦批评陆平"左倾",还尚情有可原,在思想方法上注意一下就是了。可聂元梓是从老解放区来的中层干部,批评陆平"右倾",就值得高度重视了。在当时,"左倾"还很吃香,说"左倾"算不了什么大事;要是"右倾",问题可就严重了,不仅是思想作风问题,而且还是阶级立场问题。更令陆平恼火的是,1964年冬,中央派来的"四清"(清政治、清经济、清组织、清思想)工作组,居然还相信了聂元梓的看法,开始清查陆平了。对杨晦的问题暂时顾不上再深究,就搁了下来。这个庞大的工作队有200多人,来自全国各地,负责人是中央宣传部副部长张磐石、高教部副部长刘仰峤、公安部副部长徐子荣等高层领导,北京市委的大学部副部长宋硕也参与了。因此,早在"文化大革命"之前,北京大学就已展开了激烈的政治斗争。夺权和反夺权的斗争在1965年迅速激化,竟至出现了如此的场面:以工作组张磐石为一方的党委判定,北大是被资产阶级专了政的单位,陆平是走资本主义道路的当权派。而以北大陆平为一方的党委则通过北京市委呼冤申诉,双方对峙,互不相让。这在北大历史上从未有过。中央书记处为此而讨论了北大的问题,由总书记邓小平主持并作了总结,对北大作出了一个基本估计:北大还是比较好的学校,陆平也是好同志,但有错误;社教工作组对北大作了错误估计,犯有"左"倾错误。会后,中宣部长陆定一、北京市市委书记万里、市长彭真等都先后在国际饭店、民族饭店对北大和工作队讲话,要双方多作自我批评,另派许立群和邓拓领导社教工作队。极"左"的积极分子聂元梓受到了批评,只好忍气吞声,暂时也就偃旗息鼓。

那时,我正在为东、西、俄三系开设"文学概论",为中文系讲"文艺理论专题研究",希望北大内部安定团结,为我们教师创造一个良好的教学环境。但从国际饭店回来之后,陆平重振精神,再一次加大了批判资产阶级代表人物的力度,这一次是把斗争矛头指向党内的学术权威。1966年年初,北大党委已选定北大批判资产阶级代表人物的重点对象,历史系是副校长翦伯赞,哲学系是党委副书记冯定,中文系就是前副教务长、现中文系主任杨晦,都是党内的"资产阶级学术权威"。

我记得,是在1966年的春节前一个月,花了将近三周的时间,中文系的教师党员集中在燕南园63号原马寅初的住地,由北大党委直接领导,进行了党内整风,批判矛头直指杨晦。北大党委派了副书记张学书和团委书记刘文兰亲自压阵督战,还分别找了我谈过话,要我勇于参加这场严肃的阶级斗争,帮助我的老师转变立场,站到无产阶级立场上来,勇于自我批判。这两位领导对我比较熟悉。1963年秋,我从中央高级党校回北大,首先按新编的《文学概论》(蔡仪主编)来给学生上课,当时主管全校教学的副校长魏建功把此课定为全校重点课程,副教务长王学珍以及副书记张学书、团委书记刘文兰都曾来听过课,在学生中作调查研究。他俩都知道我和严家炎都是杨晦的研究生,所以要动员我站出来批判杨晦,也是出于好意,想帮助我站稳立场,参加战斗。但说来惭愧,我当时没有领受他俩的好意,而是和严家炎站在一起,不仅没有批判,反而为杨晦作了诸多辩护,从而引起了他俩对我的失望和不满。幸而,经历了那场"文化大革命"后,大家都受难了,懂得那是个历史的误会,都相互谅解了。张学书、刘文兰在20世纪80年代初多次给予我关切和照顾。我来往于北京、深圳之间时,时任北大副校长和副书记的张学书还善意劝过我:回北大吧!如今,张学书虽已作古了,但我至今还挂念着当时一些关怀过我的老领导,总要在新年向王学珍(北大党委书记)、麻子英(北大出版社首任社长)等打个电话问候祝好!

严冬凌厉,寒气逼人。北大中文系里最年长的学者、年已67岁的杨晦每天都要从燕东园横穿燕园,走到燕南园63号,接受30名左右的青年党员的责难和批判。矛头所向,批判主要集中在如下几方面:

——杨晦把学校称作人才的生产部门,不是阶级斗争的部门,这是鼓吹"阶级斗争熄灭论"和"学校特殊论",否定北大也是阶级斗争的场所,好让资产阶级知识分子永远统治北大。

——杨晦口口声声说要恢复和巩固教学秩序,反对学生走出校园参加生产劳动、半工半读,甚至斥之为"病急乱投医",这是明目张胆反对"大跃进",企图回到旧教育的老路。

——杨晦吹捧和重用旧知识分子,为资产阶级文人搽脂抹粉,尊之为"劳动人民知识分子"。杨晦是资产阶级知识分子在党内的代理人。

——杨晦在解放后的历次政治运动中,向来采取消极态度,不是"按兵不动",就是"沉默不语"。北大堂堂一级教授、学术权威,却"无声无息",没有写过一篇批判文章。可见,杨晦一直和这些资产阶级知识分子站在同一阵线。

——杨晦在解放后文艺两条路线斗争中,不仅不批判资产阶级,反而指责新生力量李希凡、姚文元乱挥大棍,站在新生力量的对立面。苏联专家来后,他更走上了厚古薄今的道路,钻到古书堆里去了,是不是对新时代有不满?

令人深思的是,对杨晦责难最厉害的,恰是一些平日和杨晦接触较少、了解不多的年轻党员,初生牛犊不怕虎,敢于冲锋陷阵。我和严家炎对此颇感不平,时常站出来为杨晦作些解释,说明杨晦在特定境遇下所说的原意,并非如有些人所说,乃站在资产阶级一边说话。教育自有规律,杨晦一生都贡献于教育,懂得教育规律,他提出一些改进意见,乃是为了更好地贯彻无产阶级教育路线,等等。当时,中文系总支副书记华秀珠,上海纺织女工出身,也站出来为杨晦作辩护。负责教师党支部的邵岳,跟随过杨晦研修中国文艺思想史,视杨晦为忠厚长者,也不时站出来介绍杨晦的为人。中年学者冯钟芸(任继愈夫人)、彭兰(张世英夫人、闻一多门生)和杨晦接触较多,也都纷纷出来说话,肯定杨晦热爱社会主义热爱党,一生贡献于教育事业,只是阶级斗争观念薄弱,对旧知识分子的优点看得多一些,希望通过整风,提高政治觉悟。但这次整风,基调定为批判党内资产阶级代表人物,又有党委副书记、团委书记来压阵,所以还是来势颇猛。

这次批判资产阶级代表人物的运动,杨晦遭受了前所未有的精神压力,心力交瘁,寝食难安,心有郁结,难以化解。那一阵,杨晦甚至闪过轻生的念头。家炎去看他,他对家炎说,他常站在阳台上徘徊,不敢朝下看一看,怕自己会纵身一跳。我也只能安慰他,风物长宜放眼量。后来杨晦把注意力转移,开始集中精力读起《马克思恩格斯全集》来。为了能读原著,他在这67岁之年,还向好友冯至求教,专心学起德文来。"不合时宜"的他,从此甘于寂寞。

此次燕南园整风,对杨晦来说乃是他一生中所遇的最大悲剧,终身热心教育,最后却落得个如此下场,留下了极大的精神创伤。从此,"不合时宜"的杨晦一蹶不振,虽然还挂着系主任的名号,却再也不去参与行政。党外人士对此颇为敏感,当时正在研究中国现代文学史的黄修己就几次问我,燕南园整风究竟是怎么回事。因是党内斗争,我也不愿多说，只好说一声一言难尽。黄修已到中山大学后，还曾问起此事。他说这段历史，后人应该记取。

燕南园63号的整风没有能进一步深入下去，越到后来，那揭发、批判就越没有劲了。1966年2月中旬，在北京主持中央工作的刘少奇、邓小平批发了一个重要文件，是由"文化革命"五人小组起草的关于当前学术讨论的《汇报提纲》，又称《二月提纲》。这个"文化革命"五人小组，由彭真任组长，陆定一当副组长，周扬、康生、吴冷西参加。当姚文元在上海点名批判北京市副市长吴晗的《海瑞罢官》后，彭真和陆定一都感到不满，觉得姚文元把学术讨论上升到政治批判，不利于文化学术发展，想把政治批判拉回到学术讨论。所以，这个《二月提纲》的基本指导思想是：学术争论要用摆事实讲道理的方法，坚持实事求是，在真理面前人人平等的原则，要以理服人。彭珮云，北大党委的副书记（市委大学部部长）从市委回来，要北大党委贯彻《二月提纲》的精神，于是对杨晦的批判就更难进行下去了，也就没有了下文。没有多久，"文化革命"五人小组被解散，彭真和陆定一都被打倒，发出了《五一六通知》，接着发布了聂元梓等七人大字报，大家还没有弄清楚究竟是怎么回事，陆平、彭珮云就都被打倒了。

就我当时的心态来说，我感到异常的困惑，实在不能理解。北京大学怎么就被判定为"一个顽固资产阶级反动堡垒"？陆平、彭珮云怎么就成了"打击左派，包庇右派"的走资本主义道路的当权派了呢？

彭珮云我是认识的。1964年夏，由周总理亲自发动的全国现代戏演出观摩大会在北京连续举行，我被范瑾借调到市里参与文艺评论，就在市委大楼和彭珮云认识了。那时，她刚受北京市委之命，要去北大兼任党委副书记。我们中午常在同一个市委食堂用膳，她就要我为她说说北大的情况。彭珮云正值中年，正是可以大有作为之时。她说去北大，先要从调查研究着手，情况明，才能决心大。她知道我是杨晦的学生，就要我说说中文系的情况。彭珮云说话和气，平易近人，不摆领导架子，我也就坦率相告，说了一些我的真实想法。我说，北大自反右斗争开始，经历了批判马寅初、批判资产阶级学术权威、全面"大跃进"，大家的反应是："左"了；经过几次批判斗争，中文系元气大伤,这几年调整、巩固、充实、提高,才慢慢恢复过来。从我个人愿望来说,希望北大再也不要有大的运动了,要为大家创造一个教学、科研的安定环境。彭珮云只是静静听着,不发表什么意见,她是在调查研究,听各方反应。彭珮云到北大兼职才一年多,不久前还在北大传达市委邓拓要坚决贯彻《二月提纲》的精神,可聂元梓大字报一出来就被打倒了,这可真是冤哉枉也。

我和陆平却是从未直接照过面,从无交往,因而不可能有什么个人恩怨。在我的眼里,陆平是个铁腕"左"派,从未向资产阶级知识分子投降过,怎么就成了资产阶级在党内的代理人?1958年,在他手里,北大反右斗争进一步扩大化,在中文系补划了创办同人刊物的八个右派,其中金申熊(开诚)、沈玉成、裴家麟、谭令仰等都是我平日常有交往的几位"才子",一下就都落了难。北大群众在底下称陆平为"反右英雄",当然是"左"派。他在全面"大跃进"运动中也是够"左"的,积极推动批判马寅初、批判资产阶级学术权威,北大因此而受邀参加全国文教群英会,成为全国的先进模范。陆平还积极参加了反右倾运动。1959年,北大、人大两校成立了一个有150人参加的人民公社调查组,由从人民大学副校长任上新调入北大任副校长和党委第一副书记的邹鲁风直接主持去河南、河北进行调查研究。邹鲁风从爱护党的立场出发,脚踏实地,实事求是,把调查研究的结果如实反映,集成《问题汇编》,供上级领导部门作决策参考。不料,邹鲁风得到的回应是:"人大、北大人民公社调查组猖狂攻击人民公社。"北大党委书记、校长陆平亲自挂帅,对邹鲁风进行了反右大批判,揭发邹鲁风反党反社会主义。1959年10月,邹鲁风含冤自杀。陆平闻讯,拍案大怒,立即要部下"拿纸笔来,叛徒,开除党籍"!陆平在北大是够"左"的了,怎么还说他打击"左派",包庇右派?这在当时,我实在难以理解。只能有一种解释,那就是批判陆平右倾的聂元梓比陆平更"左",而且"左"得出奇,要打倒一切了。

杨晦和我一样,对此都不能理解。杨晦对陆平,只是不满他的"左"倾,并非要反对他,只希望北大在他领导下,改掉"左"倾的偏颇,走向正轨,使北大沿着蔡元培、马寅初大力发展教学、科研的道路走。如今要打倒陆平,北大岂不是要更"左"!

但是,历史并不按着我们这些人的意愿而发展,一切都乱了套,我们只能徒呼奈何。

四

回顾我在北京的30多年里,最值得我留恋的是两段时光。一段是1952~1960年的8年间,从上北大到研究生毕业,真正读了些书。其间虽政治运动不断,但我有幸,能逢险转夷,有惊无险,安然度过,做起自己感兴趣的学问来。还有一段时光,是在1961~1963年的两年多里,住在中共中央的高级党校,避开一切政治运动,专心致志地读书、编书,参编蔡仪主编的《文学概论》,我受命撰写第一章《文学是反映社会生活的特殊的意识形态》。

我国在20世纪60年代初期的那次教材建设,是新中国教育文化发展史上的一次创举。当时解放已近10年,但教材建设一直大大落后于教育事业的发展,高校文科的教材只有80多种,还有大量课程没有教材,甚至出现了这种现象:学生集体编教材,教师则照着讲。学校的政治运动不断,很难组织师资力量进行教材建设。60年代初,国家施行了"调整、巩固、充实、提高"方针,周扬受命组织国内学术力量,集中精力进行教材建设,准备用三五年时间,为全国文科和艺术院校编出近300种教材。这是一项浩大的系统工程,国内学术文化界戏称周扬要通过教材建设,创立中国式的"大百科全书"派。

其实,这不仅是周扬的雄心壮志,更是中央书记处的高瞻远瞩、战略决策。在去参加《文学概论》编写之前,1961年春节我就在中南海听陆定一说,中央书记处在1960年9月就曾讨论了文科教材建设工作,总书记邓小平最后敲定,由周扬来总揽其事,及早上马。小平说,我们遭受严重困难,就要休养生息。休养生息,有消极的,也有积极的,静下来搞教材建设,就是积极的休养生息。咱们把仓库好好清理一下,拿出些库存的鸡鸭鱼肉,供应些给学者专家,补充一点营养,请大家多做点贡献,既发挥了老一辈学者专家的作用,又可以带动年轻一辈的成长，最后拿出研究成果，教材也有了。这叫既出人才，又出成果，何乐而不为？陆定一说，总书记站得高，看得远，这事抓得好，他举双手赞成。高校的教科书就是要吸取前人的研究成果，总结人类的先进经验，好让后人站在前人的最高处，继续向上攀登，绝不能站在低处，在低水平重复踏步。

那时，我刚研究生毕业留校任教。裘锡圭也从复旦大学研究生毕业，被分配来北大中文系任教，我们被分配在19斋最西头的一间房间，同处一室。到了5月，我就去中央高级党校报到，一人有一间房，就不在19斋住了，但书籍、物件仍放那里，还可常回来找书。

《文学概论》《美学概论》和《中国现代文学史》这三个编写组都集中在中央高级党校。党校十分重视，为我们安排了一座带有专用食堂的独门独院，文史部主任何家槐还常来看望我们。这个院子紧靠颐和园，有南北两座楼，《美学概论》组住北楼，《文学概论》和《中国现代文学史》组住南楼，但都在同一食堂用膳，所以大家都天天见面。本来就有一些人早就相识，像《中国现代文学史》组的唐弢、王瑶、严家炎、樊骏，《美学概论》组里的李泽厚、刘纲纪、于民等，大多为北大的熟人。住进党校后，所有编写人员都相识了。《美学概论》主编王朝闻，我早闻大名，读过他的艺术评论，敬佩万分，这回就亲见其人，而且很快意气相投，成为忘年之交。

蔡仪把他在文学研究所文艺理论室的大部分研究人员也带到党校来了，他也觉得，通过《文学概论》的编写培养年轻一代学者，是个好方法。但他此时的最大志趣，还是想研究美学。1958年年底，随着文学研究所从北大迁入建国门社科大楼，蔡仪和何其芳也从北大燕东园迁居东单的西裱褙胡同46号，就在《北京日报》社旁。从1959年开始，蔡仪就订出了自己的研究规划，把研究马克思主义美学作为自己毕生的任务。第一步，就是要花三年时间，先把《新美学》修改好，然后再深入研究马克思、恩格斯的美学思想。不料，周扬要他参加全国教材编写，却没有让他主编《美学概论》，而是要他主编《文学概论》，这影响了他的研究计划，他心中颇为不快。

周扬为什么没有请蔡仪当《美学概论》的主编？对此，底下议论纷纷,众说纷纭。我曾就此问过张光年。张光年说,周扬在此前对他派过任务,要他来当《美学概论》的主编。当时周扬定的原则是参加美学争论的各方都不当《美学概论》的主编,以示公正。参与美学争论的黄药眠,已是"右派分子",吕荧已定为"胡风分子",当然都没有了资格。朱光潜也是论战一方,不能当主编发挥他的特长,只能请他编撰《西方美学史》。周扬较为欣赏李泽厚,但他也是论战一方,再说还太年轻,轮不上年轻人来当主编。蔡仪是和黄药眠、吕荧、朱光潜同辈,当然有资格,但他也是论战一方,还是不当《美学概论》主编为好。所以,周扬动员张光年来主编,《文艺报》较早就成立了一个美学研究小组,有一定基础。张光年感到很为难,不想卷进这美学争论中。更主要是自己在《文艺报》的任务繁重,他不愿再分心来管这《美学概论》。他知道,一卷进去就要两三年出不来,所以张光年坚辞。周扬最后选定了王朝闻来当《美学概论》主编,当是明智之举。

周扬选定蔡仪为《文学概论》主编,也是持之有故,顺理成章。蔡仪比杨晦小了七八岁,才50多岁,不仅在美学上早有成就,而且对文学艺术有过钻研,已有《新艺术论》和《新文学史》等问世。再说,文学研究所是国内研究文学的最高学术机构,由文艺理论研究室来负责编写《文学概论》,该是理所当然,责无旁贷。所以,要蔡仪当《文学概论》主编,他无法推辞,只能接受。只是,他心里还牵挂着美学,已经动手在修改《新美学》,不免有点分心。但一旦《文学概论》上马,蔡仪就发现,虽然这次编教材实行了主编责任制,这本教材却是较为特殊,不可能完全按照他的思路来进行。在所有教材中,周扬对《文学概论》《美学概论》和《中国现代文学史》这三本极为关心,都直接过问。周扬过问最多的却是这本《文学概论》,从确定写作提纲到写出初稿,他就亲自参加了五次座谈会,还把冯至、林默涵、邵荃麟、张光年、侯金镜、王朝闻、杨晦、唐弢等请来一起讨论。专家学者众说纷纭,已难统一,蔡仪已颇为难,但最使他为难的还是周扬心目中的《文学概论》和他自己设想的并不一样。

周扬的基本思路,乃是要以毛泽东文艺思想为统率,贯穿在全书中的基本理论要以此为中心展开论述,坚持思想性第一,真实性其次。蔡仪并非要否定毛泽东文艺思想的指导,但这本《文学概论》还是要以阐发文学的基本理论为主。为此,蔡仪力主要编两本教材,一本是《文学概论》,阐发文学的基本理论;一本是《毛泽东文艺思想》,专门论述毛泽东的文艺思想。在1961年夏,蔡仪就要王燎荧、张炯把《毛泽东文艺思想》的详细提纲写出来,供周扬在召开座谈会时作为参考。最后,周扬否定了分编两本教材的方案,决定还是只编一本《文学概论》,毛泽东文艺思想要贯彻到这本教材中。但究竟如何贯彻,怎么编写,还是执行主编责任制,由蔡仪定夺。所以,在我看来,这本《文学概论》是调和了周扬理念和蔡仪理念的产物。此书在20世纪80年代初期作为全国通用教材,印了百万册以上,影响甚广。

蔡仪关于文学艺术的最基本理念是:"反映现实"是第一性质,而"服务政治"乃第二性质,只有反映了社会生活,才能反作用于社会生活。我受主编之命,参与撰写第一章,蔡仪就要我掌握这一个原则,把文学反映社会生活这个基本原理说清楚。为此,我把蔡仪的代表作《新艺术论》钻研了一番,尽力贯彻主编的意图。这第一章一共列了三节:第一节《文学是社会生活的反映》,突出阐明社会生活的唯一源泉;第二节《文学是社会生活的形象的反映》,突出文学的形象性和典型性;第三节《文学是语言的艺术》,突出阐明文学作为语言的艺术和其他艺术不同的特点。这一章是蔡仪自己最后改定的,在原书的一开头就旗帜鲜明地点明:"作为社会意识形态的文学,和客观社会生活的关系如何,这是文艺理论中的一个最根本的问题。"这第一章就是开门见山把文学反映现实作为第一性质,然后才在第二章《文学在社会生活中的地位和作用》中,进而阐明第二性质——作用于社会、服务于政治。

我也以为文艺和社会生活的关系是文艺理论的根本问题,但如何来展开论证,我有我自己的思路。其实,毛泽东在延安文艺座谈会上已提出过这个问题:"人类的社会生活虽是文学艺术的唯一源泉,虽是前者较之后者有不可比拟的生动丰富的内容,但是人民还是不满足于前者而要求后者。这是为什么呢?"他不仅提出了问题,而且作了这样的回答:"因为虽然两者都是美,但是文艺作品中反映出来的生活却可以而且应该比普通的实际生活更高,更强烈,更有集中性,更典型,更理想,因此就更带普遍性。"生活和文艺都可能美,但并不一定都美。人类之所以需要文艺,正在于文艺可以而且应该创造出比普通实际生活更美的作品来。这里的关键在于,如马克思所说,文艺要按美的规律来创造。依我的想法,《文学概论》可以从这问题切入,展开对文学基本原理的论证。我曾向蔡仪说过我的思路,蔡仪的回答是:《文学概论》不要谈美学,美学让《美学概论》去谈吧!我当然遵从蔡仪的思路,再不谈美学。

参编《文学概论》给了我一个围绕课题来读书的好机会。围绕着文学艺术和其他社会现象究竟有什么独特性这个问题,尽可能搜集中外古今究竟有些什么见解和说法。我过去对中国历来的说法和苏联审美学派、文化学派的说法比较熟悉,这次就着重关注西方历来的说法,现实主义理论之外,更多补足了浪漫主义的美学理论。给我印象最深刻的是席勒的《审美教育书简》中的这样一种说法:美对我们来说固然是对象,因为有反思作条件,我们才对美有一种感觉;但同时,美又是我们主体的一种状态,因为有情感作条件,我们对美才有一种意象。因此,美固然是形式,因为我们观赏它;但它同时又是生活,因为我们感觉它。总之,一句话,美既是我们的状态,又是我们的行为。若按席勒的说法,美存在的领域十分广阔,美既存在于客体对象,又存在于主体的状态,更存在于人的行为之中。如果是这样,那么,美在自然、美在意象、美在实践等说法都只是把美归结为一端。美既可在自然,也可在意象,更可在实践之中,若各执一端,就把美窄化了。再说,自然并非全美,意象也可能假、丑、恶。实践亦非必美,人的行为既可能符合美的规律,又可能违反美的规律。文学艺术的创造,既可能创造出真、善、美,又可能流入假、丑、恶。因此,从美学的高度来看文学艺术,不能只停留在形象性、典型性的层面,而应深入到艺术境界的真、善、美这一更高的层次。

读书之外,另一收获是扩展了我的学术交流。文学研究所文艺理论研究室来参编的人中有一些是留苏归来的,如涂武生(涂途)、杨汉池、王善忠,有的是研究欧洲文学的,如柳鸣九,我得以有机缘不时讨教，受益匪浅。当时，钱中文虽已留苏归来，在文学研究所研究苏俄文学，但还未入文艺理论研究室，所以未曾来党校参加《文学概论》的编写，暂时未能向他讨教。和钱中文同在莫斯科大学留学的刘宁，在那里听过美学，也听过钱中文攻读副博士研究生时的导师波斯彼洛夫讲文艺学，一向关注苏联的美学和文艺学，这次参加了王朝闻的《美学概论》编写。在斯大林之后，苏联的美学、文艺学蓬勃发展，美学界就涌现了审美学派、文化学派、自然学派、符号学派，我一直关注着苏联美学的发展动向。刘宁曾在《美学概论》组介绍过苏联美学的发展动向，引起了王朝闻、李泽厚、刘纲纪等的密切注意。我和刘宁在此相识，常有交流。当时，苏联的美学已经深入了这个层次：文学艺术中的真、善、美究竟呈现出什么样的结构方式？卡冈坚持认为，文学艺术中，善居首位，美居次要地位。波斯彼洛夫则坚持，文学艺术的本质是意识形态，美只是为意识形态服务的手段。斯托洛维奇一反众说，坚持美是文学艺术的第一性质，应居首位，真、善只有按美的规律被组织在作品中，才是美的艺术。我和刘宁都认为，中国的美学争论还停留在争吵美究竟是客观的、主观的，还是主客观统一的哲学抽象层面，落后于当时的苏联美学。如果中国的美学争论能在当时苏联美学的高度上吸取中国传统美学的成果，当会有更大的成就。

为了更好地吸取国内的研究成果，我还见缝插针，去南方走了一趟。1961年夏，我在南京看望了已从苏州调到了南京电力专科学校的父母，然后去了苏州和上海，拜访在那里编书的一些学者。由叶以群任主编的《文学基本原理》编写组集中在苏州的沧浪亭，我先找到了江苏师范学院（前身为东吴大学，后又改为苏州大学）的应启后，然后他带我去看望了俞铭璜，交谈了教材编写中的问题。主编叶以群回上海去了，不在苏州，就未见着。接着我去了上海，先到国际饭店去见了郭绍虞。他在主编《中国文学批评史》这本教材，为我详细介绍了编写意图和思路。然后，我去了复旦大学，专程拜访伍蠡甫。他受命编写的是《西方文论选》，因为资料欠缺，暂时只能先着手编上册。那时20世纪下半期的图书在国内很难找到，只有香港大学比较齐全。但那时很难有机缘去香港，一时很难编下册，更何谈编写《西方文论史》了。

自1961年这次见伍蠡甫后,我就和他保持着联系,不时向他请教西方文艺理论中的一些问题。

我们在党校安顿下来之后不久,周扬就到我们的住地看望大家。他和李泽厚早就相识了,见面就叮嘱李泽厚:你要多发挥作用。我和周扬已有近两年没有见,他一见我就认出来了:你也来了,好啊!我说,我是来学习的。周扬鼓励说:既要相互学习,又要发挥作用,相互促进嘛!周扬再三说明编教材是要立,未立不破,立比破难得多,所以要相互切磋,相互启发,采取老、中、青结合的方式。我们这个《文学概论》编写组,老、中、青搭配得比较合理。蔡仪是老一代,那时是55岁。中年一代有王燎荧,是从延安鲁艺来的;北大的吕德申,是西南联大时沈从文的学生;中山大学来了楼栖,已教过多年的文学概论,教学经验丰富;这一代在40岁上下。年青一代,东北师大的李树谦,山东大学的吕惠娟,都是苏联专家毕达可夫在北大讲学时的进修班学生,是解放后成长起来的年轻教师,那年也就30岁上下。我和柳鸣九、张炯、杨汉池以及武汉大学的何国瑞等是这一代中最年轻的,当时二十七八岁。我们之间的交流机会更多,除了开讨论会之外,每天晚饭后,就去颐和园散步。难得有如此机缘在颐和园旁住两三年,外来的好几位教师手里都持有可随时出入颐和园的月票。每当傍晚,城内来此游园的人们纷纷回城之时,正是我们入园的好时光。夕阳西下,昆明湖倒映一片红霞,凉风吹来,身心舒畅。这个时候,蔡仪也时常跟着我们这些人一起散步聊天。

使我难以忘怀的是,在此期间,我开始了和王朝闻的频繁交往,直到20世纪80年代我到了深圳,交往仍在继续,我从中获益良多,永生不忘。王朝闻比蔡仪小三岁,早在40年代,他俩就都已成名。蔡仪是在国统区成长起来的,跟随周恩来、郭沫若在国共合作的文化工作委员会从事文化宣传,写出了《新艺术论》和《新美学》,以理论出名。王朝闻却是在延安成长起来的,在"鲁艺"以艺术创作著名,他的雕塑作品,如毛泽东浮雕、刘胡兰塑像、民兵雕像等,雅俗共赏,广为流传。新中国成立后,他又以艺术评论著名,看他的《新艺术创作论》《以一当十》等艺术评论,我为他的艺术美感之敏锐和理论分析之精辟而惊叹，敬佩之至。没有想到，这次我们会在党校相识，惊喜不已。我们首次交谈是在饭桌上，我们都取了一盘饭菜走向一空桌坐好。王朝闻很客气地问我：你是胡经之同志吧？他这么严肃地称呼我，我颇感意外，但随后谈下来，也就稍感轻松了。他说他看过我在北大学报上发表的《为何古典作品至今还有艺术魅力》，这是接着马克思之问做进一层的思考，他对这问题也很感兴趣，于是我们就谈开了。

一回生，二回熟。这以后，我就常在晚饭后跟他去颐和园散步。有时是一群人，李泽厚、刘纲纪、刘宁等都在；有时就我和他两个人。一路上，我就很少说话，就听他谈天说地，从大自然之美，说到园林之美，一直到戏剧之美，真个是谈笑风生、妙趣横生。有时，路过的颐和园露天剧场正在放电影，遇到他感兴趣的，他就乘兴坐在水泥墩上看了起来。有一次，在昆明湖畔遇到了正在颐和园里休养的粤剧演员红线女，她认识王朝闻，就停下来和他交谈。红线女告诉他正在排一个新戏，王朝闻就兴趣盎然，兴高采烈地谈论起如何借鉴川剧的表演艺术来。红线女听得津津有味，就叫她的女儿先回疗养院去，自己专心致志地听他作精辟分析。我在旁听着，为他那精辟之论所深深吸引。

王朝闻主持《美学概论》编写，十分注重学术民主，让李泽厚、刘纲纪、刘宁、周来详、马奇、杨辛等都要充分发表自己的看法，以求集思广益。他动员过我去他那里。我说，不是不愿，而是不能。既然蔡仪邀我在先，我就不能朝三暮四，就得坚持始终。王朝闻一听，也就谅解了我。但他问我：若是你编《美学概论》，你觉得怎么编好？我就坦率地说，不要一开始就把难懂的哲学问题抬出来，大讲哲学基础、美的本质等宏大问题，而应从我们常见的审美现象入手，采用具体、抽象、回到具体的叙述方法。从看山是山，看水是水，进到看山不是山，看水不是水，再返回到看山是山，看水还是水的思维层次。这需要我们从生活中得来的审美体验加以提炼、概括。我从小是从大自然中、从江南风光中得到审美享受的，所以对自然之美情有独钟。王朝闻听后颇有同感，他说他在童年就喜爱上了大自然。看来，这不只是我一个人才有此种感受。

王朝闻对这段生活甚为怀念，说他一生中难得有这样的轻松。只要我们再见面,他就会禁不住提起这段时光。直到20世纪80年代中,我去了深圳,他还在信中说到这段日子,难以忘怀。他在70年代集中研究了《红楼梦》,写出了《论凤姐》,我那时也只写关于《红楼梦》的文章,别的一概不写,所以常有交流。80年代初,我写了一篇长文,谈"红学"与美学,倡导要用美学观点来评《红楼梦》,他大力赞赏,说我们太缺少以美学的眼光来看《红楼梦》了。其实,他的《论凤姐》就是对《红楼梦》所作的一种美学分析。我在北大时,主编《文艺美学丛刊》,请他和宗白华任顾问,他欣然同意。后来,他主编《艺术美学丛书》,约我为编委,我亦积极参与。我到深圳大学以后,请到深圳来讲学的,第一位就是王朝闻,他和夫人解驭珍一起来粤海门客舍住了近十天,我陪他俩欣赏了深圳风光。深圳市成立美学学会,我被选为首任会长,我立即请了王朝闻为名誉会长。当时的市文联主席汤洪泰闻讯而来,请王朝闻到文联作了一次关于艺术美学的演讲。所以,王朝闻在改革开放的初期,就和深圳的文化艺术界有过密切联系。

王朝闻是继朱光潜之后的中华全国美学学会第二任会长,为振兴我国的美学事业作出了巨大贡献。他是我的良师益友和忘年交,这位风趣幽默的美学家乐观长寿,活到2004年,终年96岁,比朱光潜、宗白华(都是89岁)都长寿,他是美学家里年岁最长者。

从我自己的审美经验出发,我最推崇的是天地之大美。我敬服清人章学诚所说的"万事万物,当其自静而动,形迹未彰而象见矣。故道不可见而恍若有见者,皆其象也"。他把"象"作了区分:"天地自然之象"和"人心营构之象"。而"人心营构之象",最后也来源于"天地自然之象"。文学艺术的创造,创造出来的是艺象,而艺象所表达的是意象,所以美既可在意象,也可在艺象。可天地自然之象却不是人心营构之象,乃自然天成,天地之大美就在这自然之象中。蔡仪肯定了自然有美,美就在自然之象,这和我的审美经验相合,所以有了共同语言。但他对自然之所以美的阐释,我则不以为然。他把美归结为典型,用物种的典型来解释美,不能解决问题。典型有可能美,也可能丑,这决定于事物和人的生活具有什么样的联系,是具有否定意义还是肯定意义,是正价值还是负价值。当时苏联的审美学派已从认识论进入价值论,以价值观来研究美学。而蔡仪不仅不接受,而且批判价值论是主观主义、唯心主义。他一直坚守从认识论来看美丑,一直到晚年,贯彻始终。他做事严肃认真,但待人和蔼可亲。他和杨晦、冯至有长达半个世纪的亲密友情。他虽然不是"沉钟"社员,但为《沉钟》写了好几篇小说,在日本留学时,和杨晦常有书信往来,相互鼓励。蔡仪夫人乔象钟,就是杨晦在中央大学任教时的学生,由他介绍给蔡仪,两人相识、相知而相爱。1978年,杨晦在北大、蔡仪在文研所都招收了第一届研究生。我在1981年接续杨晦招收研究生,专业方向定为文艺美学,和蔡仪的美学更接近了,联系多了起来。我多次受邀去他永安南里的寓所,参加美学研究生的论文答辩,从而与许明、严昭柱、吴予敏等相识。蔡仪逝世时86岁,组织编写中国文学系列教材的组长冯至88岁去世,外国文学组组长季羡林活得最长,98岁。

五

我编了两年多书,从中共中央高级党校回到北大,重新投入教学生涯,按照新编的《文学概论》授课。我个人设想,以后就是在这新编教材的起点上,继续研究提升,开展文艺学的学科建设了,如周扬所说,建设中国自己的马克思主义美学和文艺理论。

然而,这只不过是我的主观愿望,现实境遇使我不时陷入困惑,甚至引起震惊。"文化大革命"终于暴风骤雨般袭来了。

"文化大革命"开始是以文化艺术的大批判作为开路的。但是,没有多久,"文化大革命"就发展为政治大斗争。1966年初春,由彭真、陆定一、康生、周扬、吴冷西五人组成的"文化革命"小组向中央提出的汇报提纲《二月提纲》,其基本精神还是要把对文化艺术的批判引向学术争论的轨道。但是,1966年5月,这"文化革命"五人小组即被撤销,彭、罗、陆、杨作为反党集团被打倒。这哪里还只是"文化大革命"?此时,中央通过的《五一六通知》,否定了《二月提纲》,批判它是"为资产阶级复辟做舆论准备"。"文化大革命"的矛头,已经指向"混进党里、政府里、军队里和各种文化界的资产阶级代表人物"。

我对《二月提纲》印象深刻，那是因为正是这个提纲的精神传达下来，解救了我的恩师杨晦。那时，燕南园63号的整风对杨晦的批判已难进行下去，《二月提纲》一出来，突出了学术争论，要实事求是、摆事实讲道理，要有破有立，以理服人，不能以势压人。杨晦坚持他的主张，要在北大建立教学秩序，是符合《高教六十条》的，一时也很难驳倒。于是，陆平组织对杨晦的批判也就不了了之，搁到一边去了。可到了5月，风云突变，一下子，陆定一就成了"阎王殿"的"大阎王"而被一棍打倒，这不能不使我感到震惊。彭真、罗瑞卿、杨尚昆，我从无接触，也不了解。陆定一却是我有过多次接触的无锡前辈老乡。1965年春节，我和北大党委宣传部副部长钟哲民、国际政治系主任赵宝煦三人，还应严慰冰之邀去了中南海做客，这是我最后一次见到陆定一。那时，中央想以北大作试点，在高校推行社会主义教育运动，陆定一想听听北大人的意见，我则和严慰冰谈她的叙事长诗《于立鹤》。没有想到，一年多之后，这位在共产国际多年，在国内做了20多年中央宣传部部长的高层领导人物，竟在党内斗争中一下成了阶下囚，关在秦城监狱13年。对陆定一的陷害、打击，林彪披挂上阵，亲自出马，怒气冲天地责问陆定一：你跟老婆勾结在一起，用写匿名信的办法，长期诬陷叶群同志和我的全家，目的是什么？陆定一当场反驳，坚称他不知道严慰冰写匿名信。林彪暴跳如雷，急匆匆怒吼。笔杆子哪抵挡得了枪杆子？陆定一立即落马受难了。

这场政治大斗争造成了全中国的混乱。各种各样的悲剧和笑剧首先在北大陆续上演，我身在北大，不由得我愿不愿意，既陷为剧中人，后又成了观剧人。

1966年6月初《人民日报》发表了社论《横扫一切牛鬼蛇神》。当晚，在全国播放聂元梓等七人大字报《宋硕、陆平、彭珮云，在文化大革命中究竟干些什么？》。北京大学校园顿时大乱，大字报、大标语铺天盖地而来，北大党委随即瘫痪，开始出现乱斗、乱打、乱砸的现象。此时，北京市委派出工作组到北大代理党委工作。中央任命张承先为北大工作组的组长，到北大代行党委书记的职务。这个工作组十分庞大，从全国各地调来了200人左右，进驻各系、各单位。张承先进驻北大第三天，就要中文系工作组组长赵烽、张晓山为他调一个"笔杆子"到他住的北招待所，参加《北京大学文化革命简报》的撰写，以便不时向中央和市委作报告。他们把我送进了张承先工作组的写作班子，从6月3日到7月28日这近两个月里，去北招待所编写简报。工作组进驻北大后，创建于1953年的《北京大学校刊》（半月刊）立即停刊，就只出这份向中央和市委反映北大"文化革命"情况的内部简报（不定期），由工作组的领导小组直接过问。每天由派驻各系、各单位的工作组把运动情况报告给领导小组张德华，写作班子负责集中整理，写成简报，最后由张承先亲自审定，再上报。必要时，再写专题报告。

张承先也是知识分子出身，为人忠厚老实，办事严肃认真，严格遵守党的组织纪律。当时中央对派出的工作组约法八章：运动要"内外有别"、"注意保密"、"大字报不上街"、"不搞示威游行"、"不举办声讨会"、"不包围黑帮住宅"等等。张承先当然按照中央指示，在北大贯彻这个精神，要把"文化大革命"有序推进。所以，在最初一周，北大校园内虽然已有5万人次的大字报贴出，每天有10万人来北大看大字报，但还未曾大乱。张承先在《北大文化大革命一周》的简报中，对北大的运动作了初步估计，并向中央和市委提出了今后的初步打算。张承先针对北大的现状，鲜明提出，我们的斗争方法，应采取"摆事实，讲道理"。对已出现的一些"只图痛快，出气，打人，戴高帽子"的现象，他明确表示：我们不赞成这种做法。

我当时住清华园公寓，简报都是晚上写，所以我一般都是在晚饭后才去北招待所；若晚上有突击任务，必须"开夜车"，才在那里住一晚。张承先入驻北大后，有时住在临湖轩，有时住北招待所。那时他年过五十，我才三十三岁。一天，我晚饭后去北招待所，张承先正好也在，看见我就招呼我到他那里坐一会。他说，他年轻时在清华大学读过书，参加学生运动，后来就出入于枪林弹雨之中，长期做地方工作，对学校已生疏。他要我这个已在北大十多年的年轻教师说一说对北大的看法。他说他一进北大，脑子里老在转一个问题：北大是不是烂掉了？陆平是不是阶级敌人？他要我坦率说一说我的看法，要真实想法，绝不会抓我什么辫子、秋后算账。我见他说话比较诚恳，就直说我听到群众反映：怎么能说北大烂掉了呢？解放后这十多年，进行了院系调整、教学改革，教学已逐渐走上正轨，进来了不少调干生、工农兵学员、工农速中学生，这都是新鲜血液，不能说烂掉了。陆平从反右斗争到北大近10年，教师的反映还是说他偏"左"，反右扩大化，"大跃进"有些浮夸，批判资产阶级学术权威，火力也很猛，不像"右"的样子。但他高高在上，有官僚作风，不深入群众，接触的圈子小，只靠铁道部带来的几个亲信，所以大家对他印象不好。但要说他是混进党内的走资本主义道路的当权派，又不像，不能把他当敌人来打倒，应帮助、批判，让他改正错误就是了。我一再说，这不是我个人看法，是我听到一般教师的反映。张承先静静听着，不发表意见。最后他对我说：你放心，这是反映群众想法，不会算你的账。

但是，北大的运动并不能照张承先的部署按部就班地进行，新组建的中央"文革"不断直接插手干预。陈伯达、康生先后到北大来看大字报，鼓动学生"造反有理"，再接再厉，一鼓作气，揪出一切"牛鬼蛇神"。就在张承先工作组进校半个月后，北大发生了一场耸人听闻的"武斗"黑帮的高潮——震惊中外的"六一八"事件。1966年6月18日那天，学生宿舍区搭起了"斗鬼台"，从早上就开始揪斗"黑帮"，把陆平、彭珮云等多名"黑帮"都抓来批斗，从"文斗"升级为"武斗"，不仅进行人格侮辱，而且还拳打脚踢，棍棒相加，挂牌游斗。被斗的不仅有干部，还有教授专家。过去是一日为师，终身为父，如今是斗打师长，羞辱前辈。怎么会这样？张承先闻讯而往，急忙制止，并命工作组进行调查，抓获了混入群众中打人最凶的四个暴徒。当晚张承先就召集工作组主要人员开会研究，讨论此次事件的性质和如何防止今后再发生类似事件。张承先分析这次恶性事件，乃是少数坏人利用群众运动破坏"文化大革命"，应为反革命事件，必须立即上报中央和市委。但工作组的一位重要人物曹轶欧（康生夫人）却轻描淡写地说："我看没这个必要，这是正常现象，一场大革命来了，难免发生点偏差，算不了什么！"张承先听了，虽感到惊讶，但仍然坚持己见，决定立即要简报组写出第九号《北京大学文化大革命简报》。在这期简报中，先分析了北大出现的"乱斗现象"，然后说明了工作组如何制止此种乱象，突出了"文化大革命"还是要在工作组的领导下有序推进。

这份第九号简报在6月18日当晚就赶写出来了，第二天就送到中央刘少奇、邓小平那里。刘少奇看后极为重视，立即把这份简报批转给全国，并写下了这样的批语："中央认为北大工作组处理乱斗现象的办法是正确的、及时的。各单位如果发生这种现象，都可参照北大的办法处理。"

张承先在北大的工作受到了中央的肯定，激励他进一步把北大的"文化大革命"稳步推进。在工作组进驻北大一个月之际，张承先命令草拟了一份《北京大学文化革命一月情况汇报提纲》，其中，对"六一八"事件的定性，仍是说"这是反党反社会主义的阶级敌人在运动发展关键时刻，对工作组进行的一次突然袭击"，这次动乱事件，"制造混乱，企图打乱工作组的作战部署"，以便把"文化革命引到邪路上去"。张承先在此事件之后，在全校监控了24名重点对象，以防再起风波。

可是，他哪里知道，党的最高领导层对他的这些措施，甚至对于该不该派出工作组都有了争议，张承先却浑然不知，仍在按他的部署进行。1966年7月26日，中央政治局开会，正式决定撤销工作组。第二天，北京市委就立即发出正式文件，所有工作组都撤退回去。

这对张承先来说真是雪上加霜、致命一击。早在7月中旬，张承先已受到李雪峰、吴德的批评，说把"六一八"事件定为反革命事件是错误的。"这件事是万人革命的行动"，不是反革命事件；把这事件定为反革命事件后，北大的运动，一个月来就冷冷清清。他们要张承先在北大召开3000人大会，做自我批评，承认错误。到了7月下旬，中央"文革"和北京市委的领导人，三次来到北大，发动和组织了万人辩论大会，炮轰工作组：把"六一八"事件定为反革命事件乃是镇压群众，执行的是资产阶级反动路线。7月26日晚上召开的万人大会，在东操场举行，我亲历了万人大会的盛况。主席台上来了许多人，中央"文革"的康生、陈伯达、江青、张春桥、姚文元、王力、关锋、戚本禹、曹轶欧等领导成员全来了，市委第一书记李雪峰、第二书记吴德也再次来到。大会由江青主持,陈伯达代表中央"文革"宣称:工作组是一个障碍物,是压制革命的石头,要立即搬掉。李雪峰代表北京市委立即宣布撤销工作组。江青最后宣布,工作组撤走后,由聂元梓出面筹建北京大学"文化革命"委员会,领导北大的"文化大革命"。

  这次万人大会真是惊心动魄,令我无比震惊。那天,张承先刚从市委开会回来,部署如何从北大撤退,晚饭还没有来得及吃,就被叫到东操场参加大会,立即被批斗。他被叫到主席台上,站在边侧一角,全场轰动,高喊"打倒走资派张承先"。我心里立即一震:这近两个月来替代陆平的北大新领导,怎么一下又成了北大的走资派?更令人震惊的是,北大附中的红卫兵小将,一个才10多岁的女孩子,穿了一身军装,抡起铜头皮带就向张承先脸上打去,50多岁的他血流满面。张承先当面就对这女孩说:"你怎么可以打我?"她竟理直气壮,毫无一丝愧色,气势汹汹道:"打的就是你,怎么着,还不服气?"台下立即有几个红卫兵一拥而上,把张承先架起来,压低他的头。主席台上的那些"文革"要员无一人出来制止,从此,开了在主席台上可以随便打人的先例。红卫兵以打人为勇、斗人为荣、整人为乐的这种风气,逐渐向全国扩散。

  江青在万人大会上的举动也使我大吃一惊。江青是毛泽东的夫人,这我是知道的;她那部队文艺工作座谈会的纪要,也拜读过了。但我从来未曾一识庐山真面目,更无缘听过她的讲话,这次可都见识了。使我吃惊的是,作为中央"文革"的第一副组长,在大会上除了批工作组,她把家庭内的私人纠纷也搬出来了,大骂她的儿媳妇张少华如何不好,不听她的话,要陷害她等等,不一而足。她所指骂的张少华我是认识的,是中文系的在读学生,已和毛岸青结婚。张少华的妹妹张少林也在北大读书。当晚,张少华姐妹一听说江青在大会上责骂张少华后,知道大事不好,为避免受批斗,就立即逃离北大,不知去向。多年之后,到改革开放时代,我才再见到张少华,她已改名邵华,在部队内从事文化工作,后升任少将,可惜在69岁就去世了,一叹。江青当时的所作所为,给我一个突出印象,就是把个人恩怨、私人好恶,借"文化大革命"发泄出来了,这也成了"文化大革命"的一种风气。

张承先工作组在北大不到两个月,但在撤出之前,张承先在北大却被揪斗了一个多月,想撤也撤不了。一些群众不放,要像斗陆平一样把他斗倒斗臭。最后还是中央指示放他一马:张承先可以和工作组一块撤出北大。张承先有心脏病,有错误不能整死。直到8月17日,张承先才被放离北大。"文化大革命"结束之后,张承先又重返政坛,先后任国家科委副主任、教育部副部长、全国人大科教文卫委员会副主任。在教育部我和他曾见过面,他说再也不愿到北大来看一看这块令他受难的伤心之地了。

北京大学"文化革命"委员会的筹备委员会在撤销工作组后的第三天就成立了,聂元梓当了主任。撤销工作组命令下达后,我就不用再去写简报了,总算松了一口气,解脱了。那时北大已经停课闹革命,不用再去上课,我想这下可以逍遥自在了。不料,校"文化革命"委员会筹备委员会办公室主任李清昆不让我回中文系,要我继续留在办公室参与政策研究,算是帮他一个忙。李清昆是哲学系的一位中年教师,教马列主义哲学,他爱人是哲学系美学研究生毕业,在《文艺报》当编辑,正在研究普列汉诺夫,和我比较熟悉。这对夫妇老实厚道,为人可靠,出于情面,我答应助他一臂之力,但我再也不愿去写简报,即使李清昆说这次是给无产阶级司令部写,我也不愿再做此事。一介书生,怎么能弄清楚上层的纠葛?哪弄得清是在向无产阶级司令部还是为资产阶级司令部服务?正好那时,副校长周培源和留学生办公室主任麻子英等受命组建一个接待外宾的机构,于是我就答允去了这一边。

北大"文化革命"委员会筹建才一个月,拥入北大串联的就达两百万人次,还来了不少外国人,都要接待。北大还有来自不少国家的留学生,每逢那些留学生自己的国庆,那些国家的驻华大使馆就要举办国庆招待会,必请北大的代表去参加,此时的应酬全落在周培源、麻子英身上。我就跟着他们两位参加了不少应酬活动,国庆招待会,都是些场面上的事,使我开了不少眼界。外宾来看大字报的,一般由麻子英在留学生办公室接待,所以我也常到麻子英的办公室去。老麻是老解放区来的老革命,比我大四五岁,简朴直爽,我们相处和谐。我们一起接待过由清山正夫率领的日本芭蕾舞团,以及英、法、德、荷等使馆的外交使节等。最大的一个来访团是由费彝民和夏梦率领的香港文化艺术代表团，将近百人，很多是苏州、上海人，我都用吴语和他们对话。我和北京文艺界的人接触较多，所以我又单独接待了由中央音乐学院院长喻宜萱（著名女歌唱家）率领的音乐界代表团，北京市文联的浩然也带了很多人来学习，他们也在筹建"文化革命"委员会。

我忙忙碌碌了一个多月，正感到厌烦想脱身时，老天赐给了我一次极好的机遇，那就是我受命去教西哈努克的王子那拉·迪波的文艺课程，当"太子太傅"，离开喧闹的北大，去了友谊宾馆。从1966年暑假后一直到1968年春，我去友谊宾馆为西哈努克王子上了一年多课，躲过了轰轰烈烈的红卫兵夺权运动，平安度过了两年。

六

我在1966年9月初开始为西哈努克王子讲课。

那时，全国的大、中、小学都已停课，为了给西哈努克王子上课，北大成立了一个特别的教学小组。这是在那特殊的年代对这特殊的对象进行特殊的教育的特殊方式，在北大前所未有，以后我也再没有经历过。40多年过去了，当初的情景，仍历历在目，却又恍如隔世。

直接领导这个教学小组的是当时副校长周培源的得力助手郭罗基，他也是哲学系的教师，教王子的政治课。郭罗基找到我时，神秘地对我说：这是国务院对外文化联络委员会给北大交代下来的特殊任务，经过周总理特批的。负责外事的周培源副校长要他来组织和领导此事。为了王子的安全，对外文委特地在友谊宾馆安排了一套客舍，对外保密。我一听，颇合我的心意，这样就可远离那喧闹的校园来这里清静一段日子，在李清昆那里，我也好有个交代了。

我给王子上的是主课，综合讲文学艺术的基本知识。我把这门课称为文学艺术概论，设计了三个学期的课程，讲艺术多，讲文学少。后来马振方也加入进来，专为王子讲解文学作品。这是为这位王子的特殊需求而设计的。他刚从北大附中毕业，非要上北大中文系，西哈努克也同意了。他不但爱文学，而且还喜欢其他艺术，对音乐更情有独钟。这位王子叫那拉·迪波,在西哈努克的子女中排第六,从小在柬埔寨宫廷长大,习惯于歌舞升平的生活,他的大姐帕黛公主就是皇家歌舞团的掌门人。王子从小耳濡目染,爱好歌舞,一个男孩子还能唱花腔女高音。我就听他唱过《蝴蝶夫人》里的咏叹调,但在中国,他却唱起了《社员都是向阳花》这样的歌曲来。他对中国的京剧、杂技、歌舞都很感兴趣,所以要我在文学以外,多讲一些关于其他艺术的知识。西哈努克亲王和中国有着特别友好的关系,一家常住北京,还把三个孩子带来在北京上学。三个孩子中,他最爱的就是这位那拉·迪波,自傲地赞扬他"好学而且勤奋"。西哈努克想培养他成为熟悉中国文化的文化使者,促进中柬关系永远和平友好。

这位王子的中文底子不差。他在1960年就由西哈努克带来了北京,先是在芳草地小学读书,初中进了灯市口中学,然后到北大附中读高中,普通话讲得很好,能顺畅地读中国书籍。他长得极像西哈努克,个子不高,均匀敦实,待人接物彬彬有礼,对师长甚为尊敬。那年,王子正好20岁,对世事很好奇,是渴望长知识的年纪。第一学期,我在友谊宾馆里着重为他讲文学艺术的一些基本知识,例如什么是艺术,艺术有哪些部类,每门部类的艺术有什么特点,等等,每周去两到三次。我发现他对音乐这一部类特别感兴趣,我就专门去中央音乐学院找了院长喻宜萱,请她帮忙,在她学院内安排了一次小乐队表演,演奏一些中外短曲小品。因为这是国务院对外文委出面交涉安排的,喻宜萱欣然接受。我陪王子一起去观摩,记得那次由音乐学院的汪毓和(中国音乐史家)来介绍中国乐器、黎信昌来介绍西洋乐器,然后让小乐队作示范表演。喻宜萱还为王子唱了一曲西方歌剧中的咏叹调。那拉·迪波感到特别高兴,要求以后多参加一些这样的观摩活动,可以大开眼界。

我觉得那拉·迪波说得很有道理。以往我们给学生上课,都是坐而论道,说了很多道理,也举了些实例,但都没有亲历、亲闻、亲见,流于空疏。从1967年开始,我就改变这种教学方法,以讲解知识为辅,着力于走出友谊宾馆,去北京的各个文艺院团作实地观摩。1967年是我教学活动最繁忙的一年,频繁出入于北京的艺术表演场所,陪王子去作艺术观摩。国务院对外文委为王子配有一辆接送他的专用小车,我利用这一有利条件,带了国务院对外文委的介绍信,去到多个艺术院团,安排观摩。此时,正是"文化大革命"进入红卫兵造反夺权的激烈斗争阶段,只有八个样板戏可看。我冲破了层层阻碍(两派斗争所造成),还是让王子亲眼见识到了这八个样板戏。这位在宫廷中长大的王子对此居然兴致勃勃,乐此不疲。他观摩后印象最深的是京剧《沙家浜》里智斗那一场,富有戏剧性,唱腔也很有特色,优美动听,很吸引人。他还学唱了阿庆嫂在智斗中的唱腔,兴味盎然。还有便是芭蕾舞《红色娘子军》中在清水河畔的那场舞蹈,这和他以前看过的《天鹅湖》等芭蕾不一样,自成一格,别有风味。我在每次陪他去观摩前,都先给他介绍剧情,然后观摩,回来后听他的感想,再和他交流。这样,就避免了只是我一方灌输,从而有了相互交流,知道这个受众有了什么反应了。

1967年这一年,我为西哈努克王子安排了两次特别的访问:一次是去北京市文联访作家浩然,一次是去许广平家里访问她和海婴。

北京市文联的专业作家浩然,我认识他,觉得此人直率豪爽,朴实正派,与他一见如故。我看过他的《艳阳天》,觉得其中反映中国的农村生活比起柳青的《创业史》来更加真实可信,富有生活气息。我就想让王子读一读《艳阳天》,从中了解一下中国农民的生活,同时见识一下这位从农村中走出来的作家。所以,我就找了浩然,请他帮我这个忙,让他亲自送一册签上名字的《艳阳天》,为王子说一说为什么要写这部长篇小说。浩然听我一说,痛快地答允了,并很快作了安排。那天,我和王子的车开到长安街邮电大厦后院的市文联时,浩然已在门口欢迎,然后到客厅给王子送了《艳阳天》。浩然说他从小就在河北农村长大,又在北京郊区通县多年,熟悉农村、爱家乡,所以他要把农村的生活写出来。那拉·迪波那天也兴高采烈,兴致勃勃地说,将来要找个机会跟浩然去他的老家看看。

为了帮助那拉·迪波读鲁迅作品,我想让他去拜访一下许广平和周海婴。那时,周海婴已不和许广平一起住在景山东街,而是搬到了复兴门中央广播事业局给他的公寓。我虽和海婴熟悉,但这属公务,所以我特地带去了对外文委的公函。海婴一看,就热情答允,由他和许广平安排在景山东街的寓所接待王子。海婴告诉我,他妈妈这次特别重视对王子的接待。这不仅是因为这次活动乃由国务院的对外文委安排,她作为国务院的副秘书长,理所当然要好好接待;更重要的是,周恩来总理极重视与西哈努克亲王的友谊,必须特殊对待。为此,许广平为接待西哈努克王子,特别准备了一套极为珍贵的礼物,那就是在1938年出版的那套20卷《鲁迅全集》,装在精美的木匣里。海婴说,这套装在精美木匣里的《鲁迅全集》在当时已属稀有,他都有点舍不得送人,但许广平要给王子一个惊喜,让他永远记得中国人的友谊,坚持要送。当我陪王子到许广平寓所拜访时,她叫她秘书王永昌把这套全集捧了出来,我和海婴为他解释了这套书的珍贵,王子非常感动,紧紧握着许广平的手,万分感谢。王子说他回去后,一定要向西哈努克报告,让父王替他保管,好好收藏起来。

这次和许广平见面,她还在宣纸上手写了一首鲁迅未发表过的诗给我作为纪念,那是1934年12月鲁迅写在《芥子园画谱》扉页上,是为纪念结婚十年而作,题诗云:

> 十年携手共艰危,以沫相濡亦可哀。
> 聊借画图怡倦眼,此中甘苦两心知。

这是我最后一次见到许广平。第二年,即1968年,正是武斗升级、北京大乱的日子里,这位慈祥和蔼的老人,因心脏病发作在医院病逝,年仅七十。周总理还来探望,未能挽还。那时西哈努克王子已不在北京,回柬埔寨去了。

那拉·迪波在北京目睹了中国的"文化大革命",当时出现的很多社会现象使他迷惑不解。他告诉我,柬埔寨老百姓对王室非常崇敬,他作为王室的一员,走到街上,都要受到市民的顶礼膜拜。他1967年暑假回去,还是这样。为此,王子特地去广播电台作了一次演讲,劝人们不要这样,王室要和人民一样,受到平等对待,所以在柬埔寨民间,那拉·迪波被尊称为"人民王子"。但这位王子很困惑:堂堂国家主席刘少奇,怎么一下子就被打倒?既没有诉诸法律,又没有宣布罪状,怎么会这样?他对批斗陈毅也感到不解,陈毅作为外交部部长,王子多次见过陈毅为争取世界和平而到处奔走,怎么也被打倒?依他看来,陈毅、张茜夫妇对人和蔼可亲,不会是坏人,可以批评教育,但不能随便打倒。对于王子提出的问题,我也说不明道不白,不知如何回答,只好支吾了事。

1967年,那拉·迪波受到过一次最高礼遇。那年的五一劳动节晚上,这位王子受到外交部的邀请,登上天安门城楼,观赏节日礼花。王子的座桌,离毛泽东的席位不远。毛主席看见不远处有这么一位年轻陌生人,就问王子:你是谁啊?礼宾司连忙向毛主席介绍,这位是西哈努克的王子那拉·迪波,在北京大学读中文。那年,王子代表西哈努克家族来观礼,受此礼遇,他特别高兴。他告诉我说,"毛主席是一位慈祥的老爷爷,他拍着我的肩膀说:好好学习,天天向上,将来为世界做贡献"。

那拉·迪波在1968年春节就回到柬埔寨去了,再也没有回到北京来。西哈努克以为"文化大革命"两三年就可以结束,不料,"文化大革命"越搞越厉害,不仅没有结束的迹象,反而变本加厉。西哈努克眼看形势不妙,就让王子们回到柬埔寨,不能再让那拉·迪波在北大读书了。不久,西哈努克把那拉·迪波又送去了法国,在巴黎受欧式教育。西哈努克在数年前已把另一个孩子那拉烈王子送到法国留学,如今,他又把那拉·迪波也送去了。没有想到,那拉·迪波到法国不久,巴黎受中国的"文化大革命"影响,也发生了"红卫兵运动"。西哈努克只好又把他召回柬埔寨,让他担任《柬埔寨日报》的中文版主编,从此他就参加了国内的社会运动和政治活动。

那拉·迪波英年早逝,死于非命,在31岁时就离开了人世。1975年,在丛林打游击的"红色高棉"成功地打进了城市,取得政权,采取了激进改造的方针,把城市居民都驱赶到农村,导致大量人口死亡,三年中竟死了100多万人。那拉·迪波这位满脸笑容、温柔敦厚、知书达礼的知识人士,在极右势力朗诺政变集团看来是敌人,而在极"左"势力"红色高棉"看来又是异己,终于在"红色恐怖"中惨遭杀害。

我这一生,接触国外文化人不少,但交往较多、能作精神交流的只有三人:一是国际比较文学学会会长佛克马教授(荷兰人),一是美国的美学家布洛克,这两人和我属同辈;还有一人就是这位西哈努克的王子,应是我的下一辈人,但却是最早离我而去。每当我回想起他那笑容可掬、朝气蓬勃的稚气音容时,常会一厢情愿地幻想:如果他不回到柬埔寨,而在法国或者中国继续学习下去,是否会逃过劫难?但严酷的现实生活不允许有"如果"或"假如",人生难测,难以捉摸。

七

我在"文化大革命"中的厄运终于来临。厄运从被迫过"半军事生活"开始,然后发配鄱阳湖畔鲤鱼洲,过了两年"军事生活",以劳动为生。要到林彪集团毁灭,我才得以重生,结束了厄运。

我在1968年春节回到了北大。此时,北大的"文化革命"委员会已近瘫痪,两派红卫兵忙于内战,无人来管我们这些知识分子,所以在那半年里还能自由支配自己。我在1966年秋已从清华园搬到了燕东园37号杨晦楼下的客厅里居住,这是中文系"文化革命"委员会负责人华秀珠、邵岳动员我搬的。中文系筹建"文化革命"委员会时,经过全系师生的选举,把这两位推了出来。华秀珠本是上海的纺织女工,出身好;邵岳也是出身农民,比我高一班,毕业后留系当杨晦助教,专攻中国文艺思想史。在陆平组织批判杨晦时,他俩都发挥了劳动人民的本色,保护了说真话的杨晦。当红卫兵运动起来之时,他俩怕杨晦受冲击,就到清华园来劝说我,要我搬到杨晦楼下的客厅去住,好对杨晦有个照顾。若有什么紧急情况,要我立即向他俩报信求助。我从友谊宾馆回来,就常到楼上看望晦老,交谈的机缘就多了起来。那时杨晦年将七十,一个人就睡在书房里,周围全是书橱、书架,满屋全是书,他就睡在这书堆里。"文化大革命"开始以后,他就集中精力读《马克思恩格斯全集》,尚不满足,还开始学德文,想读德文原著。这想法竟和朱光潜不谋而合,朱光潜在数年前就已这样做了。北大人都知道杨晦是"五四"老人,和许德珩等七八个人是最初冲进赵家楼的,不敢随便打倒,只是让他靠边站。但一到"五四"校庆,北大各大报刊、电台等还是不断有人来采访,回忆五四运动。杨晦那时已患白内障,看不见,写不成了,只好要我为他代笔。他口授大致内容,我则按他所说，写成文章，念给他听，再改而成。那个年月，燕东园也常常停电停水，好多个夜晚没有灯火，一片黑暗。这时我就常上楼，晦老点上一根蜡烛，两人秉烛夜谈。晦老早已足不出户，只在书房念德文看原著。他很高兴我去聊天，可以知道一些外界的动向。他听后常发感叹发问：怎么会这样？他不能理解，世道怎么会这样，到处都是在“争权夺利”，猛打派仗。我当然也说不出个道理，只能含糊其辞。

我在杨晦的客厅里住了一年多，从1966年秋到1968年夏。我搬去本是为防止红卫兵冲击杨晦，但发展到1968年夏，我和杨晦一起受到了不应有的冲击。一个学生战斗队终于闯入杨晦书房抄家，又到楼下抄我的家，说我是“周扬文艺黑线在北大中文系的代理人”，把我保存的周扬1958年在北大开设“建设中国马克思主义美学”课程的打印材料全部抄走，还勒令我写交代材料，交代如何去周扬家，谈论些什么。后来，这个战斗队还写了一份长长的大字报，批判我这个“周扬文艺黑线在北大中文系的代理人”。然而，此时的战斗矛头已转向刘少奇、邓小平，周扬已是“死老虎”，引不起轰动效应了，大家已没有多大兴趣。我和杨晦都受难了，我已保护不了老师，恰好我的第二个女儿燕菘出生，这小客厅已住不下。历史系教授杨人楩、张蓉初夫妇一再盛情邀我入住燕东园27号楼下与他们为邻。于是，我就在八月初旬搬离了燕东园37号。这燕东园27号在燕东园的最东头，原是燕京大学校长陆志韦所居，独门独院一整栋小楼，上下两层。院系调整后，陆志韦调离北大，去了中国科学院，朱光潜在1956年恢复了一级教授待遇，就从佟府旧宅搬入了这27号，住楼上一层。历史系杨人楩、张蓉初夫妇住了楼下一层，有四间房。到“文化大革命”时，他家只有两口人，自动提出要让出两间房。张蓉初是苏州人，多次劝我搬到她那里，她知道我们是苏州同乡，好相处。27号旁是28号，也是独门独院，住的就是北大副校长、著名历史学家翦伯赞。我在燕东园27号住了五年多，和杨人楩、张蓉初夫妇睦邻相处，相互照顾。直到1974年春，要改建27号为北大幼儿园，我们才依依不舍地离开此处，朱光潜一家、杨人楩夫妇去了燕南园，我则去了中关园一公寓。

我刚觉得有些安定了，受朱光潜、杨晦读马列经典的启发，我也就想读马克思的《资本论》，钻研一下价值学说。但还没有来得及做深入探索，北大的军事管制就开始了。1968年8月19日，军工宣传队大举进驻北大，一切权力归军工宣传队，北大师生全部开始了半军事生活，一早就要集中起来，学习毛主席语录，早请示，晚汇报，不能迟到早退。刚开始时，师生还只是每天集中，晚上可以回家住。才过一个月，军工宣传队采取了更为严厉的措施，说要在全校展开清理阶级队伍的运动了。在这清理阶级队伍运动期间，全校师生都必须集中，在指定地点居住，不能回家。我们中文系这些"臭老九"都被集中住在19楼，好几个人挤一间房，连杨晦这样70岁的老人也不能幸免。

军工宣传队进驻北大已经半年，可阶级队伍却一直未能弄清，还连连出错，翦伯赞、崔雄昆等都自尽身亡了。为了进一步加强军工宣传队的领导，中共中央办公厅派出了中央警卫团进驻北大、清华。中央警卫部队的政委杨德中和副政委王连龙亲自带领81名军宣队员在1969年3月进驻北大。从此，北大、清华两校，成为当时赫赫有名的"六厂两校"的成员，由中央警卫部队直接管辖，北大师生就一切听命于中央警卫部队的指挥了。

中共中央办公厅派出的中央警卫部队加强了对北大的领导后，继续在全校推进清理阶级队伍，连续进行了军事管制后的第二和第三次运动，一整又是半年。其间，在我身边又发生了一件令我惊骇莫名的事件，那就是我交往甚多的写作教师章廷谦（川岛），竟在一次全校对敌斗争大会上，当场被批斗，定罪为"现行反革命"。这怎么可能？一位和蔼可亲、慈祥和气的儒者文人怎一下成了凶恶的敌人？

章廷谦和王瑶、林庚、杨晦、魏建功五人，是我在中文系最熟悉的前辈。章廷谦是鲁迅的浙江老乡和挚友，1919年秋入北京大学读哲学，比杨晦晚了两年。他在读书时就已表现出了他的写作才能，"倚马长才，下笔千言"。1917年蔡元培当北大校长后，重视人文教育，出版了《北京大学日刊》，他看中了章廷谦的文才，就请了这位学生当校长办公室秘书。1922年毕业后，他既在哲学系当助教，又给校长当秘书，编纂《北京大学日刊》，北大当时的重要文稿，均出自他之手。李大钊辞去北大图书馆馆长之职后，也曾在校长室当主任。章廷谦对李大钊极为敬佩,工作上相互配合、支持。李大钊遇难后,章廷谦到处奔走,在香山附近万安公墓找到了一块墓地,准备安葬。当时,共产党人为李大钊刻了一块墓碑,但不能公开在李大钊墓前树立。章廷谦当机立断,把这块墓碑随同李大钊灵柩一起埋入地下,才得以保存,直到解放之初,该墓碑终于矗立于墓前。章廷谦在北大读书时,就听鲁迅开讲"中国小说史",受鲁迅之教,准备点校《游仙窟》。1926年,鲁迅离开北京去厦门,章廷谦也随之去了厦门大学,与之成为亲密的战友。1931年,章廷谦又重返北大,再任校长室秘书,兼任国文系讲师,从此再也没有离开北大。抗日战争期间,他随北大迁到昆明,除了继续担任北大校长室秘书之外,又担任了三校联合组成的西南联大常务委员会的秘书,为西南联大作出了贡献。抗战胜利后,北大校长蒋梦麟被调到行政院当高官,要章廷谦跟他到行政院,但章廷谦坚决不去,而留在北大教国文,再也不当校长室秘书了。解放之初,章廷谦加入了周建人的民主促进会,成了北大的主任委员,是位进步的民主人士。

这样的民主进步人士,怎么在他68岁之时被说成了"现行反革命"?那是有人说他隐瞒了历史,没有交代。章廷谦从此受冤七年,劳动改造,到1976年才得以平反,证实所谓的"文学院国民党支部"从未存在过,他也从未当过什么支部委员。重获自由后,章廷谦积极参加了《鲁迅全集》的注释工作。他于1981年逝世,享年80岁。

中央警卫部队在北大的领导持续了8年,从1969年一直到1977年。到了1977年5月,迟群、谢静宜被撤销一切职务,王连龙被批判审查。时为党中央副主席的邓小平接见了即将派到北大任党委书记的周林,以及即将任北大校长的周培源,这才结束了中央警卫团在北大的统治。这一年的冬天,周培源被任命为校长,周林被任命为党委书记,重新任命被军宣队定为敌我矛盾的戈华为党委副书记,撤销了王连龙、李家宽在北大的职务,送回中央警卫部队处理。军工宣传队全部撤出北大。由此,北大才进入一个新的历史时代。

蒙冤落难鲤鱼洲

我差一点就葬身于鄱阳湖边的鲤鱼洲。在那个地方，我度过了这一生中最惨痛的日子，整整两年，直到林彪失事摔死，我才得以解脱，重返北京。"文化大革命"发展到后来，连我这种一切听从党安排的读书人也受劫难了。我也是个劫后余生的幸存者。

一

1969年10月，正式被确立为毛主席的接班人的林彪，向全军发布了一个全国进入"一级战备"的"林副主席指示第一号号令"。进驻北大、清华的军工宣传队，闻风而动，立即紧急动员，把全校的大多教师员工都从北京转移出去，发送到江西，在鄱阳湖边的鲤鱼洲，围堤开荒，自食其力。

在林彪一号号令下达后的几天，曾担任过毛主席警卫员的孙连仲，代表军工宣传队向中文系全体教师宣布，我们第一批转移去鲤鱼洲的有30多人，必须在10月底完成转移，鼓励全家都去落户。

军令如山，军工宣传队的命令，谁敢违抗？但我还是硬着头皮去找孙连仲，请他批准给我一个礼拜，让我把刚满8岁的大女儿苏薇送回江苏老家，安排上学。得到了孙连仲的谅解，我终于在去鲤鱼洲之前，回了一趟南京、苏州。那时，我的小女儿燕菘出生才一年多，我爱人既要教书，又要带小孩，带一个小女儿已很累了，没法再管老大。我只好把正在北大附小读书的大女儿送到南京我妈妈那里，进南京颐和小学去读书，然后只身去鲤鱼洲接受劳动改造。我已作好思想准备，这一去不知道要多少年，我宁愿一个人去受苦，也不能让全家受牵累。

作为中央抓的点，我们北大2000多名教师都被遣送到了鄱阳湖边鲤鱼洲。我赶在1969年10月底只身来到了鲤鱼洲。这是在江西南昌东北方向数十里地的鄱阳湖滩的一片荒野地，在地图上还没有踪影。我踏上这片低洼滩地的第一印象就是：天苍苍，地茫茫，风吹草棚飒飒响，满眼是荒凉。环顾四周，竟找不到一棵树木。我心中暗暗叫苦：怎么到了这么个地方？但我绝不能表露出来，免得当典型挨批。

我一到鲤鱼洲，就立即过起了军事生活，按军事编制，被编入了第七连第一排第三班。一个连，大约100人，我们这七连乃由中文系、图书馆学系、俄语系三系的教师，加上校医院和图书馆的员工组建而成，后来俄语系和西语系、东语系的教师另组一连。这七连，老弱病残之人占了大半，就以中文系来说，年龄最大的岑麒祥教授已年近七旬，是著名的语言学家。当过北大副教务长、中文系副主任的张仲纯，是从老解放区过来的老革命，十级高干，也已过了六旬。我的师辈中，吴同宝（小如）、冯钟芸（任继愈夫人）、彭兰（张世英夫人）、林焘等都过了五旬。我的同一辈，赵齐平、金申熊（开诚）、叶蜚声、石安石、潘兆明、严家炎、陆颖华等，也都已年近四旬，大多为文弱书生，经不起风吹雨打。这一次，我们这些"臭老九"都被遣送到鲤鱼洲这风口浪尖来，经受风吹雨打，接受严峻考验。

对我来说，我面临三重考验，必须过三道大关：劳动关、生活关和思想关。

连一级的领导权掌握在军工宣传队手中，实行军事化管理。我们这七连，开始是一位中年军人老钟当指导员。他生活经验较丰富，从实际出发，对知识分子还是比较客气，有时流露出对知识分子的同情，觉得将来还得靠知识分子来传授知识。因领导嫌老钟太软弱，又从中央警卫团里增派了一位只有20多岁的血气方刚、冲劲十足的小石来当指导员。小石指导员铁面无私，严肃认真，常常板起脸孔，疾言厉色训诫大家：过去北大是知识分子一统天下，知识分子手不能提，肩不能挑，四体不勤，五谷不分，靠劳动人民来养活，如今要打破知识分子一统天下的局面，一切都要从头做起，既要学农，又要学军，又要学工，自己盖房，自己种菜，自己种田，自食其力；知识分子要放下臭架子，好好劳动改造，一不怕苦，二不怕死，死心塌地做个劳动人民。

那个时光，"臭老九"谁敢说个"不"字？说干就干。我们的劳动第一仗就是自己动手盖草棚，好让自己有个安顿之处。

这不是盖几个人住的茅屋，像杜甫草堂那样，而是要建一大间可住一百多人的大草棚。这样的大工程，别指望请工程兵来兵团作战，更不可能靠上面恩赐给钢筋、水泥、搅拌机，可用的只有芦苇、稻草、大毛竹。我们这些"臭老九"只能靠自力更生，先用大毛竹搭建起草棚的大框架，用毛竹代替树木作梁柱，然后在屋顶铺上芦苇、稻草，用于遮雨。可是这草棚四壁空空，如何挡风？那时连砖瓦也没有，只好就地取材，挖取低洼地上的黏土，和上适量的水，再糊贴在竹片、芦苇上，成为土坯泥墙。可那黏土怎么才能贴在竹片、芦苇上而不掉下来，就必须把那黏土打结实，最好当然用搅拌机，可这鲤鱼洲上哪有？于是，就只好靠我们这些"臭老九"站在黏土里，边加水，边用脚踩，使黏土越踩越结实。我也参加了这脚踩打土坯的行列，直到脚已深陷在泥坯里，快拔不出来时，我们赶快抽两根大毛竹竿，穿过那人的腋下，靠四个人在两边提拉，才把那陷入泥潭的人用竹竿拉了出来。

好不容易盖起了大草棚，我们才从挤了好几百人的大仓库里分流了出来。我们七连每个人分得一张床位，一片薄板架在两条长凳上，就成了一张最简单不过的床铺，睡上去摇摇晃晃，真个是摇摇欲坠，但每个人总算有了一块小小的独立天地了。躲进蚊帐成一统，管它春夏与秋冬。

鲤鱼洲的天气，一到夏天特别热，酷热常在40摄氏度，冬天又特别冷，寒风凌厉，但一年四季始终潮湿，水汽散发不出去，所以冬天都有蚊子嗡嗡飞。我们每个人都安了一顶蚊帐，既为防蚊子咬，也为自己圈一方可怜的空间，聊以自安。床底下是一片泥地，水汽直冲床板，所以这张床老是湿漉漉的。一到有太阳出来，赶紧把床板抬到太阳底下去晒，那床板都变成绿色，霉菌都附在床板下了。那床板下更是无奇不有，蜈蚣、田鼠、蟋蟀、癞蛤蟆、青草，有时还长出了蘑菇。我就在这张床铺上睡了整整两年，睡得腰酸背疼，落下不少病根。

住进草棚不久，劳动大战第二仗就开始了：上大堤。

这次堤上大战是全团各连总动员，一齐上阵挖泥造田筑大堤。若按江西老乡的习俗，秋收入冬以后，应该在春节以前休养生息，享受一下劳动成果，准备好好过一个年，然后在春节后再作春耕的打算。可是，我们这里不是，既没有元旦，又没有春节，入冬以后反而更忙了起来，要参加更繁重的劳动：既要挖土造田，又要把挖出来的泥土肩挑到鄱阳湖边的大堤上去，以加固堤防。离我们数里地外天子庙附近的老农告诉我们说，这鲤鱼洲是从鄱阳湖围堤新造出来的一块不毛之地，那低洼处本是鄱阳湖底，围湖后成为一块滩地，经垦荒后才勉强可以种稻，但产不了多少粮食。那鄱阳湖的水面，高于这鲤鱼洲的低洼地，只是到了冬天，湖水较浅，不会溢过堤岸，尚无危险。但是，若到夏季到来，洪水暴发，潮涨水高，加上十级飓风一刮，这鲤鱼洲就要泛滥成灾，冲击大堤，堤坝若垮，则大难来临。加之，这里还是个血吸虫泛滥之地，所以，这鲤鱼洲曾经历几番变迁，先后做过劳改农场、生产建设兵团和知青农垦基地，都失败而散，到别处找场所了。只有北大、清华来的军工宣传队，知难而上，要找这风口浪尖来摔打知识分子，好创造奇迹，为全国提供改造知识分子的样板经验。听小石指导员说，为保障安全，毛主席指示中央警卫团，必须将鲤鱼洲的大堤，加高一米，加宽一米，疏忽不得。军工宣传队当然要坚决执行命令，所以要全团总动员，全力以赴，全心投入冬季筑堤。

这是一项系统的工程，需要多个环节的相互配合和协调。最基础的一个环节是在堤内低洼处大量挖土，土挖走后留下的空穴又必须填平，在挖土的同时也完成了平地，最后灌上水，好为春耕插秧提前做准备。中间的一个环节是运土，把从低洼处挖出的土，装入竹筐，运送到堤上去。这看似简单，只要有力气挑得动担就行。但实际上这不仅要有力气，还得有技巧，这是因为从洼地走向大堤的最后一段路太陡，中间要加上一块跳板，这块又窄又长的木板，具有弹性，人一走上去就有节奏地跳动。没有这种经验的人，一踏上跳板就会战战兢兢，不知所措，和跳板不合拍，不仅事倍功半，而且弄不好还会从跳板上摔下来。所以，挑土上堤，走到这跳板上就要特别谨慎小心，要和跳板的节拍相呼应。最后一个环节是运土上堤后,要在堤上把土夯实。这得有打夯的工具,如压土机、打夯机,可那时还买不起,怎么办?那就靠人力来做吧!于是,我们这些"臭老九"又当起了压土机、打夯机,用脚使劲又跳又蹬,把泥土夯实。这三个环节的活我都干过,从我的切身体验来说,其实最难做的还是第一个环节。那时,人站在最低处,低洼处有水,人就泡在水里,还要使劲用铁铲挖土。最费劲的是要把这一铲泥向上举起,准确地摔到竹筐里,好让别人运走,而这一摔是否真摔到了筐里,就需人的机灵和熟练。

全兵团作战上大堤,这是我在鲤鱼洲亲历的劳动第二仗,都是在"冬闲"季节进行的。对农民大众来说的"冬闲",我们这些"臭老九"却要为修堤造田而忙碌着,是"冬忙"。但这不是"农忙",而是"工忙",甚至是"军忙",常常在修堤造田的中间,来个突然袭击,在半夜吹起军号,把我们从酣睡中叫醒,立即进行夜行军,说是"军事夜练"。小石指导员早就训诫过我们,知识分子不仅要学农,还要学工,更要学军,我们这些"臭老九"在鲤鱼洲都付诸实践了。

"冬忙"之后,接着就是"春忙"了。我在鲤鱼洲参加的劳动第三仗就是:忙春耕。

这鲤鱼洲的春耕和北方不一样。一是时间早,过了春节就要大忙起来,有的活早在冬末就要开始,如播种;二是要下水,这里种的不是小麦而是水稻,离不开水,春耕必要和水打交道;三是农活细,种水稻比种小麦复杂,干活要细致得多。早在冬末,就要在田里放水,使泥巴被水浸透。到了初春,就要到水田里平整土壤,然后在平整好的水田里播下稻种,等到秧苗长出新绿,就要"挠秧"。这个活不是使劲挠,而是轻轻"挠",就像给人"挠痒"一样,不能伤了秧苗。到了春耕大忙,那就要抢时间,赶快拔秧、运秧、插秧,从秧苗田里把秧拔出来,用担挑到大田里,分行插下去,这是春耕最忙也是最累的活。

1970年的2月,鲤鱼洲阴雨连绵,28天中,竟陆续下了25天雨。"清明时节雨纷纷,路上行人欲断魂",可这鲤鱼洲,不到清明时节就已经雨纷纷了。我们这些"臭老九"就要开始走上泥泞的道路去干活了。从鄱阳湖吹来的寒风,夹着蒙蒙细雨,向我们扑面而来,透心的凉。我们身上都披着五花八门的塑料雨衣，五颜六色，经寒风、冷雨的吹打，塑料雨衣都变得僵硬，发出簌簌之声。穿上这五颜六色的塑料衣，人都变得奇形怪状，不知是何人了。我常见到十连的一位"怪人"，全身黑色塑料衣，头上一顶尖尖的黑帽，腰里索了一条宽带，样子古怪可笑，大家笑称他为"狼外婆"。这位"狼外婆"，当时还不十分出名，是经济系资料室的一位管理员，反右时划为右派，到改革开放之后，名声大震，这就是鼎鼎大名的经济学家厉以宁。春耕中可见到的奇形怪状的装扮甚多，这走路的狼狈就使人哭笑不得。因为道路泥泞，泥深路滑，动不动就摔跤，滑倒在地。我们到鲤鱼洲前，都特地去买了走泥路用的胶靴，长短不一。可到这里一试，那短筒胶靴根本无用，走几步，泥水就过鞋灌到鞋里了，只好再买长筒胶靴。可这长筒胶靴也对付不了这里的泥泞路，于是，我们就到天子庙那边去请鞋匠师傅进行加工，给长筒靴再加长到膝盖，成了一种奇特怪异的"特高腰长筒靴"，这在别的地方是见不到的。

可是，只要进入水田干活，就连这"特高腰长筒靴"也没有了用武之地。那水田的水高过了膝盖，这"特高腰长筒靴"既挡不了泥水，一脚踩下去，靴子反而沉陷在泥潭中，拔不出来了。所以，我们一下水田，干脆都赤了脚。赤脚下田倒是爽快，可那水田里的水经历了一个冬天，有的冰还没来得及化掉，带着冰碴，直冷得我们刺心入骨，腿膝都冻僵了，为以后留下了后遗症。但最使我们触目惊心的还不是这直接的刺激，而是那些我们看不见的小虫——血吸虫。鄱阳湖出血吸虫，这是出了名的。20世纪50年代一阕《送瘟神》，使我们知道血吸虫的厉害，连神医华佗也"无奈小虫何"！这鲤鱼洲更是鄱阳湖血吸虫的重灾区，水田里就埋藏着鄱阳湖底的钉螺，那正是血吸虫的藏身之所。因此，我们到水田干活，随时都有可能得血吸虫病，只是当时并不知道而已。军工宣传队在公开场合，从不向我们如实报告血吸虫病在这里流传的真实情况，只是鼓励大家要一不怕苦，二不怕死，死都不要怕，还怕那小虫！

其实，下水田劳动，除血吸虫以外，还有别的隐患，蚂蟥和水蛇就常出没于水田。我是过敏体质，从小就怕蛇虫百足，对蚂蟥尤其害怕，所以我外祖父向来就不让我下水田。可在这鲤鱼洲就由不得我了,下水田插秧,在水里停留时间长,就常招来蚂蟥。一旦蚂蟥咬住了腿,就不能轻易放开,必须时刻警惕,发现蚂蟥已在吸血,就需不时在腿上敲打,逼迫它受震而脱落。但稍不留意,蚂蟥就已钻入皮肤,再也拍打不出来了,蚂蟥就在皮肉内坏死,留下一片黑块。我在鲤鱼洲两年,腿上就留下了好几块坏死的黑肤,多年以后才逐渐消退。再说,在水田里插秧,老是弯着腰,长久直不起来,久而久之,我的腰椎好几根错了位,腰酸背痛,猛然站起身来,立即头昏眼花,摇摇欲坠。幸好,北大校医院的院长孙宗鲁和我在同一连,我们在北大相识十多年,他比我年长三岁,乃同辈好友,对我一直像老大哥一样关切。一回草棚,他就不辞劳苦,为我做些按摩,才减轻了不少痛苦。

就是这种高强度的劳动,军工宣传队的领导还嫌考验不足,恨铁不成钢,还要我们加码。一天,我们冒着细雨下田插秧,可天公不作美,雨越下越大,水田的水越来越深,插下去的秧苗,扎不了根,不少都浮到水面来了。连队只好提前收工,乘雨天在草棚休养生息,以便来日再战。不料,回到草棚刚把身上的雨水擦干,换上干衣,却听连队又吹紧急集合哨子,团部的军宣队领导狠狠训斥:学军就要在枪林弹雨中冲锋陷阵,浴血奋斗。可你们,下了点雨就临阵脱逃,甩手不干了,这是什么行为?你们应该迎难而上,主动到风口浪尖去拼搏,才不枉来这鲤鱼洲!我们一听,立即再披上雨衣,拿起铁锹,冒着大雨又去水田干活了。那时的知识分子,真个是"价廉物美",从不讨价还价。鲤鱼洲上流传着这样的顺口溜,"知识分子是块砖,哪里需要哪里搬"。

那时,我们这些"臭老九"的命运还不如拖拉机。团部为大规模开垦农田,从南昌买来了几部履带式拖拉机,可哪知道这些拖拉机不切合鲤鱼洲的实际需要。这里都是低洼湿地,拖拉机一开,就陷入泥潭,只能在污泥中空转或熄火。无奈,只好又叫我们这些"臭老九"去抢救。人拉不动机器,于是又找来别的拖拉机,死拉硬拽,才把那动弹不得的拖拉机救出泥潭。从此,团部就不敢再轻易动用这宝贝机器了,好好供养着,修堤耕田还得靠我们"臭老九"的人力支出。当时,"臭老九"有感而发,脱口而出,有了一副对联:拖拉机拖拉拖拉机,再生布再生再生布。上联是对拖拉机当时境遇的写实,下联则是知识分子命运的自叹。"文化大革命"已进行了好几年,经济衰退,民生凋敝,布料供不应求,要凭布票才能买到衣料。于是江西民间自发生产了一种"再生布",废物利用,把废旧的衣服,用手织机加工再生,成了一种粗糙然而实用的再生布,不仅毋需凭布票购买,而且价格便宜。我们这些"臭老九"就如这些再生布,弃之可惜,用处不大。我们这些"再生布"在这鲤鱼洲上,再生产一些再生布,所以说这是"再生布再生再生布",实在可叹!

对于在鲤鱼洲上不用或少用拖拉机这种现象,军工宣传队有自己的解释。由清华、北大两校组成的写作组,以"梁效"为笔名,写有一篇阐释知识分子改造的必由之路的宏文,向全国推广"两校"经验,其中就说到,之所以不用或少用拖拉机,乃是为了更有利于知识分子的改造,让知识分子接受更严峻的考验,要知识分子靠自己的双手来养活自己云云。我这身历其境的"臭老九",觉得这说法既可笑又可恨,这完全是既自欺又欺人之说。

不错,知识分子有自身的弱点,应该走与工农兵相结合的道路。但知识分子劳动化,究竟应该怎么化?劳动改造应取什么样的方式?这里应该有个"适当"、"适度"、"适量"的标准。而最关键的还是军工宣传队对知识分子怎么看,采取什么态度。难道社会主义建设就不要知识分子,就不需要尊重知识,尊重人才?可就是在那个年代,军工宣传队的领导,实际上就是采取了一种鄙弃、戏弄知识分子的态度,居高临下,指点一切,起的是监管劳动的作用。军工宣传队不和"臭老九"同住、同劳动,另有自己的办公室。

生产劳动,本来就是人和大自然之间物质、能量和信息的交流活动,人人都应该参与。但是,不同的劳动对于不同境遇中的不同人,却有着不同的意义,从而就会有着不同的体验和感受。自由的、自主的、自愿的劳动,与天斗,与地斗,可以获得无穷乐趣;被迫的、压制的、受罪的劳动,与天斗,与地斗,就不一定了,可能变成一种痛苦。适当的、适度的、适量的劳动对人有益,非人的、过度的、超量的劳动,对人则是伤害。

我少小时,也曾体验过劳动的乐趣。我在上小学时的暑假常待在鱼池村,也干过一些农活,种种菜、拔拔草、采采桑、挖挖笋、摘摘豆。但这都是农村中的一些辅助性劳动,外祖父从不让我下水田去插秧、割稻,更不会要我去上田埂挑担、运土。这才是农家劳动中的重活主业,必须由身强力壮的小伙子才能担当。为了体验农家的艰辛,我在解放后也曾去过农村和老农同吃同住同劳动,学习老农的吃苦耐劳精神。但还是要讲尽力而为,量力而行,力所能及,方有成效;若是操之过急,急于求成,欲速则不达,力不从心,反而会适得其反。

这次到鲤鱼洲,我在这里两年多,明显有两个阶段。在前半阶段的一年里,着重在过劳动关和生活关,要在这恶劣的环境下适应繁重的劳动和艰苦的生活,已属不易,何况还要天天斗私批修,改造思想。我勉强闯过了劳动的第三仗,但在第四仗中,我晕倒在大草棚,差点丢了性命。而在后半阶段的一年多里,我不仅要继续过劳动关、生活关和思想关,比起其他教师来,我还多了一个政治关。军工宣传队把我打入了"五一六"反革命行列。从此,劳动折磨、生活折磨、精神折磨之外,又加上了政治折磨。

我是在1970年"八一"前夕,"双抢"的最后一天倒下的。

这是一年中最为繁忙而紧张的日子。什么是"双抢"?既是抢收,又是抢种。抢收的是早季稻,抢种的是晚季稻,抢收和抢种同时进行,要以最快的速度抢夺时间,在最短的时间里完成"双抢"。这里和我家乡都要在一年中收两季庄稼,但我老家是一季种稻,一季种麦,收稻和种麦之间留有一点时间空隙,不像"双抢"那样紧张。只有离我老家无锡稍远些的常熟才种双季稻,所谓"无锡锡山山无锡,常熟熟田田常熟",那里的农家要比我老家忙碌。可这鲤鱼洲种的都是双季稻,必须在五六天内争抢着早稻的收割和晚稻的插秧同时完成,加倍紧张。

也就是这"双抢"的那些日子,正处在鲤鱼洲一年中气候最为恶劣的季节。这里,七八月间最为酷热,不干活已经满身大汗,一干起活就更加热不可耐,喘不过气来。七八月又是狂风暴雨不时来袭的季节,在水田里,我们时常遭到疾风骤雨的袭击,最大可达十级风暴。

更加骇人的是那无情的雷暴,这也是我在老家所没有经历过的。雷暴常伴狂风骤雨而来,下田时还晴空万里,烈日炎炎,过不久,突然间,乌云密布,阴霾沉压,电闪雷鸣,接踵而至。我们都知道,在水里劳作,最易惨遭雷击,就赶快跑上田埂。谁知道,这电闪雷鸣就像真的有雷神追随那样,竟会跟踪追击我们这些人,一个闪雷就在我们脚下响起,几个火球在我们身边跳跃而过。江西人说这是鲤鱼洲的特色,称之为"滚地雷",这是因为鲤鱼洲地旷人稀,低洼水多,雷电易于传导,人若被击中,就被置之于死地。听说清华基地那里,雷暴曾击毙过人。清华友人好言相告,若在水田遇雷暴,就应及早上埂,躺在田埂上不要走动;但军工宣传队却认为这是"活命哲学",狠批了一阵。

在这酷暑高温,伴着风雨交加、电闪雷鸣的恶劣日子里,我们连续战斗了六天。每天早上,五点就起床,趁着此时尚无烈日,赶早就去田里抢收抢种,到七八点钟才回草棚吃早饭;然后第二次出击,再下田干到十一点左右,回来吃中饭。躲过了中午那烈日炎炎似火烧的时刻,下午四点,再次出发,乘着还有些落日余晖,干到晚上八点,才回草棚用晚饭。我们七连百把个老弱病残,连续作战了六天,在"八一"前夕,总算把百亩水田的"双抢"任务完成了。在这最恶劣的日子里,我幸运地没有在烈日下晕倒,没有被暴风骤雨刮倒,也没有被电闪雷鸣所击倒,坚持下来了。但是,我在"双抢"完成后的当天夜晚却轰然倒下了。

"八一"前夕那天,"双抢"结束,因为实在太累,夜晚倒头便睡,那晚睡得昏昏沉沉,到后半夜一点多钟,突然醒来要上茅房。我的床位紧靠草棚门口,邻床是中文系比我小三岁的语言学教师符淮青,他比较警觉。听我起床的声响,开始不甚在意,但我跨出草棚不到十步,一阵风迎面吹来,我一下就失去了知觉,晕倒在地。晕倒时,头部向前,头重脚轻,额头鲜血淋淋,鼻孔也在流血。我当时已昏迷,也不知道呼喊求救。幸亏我邻床符淮青警觉,听到草棚外突然发出一下沉重的倒地声,知道大事不好,迅速走出草棚。看我已经昏迷不醒,他也不敢扶我,立即回到草棚,把正在沉睡中的校医院院长孙宗鲁唤醒,施行急救。孙宗鲁和符淮青先把我扶上床铺,止住血流,蒙上纱布。

孙宗鲁看我仍然处于昏迷状态，当机立断，向团部紧急救援，要求团部派出一辆运货车。当夜，就由孙宗鲁和他夫人王慧琴护送我奔驰南昌城里，直送南昌市人民医院急诊，把我留在了医院。由于我是突然晕倒，毫无精神准备，倒下去后半天昏迷不醒，脑部已受了内伤。南昌医院把我留了下来，作为紧急病例住院观察、诊查、医疗，半个月后才让我出院，但已留下了脑震荡后遗症，稍不留意，就会引发头晕、眼花、耳鸣。但孙宗鲁告诉我，这已是不幸中的万幸，要是那晚晕倒不是在草棚旁，而是走到了离草棚数百米外的大茅房，那就不堪设想了。鲤鱼洲的厕所茅房都挖了深坑，为的是肥水不流外人田，自己积肥自己种菜，若不小心，人掉了下去，叫天叫不来，呼地呼不应，只能束手待毙，淹死在粪坑中了。幸而那晚我在草棚外倒下，符淮青听到了就立刻起来，叫了孙宗鲁一起救了我。此恩此情，我将永远记住。

那年我是37岁，才入中年不久，但劳动改造两年，除了得脑震荡后遗症外，还得了腰椎错位、椎管狭窄和关节炎，都是提前衰老的慢性疾病，很难再回复到青春。我在北大时就有胃病，有孙宗鲁的关照，我和周海婴都在北大的胃病食堂进餐，胃病渐渐好转。可到了鲤鱼洲，开始吃的是酱油汤泡饭，后来虽自己种了菜，但品种单一，营养不足，除了胃病复发，年纪轻轻，两年里就一下掉了两颗牙齿，变成了一个缺齿驼背的小老头子。真个是人生易老天难老，反观往昔岁月，不胜感慨。如今，符淮青仍健在，祝他健康长寿。但孙宗鲁却75岁时就去世了，令人惋惜。孙宗鲁相貌堂堂，一表人才，1952年在上海医学院毕业后即来北大当外科大夫，胆大心细，手术高明。那年我入北大，老早就相识了。他出身名门，他父亲在国民党时代当过杭州市长，后来跑到台湾去了，他却跟着母亲定居在上海。一到"文化大革命"，因为这出身就倒霉。看不惯他的人，把校医院手术室出的事故，全算到了他这手术室主任的账上，把他打得头破血流，还把他从中关村的住所赶了出来，安身于燕东园25号马坚家的保姆室中。那时，我和孙宗鲁夫妇交往最多。他妈妈和我妈妈也很谈得来，一个上海人，一个宜兴人，都用吴语，交谈甚洽。他的女儿孙英和我的女儿苏薇都一起上北大附小，同班同学一起读书游玩。20世纪70年代，我们又一起搬到了中关园住,改革开放后,他当北大校医院院长期间,充分发挥了聪明才智。他多才多艺,手术高明之外,能拉一手小提琴,英语水平也甚高,从英语世界翻译了不少电影文学剧本到国内来,使我大开了眼界。我和严家炎共同推荐,介绍他参加了中国作家协会。后来,女儿孙英去了美洲,孙宗鲁夫妇也跟着去养老,我则到了深圳,从此天各一方。想不到,他出国没有几年,就与世长辞了。这么一位手术高明的外科医生,文武全能的文学翻译家,竟先我而去,可惜可叹!

二

那时,鲤鱼洲不仅是对知识分子思想改造的地方,而且,还是深入推进阶级斗争的场所。

早在劳动大军开赴鲤鱼洲之前的一周,北大军工宣传队就召开了全校落实政策第五次大会,告诫大家:别以为去劳动了,就可以放松思想改造和阶级斗争观念;如今是一级战备状态,更需要提高警惕,"继续清队,一清到底";就是到了鲤鱼洲,仍然要坚持"坦白交待不停,检举揭发不停,内查外调不停,召开落实政策大会不停"。

在那个时代,军工宣传队确确实实坚定执行着"以阶级斗争为纲"的方针,宁"左"勿右,深信"阶级斗争一抓就灵",不忘要把阶级斗争这根弦绷紧。不过,在鲤鱼洲这地方要生活下去,实在太艰苦了,一到这里首先得在这生存下去。鲁迅说得好,"我们眼下的当务之急,是:一要生存,二要温饱,三要发展"。在他那个时代,如何能生存下来,乃是属"第一要义"的。我们到鲤鱼洲,也是首先得生存,然后要温饱。要生存,要温饱,就必须得劳动。在那时,生产劳动必须放在首位,那是不能不这么做,势在必行,不能喧宾夺主。可是,半年多后,最紧张的"双抢"结束,早季稻收割完毕,晚季稻也插下秧了,稍一安定,军工宣传部立即行动起来,又猛抓起阶级斗争来了。1970年8月,在鲤鱼洲召开了第六次落实政策大会,一下就斗争、宣判了40多人,大多为"历史反革命"。抓革命,促生产,鲤鱼洲迎来了第二次收获:秋收,晚季稻也收上来了。紧接着就是迎来了新一轮的阶级斗争高潮,号召大家"阶级斗争不能停,深挖细找更上心"。这次的重心可不是抓"历史反革命",而是要寻找"现行反革命"。1970年11月始,鲤鱼洲进入了大抓"五一六"反革命集团的轰轰烈烈的政治斗争。

当我还没有来得及弄清这所谓"五一六"反革命集团是什么玩意儿的时候,我的最大厄运就降临了。七连军宣队在1970年11月就开始找我谈话,一上来就半恐吓半探询地问我:你知罪吗?我马上说,我不知道有什么罪啊!对方厉声痛斥:好一个白面书生,平日里看你不声不响,背地里却恶毒攻击林副主席,你这是要存心反军乱军啊!我一听,就知道来者不善,气势压人,却又不知道如何对付,真是秀才碰到兵,有理说不清,只好沉默不语,静听训斥。听了一会,我方听出来,在1967年,我曾在19楼中文系教师宿舍随口说了一番话,这次被"深挖细找",把梳出来了,说是有"五一六"反革命罪行,必须彻底清查。这一次,该我倒霉了。我回忆了一下,那时"文化大革命"初起,红卫兵运动起来了,毛泽东和林彪好几次都上天安门检阅。有一次,我到19楼中文系教师宿舍去,正好当天的《人民日报》《北京日报》都在首版刊登了毛泽东、林彪登天安门的大幅照片。在天安门城楼上,毛主席身材高大,神采飞扬,可林彪身随其后,却离得颇远,手里摇着一本小红书《毛主席语录》,身材矮小,精神不振,那样子,很像是想紧跟而上,却又没有跟上,赶得气喘吁吁,中间隔着一大段距离。当时,我还没有绷紧阶级斗争这根弦,想什么就说什么,未加深思,就脱口而出:这照片的美学水平太次了,构图不好,中间空白太多,人物反差太大,统帅很伟大,但副统帅就显得太渺小了。这是我当时看了那张大幅照片后的审美直觉、真实感觉,并非在作政治评判,在日常生活中我亦习惯如此,所以,说了也就过去了。没有料到,两年多后,在阶级斗争这根弦绷紧之后,有人还想起了我这番话,加上我又和陆定一、严慰冰相识,这还了得!军工宣传队斗争目标就锁定了我,要把我当作"五一六"来抓。从此,我被打入"另册",作为"现行反革命"来打。

于是,我成了七连抓"五一六"的典型,白天跟着大家劳动,晚上就接受革命群众的"攻心",猛攻狠批,要我交代"恶毒攻击"林副主席的滔天罪行。有时,干脆劳动也不让参加了,把我和革命群众隔离开来，关在隔离室写交待材料，从怎么认识严慰冰写起，听陆定一说了些什么，怎么会走上反对林副主席的反革命道路，等等，不一而足。说老实话，严慰冰虽然早在三年困难时期已开始陆续写匿名信，抖搂叶群的种种丑行，但在我面前，却从未直接对林彪表示不满，我不能昧着良心说谎话。严慰冰对叶群反感，在我面前已有表露，但我未曾听她说过林彪什么。她对林彪的抨击，只在匿名信中表露。

严慰冰早在1941年就认识叶群，当时她在延安的中央研究院文学系学习，叶群在另一系学习。叶群在国民党的中央广播电台当过广播员，受过战地服务训练，1939年隐瞒了在南京的这段历史，混到延安来了。这个善于钻营拍马屁的小女人，成了时任女子大学校长王明的得意门生，还和王实味打得火热，被王实味赞之为"日本式的媚人"。此时，林彪离了婚，王明、孟庆树夫妇就把叶群介绍给了林彪。林彪和叶群一拍即合，1942年就闪电结婚。叶群依仗林彪的权势，作威作福，不可一世，进北京后，更是颐指气使，奢靡成风，生活糜烂。严慰冰看在眼里，憋在心里，她熟悉中国古书，懂得"成由勤俭败由奢"的古训，有感而发，不时寄发出匿名信，期盼引起高层和林彪本人的警觉。严慰冰从1960年春开始，到"文化大革命"前夕，写了有数十封匿名信，最初只是把锋芒指向叶群，后来才对林彪彻底失望。所以，军工宣传队要我彻底交代严慰冰如何恶毒攻击林副主席的罪行，我确实写不出来。我只能写出如何认识严慰冰，到中南海去干了些什么，送给她多少粮票，如何评价她的《于立鹤》，最后一次1965年春节我和赵宝煦、钟哲明一起去中南海谈了些什么等等。这最后一次见面之后，就再也没有看到他俩，也就再也没有什么好写的了。

无论怎样深挖细找，我实在说不出攻击林副主席的材料了。军工宣传队再榨也榨不出什么油来，但又不能就此罢手，于是又要我交代其他"罪行"。我又只好把我请周扬来北大开讲座的事又写了一遍，算是交代了周扬文艺黑线如何发展到了北大来，但这已引不起军代表的兴趣，又叫"攻心"小组向我"攻心"，诱导我检查一下教西哈努克王子的两年多，有没有可交代的问题。于是，我又把如何教西哈努克王子，如何去找许广平、周海婴、浩然等的活动，一直到去那些样板戏团交涉的事都写了一遍。后来，我听郭罗基说，军工宣传队也把他当作哲学系审查的重点，要抓他"五一六"，也追问了教西哈努克王子的事。我们这个教学小组是周总理批准要成立的，专门为西哈努克王子而设，军工宣传队也就不敢再追问下去。

经过深挖细找，把我在"文化大革命"中所参与过的活动都清查了一遍，连参与文艺批判和印行毛泽东诗词之事也未曾放过。"文革"初起，东语系段立生，我教过的一位即将毕业的学生，创办了一个不定期刊物《文化革命通讯》，发行量甚大。后来，《人民日报》发文号召，高校师生应坐下来，安心转向"斗、批、改"。段立生还是心向全国大串联，不时向外地走，就跑来找我这个老师，要我接手把它改成《文艺批判》，为北大进行"斗、批、改"提供一个阵地。那时，我们中文系好几位青年教师，既不愿跟着学生到全国各地去大串联，更不愿跟着造反派去哪里参加夺权斗争，只能坐下来参加"斗、批、改"，写点文艺批判之类的文章。我一想，段立生说得有道理，大家写的文章正好可以在这内部刊物上发表，所以就答允下来了。后来，除了中文系一些教师，历史系、俄语系的一些教师也参加进来，不仅批判文艺黑线，还批判苏联修正主义和国际文化思潮，所以，又把《文艺批判》改名为《文化批判》。许广平逝世时，我把周海婴回忆和悼念母亲的文章也拿来发了，还发了不少毛主席诗词解释。但军工宣队一进校，就宣称要打破知识分子在北大的一统天下，立即把我们解散。我也由此而遭殃，等到大抓"五一六"，就要对我彻底清算，声称我是以《文化批判》为阵地，和全国各地的"五一六"进行秘密联络，从事反革命活动。查"五一六"不仅整了我，还抓了严家炎和刘恒，在北京追查他俩在《文化批判》时的活动，甚至还对他俩监督劳动，最后也因林彪死去而不了了之。

军工宣传队大张旗鼓地抓"五一六"，乃是清理阶级队伍的继续深入，但重点是在抓"现行反革命"，想借此把劳动改造中出现的一些不满情绪压制下去，因而也是重新组织阶级队伍的一种措施，用以考验正在改造中的知识分子。1970年秋，鲤鱼洲已以北大分校的名义试招了一批工农兵学员，什么人能教书，什么人不能教而只能劳动，都要经军代表严格挑选和审定。我作为被抓的"五一六"典型，当然没有资格参加教学，却反而成了用以教育工农兵学员的"反面教员"。军、工宣传队为他们上阶级斗争政治课，就以我为斗争的靶子，组织工农兵学员开攻心会和斗争会。1970年12月，七连召开了全连揭批"五一六"大会，军代表亲自主持，先发表了一通"千万不要忘记阶级斗争"的高论，然后转入联系实际，声称就在七连革命群众的身边，就埋藏着地雷，那就是"五一六"反革命分子，一声令下，就把我当场"揪"了出来，接受批斗。这是我有生以来第一次遭受这样的"待遇"，从此以后，小会攻心，大会批斗，陆续不断，一直"忙"到1971年的春节。后来当了北大出版社副总编辑的张文定，当时正从上海来鲤鱼洲上学，就亲历过这样的场面。多年后他告诉我，他到鲤鱼洲来想读书，可一来就劳动，参加阶级斗争，什么是"五一六"，他就一直没有弄清过，就跟着军、工宣传队喊口号。对于这些工农兵学员，我从来没有记过恨，他们不明真相，能怪他们吗？其实，就是军工宣传队也并没有弄清"五一六"是什么。

那么，这"五一六"现行反革命究竟是什么？当局者迷，我被作为"五一六"的典型批斗了，却长期弄不明白，更不要说去深究了。多年之后，等我看到了吴德口述的《十年风雨纪事》，方才知道了一些眉目。但就是这位被毛主席指定抓"五一六"的办公组的组长也坦率承认，他也说不大清楚。我仅从我的亲身经历来说，抓我这个"五一六"，可说是典型的捕风捉影，向着风车乱斗争，最后只好宣称：查无实据，事出有因。可是，对我的精神伤害却是真真实实，实实在在的，想忘记也忘不掉。

其实，抓"五一六"的政治运动早在1970年春就开始了，只是因为鲤鱼洲要忙春耕、"双抢"、秋收，所以拖到秋后才算账。钱锺书、杨绛夫妇是跟随社会科学学部文学研究所的劳动大军去五七干校的。钱锺书就敏锐地感受到了，这次去干校，还是以阶级斗争为纲，要深入展开阶级斗争，而不只是简单劳动。他在为杨绛的《干校六记》出版而写的"小引"中，特别提到了抓"五一六"这件事，在劳动的两年多时光中，贯彻始终，从未放松，给他留下了深刻印象。钱锺书告诉我们：学部在干校的一个重要任务是搞运动，清查"五一六"分子。干校两年多的生活是在这个批判斗争的气氛中度过的。按照农活、造房、搬家等等需要,搞运动的节奏一会子加紧,一会子放松,但仿佛间歇性病始终缠住身体。社会科学学部也是知识分子成堆之所,那里的抓"五一六"比北大还厉害,真的是雷厉风行。这是因为,那里是王(力)、关(锋)、戚(本禹)的基地、老巢,这三位中央"文革"的要员,确实挑动群众斗群众,鼓动红卫兵组织了一个"五一六"兵团,以捍卫"五一六"通知为名,打倒一切。可发展到1968年,王、关、戚都被抓起来了,成为"文化大革命"中最先发迹,又是最早垮台的政治暴发户。王、关、戚倒台之后,中央就成立了一个清查"五一六"现行反革命的领导小组,由陈伯达任组长,谢富治、吴法宪都参与了。清查了一阵,到底存在不存在一个"五一六"反革命组织,谁也说不清。

幸亏,后来毛主席又接到群众来信,反映抓"五一六"扩大化了。毛主席警觉到不能再抓下去了,写下了一段批语:"五一六"分子是极少数,早抓起来了,是不是没有注意政策,请市委酌处。

三

1971年春节以后,春耕忙了,揭批"五一六"的热潮逐渐冷却,但我的精神却长期紧张,一直笼罩着重重的阴影,感到头上总是悬着一把利剑,随时都可能落下。我自己清楚,这是因为我犯的是"恶毒攻击林副主席"和"反军乱军"的罪,一旦林彪接班,林家一统天下,我还能活吗?我这样靠教书耍笔杆为生的文弱书生,还会有什么出路?就是在这一年里,我开始思索:我今后该怎么办?

那年我才38岁,如果按照我在1952年考入北大后十年的路径走下去,那应是前途似锦。我从小到大,从无文化走向有文化,从少文化走向多文化,从低文化走向高文化,希冀自己成为一个有高品位文化的人。如果北大再开设博士学位,我会毫不犹豫地再去读博,并不是为了读书好做官,我不想做官,想做一个自由自在的教书人。但是,碰上了"文化大革命",其实这是一场政治大革命,严酷的政治斗争,反而革了文化的命,无文化打倒有文化,少文化打倒多文化,低文化打倒高文化,知识越多越反动,历史完全被颠倒了。进入北大以后一直被作为业务尖子培养的我,今后还能教书吗?我惶恐,我徘徊,百思而不得其解。

我开始关注起我周围的师兄弟的精神心态来。自1969年秋到鲤鱼洲以来,团部的广播台不断地针对大家"活思想"进行教育批判。先是批判"活命哲学",教育大家,为了继续革命,死都不怕,还怕苦吗?鼓励大家要学部队战士,一不怕苦,二不怕死。接着就是批判"歇息思想",要不断革命,不能停顿,在鲤鱼洲要作长期落户的准备,一辈子在这里拼搏,当"老祖宗"。后来,为配合抓"五一六",又不停地批判"斗争熄灭"论,要深挖细找阶级敌人。

对我周围师兄弟们影响最大、触动最多的还是批判"歇息思想",树立长期作战的观念。我的一位一起攻读副博士研究生的师兄叶蜚声,到鲤鱼洲后暴露自己的"活思想",说到鲤鱼洲短期劳动锻炼他没有意见,但要长期在这里落户当"老祖宗",他想不通。老叶暴露了"活思想",说了大实话,军工宣传队正好抓个正着,拿来作为批判的活靶子,组织了一场大讨论,批判这是知识分子不愿接受教育,高高在上,还想当精神贵族,维持资产阶级在高等学校的一统天下。叶蜚声是我们的大师兄,比我大上五六岁。解放时,他在上海读圣约翰大学,会英、德、日、俄数种语言,毕业时到中国银行从事金融研究,已经享受十八级的待遇(十七级已经可以当县长了,严家炎就已是铜官山矿区的办公室主任,相当于县长)。但他最感兴趣的还是从事语言学研究,所以在1956年北大招收副博士研究生时,他毅然放弃了中国银行的美差,到北大来跟随高名凯、岑麒祥教授研究语言学。1960年底我们研究生毕业,一起留北大任教。到鲤鱼洲来,他才过四十,正是做学问的黄金时期,可要在这里长期落户当"老祖宗",他怎么也想不通。他还为国家算了一笔经济账,国家培养上了大学,又读了四年研究生,成本已很高,还没让教了几年书,就要来开荒种粮,舍其所长,用其所短,种出来的粮食,成本就更高了,真是得不偿失。站在国家立场来算账,国家亏大了。军工宣传队算经济账,算不过银行出来的专家,但强词夺理,说到鲤鱼洲劳动改造,不能算经济账,应当算政治账。不过，军工宣传队发现了叶蜚声的经济头脑十分了得，批判归批判，却还是把他调到了团部，让他管了鲤鱼洲的财经总账。老叶成了北大江西分校的总账房，最晚一个回到北京。

叶蜚声的老实话说出了大多数人的心底话。特别是那些在20世纪60年代初以来大学毕业的年轻教师，当初才30岁左右，大学毕业后留校方几年，刚跨入学术之门，想在学术上有所作为，"文化大革命"就开始了。这些年轻教师当然希望经过劳动锻炼后还能回归教学岗位。事实上，在鲤鱼洲办的草棚大学，就是以他们为骨干，既能带工农兵学员下田劳动，又能领工农兵学员军事野营爬井冈山。

但是，确实也有些中年教师已作好了在这里长期落户的思想准备。陈贻焮就是第一个想在这里落户的中文系教师。他是我们这些中年教师中年岁最大的一位，那年45岁。因为他是北大院系调整之后，毕业留校任教的第一人，所以我们都亲切地称他为大师兄。陈贻焮一留下来，就当了林庚的第一位助教，潜心钻研唐诗。我们在50年代就熟识起来，在一起喜爱谈论山水诗。他是湖南洞庭湖周边人，山清水秀，他知道我是太湖流域人，一说起自然风光，谈兴就浓了起来，都沉醉到家乡的山水中去了。他说他的研究课题虽然是杜甫，准备写杜甫评传，但心底的最爱，其实还是陶渊明、王维。我说起，我在北京多年了，但不喜欢北京。大师兄在北京已快20年了，却和我有同感，想在晚年回老家，养养老，研究研究陶渊明、王维。这次去鲤鱼洲，他和在校医院任医生的夫人李庆粤和女儿、儿子一起来了，而且在同一连。大师兄身处艰危，但心胸豁达，已把世事看得淡泊，心灵颇为超脱，写下了一些古诗。他在《移居》诗中云，"移居彭蠡侧，喜与妇雏偕"，仍能享受天伦之乐，没有牵挂北京，却思念起老家来，"目送衡阳雁，家山隔水涯"。他曾和我说起过，晚年最好到湖南老家养老，但回不了老家，在这鲤鱼洲落户，也未尝不可。既来之，则安之，当春耕农忙之时，我已觉不堪重负，大师兄却乐而迎之，写下《鲤鱼洲竹枝词》，"风雨江村忽放晴，桃腮柳眼日分明。春流活活农时急，新驯牸牛房田耕"。这颇有点陶渊明的桃花源中的境界了。

汤一介、乐黛云夫妇也作好了在鲤鱼洲长期落户的准备，把10岁的儿子汤双也一起带来了。我和他俩在50年代初期就相识。汤一介是北大副校长、著名哲学家汤用彤的长子，1951年在北大哲学系毕业就去了北京市委党校教哲学。我和庞朴等曾去他那里参加过学术研讨会，就冯友兰所说的天地境界和真、善、美的相互关系，曾有过学术交流，从此相识。乐黛云和陈贻焮一样，1952年在中文系毕业就留在系里，当王瑶的助教，研究中国现代文学，而且和彭兰一起，担任中文系的秘书。不料，1958年初春，新上任的党委书记陆平批评北大反右太保守，又增划了一批右派，中文系的八位青年教师全被增划进去了。乐黛云还被定为极右，开除党籍，下放劳动，成为历次阶级斗争的批判对象，从此不得安宁。1962年她从乡下劳动归来，虽然得以重返教学岗位，但阶级斗争这根弦只要一绷紧，一有风吹草动，她就不得安生。好不容易在"文化大革命"中熬过了三年，流放到鲤鱼洲来了，反而松了口气。到了鲤鱼洲之后，年将四十的她心想，既然前途渺茫，连猜测也难，反倒不用再去多想，任它去吧。于是，既来之，则安之，她也做起了归隐田园的好梦，幻想有一间自己的茅草屋，房前种豆，屋后种瓜，前院养鸡，后院养鸭，不也可以安之若素，自得其乐吗。那时，汤一介还没有像乐黛云那样遭受过许多波折，对前途要稍乐观些。但他深受中国传统文化的熏陶，"达则兼善天下"，通达不了，那就"穷则独善其身"，不妨下功夫完善自己，安下心来享受一下农家之乐。

　　那时我是怎么想的？由于我的境遇不同，想法也就有异。林彪的第一号号令一下，我就有一种直觉，这是林彪在利用"战备"的时机，想扩大和加强自己的势力，未来形势不容乐观。此次去鲤鱼洲，由不得自己，只能走一步，看一步，视今后如何发展后再说。可半年多后，我蒙冤受难，被打成"五一六"现行反革命，我已心知肚明，军工宣传队以"阶级斗争为纲"，已在重新组织阶级队伍，我已不可能再存幻想还回到北大了。谁还敢收留恶毒攻击即将接班的林副统帅的人来当大学教师？那么，我是不是就像陈贻焮、汤一介那样，就作长期落户鲤鱼洲的准备？我也不想这样。我不想当鲤鱼洲的老祖宗，这里无亲无故，没有父老乡亲，更没有我从小就熟悉的山山水水，乡土人情。在那些最艰难的岁月，我时常想念的正是这江南故乡。于是，我的心灵深处,自然而然地梦想了第三条道路,那就是回梅村老家。

  本来,我当初远离家乡北上,是为读万卷书,行万里路,拓展视野,追求理想。大丈夫当以四海为家,我心安处即吾乡。可我在北京读了8年书又教了10年书,却被发配到这荒僻的鲤鱼洲来开荒种田,我的心能安在这里吗?实在安不下来。古谚云,"受恩深处便为家"。我受恩最深的地方还是梅村老家,是江南这方土地和父老养我育我,我在这里度过童年、少年,成长为青年,饮水思源,还是落叶归根。回老家用什么来报答父老乡亲?我这也想好了,回到乡村小学,重返平民教育。我的表兄朱寿根,已在家乡教了20多年乡村小学,从未进入国家编制,至今仍坚持在教学岗位,我为什么不向他看齐呢?他在1948年冬,本可和老大哥朱浩奎(韩克)一起去苏北解放区,然后在1949年,百万雄师渡长江,解放江南,接收无锡。可是,我表兄在出发前几天病倒了,未能去成,只好留在鱼池村治病,从此失去了进入国家编制行列的机缘,等他病好,他已不能再进入干部系列,只能在村里的民办小学当教师,在当时体制下,已无他的位置。但他不仅坚持下来了,而且身体也日渐好起来。更幸运的是,因为他不在体制中,因而不需时时紧跟形势参加政治运动,自己还可以在自留地种菜,有空时还可以作些吴地风俗的调查研究,整理一些吴文化历史发展的资料,倒也自由自在,自得其乐。我们一起长大的表兄能做得,我为什么不能?

  在鲤鱼洲的最后半年岁月中,我脑海中时常出现两位我最喜爱的历史文化名人的形象,一位是清代艺术家郑板桥,一位是宋代文学家苏东坡。他俩的经历触发我更坚定了我的信念:与其长留鲤鱼洲,不如回到老家去。

  郑板桥的远祖是苏州人,但从曾祖起已定居扬州的兴化。板桥从小到大,在44岁之前,一直在扬州之东的兴化生活,未曾当过官。板桥活到73岁,比苏轼长命7岁,一生经历了康(熙)、雍(正)、乾(隆)三代,自称康熙秀才,雍正举人,乾隆进士。在扬州生活的40多年,开始是穷愁潦倒、寒窗苦读,靠教书为生;稍后写字著文,赋诗作画,出卖字画稍改善了一下生活,小康之家,也尚算安定。但在他40岁时,想有进一步的发展,去南京考了个举人,44岁时,又去北京考了个进士,想由此进入仕途。不料,板桥不会拍马钻营,趋炎附势,等了好几年也没有个官做,直到49岁,才被派到山东做了个"七品县令",范县5年,潍县7年,一共做了12年地方官。这段时光,板桥自称"稍稍富贵",但这官场生活毫无乐趣。在即将跨入六十之时,板桥自诉他的心境:"十年盖破黄绸被,尽历遍,官滋味。雨过槐厅天似水,正宜泼茗,正宜开酿,又是文书累。坐曹一片吃呼碎,衙子催人妆傀儡,束吏平情然也未?酒阑烛跋,漏寒风起,多少雄心退。"板桥懊悔了,误入仕途12年,失去了自由自在的生活。终于在61岁时,他就坚决退出官场,回到了扬州老家。晚年以卖画为生,虽然"稍稍贫",但其乐无穷:"宦海归来两袖空,逢人卖竹画清风","三间茅屋,十里春风,窗里幽兰,窗外修竹,此是何等雅趣"。

苏东坡的经历要比郑板桥复杂得多,一次入狱,两次重用,三次流放,真的是九死一生。苏东坡一生漂泊,居无定所,却能随遇而安,到处为家。他本是四川眉山人,"门前万竿竹,堂上四库书"。到汴京(开封)当京官后放任杭州通判,就对杭州一见如故,"前生我已到杭州,到处长如到旧游"。他坦陈,江南比他老家好,"我本无家更安在,故乡无此好湖山"。苏东坡在杭州任通判三年,去过周边的湖州、常州、苏州、无锡、宜兴等地。介于无锡、常州之间的宜兴,古称阳羡,当时属常州府,境内有三湖九溪。苏东坡泛舟荆溪,一下就爱上了这鱼米之乡,流连忘返。听宜兴的同年进士蒋之奇之劝,竟在宜兴买下了田地,作为今后退归之所。"从来只为溪山好","此去真为田舍翁",宜兴成了他的第二故乡。他赞赏无锡、宜兴,"惠泉山下土如濡,阳羡溪头米胜珠"。他不仅在宜兴,而且还在苏州买了田,"阳羡姑苏已买田,相逢谁信是前缘"。从此,苏东坡和太湖之滨结下了不解之缘,在以后的30年间,他来回于宜兴有十几次之多。归隐宜兴,是他一生的最大心愿,"吾来阳羡,船入荆溪,意思豁然,如惬平生之欲。逝将归老,殆是前缘"。"阳羡情结"始终贯穿在苏东坡的后半生。东坡遭三次流放,第一次在他44岁时,流放到湖北长江边上的荒凉小城黄州。苏东坡在黄州的东门外,开垦了一块荒地,自种粮食赖以糊口,同时修建了几间茅草房,自号东坡居士。东坡居士那年已经47岁,"今年刈草盖雪堂，日炙风吹雨如墨"，在这里住了三年多。到了50岁，朝廷才允许苏东坡此后可以落户宜兴，那是苏东坡写了《乞常州居住表》郑重恳求，才获得皇上恩准。苏东坡在常州过了些清闲日子，很快被重新起用，51岁时又被召回汴京（开封）受到重用，但到59岁时遭第二次流放，贬到岭南离深圳不远的惠州。他在罗浮山下生活了三年，虽然也曾有过在此长住之想，"日啖荔枝三百颗，不辞长作岭南人"，但紧接着又有了第三次流放。62岁的他，被发配到了海南岛，颠沛流离，更无定所，"如今破茅屋，一餐或三迁；风雨睡不知，黄叶满枕前"。苏东坡流放海南四年，就像做梦一样，但心底最想念的还是宜兴老家，"梦里似曾迁海外，醉中不觉到江南"。所以，一旦放他自由，66岁的苏东坡毫不犹豫，迫不及待地要赶回常州宜兴，这才是自己的最终归宿之地，就是死也要葬在这里。可惜，苏东坡还没有来得及赶回宜兴，却在常州城郊就病倒了。在岭南感染了七年的瘴疠之气，积久的瘴毒因长途跋涉、旅途困顿的引发，暴发不止。一代文豪，劫后余生，却病入膏肓，无治而逝。

　　从苏东坡、郑板桥的人生体验来看，世上还是家乡好。我那时和他们深有同感。宜兴是我妈妈吴祖琇的老家，是第一故乡，无锡是她第二故乡。其实宜兴和无锡离得很近，宜兴的梁溪就通到无锡的惠山脚下，离我老家梅村亦仅数十里地。我去过宜兴，确是隐居养老的好地方，苏东坡以此为第二故乡，最后归宿之地，真是得其所哉。无锡、苏州、宜兴都当可算得是我的第一故乡，可这二十年都离井背乡在外闯荡，这又何苦来？不如早些归去！所以，在鲤鱼洲的最后半年，尽管身在鄱阳湖畔，可我的心却已飞向无锡老家，对家乡朝思暮想，魂牵梦绕，家乡成了我当时的精神支柱。

　　天有不测风云，人有旦夕祸福。正当我在鲤鱼洲蒙冤受难之时，林彪死在蒙古温都尔汗的消息传来。这自然是人心大快，我也因此而获得解脱。所谓"五一六"反革命，本纯属子虚乌有，而"恶意攻击林副主席"也不能再算什么罪行了。军工宣传队放我和大家一道，重又回到北大。

重获青春更奋发

北大有幸，提早率先进入了邓小平时代。在邓小平的直接干预下，北大得以很快"拨乱反正"，由乱转治，重返正常的教育轨道。

我这北大学人，在当时的感受，就像经受了第二次解放。在改革开放的激励下，我重获青春，更加精神焕发，全身心投入教学和科研，重返学术之路，奋发图强，走向了我的后半生。

一

邓小平的第三次复出，改变了中国的航程。他下决心，要"正本清源"、"拨乱反正"，首先选择以教育科学战线为突破口，提出要"尊重知识，尊重人才"。小平说得好："我们要实现现代化，关键是科学技术要能上去。发展科学技术，不抓教育不行。"以小平当时的估计，我国的科学技术和教育水平，比起发达国家来，整整要落后20年，必须发奋图强，奋起直追。就在1977年的5月底，小平即将复出之前，他就迫不及待，亲自接见了即将调任教育部副部长兼任北京大学党委书记的周林、北京大学革命委员会副主任周培源，要他们立即在北大恢复高考制度，重建教学秩序，走上正常轨道，做出榜样，向全国推广。此后，周培源正式受命，担任了"文化大革命"后的第一任北大校长，撤销了革命委员会。从中央警卫部队政委任上到北大来担任北大革命委员会主任和党委书记的王连龙，北大党委办公室主任、"梁效"的负责人李家宽等被撤销一切职务，经审查后定性为在北大犯了严重政治错误，送回中央警卫部队处理。从此，军工宣传队退出北大，我们结束了准军事化生活，北大历史掀开了新的一页。

对于小平的"拨乱反正"，我由衷感到高兴。正是这个"拨乱反正",使我得以"正本清源",回归学术。当初20世纪50年代来北大求学,不就是想做学问吗? 在北大苦读10年,正在学术之路上向前迈进之时,却来了个"文化大革命",浪费了10年学术生命。如今小平号召"拨乱反正",我精神振奋,立即积极响应。我先是为西语、东语、俄语等系开出了基础课"文学概论",又准备为中文系高年级开设选修课"文艺美学"以及"西方文艺理论",力求有所创新。教育部做出了重大决定,要在全国实行学位制,北大首次招收硕士学位研究生。当初担任我副博士研究生导师的杨晦,在北大招收了第一届文艺学硕士研究生,董学文、曾镇南、杨星映、郭建模四位入学。杨晦此时年已八旬,身逢盛世,备受鼓舞,坚持要亲自培养这首届硕士生。但究竟年老体弱,精力大不如前,所以要我协助他,安排好一些研究生课程,并且预先告诉我,再招第二届硕士研究生,就要由我自己承担培养了,叮嘱我要早做准备。这届研究生,董学文、曾镇南、郭建模等都是我教过的学生,对马克思主义文艺理论和中国的文艺理论较为熟悉,但对西方的文艺理论所知不多。杨晦特地要我去中国社会科学院外国文学研究所找他的好友冯至求教,冯至推荐了他的助手陈焜来为大家讲西方现代派文学理论。我还去西语系请了王泰来讲法国的结构主义、存在主义的文艺理论。以研究德国文学见长的孙凤城,也为我提供了不少德国的阅读现象学、接受美学的资料,当时在国内还难以见到,我赶快请人翻译,作为教学参考资料。

我接续杨晦在1981年招收了第二届文艺学硕士研究生,但同时和杨晦商量好,由我新辟了一个专业方向,名称就叫文艺美学,以区别于另一个专业方向(文艺理论)。当时北大还没有成立研究生院,只有一个研究生部,直属教务长领导。负责文科研究生事务的张丽霞报经教务长王学珍同意,通过了,最后送教育部。所以,那一年北大招收硕士研究生的目录中,在文艺学专业中,多了一个文艺美学方向,报名应考的竟有近百人,录取了王一川、陈伟,最后多增了一个名额,增录了丁涛。

我之所以要新辟文艺美学这一新的专业方向,并非一时的心血来潮,而是做了长久的准备。那时,我已开出了"文艺美学"这一课程,并且已在准备编辑北京大学《文艺美学丛书》。1980年秋，我在北大首设"文艺美学"一课时，引起了北京一些艺术院校的关注。当时正在协助黄药眠主掌北师大文艺理论教研室的童庆炳也来到北大听了课，想知道这"文艺美学"究竟讲些什么，而且，又选派了年轻教师齐大卫到我这里进修。我的这些举措正好符合了北大当时改革开放、鼓励学术创新的时代需要。

当时北大的校长周培源，牢记小平的嘱咐，以最快的速度，恢复了教学秩序，进而要提高教学和科研的水平，这就要充分调动和发挥教师的积极性。他自己熟悉理科，又物色了一位熟悉文科的王学珍当教务长，协助他推进文科的教学和科研。这位王学珍是长期在北大学习和工作、最熟悉北大内情的优秀接班人。他在新中国成立前夕就是北大文科学生、地下党员，早就为保护北大、迎接解放立下了功勋。在马寅初、江隆基主掌北大时，周培源是教务长，王学珍就是社会科学处长；周培源提升为副校长时，王学珍就被提拔为副教务长，而且长期代理教务长（教务长崔雄崑长期病休）。王学珍和周培源早就是相互配合得很好的合作伙伴。那时王学珍在文科就全力贯彻"百花齐放，百家争鸣"的方针，鼓励教师重视科学研究，把研究心得运用于教学，形成自己的"特色菜"、"名牌菜"。我的老师一辈正赶上这好时光，王力、林庚、吴组缃、王瑶、吴小如等都开出了自己最拿手的新课，成为名牌。我们当时都是大学生，听那些名牌课，如沐春风，受益无穷。如今，我们这一辈遇上了改革开放的好时光，王学珍又一次和周培源合作，鼓励我们这些40多岁的中年教师上讲台炒"特色菜"，百家争鸣，各显神通。自1980年王学珍任教务长，他就采取了一系列有效措施，激励教师教学和科研的积极性，减少必修课，增设选修课，提高基础课，鼓励新开课，倡导新兴学科和边缘学科。王学珍的这些措施，广受北大师生好评。不久，周培源不当校长了，而由张龙翔接任，王学珍也提升为北大副校长，还兼着教务长。1983年，王学珍更被增选为中共中央候补委员，并自1984年始担任北大的党委书记。我在1954年听苏联专家毕达可夫"文艺学引论"时，就认识了当时正在当社会科学处长的王学珍，1958年我当周扬助教时，更常有求于他。1963年我从中央高级党校回北大讲授新编的"文学概论",时任北大副校长的魏建功和教务长的王学珍就把此课定为文科的重点课程,常来听课,并给我不少指点。在我所相识的北大人中,王学珍是走进北大历史最深处的一位,令我十分敬佩。如今,他虽已年近九旬,但仍识得我这已离开北大三十载的老学生,在电话中还常回忆起北大的往昔岁月。我衷心祝愿这好人长寿。

  在周培源、王学珍的积极倡导和推动下,北京大学重又出现了50年代那种百花齐放、百家争鸣的学术风气。从1980年开始,北大讲台上陆续开出了许多新课程,严家炎的现代小说流派、金开诚的文艺心理学、袁行霈的古典诗歌艺术、谢冕的新诗研究、叶朗的小说美学等先后登台,我也在昆明会议之后开出了文艺美学。我们这一辈中年龄最长的大师兄陈贻焮,过去只讲中国文学史。这一次,他也开出了新课"杜甫研究",写出了《杜甫评传》第一卷,一发而不可收,此后又写出了第二卷和第三卷。我们的大师姐乐黛云,此时也从现代文学研究中脱颖而出,另辟比较文学新学科,并且在1981年就远渡重洋,去美国专攻比较文学,到1984年回国后,第二年就主持了北京大学比较文学研究所,为我国的比较文学做出了杰出贡献。

  当时,北大对副教授提出了新要求,在开出一门基础课之外,还要能新开一门或两门选修课。我们同辈中,金开诚反应最迅速,立即响应,很快开出了文艺心理学,这使我们都大为惊讶,这可不是他的专业啊!金开诚不仅是我的无锡同乡,而且是多年的近邻。他比我高一班,当时不叫金开诚,而叫金申熊,因是无锡同乡,我们老早就相识了。他同班的沈仁康、沈玉成、程毅中、李厚基等都是江浙人,在一起时,我们都用吴语交谈,倍感亲切。1955年毕业后,金开诚留在中文系当王瑶的助教,研究中国现代文学,不料在1958年因和乐黛云等创办《当代英雄》而被补划成右派,不让他再教现代文学了,转而让他师从游国恩研究楚辞。然而,他从自己的切身体验出发,深切感受到要对文学艺术作出新的阐发,就必须借助于美学和文艺心理学。所以,他早就在钻研文艺心理学,并积累了不少资料,只是因为国内长期以阶级斗争为纲,他不敢声张。当新时代来临,北大也"拨乱反正"了,恰逢其时,开诚兄说他"抓了个机遇",立即行动,付诸实践,迅速把他多年积累的材料稍作整理,就立即开讲文艺心理学。正好我已答允北大出版社组编北京大学《文艺美学丛书》,他的那本《文艺心理学论稿》也就被列入其中。他属古典文献教研室,我归文艺理论教研室,虽不在同一教研室,但我们有共同的话题,一见面就说个不停,可以畅所欲言。北大为具有高级职称的教师新建了畅春园公寓,袁行霈、谢冕、张钟等都迁入了。我也从中关园一公寓迁到了畅春园53号楼,恰和开诚兄住同一楼,我住三层,他住一层,就常能在楼道门前见到。谈兴浓时,意犹未尽,他就干脆把我拉到他书房里继续畅谈。他的独生女儿金舒年和我的大女儿胡苏薇在北大附中是同班同学,又在同一年考进北大,她们也时有往来。1986年夏,我从香港中文大学新亚书院访学回来,在他家有过一次长谈。我把在香港遇到的不少北大老同学——盛美娣、陈贤英、黄珮玉等的境况和问候转告了他。他也告诉我,九三学社想调他去任专职领导,很想听听我的见解。我说这是好事,他可以在上层发挥更大的作用,为知识分子说话。但我劝他,作为学者,还是不要完全脱离北大讲台,还要做做学问。他觉得有理,一直没有脱离教学和科研,兼着北大书法研究所所长。可惜,开诚兄2008年就因病去世。当岳川告诉我这个噩耗时,我心里一阵悲痛,唏嘘不已,他才76岁,怎么就从此远逝了呢?开诚兄是著名书法家,写得一手好字,2003年我七旬生日,他还亲笔书写了一诗赠我,我将他的手迹收在《胡经之文丛》中,成为永久的纪念。

受金开诚的启示,我在1980年加快了文艺美学建设的步伐,主要精力都放在准备开设文艺美学的新课上。正是有了这个准备,所以我才敢在中华全国美学会议上提出我的倡议:应在高等院校文学科系和艺术院校开设文艺美学。

中华全国美学学会的成立,乃是我国历史上从来没有过的新鲜大事,积极推动了我国美学发展,对改革开放之初的思想启蒙发挥了巨大作用。在周扬的积极支持下,中国社会科学院等发起筹备中华全国美学会议,齐一、李泽厚等负责筹备。我在中文系接到邀请信,要在1980年6月3日去昆明参加全国第一次美学建设的研讨会。李泽厚和刘纲纪当时正在准备动手撰写《中国美学史》,李泽厚知道我曾师从杨晦研习中国文艺思想史,就事先和我打招呼,要我在大会上作个发言,就应如何编撰中国美学史发表我的看法。中文系主任季镇淮积极支持我去昆明,并特批我可以乘飞机去。这可是我有生以来第一次乘飞机,高兴得立即订了机票。可过了几天,负责筹备事宜的哲学研究所美学研究室主任齐一(李泽厚当时是副主任)却给我打电话,要我去找朱光潜先生,询问他要不要我陪送他乘飞机同去昆明。这我才知道,北大被邀的有三个人,西语系的朱先生,哲学系的杨辛,加上中文系的我。我赶紧从中关园去燕南园66号找到朱先生,但他告诉我,他已和杨辛一起订好了火车票,由杨辛照顾他乘火车去昆明。

在昆明十天,齐一为照顾好朱光潜先生而作了周密的安排,要我和杨辛陪着朱先生住进了昆明军区的一个独门独院的别致庭院里。我和杨辛住外室,朱先生住里屋,还有一大间宽敞的客厅供接待之用。其他的参会者都住在庭院外的饭店里。齐一还向军区要了一辆专车,供朱先生使用,要我紧跟着他,随后我陪他去了滇池、龙门、石林等地。朱先生那年已83岁,是他新中国成立后第一次也是最后一次重来昆明故地,旧地重游,特别高兴。他还带了一瓶红酒,睡前常邀我们共饮一杯。

这第一次全国美学大会从6月4日起开了近10天,一是学术研讨,二是交流情况,三是成立学会。会上播放了周扬关于发展美学事业讲话的录音,那时他刚从中国社会科学院院长任上重返中宣部,仍主掌文艺。他在这次讲话中接续1958年在北大所说的话题,重提要在中国发展马克思主义美学,突出阐发了三点:一是要从马克思主义出发研究美学,构成马克思主义美学体系;二是要整理和吸收中华美学遗产;三是要加强美育,从小就抓起。在学术研讨会上,李泽厚要我就如何继承中华美学遗产、如何编好中国美学史在大会发言,我宣读了带来的论文《中国美学史方法论》,后在北大学报上发表了。但在高校美学研究会上,我就敞开胸怀,抒发己见,提出在高校文学系科、艺术院校应建设和发展文艺美学。文艺美学不能停留在美是客观的还是主观的抽象议论层面,而应进一步探讨,文学艺术如何如马克思之所说,按美的规律来创造。文学艺术的创造,是审美的创造,文艺美学就应研究文学艺术的审美创造规律。受中华全国美学学会成立的鼓舞，我当即表示，回北大后，就要在下半年开设文艺美学，作些尝试。

没有想到，我这"发展文艺美学"的倡议，竟得到了广泛的支持。这次美学大会，各省市来了近百人，大多来自各地高校，准备回去开美学课程。来自文学系科和艺术院校的就赞成要结合文学艺术实践，讲文艺美学。事先，我和朱光潜谈过我的想法，他当然赞成在中文系和东、西、俄、英等系都开文艺美学。他的文艺心理学其实就是研究文学艺术的美学，自然美就排除在他的视野之内。

在这次全国美学会议的最后，正式成立了中华全国美学学会，一致推选周扬为名誉会长，朱光潜为会长，副会长有三位：王朝闻、蔡仪和李泽厚。老一辈美学家来了伍蠡甫、洪毅然、蒋孔阳，王朝闻、蔡仪没有来昆明。但大家一致选了这两位为副会长，充满了团结友好的气氛。我和代表蔡仪出席大会的涂途很熟悉，多年老友，在开会期间作过多次畅谈，对美学的未来，充满了希望。学会设在哲学研究所美学研究室，推齐一担任秘书长，由这位热心人负责学会的日常事务。

我从这次会上受益良多，更多的是受到精神鼓舞，激励我要及早开出文艺美学新课，而且我心中初步打算，回北大后要和杨晦商量，下次招硕士研究生时，应开辟文艺美学这一专业方向。

昆明会后，李泽厚、杨辛和我这三个北大学人应四川大学世德兄之邀，先去了成都，同游了峨眉山，观摩了乐山大佛，然后从重庆乘江轮，穿三峡而下，一路经武汉、南京、上海，才回到北京。这是一次真正的美学之旅，在昆明只是谈论美学，而到成都、重庆、武汉之游，才是亲身体验中华民族的人文之美和祖国大地的自然之美。沿长江而下，不仅丰富了我的审美经验，而且在江轮将过枝江之时，我深切感受到了对祖国大好河山的高峰体验，有所顿悟，促使我的美学思路有所改变，从而在我的《文艺美学》一书中忍不住有所阐发。原先，我的文艺美学本想从分析艺术形象作为逻辑起点，并已写出了《论艺术形象》一文。但从昆明归来，我改变思路，先从动态的审美活动开始，作为逻辑起点。正是在现实生活中，作家、艺术家对人生产生了深切体验，触发了创作冲动，想把人生体验表现出来，这才有文学艺术。

李白的"朝辞白帝彩云间,千里江陵一日还。两岸猿声啼不住,轻舟已过万重山"这样的绝妙好诗正是这样产生的。所以,我写《文艺美学》,开门见山,先从我自己的审美体验出发,在第一章中就从审美活动说起,由审美活动获得审美体验,进而把审美体验组织为审美意象,才有了创作实践,创造出艺术形象。

二

人逢盛世精神爽。自那年初春参加中华全国美学昆明会议归来之后,我的美学积极性空前高涨,不仅在燕园关门写书、上课,还走出了校门,广泛参加了当时正在勃兴的美学文化活动,融入了美学热潮。20世纪80年代,是我参与学术活动最为频繁且受益最多的时光。

当时北京,在北大之外,逐渐发展出了三支美学力量。一是以蔡仪为学术带头人的文学研究所文艺理论研究室,实力雄厚,已办有《美学论丛》,昆明会议后不久,又创办了《美学评林》,面向全国,独树一帜。蔡老当时也是意气风发,不仅自己动手改写《新美学》,而且还组织中青年学者新编《美学原理》,积极培养美学硕士生。二是以李泽厚为学术带头人的哲学研究所美学研究室,拥有不少美学新秀,创办了大型刊物《美学》,组织国内力量翻译了大量西方美学资料,出版规模宏大的《美学译文丛书》,在当时的美学启蒙运动中,发挥了广泛作用。三是以王朝闻为学术带头人的中国艺术研究院,虽然未曾专设美学研究机构,但集中了各个艺术门类的专业人才。不少人对艺术美学感兴趣,王朝闻就带头主编了一套《艺术美学丛书》,吸引了侯敏泽、陆梅林等积极参与。

我在北大,不属于美学教研室,只在文艺理论教研室,单打独斗,只管经营我自己的文艺美学。其实,我和金开诚都只是美学界的散兵游勇,自知成不了什么大事,只想管好自己的一亩几分地就是了,兴之所至,自然而为。但这样也有个好处,那就是,我不带门户之见,可以博采众长,广泛吸收营养。遇有重要学术活动,各方都会盛情邀请,我有更多机缘参与,开阔思路,广受启发。

那时，中华美学学会才成立不久，秘书长齐一是热心人，常积极举办一些学术活动。他还物色了一位副秘书长，中央舞蹈学院的学报负责人朱立人，协助他开展学术活动。朱立人正在研究舞蹈美学，俄语极好，和苏联的艺术美学界有直接交往。齐一就要他重点联系文艺美学界人士。朱立人也是江浙人，年岁也和我相仿，我们在昆明会议上相识后，时有交往。他住舞蹈学院，离我住的中关园一公寓又不远，所以，他常邀我参加美学学会举办的一些活动。会长朱光潜，副会长王朝闻、蔡仪的年岁都大了，很少参加学会活动。李泽厚是唯一的中年人，他也不大爱动，但因是副会长，就常被齐一、朱立人拉去参加一些活动。1980年秋，河北省成立美学学会，朱立人应会长梅宝树之嘱，就把李泽厚和我请去了，参加成立大会和学术研讨会后，我们还在北戴河住了好几天。那次，李泽厚还兴致勃勃地带了夫人和孩子，我们一起下了几次海。后来，福建省、天津市、厦门市分别成立美学学会，朱立人都把我拉了去。中央人民广播电台请中华美学学会组织了一个空中"美学讲座"，要我参与"艺术美略论"这一讲，向全国播放。李泽厚在邓小平时代的学术舞台上颇为活跃。1989年秋，李泽厚从海外归来，到广州参加了《文心雕龙》国际研讨会，我们都住珠岛宾馆。时任广东省社会科学院院长的张磊是北大的老熟人，作为东道主，他还特地约了我们俩畅游珠岛，留下了不少照片。

我在文学研究所文艺理论研究室的熟人更多，在参加《文学概论》编写时的一些同辈学者涂途、杨汉池、王善忠等常能见到。我对蔡仪，更是尊重有加，有请必到。蔡老带的好几届研究生论文答辩，我都应邀参加了，从西北郊的北大，乘公交车到他东郊的寓所，见到他精神焕发，为他高兴。他的好几位研究生，许明、严昭柱、吴予敏等，后来我们都熟识起来，成为忘年之交。蔡老主持的影响最大的一次学术活动，是在南宁召开的"马克思美学思想研讨会"，对马克思的美学思想作了较为深入的阐发。我也应邀参加了，会后，我和涂途、王善忠等又应广西师院黄海澄之邀，去桂林停留了几天，到漓江畅游了一番。邓小平时代，正是美学发展的黄金岁月。

也就在1982年，我又重新见到了久违的周扬。这年5月，是毛泽东在延安文艺座谈会讲话整40年，周扬要在中宣部召开一次纪念大会，各省都派了代表参加，我亦有幸获得邀请，写了一篇《艺术创造为人民》与会。周扬叫时任哲学研究所副所长的齐一，务必要把朱光潜先生请来。齐一又找到了我，要我在开会那天陪朱先生一起来中宣部。5月6日那天，我陪朱先生乘中宣部派来的车去了沙滩，先和周扬见了面，稍作叙谈。那次，周扬也认出了我，1958年他来北大讲课，1961年编教材，都见过好几次。20年过去，他受难后，我这是第一次见到。他也老了，真是岁月无情。那年朱先生已85岁，周扬请他坐在主席台上，就靠在他身旁，这是过去从来没有过的；以前都是朱先生坐在听众席上，听领导讲。这次，周扬讲完话后，立即请朱先生第二个发言。朱先生在来开会前写了一个发言稿《怀感激心情重温〈讲话〉》，在会上宣读了。这篇稿并不长，但我感到很奇特，带着一种自我讽嘲的口吻，但意味颇为深长。他一方面批评了当时的文艺界，再也不提阶级斗争了，政治标准退场了，这不正常。他以为"文艺还是要为阶级斗争服务"，不能丢弃政治标准。但另一方面，他又不客气地指出，当时提出要批判"资产阶级自由化"，这又未免"为时过早"，这会阻碍百家争鸣，百花齐放。朱先生的这一发言，引起了会下的议论纷纷。当时反资产阶级自由化的风声已紧，朱先生却在这中宣部的大会上作出非议，实出意外。在回北大的车上，朱先生对我说了他此番话的用意。改革开放之初，他为沈从文说了一些公道话，但一篇短文却引来一片批评声，他说他以后再也不写文章了，专心致志地翻译《新科学》。他这次发言，是说他心里的真心话，把话说了，从此就告别文坛。回到学校，北大学报把他的这篇发言和我的论文《艺术创造为人民》都拿去了。但最后北大学报只把我那一篇发表了，朱先生的那篇没敢发表。北大学报的编辑部主任苏志中对我说，学报害怕发表后会引起不必要的争议，招来不必要的麻烦。我手头留有这篇发言的打印稿，一直未曾发表。直到前些年，事情已过去30年，中国艺术研究院研究员李世涛找到我，要我回忆这一段历史，我就把这篇发言稿找出来给他了，他说要收入《中国当代美学口述史》一书里，为后人研究提供历史资料。

在改革开放最初那几年，陆梅林和侯敏泽也常邀我参加他们主持的学术活动,研讨马克思主义美学或中国古典文艺学,所以也很快熟悉起来,时有个人交往。直到1992年,我已到深圳多年,陆梅林和侯敏泽在庐山主持召开马克思主义文艺理论建设的研讨会,还来函邀我参加。我欣然应允,从深圳去了庐山,老友相会,重又畅叙。后来,我也曾数次邀请陆、侯两位到深圳大学访问。那时朱立人已常到深圳,为"华侨城"、"世界之窗"请苏联的芭蕾舞、马戏团来深圳演出,我请他在北京找陆、侯两位商量具体安排。但都因他俩有事而未能成行,我为此感到深深的遗憾。

　　回想起来,那几年交往最多的还是王朝闻。我们在中共中央高级党校相识后,常有交往。"文化大革命"中他虽然也受难挨批,但他向来不想抓权从政,只潜心艺术学术,所以较早就靠边站了。毛泽东提倡多读《红楼梦》,王朝闻就抓住这个时机,专心致志地研究起《红楼梦》来。在那个以阶级斗争为纲的时代,美学是不能再谈了,我也只好写《红楼梦》的文章,阐发毛泽东所说的《红楼梦》是一部政治历史小说。我和陈熙中、侯忠义合写了一篇《〈红楼梦〉——形象的封建社会没落史》,先在《北京日报》上发表,后来好几个省的报纸都转载了,还印成了小册子,在全国各地散发。这以后好几年,我都沉浸在《红楼梦》之中,甚至,为了证实毛主席所说的《红楼梦》是中国历史上最好的一部小说,我把北京大学图书馆中所有馆藏的清代线装小说都浏览了一遍。当时,我敬佩毛泽东对《红楼梦》的评论,以为他的论说,比以前流行的"自传说"、"爱情说"、"叛逆说"都要高出一筹。所以,我的《红楼梦》评论,基本上还是沿着毛泽东的思路在做。但是,王朝闻却别出心裁,另辟蹊径,跳出毛泽东的思路,通过对书中的一个典型人物凤姐的精辟分析,揭示出了《红楼梦》这部小说的艺术成就和审美价值。这部《论凤姐》,洋洋洒洒五十万言,我读后敬佩之至。从1979年始,我就不时到他东四胡同的寓所当面请教,想请他为杨晦的硕士生来北大讲美学。但他当时忙得不可开交,未能再来北大讲学,也未能去昆明参加中华全国美学成立大会。后来,王朝闻主编《艺术美学丛书》,我也被他列为编辑委员,到开编委会时才能继续畅谈。

受王朝闻《论凤姐》的启示，我也开始倡导从美学上来评说《红楼梦》。我在1981年写了一篇《红学与美学》，在《光明日报》上发表，意在说明，从历史的、社会的、政治的观点来评说《红楼梦》是必要的，但还是不够的。《红楼梦》研究的深入发展，必然要进而从美学上来评说。改革开放之后，我就竭力倡导，要从美学上来评《红楼梦》。此文后来为刘梦溪收入了当时的《红楼梦》研究文选中。以后，我又陆续写了些论文，尝试从美学上来道说《红楼梦》。当时，北京的《红楼梦》研究也出现了百花齐放的局面，同时创办了两个《红楼梦》研究刊物。一是中国艺术研究院办的《红楼梦学刊》，一是中国社会科学院办的《红楼梦研究集刊》。我受中国社会科学院文学研究所之邀，担任了《红楼梦研究集刊》的编委，所以常和邓绍基、蒋和森、刘世德、沈玉成等在一起畅谈《红楼梦》。上海也有郭豫适、章培恒、魏同贤等担任编委，亦在此时相识。钱锺书、吴组缃、俞平伯则是学术顾问。我和《红楼梦学刊》的编委们也很熟，李希凡、冯其庸、刘梦溪、胡文彬等早就相识，时有交往。北大的学生中，有些人对《红楼梦》情有独钟，1980年北大中文系的学生吴德安、李彤、梁左（谌容之子）、马新艳（马少波之女）等成立了一个《红楼梦》研究小组，找到吴组缃先生当顾问，吴先生又叫他们找到了我，要我也担任顾问。我就不时向他们说，研究《红楼梦》要从多个视角来作分析，历史的、社会的、政治的、美学的，这样才能全面掌握，有立体感。这些学生在就读时就写出了多篇论文，我都推荐给"学刊"和"丛刊"发表了，成为当时研究《红楼梦》的新生力量，引起了国内红学界的重视。1981年，全国的《红楼梦》学会在济南成立，我带了这个《红楼梦》小组作为特邀代表出席，在大会上作了发言。这次大会，吴组缃先生被推举为《红楼梦》学会的首届会长。

那几年，我认识了红学界的好多朋友，老一辈的周汝昌、吴世昌、吴恩裕等我都登门拜访讨教过。但是，我并不想专门去当个红学家，只是想学王朝闻对《红楼梦》尝试做美学分析，着眼点还在提高自己的美学分析能力。所以，我到深圳以后，就很少再参加红学界的活动了。而参加美学界的活动却始终未断，好几次活动都有王朝闻的参与。王朝闻是美学界的幸福之星,他的参与常为大家带来美的享受和愉悦。

记忆最深的一次是1984年秋,我和王朝闻、伍蠡甫、蒋孔阳等都应武汉大学刘纲纪之邀,去武汉参加"中外艺术比较研究"研讨会,就住在长江边上新建的晴川饭店。那几天,我和王朝闻、解驭珍夫妇每晚都在长江堤岸上散步聊天。王朝闻就发感慨,这使他回忆起60年代在编《美学概论》时常去颐和园散步的岁月,那是使人永远难忘的美好日子。快散会时,湖南美学学会的杨安崙、潘泽宏和《美育》杂志的陈望衡等接着又邀请我们几个人去张家界住几天,在那里召开一个美育的座谈会。养在深闺人未识,张家界那时尚未受到众人关注,湖南美学学会和张家界景区合作,想请我们这些美学界人士出点主意,应如何开发这片新天地,因而愿意接待我们。伍蠡甫因在上海有事,就乘船回去了。王朝闻一听,兴致顿时高涨起来,我和蒋孔阳也兴致勃勃,就跟着杨安崙、潘泽宏、陈望衡一起,去了张家界,这是我们这些人有生以来第一次走进张家界。

那时的张家界还是正待开发的一片处女地,人烟稀少,保持着自然本色。那里还无酒店宾馆,只有一座简易的两层楼竹木屋,我们在那里过着极为简朴的生活,但享受着大自然的美好风光,心旷神怡。王朝闻称赞这里是人间仙境,世外桃源,当时就劝告张家界景区,一定要保存自然本色,不要过度开发。会后,我们漫步在山下溪边,和蒋孔阳边走边聊,只见王朝闻和解驭珍坐在金鞭溪边的一块石岩上,双目微闭而未闭,静默不语,却是全神贯注,倾耳静听。我和蒋孔阳走近他身边,他就和我俩说道:"年轻人去爬山看景,我这老朽走不动了,就在这里静坐听景。听景和看景,各有情趣。"我和蒋孔阳也不愿爬山,听他一说,我俩也就停了下来,坐在溪边听景。王朝闻说,这就是所谓美学上的通感罢!我在这里听到了金鞭溪的流水声,千松万壑的风啸声,深山密林的鸟鸣声,黄狮寨的猿啼声,交织成一部大自然的交响乐,舒心悦耳,美妙动听,由听觉的享受,进而领会到这整个张家界的自然之美,真是难得的精神享受。这次张家界之游回京后,王朝闻还写了一篇美文,抒说这次"晚年游山听泉鸣"的审美感受。

使我难以忘怀的还有我把王朝闻请来深圳的那段日子。1986年，我到深圳的第三年，为在这个新兴城市推广美育，发起成立了深圳市美学学会，我被推举为会长，请王朝闻当名誉会长。那年初秋，王朝闻去珠海参加一个戏剧美学研讨会，我闻讯就立即去了珠海，邀他开完会就到深圳住几天。王朝闻没有来过深圳，就欣然答允。我陪着王朝闻、解驭珍夫妇从珠海乘快艇直达蛇口，然后乘出租车到深圳大学。那时校园内的粤海门客舍刚落成，还无多少人住，舒适清静，他在这里真正是休闲了几天，只给市文联和美学会作了一次演讲。那时，我住在校园里的海涛楼，紧靠后海湾。我每天都陪他俩去湿地红树林散步，听松涛声，远眺香港流浮山。那时，湿地里长着大片红树林，他俩第一次欣赏到这种像冬青树一样的水中植物。王朝闻特别好奇，竟走向湿地，要仔细观察一下这红树的根部，不料一脚踩入污泥之中，拔不出来。我赶紧向他走近，用手拉着他的手，向上拉，我的一足却也陷了进去。幸而解驭珍站在上面，使劲拉住了我，我借她的力，才把王朝闻从污泥中拉了出来。王朝闻不仅没有惊慌，反而轻松地开起玩笑来，说什么不入虎穴，焉得虎子，不陷泥潭，哪知红树的珍贵。他俩回到北京后，还特地写了一篇短文在报上发表，给我寄了来。深圳之行给他留下了美好印象。

王朝闻自1984年起，接任朱光潜为中华全国美学学会第二、三届会长，又当了十年名誉会长，是我认得的美学家中享年最高的长者（96岁）。我相信，这和他那开朗豁达的性格息息相关，他对人世间一切美好的事物充满着兴趣，他的生活洋溢着勃勃生机，情趣盎然。

三

那几年，我虽然积极参与校外的学术文化活动，但我自己清楚，我的职责还是要为北大的学术发展做点贡献，为北大的学科建设多动点脑筋。

我发觉，无论是文学研究所的文艺理论研究室，还是哲学研究所的美学研究室，在重视自身的科学研究之外，都很注重发展刊发研究成果的阵地,不但创办多种美学刊物,而且积极组织出版美学丛书。北京大学是教书育人的场所,不可能像那些研究机构,专事美术研究,而要面向学生去上课。但是,北京大学也已在1980年成立了出版社,开始重视出版教材了,只是如何推动学科建设,提升学术水平,尚待作进一步探索。我在北大开设"文艺美学"一课后不久,北大出版社社长麻子英就找到了我。因为我们是老熟人,他就开门见山对我说:想请你到出版社来当总编辑,咱们合作怎么样?

老麻比我大好几岁,早年投身革命,对党忠心耿耿,做事踏踏实实,对他我一向尊敬。他在当留学生办公室主任时,我和他常去一些外国使馆参加外事活动,又接待过不少外宾,很快熟悉起来,相互都很了解。他为人朴实诚恳,温柔敦厚,若能和这样的忠厚长者合作共事,心情定能舒畅。但是,尽管他催了我几次快作决定,我最后还是拒绝了:我这个人还是有自知之明,不适合去做行政决策之事,还是只能当个教书匠,做点学问。最后,我半开玩笑地说:"我还只是个副教授,我还想当教授呢!你就放我一马!"老麻听到这里,就说那就不勉强了。为报答他的好意,我表示,虽不去他那里,但愿为出版社出出主意,拉拉书稿,为提升学术水平出微薄之力。那时北大出版社才开张不久,还没有出多少书,在社会上尚无多大影响。当时,社会上正掀起美学热,我建议他,抓重点,不妨编辑出版一套北京大学《文艺美学丛书》,集中出一些这个领域的书籍,以推动这个学科的发展,我愿帮助他张罗此事。我当时就告诉他,李泽厚就正在张罗编译出版《美学译文丛书》,肯定会发生重大社会影响,北大出版社也应早作策划安排。

老麻听我说得有道理,就当机立断,作了安排,指派江溶为这套丛书的责任编辑,全面落实,一抓到底。我们在1981年就成立了编辑委员会,由我、江溶和叶朗任常务,阴法鲁、金开诚、董学文等为编委,后来王岳川、王宁、周宪等也参加进来了。当时担任中华美学学会副秘书长的朱立人也参与了此事,请他在校外联系从事文艺美学研究的学者。我们聘请了朱光潜、宗白华、杨晦三位前辈当顾问。江溶是北大中文系的毕业生,和董学文、曾镇南、郭建模、赵园等是同班同学,我为他们上过"文学概论"课,他们爱好美学,熟悉艺术,思路开阔,认真负责,我们合作得一直很好。

我们先在1981年冬试探性地编撰了一本普及性的《美学向导》,想探一探路,试一试社会反响。这本综论性的《美学向导》印了12万册,在1982年初出版,在书店里很快就一抢而空,可见当时的美学热已发展到什么程度。这给我们编委会和出版社以很大的鼓舞,我们信心更足了。这本书在一开头就设了"美学家寄语",发表了朱光潜、宗白华、王朝闻、蔡仪和李泽厚这五位美学家的美学寄语,由哲学系的邹士方登门拜访,采录而来。此外,书中又收了朱光潜的《美学》一文和李泽厚的《什么是美学》。编委会要我写了《文艺美学及其他》一文,稍微展开谈说了我对文艺美学的见解,好为这套文艺美学开个头。在1980年我开"文艺美学"一课时,已有报刊来采访,询问文艺美学是什么,我只写了一篇不到千字的短文,略作说明。后来在北京大学的《大学生》上,以问答的方式又谈了一次,但都说得太简略。而这篇收在《美学向导》中的《文艺美学及其他》一文,稍作了展开,对文艺美学和哲学美学、心理美学作了些区别。后来,钟敬文、启功主编《二十世纪全球文学经典珍藏》丛书时,把这篇《文艺美学及其他》也收进了《中国文论经典》。此卷主编童庆炳在"介绍"中说,此文"从学科上对'文艺美学'进行了清晰的定位,奠定了90年代文艺美学的学科基础"。中华全国美学学会成立后,对文艺美学感兴趣的学者多了起来,在这本《美学向导》中,就同时收入了赵宋光的《音乐哲学漫说》、朱立人的《舞蹈的审美特征》、王世仁的《建筑美学浅说》、张赣生的《戏剧美学随谈》,都写得简明扼要,通俗易懂。

《美学向导》的出版,是北京大学《文艺美学丛书》出场的序幕。此后,文艺美学的各种专著就陆续出场。最早收到的一部书稿是中央戏剧学院谭霈生写的《论戏剧性》,我得以先睹为快。霈生兄写的这部专著,是他研究戏剧多年的心得,很有见地,具有开创性,很快就发排出版了。此后,宗白华的《艺境》、叶朗的《中国小说美学》、金开诚的《文艺心理学论稿》、董学文的《马克思和美学问题》等也分别推出。复旦大学伍蠡甫先生把他的《中国画论研究》书稿寄给了他的朋友朱光潜先生，朱先生把它交给了江溶和我，也很快列入丛书出版了。朱光潜先生还给我作了特别嘱咐，要我为《光明日报》写一篇书评，推荐伍蠡甫先生的这本《中国画论研究》，我遵嘱照办了。蔡元培是第一个在北大开设美学课的老校长，在北大推行美育做出了巨大贡献，可当时还来不及对蔡元培的美学做深入研究，于是，我们只好先出版了一本《蔡元培美学文选》。这套文艺美学丛书出版，影响甚广。1985年，我应刘再复、钱中文之邀去扬州参加"文艺学方法论"的学术研讨会，时在扬州师范学院任教的佛雏先生特来拜访，表示很想把他研究多年的《王国维诗学研究》书稿送我一阅，看能否列入北大的《文艺美学丛书》。我在扬州时就浏览了一遍，觉得这部书稿的水平超出了当时已出过的其他同类书籍，当即答允把书稿带回北京，很快就出版了。

北京大学《文艺美学丛书》先后出了30种，成为北京大学出版社初创期的一个标志性品牌。1998年，为庆贺北京大学成立一百周年，北大出版社还从丛书中挑选出了十种，作为《北京大学文艺美学精选丛书》重新再版，留下了永久的纪念。在《文艺美学丛书》启动后不久，我又说动麻子英接受了我主编的《西方文艺理论名著教程》及配套资料的出版。那时，胡乔木和时任中宣部部长的邓力群，已在部署开展批判"资产阶级自由化"，一般出版社就不愿自找麻烦出这类书籍了。若不是麻子英的谅解和支持，责任编辑乔征胜的积极和抓紧，这套教材也就很难问世。这套教材在北大出版社出版后，受到社会好评，先后印了20多次，国家教育委员会还授予了高等院校优秀教材二等奖，至今还作为面向21世纪的高校教材在使用。如今，北京大学出版社的开拓者麻子英早已离休在朗润园安享晚年，我也早已在深圳河畔定居，相隔数千里；但我们在北大数十年中结下的友谊始终不断，每逢春节或元旦，还是相互通个电话，互致问候，报个平安。每当说起北大往事，重又唤起了往昔岁月的美好回忆，感到生活仍意义无穷。

说来惭愧，我的那本《文艺美学》原答允江溶在1984年就完稿交出版社，但我直到1989年才在岳川的协助下交付出版。因为1983年我接受了主编《西方文艺理论名著教程》这一教材，分了心，不能集中在《文艺美学》上。1984年，我又开始来往于深圳和北京之间，半年在北大，半年在深圳。那时，深圳大学初创，图书资料还很少，我只能在北大的那半年集中写《文艺美学》的初稿，然后带了草稿，去深圳大学任教时作修改，速度减慢。如今反思，其实更深层的缘由，还在于我那时掌握的理论资源还不够丰富，需要更多的思想资料来充实我的构思。我写《文艺美学》时，有了整体的构思，想从马克思的价值学说出发来论说艺术价值、审美价值等。但是，我当时掌握的思想资料很有限，仍跳不出中国传统文化的圈子，熟悉的还只是中国古典文学艺术，所以重在对意象、意境、意蕴的解析。改革开放之初，我急迫想多了解苏联和西方的一些理论资料。可那时，西方的美学和文艺理论才刚开始译介过来，还不多。英国科林伍德的《艺术原理》、德国德索的《美学与艺术原理》、美国阿瑞提的《创造的秘密》等，都在80年代的中后期才陆续译介过来。用符号美学来解释文学艺术的卡西尔的《人论》，我在1987年才见到。美国著名文艺学家艾布拉姆斯的《镜与灯》一书，在1988年才由李赋宁作了序，列入北京大学《文艺美学丛书》，我得以先睹为快，次年才正式出版。至于匈牙利卢卡契的《审美特性》，法国杜夫海纳的《审美经验现象学》等美学名著都要迟至90年代才译介过来。这些，我在写《文艺美学》时都还没有见到，所以吸取西方的优秀成果还不多，留下了深深的遗憾，后来的年轻学人感到不解渴，自有其道理。我之所以愿意接受《西方文艺理论名著教程》的编撰，一方面是应教学之需，准备为研究生开设"西方文艺理论"一课，另一方面则是我为写《文艺美学》而想吸取西方美学、文艺学的有益营养。但我当时接触西方的理论资料还是不多，尽管我还专门去了香港大学和香港中文大学多方搜集，也还来不及消化。而等到90年代后期，西方各色思潮扑面而来时，我对西方美学、文艺学的理论兴趣反而减退了。

我自己也感到奇怪，对于苏联的美学和文艺学却一直保持着长久的兴趣。也许是我年轻时对俄罗斯19世纪文学艺术的印象太深刻了，虽然苏联在斯大林时代的文艺学充塞着庸俗社会学、教条主义，但斯大林之后的时代,美学兴起,审美学派、文化学派尝试用马克思主义的美学观点对文化艺术作出新的理论阐发,引发了我的浓厚兴趣。当我国的美学争论还只停留在美是客观的还是主观的这一哲学层次上时,苏联的美学已进入探讨文学艺术中真、善、美的相互关系,文学艺术中的认识价值、道德价值和审美价值是如何相互联系和转化的。我当文艺学副博士研究生最后选定的毕业论文《为何古典作品至今还有艺术魅力》,固然受了马克思的启发,但也受到了苏联审美学派的影响。即使在我国已掀起了批判苏联修正主义的高潮之后,我还密切关注着苏联美学、文艺学的发展动向,凡从苏联译介过来的美学论文,我必找来一读为快。三年困难时期在中央高级党校编书,我一有机会就找从苏联留学归来的刘宁、杨汉池交谈,希望从他们那里多了解些苏联美学、文艺学的最新动态。那时,因为国内在大张旗鼓地批判苏联的修正主义,国内美学界、文艺学界对苏联发生的变化已不加理睬,不加分析,一概排斥,只有汝信、李泽厚、刘宁、陆梅林、钱中文、程正民、杨汉池、涂途、王善忠等少数学者仍在关注着。

可是,十年动乱,对内激化了矛盾斗争,对外更加封闭自守,我对苏联的美学、文艺学究竟发生了什么变化,可说一无所知。改革开放以后,李泽厚也把目光转向了西方,接着康德的美学在论说了。我却还想进一步了解苏联审美学派、文化学派在近十年有什么新发展。这时,美学界的新人凌继尧给了我莫大的帮助,使我对苏联的美学、文艺学有了更多和更深的了解。

凌继尧是我在1963年开设"文学概论"课时所教的俄语系学生,江苏老乡,在大学时就对文艺学发生兴趣,所以就常找我交谈。1978年,北大首次招收硕士研究生,他就考入了西语系的西方文艺批评史专业,指导老师就是朱光潜先生。既然是西方文艺批评史专业,他就按照朱先生的专业要求,苦攻英语,并开始翻译些英语资料。但今后究竟研究些什么课题,举棋不定,他就到中关园找我,征求我的意见。我对他比较了解,就不客气地劝他,应该充分发挥他那俄语的优势,把研究的重心从西方转向苏联当代美学,首先关注审美学派的斯托洛维奇和文化学派的卡冈。我当即把我书架上的一本由学习出版社出版的《美学和文艺学问题论文集》借给他看,让他了解一下苏联当时的美学和文艺学在研究些什么问题。我还告诉继尧,凭我在50年代和苏联专家毕达可夫打交道的经验,其实苏联学者很希望能把自己的著作介绍到中国来,也很想知道中国的美学和文艺学在关注什么。继尧的俄语好,可以直接写信给苏联学者讨教,他们一定乐意把自己的著作寄来。凌继尧真的把自己的研究转到苏联当代美学上来了。我当时最看好斯托洛维奇,他从价值论上来研究美学,更重视文学艺术中的审美价值,真、善都要通过美的折射,他的审美价值说在苏联美学中独树一帜。他出生于1929年,比我大四岁,1952年毕业于列宁格勒大学(现圣彼得堡大学)哲学系,1955年写出了美学的副博士论文《论艺术审美本质的若干问题》,就已对现实审美和艺术审美作了区分,比较异同。1965年又通过了博士学位论文,两年后38岁就提升为教授。我看过他陆续发表的《现实中和艺术中的审美》《论现实的审美属性》《审美关系的客观问题》等文,都已自觉地从价值论观点来谈美、丑、悲、喜。但是,他在70年代写成的代表作《审美价值的本质》却一直未曾见到,我热切盼望继尧能译介过来。正好李泽厚的《美学译文丛书》愿意收入,继尧在1981年就已翻译好,我得以先睹为快,到1984年就正式出版了。

  正是由于继尧对苏联美学有了全面而深入的研究和译介,我从他那里获益甚多,促使我对苏联自80年代初到苏联解体这一历史阶段的美学、文艺学有了更多的了解。1981年,继尧以美学研究生资格毕业,回江苏老家,我特为他向南京大学的杨咏祁(哲学系)和包中文(中文系)写了推荐信,推荐他到南京大学任教。多年后,他又到东南大学,由研究苏联美学扩展到西方美学和艺术学,成为艺术学学科的带头人。但他与我仍然保持着学术上的联系,继尧不仅把斯托洛维奇和卡冈的好几本著作翻译过来了,而且还在1986年去苏联莫斯科大学访学了一年,遍访苏联当代的美学家,成为我国全面了解当代苏联美学的第一人。我国改革开放的最初十年,凌继尧为研究和译介苏联当代美学做出了杰出贡献,功不可没。苏联解体之后,我对俄罗斯美学、文艺学究竟发生了什么变化,仍心存牵挂。此后有幸,进入新世纪后,见到了中国社会科学院外国文学研究所周启超主编的《当代国外文论教材精品系列》丛书,其中就收有一本厚厚的俄罗斯通行教材《文学学导论》(哈利泽夫)。启超在译序中还谈及了苏联解体以后俄国文艺学的新变化,出现了《艺术话语·文学理论导论》(2001)、《艺术分析·文学学分析导论》(2002)等一些新教材。为此,我感到欣慰,我们这个泱泱大国,对一向具有理论传统的俄罗斯文艺学的研究和译介仍没有中断,后继有人。

　　回顾往昔,我正是因为受了苏联审美学派的价值论的启发,所以在"文化大革命"后期又钻研起《资本论》来。我从鄱阳湖鲤鱼洲回到北大后,军代表楚元科向我道了歉,抓"五一六"弄错了,然后再作鼓励,要我投身"教育革命",为工农兵学员开一门新的文艺理论课,专教学生如何掌控马克思主义的文艺观。为突出理论联系实际,我特去中央音乐学院请了院长喻宜萱来谈声乐,苏州老乡汪毓和讲中国音乐,还请黎信昌带了一个器乐小乐队当场表演。我则重点讲解了马恩经典的有关文艺的要点,利用这个机会,我就把郭大力等翻译过的三大卷《资本论》作了一番钻研。其实,我读《资本论》既不是想研究经济学,也不是想从中直接找文艺理论,而是想弄懂马克思的价值学说。到了20世纪70年代后期,《资本论》的第四卷《剩余价值理论》才从俄文翻译过来,也是三大卷,我又兴致勃勃地买来读了。马克思从生产劳动创造了劳动价值开始,进入剩余价值的分析,论述了商品的二重价值——使用价值和交换价值。马克思的重心当然是研究交换价值,由此而进入资本运动的研究,但生产劳动的根本目的是要创造使用价值,所以马克思就不能不时常说及使用价值。斯托洛维奇就由使用价值出发,进而引出认识价值、道德价值和审美价值。我当时感到,从马克思的价值学说出发来研究美、丑、悲、喜等的价值属性,大有可为,值得深入下去。所以,我在80年代初倡导文艺美学,就是想沿着价值说的道路来探索文学艺术的审美价值。

　　我高兴地看到,中国的美学也逐渐开始从价值论来谈论美。黄海澄论艺术价值的专著就重点突出了艺术的审美价值,杜书瀛的美学专著更直接称之为价值美学。在年轻一代的博士中,也已出现了研究审美价值的博士论文，黄凯峰博士自新世纪以来，就连续出版了《价值论视野中的美学》《审美价值新论》《价值论及其部类研究》等专著。李春青博士在90年代就尝试运用价值论来研究中国文学，写出了《文学价值学引论》，给人以新的启发。

受苏联审美学派价值论的启发，我又进而关注起西方的美学和文艺学来，想知道西方美学家、文艺学家是怎样看待文学艺术的价值的。我发现，西方的美学、文艺学中也有价值论。著有《美感》一书的鼎鼎大名的美国自然主义美学家桑塔耶纳就明确说"美是一种价值"，而美学就是研究审美价值的价值学说。我又看到，英国的美学家梅内尔，就干脆把自己的美学著作命名为《审美价值的本性》。在这本书里，他力图用新观点来论证美的客观性，把美的客观性称作"客观性B"，以区别于"客观性A"，对洛克的"第二性质"说有所发展。美是价值说，也许不是美学的终极理论，但确是当今比较合理的解释，值得深入探索。

正是因为我信服马克思的价值学说，所以我在接触西方美学、文艺学时，也就有自己的价值取向。我和王岳川、李衍柱一起主编《西方文艺理论名著教程》，我和王岳川主编《文艺学美学方法论》以及我和张首映合著《西方二十世纪文论史》等，我们从主观上都注意到了价值分析，力图运用马克思主义观点来作评价，但客观上是否能做到，这就不能只由我们自说自话了。

在改革开放之初，我的学术视野扩展到了西方的美学、文艺学。但我也并不想把西方美学、文艺学作为我的学术专攻方向，我是想借助于西方美学、文艺学作为一个新的参照系来研究我国自己的文学艺术现象，多一种观察的视角和方法。那时，我尚不知天高地厚，不自量力，就竭力鼓吹要把西方的美学和文艺学和中国的美学和文艺学进行比较研究，从中西比较中见出优劣，从而取长补短，建设中国自己的马克思主义美学和文艺学。1981年1月，季羡林主持召开北京大学比较文学研究会成立大会，我和吴组缃、乐黛云都去了。我就呼吁我国不仅要发展比较文学，还要进而发展比较文艺学，《光明日报》就把我这个题为《比较文艺学漫说》的发言发表了。后来，又发表了我写的《艺术的民族特色》，也是说要在中外的比较中，彰显艺术的民族特色。我甚至还答允了中国文化书院李中华，准备开设"比较诗学和比较美学"这门课程，并写出了论纲和导论。那时，全国高校外国文学研究会会长许汝祉教授常邀我去参加他们的学术研讨会，我去过南京和青岛的年会，就呼吁外国文学研究也应向比较文艺学的方向靠拢。当初之所以喷发出如此的学术热情，乃是因为北大长期对外封闭，对内以阶级斗争为纲，使我们闭目塞听，一旦改革开放，就豪情满怀，想奋起直追，追赶世界。但我的那些想法也不是仅凭一股热情，而是接受和吸取了老一辈学者治学的经验和教训。

20世纪，我国人文学科经历了三大波西学东渐的潮流。第一波是"五四"新文化运动的热潮，传来了西方文化，其中就有马克思主义，但占主流的尚是欧美文化。我国的现代美学、文艺学就是在"五四"前后受西方的影响而兴起的。第二波是新中国成立初期的苏联文化潮。苏联的文艺学登上了大学讲堂，并且影响着我国的文艺发展方针。但是在斯大林时代之后，我们开始了反对苏联修正主义思潮，苏联文化潮退，就不大受人关注了。第三波是改革开放新时代，出现了西方文化热潮，大家如饥似渴地猛吸西方文化。如何对待西方文化，这是当时我必须面对的现实问题。我生也晚，没有赶上那西学东渐的第一波，但这第二波和第三波，我都被卷进浪潮中了，身历其境。我的前辈学者参与了第一波浪潮。我反顾前辈学者的经历，觉得20世纪前50年的现代美学、文艺学，能够留下较好的业绩，可为我们后辈继承和发展的，还是那些善于把西方的理论（包括马克思主义在内）和中国的实践相结合起来的那些学问。学以致用，洋为中用，这是我国引进西方美学、文艺学的一条基本经验。王国维、朱光潜、宗白华、钱锺书等致力于把西方美学引进来解决中国古典文学艺术的问题；而梁启超、蔡元培、蔡仪等更进而着眼于解决当时的现实问题，我的老师杨晦也属于这个行列。但在引进和应用之间，必须有一个重要的"中介"环节，那就是把西方的美学、文艺学和中国的美学、文艺学作一番比较研究。只有经过中西的比较研究，知晓两方的优劣短长，方能应用来取长补短，优胜劣汰。若无比较，盲目"拿来"，就很可能取短弃长,劣胜优汰,劣币反而把良币挤走了。前辈学者在美学、文艺学方面做得比较好的,还是那些对中西美学、文艺学作过比较研究之后作出的学问。经过比较研究,知己而又知彼,方能取长补短,吸取有益的营养,融入中华文化之中。

在北大,时任副校长的季羡林先生最早意识到了,改革开放一开始他就倡导比较文学研究,并且和杨周翰、李赋宁先生一起,亲自发起和主持了北京大学比较文学研究会。致力于中国文学研究的吴组缃先生也竭力支持中外文学的比较研究,在成立大会上发表了热情洋溢的讲话,提出了很好的建议。乐黛云在参加成立会后半年,就去了美国,专攻比较文学。当时一些海外华裔学者在《光明日报》看到报道后,就开始陆续访问北大,进行学术交流,我和季羡林、杨周翰、张隆溪等就先后接待过叶维廉、刘若愚、叶嘉莹,以及香港学者李达三、袁鹤翔等人的来访。这些学者都熟悉西方美学、文艺学,又熟悉中国的美学、文艺学,所以有着共同的话题。

给我印象最深的一次,是我和美国华裔学者刘若愚的交谈。1982年春,我们在临湖轩和刘若愚一起座谈后,我又陪他到未名湖漫步,有了一次深谈,探讨了美国艾布拉姆斯的《镜与灯》。他送了我一本他1981年在台湾出版的《中国文学理论》。刘若愚是地道的北京人,1926年生于北京的书香门第之家,比我大七岁。1948年在辅仁大学毕业后,入清华大学研究生院攻读英国文学,1949年初就去了英国攻读硕士学位,长期从事中西诗学的比较研究。1982年春,这是他阔别祖国30多年后第一次回北京,他由他在外国文学研究所从事理论研究的姐姐刘若瑞陪同,先拜见了钱锺书,然后又专程到北大来进行学术交流。我和杨周翰、张隆溪等一起参加了交谈,意犹未尽,又在未名湖继续深谈。当时,我正在撰写《文艺美学》一书,把"创作—作品—接受"这三个文学艺术活动的主要环节,作为建构的构架。我的想法,《镜与灯》中提出的文学四要素中,把"世界"作为一个独立的环节,是把文学活动泛化了。"世界"是很重要,但这"世界"是渗透在"作者—作品—接受"的各个环节之中的,是否有必要独立为一个环节值得商讨。刘若愚的著作是从四个环节立论的,但他也同意,

"作者—作品—接受"是文学活动的三个最基本的关节。影响文学活动的因素很多,叶维廉在他的比较诗学著作中,在"世界"之外,还加了"文化"等多种因素。依刘若愚看,这多种因素都可以截取一端加以研究,可以百家争鸣,各显神通,但基本环节还是那三个,其他因素不能和这三个环节脱节作孤立研究。我和刘若愚虽是初次见面,但一见如故,甚感欣快。这一次回故乡,他走了好多地方,感慨良多。回到美国后,刘若愚写了八首《壬戌诗草》,其中有"孤鹤归来已太迟"、"故园江山尽是诗"之句,怀念故国之情,溢于言表。1986年,我在深圳大学主持"港澳台暨海外华文文学"国际研讨会,向他发出了盛情邀请。可惜,就在这一年,刘若愚因病逝世,年仅六十,我们未能再次重聚畅谈,不胜叹息!

在80年代最初几年,北大虽开始了国际学术文化交流,但还困难重重。北大的人文学者还很难走出国门,就是国外学者来访,即使是华裔学者,也都不能直飞北京,而要先抵香港,再从香港跨过罗湖桥,到深圳乘火车,或到广州乘飞机,才能转辗到北京。北大人若要去海外,那更是手续繁多,需经层层审批。当时,深圳因有毗邻香港的特殊地缘优势,成立经济特区后更有特殊的优惠政策,特区特办,在深圳举办国际文化交流活动,方便得多。所以,当清华大学副校长张维院士找我和汤一介面商,要我和乐黛云去深圳大学创办中文系,要汤一介去办国学研究所,季羡林就积极支持。他希望我们到深圳,能在深大建立一个国际学术文化交流的平台,和北大比较文学研究会南北呼应,相互沟通,推进国际文化交流,促进中国人文学科的发展。

改革开放为我提供了一次历史机遇,我从1984年始就来到了当时改革开放的最前沿,开辟了一个新天地,从此不时经由香港走出国门,见识了更大的世界。

深圳开辟新天地

一

当初,我怎么会从我国最古老的高等学府北京大学到初创的最年轻的深圳大学来呢?

最直接的动因,当然是承蒙负责筹建深圳大学的清华大学副校长张维院士的盛情邀请,他热忱鼓励我和汤一介、乐黛云来参与创建中文系。但最根本的,还是受到了邓小平首次视察南方的鼓舞。

1983年底前几天,正在清华大学重建文科的钱逊告诉汤一介和我,新年元旦之际,张维院士要在他的清华园寓所约见我们两人。钱逊是我们多年的朋友,和我还是无锡同乡,国学大师钱穆之子,新中国成立后一直在清华任教。张维院士受深圳市市长梁湘之请,要去创建深圳大学,准备请北大的人来办中文系和外文系。他已请了北大的副教务长李赋宁担任外文系主任,中文系还没有定,他想发展新兴学科,以求学术创新,就向钱逊咨询。钱逊就向张维院士推荐了汤一介夫人乐黛云和我来创办中文系,另请汤一介在中文系设立国学研究所。当时,乐黛云尚在美国研修比较文学,还未回国。我已在北大新辟文艺美学这一新的专业方向,招收了研究生,并在《光明日报》连续发表文章,倡导在国内发展比较文艺学、比较美学等新学科。按张维院士的设想,深圳大学要在1984年就把中文系的构架建起来,然后再逐步发展完善。时间紧迫,来不及等乐黛云回来,就要汤一介和我去他寓所商量如何落实此事。

当时,汤一介和我都住在中关村,离清华园很近。我和汤一介约好,两人一同来到了张维院士的寓所。这是清华最靠西南角上的一栋两层小楼,客厅在楼下。张维院士见多识广,遍访欧美多国,那半天时间我们大多在听他讲如何建设深圳大学的设想。他告诉我们,他已说服深圳市市长梁湘,要把深圳大学办成新型的创新型大学,高起点、高标准、高质量,一开始就要向国际先进学习,作为目标,着力发展新兴学科。中文系和外语系都要突出中外文化交流,为改革开放服务。他对我们说,之所以要请三位来参与创办中文系和国学研究所,就是要推进国际文化交流,为深圳的外向发展培养人才。考虑到北大不可能放我们三个人走,张维校长和我俩商量,可否采取一种新的模式,那就是在三年初创期,我们三人,每年有半年时间到深大主持工作,还有半年则还在北大开课,带研究生。这样,既可以兼顾两头,又可利用北大的力量,帮助深大把中文系和国学研究所建起来。他还希望我们能从北大带一批年轻教师和研究生到中文系,以最快速度投入教学,以应急需。

　　这确实是一种崭新的模式,过去我们没有想到过。我和汤一介的基本意向是肯定要支持深圳大学的创举,但究竟如何具体安排,汤一介还要和正在美国的乐黛云电话联系。我在北大比较文学研究会和季羡林、杨周翰一起开会时,我特向他们两位报告了此事,征询他俩的意见。那时李赋宁已答应去深圳大学创办外文系,又知道我们俩去参与创办中文系,他俩一致赞同,说这对北大、深大都是好事,可以把两校联合起来,共同促进国际文化交流。他俩都是研究外国文学的前辈学者,季羡林还是主管人文科学的副校长,深感北大封闭太久了,闭目塞听,不知道国外的学术和文化发生了多大的变化。在1981年1月,在季羡林、杨周翰、李赋宁的积极倡导下,北大成立了国内第一个比较文学研究会。他俩领衔主持筹备,吸收了俄语系的岳凤麟、西语系的孙凤城、英语系的张隆溪等参与筹备,中文系由吴组缃、乐黛云和我参加了筹建。在80年代的最初三年中,我和杨周翰、张隆溪曾先后接待了美、英、法等国来访的文化学者,如叶维廉、刘若愚、李达三等。那时,国外学者来访,大都是先乘飞机到香港停留,然后再从香港到深圳或广州,再转向北京。在我们当时的印象中,香港是中外文化交流的中转站。如今,要在香港旁边的深圳办起大学来了,他俩很希望我和乐黛云去那里办中文系后,把北大和深大联合起来,成为中外文化交流的一个新平台。

张维校长的邀请,是后来我们到深圳大学来办中文系的直接动因。但当时汤一介和我都对深圳毫无了解,所以,还在举棋不定。就在和张维见面后的数天,1984年1月,邓小平第一次视察南方,首次到了深圳,对深圳创办经济特区的举措作了肯定,这对我们是极大的鼓舞。小平视察深圳后不久,教育部已有反响,一位在那里的政策研究室任职的我的学生告诉我,小平回京后就向有关领导郑重嘱咐:要把经济特区办好;深圳在办好经济特区的同时,要做好两件事——一是建设好大亚湾核电站,二是要办好深圳大学。看来,要办深圳大学,是得到了小平的首肯和支持的,这确令我振奋。

受到小平视察南方的鼓舞,又受到季羡林、杨周翰两位的鼓励,我和汤一介一商量,我俩的态度就更积极了。老汤提议,最好我俩先去深圳作一些实地考察,我们都没有去过那里,那里究竟怎么样,我们一无所知。我很赞同他的想法,百闻不如一见,眼见为实,要去亲身体验一下深圳的改革开放。我俩约好,春节一过就动身,去深圳看看。可是,汤一介却一直抽不出身,等到4月,我接到中华全国美学学会的通知,要我在4月底,到厦门去参加厦门市美学学会的成立大会,并参加中华全国美学会的美学会议。老汤就对我说,看来这次他去不成深圳了,他问我在开完会后,能否从厦门去一趟深圳。正好在春节期间,受李嘉诚之命在负责筹建汕头大学的罗列教授也来与我会面,竭力动员我去汕头大学,我虽然没有答允,但他也劝我去那里看一看。罗列教授曾任北大中文系副主任,后又到中国人民大学任新闻系主任,是我很熟悉的前辈,盛情难却,正好乘此趟也去拜访一下。

就这样,我一个人有生以来第一次踏上了深圳这块热土。

二

我在厦门逗留了五天,5月1日我一早乘飞机到了汕头。罗列教授亲自到机场接了我来到汕头大学。那时学校尚在筹建,还没有招待所，罗列教授就把我安排在他家里住了三天。这是一栋新建的二层独栋小楼，两百平方米，他告诉我，如果我肯调到汕头大学来，也会给我这样一栋小楼。作为筹建主任，他派车陪我在校园内外和市里去转了一圈，我的印象，这里的自然风光确实美，校园内有山有水，紧傍内海湾，若要在这里养老，真是个好去处。

但是，三天转下来，尽管我觉得这里是养老的好去处，但若想在这里开展国际文化交流却十分困难。一是交通不便（既无铁路，又无公路，只有小型飞机可通）；二是语言不通（附近都说潮汕话，听不懂普通话，无法交流）；三是信息不灵。若在这里闭门读书、钻研古典，倒还可以；若要在这里发展新兴学科，恐就很难。好在罗列教授是熟人，我就坦率相告：我不准备到汕头大学来，但很感谢他的盛情相邀，我回北大后会向他推荐其他人来。听我直说，罗列教授也就谅解我了。

我从汕头乘飞机到广州，再从广州转乘广深铁路到深圳，这已经是5月4日的中午了。那时深圳还真是一个边陲小镇，一出车站，尚无出租车可乘，只好坐着一辆三轮车到深圳大学的筹备处。到那里一看，是一处简陋的两层楼，说是原宝安县政府的办公楼。我找到了筹备处办公室主任王克来，说是张维校长推荐来的，要见在此坐镇的常务副校长罗征启。王克来是苏州人，一听口音就知道是同乡，他一口答允，下午就可见到，当务之急是马上去吃饭。他把我领到院子里临时搭建起来的铁皮屋，吃了一顿简陋的午饭，又安排我到后院的一间平房里住下。下午，我就见到了罗征启。

这一次见面，老罗为我详细介绍了一年来筹建深圳大学的经过。市长梁湘在财政年收入还只有两亿多元的情况下，就下定决心要花一亿元来创办这所大学，态度坚决，勇气可嘉，十分感人。清华大学十分支持这样的创举，现在北大也来人了，参与文科的建设，令人振奋。眼下虽然还十分艰苦，吃饭只能在铁皮房，但市里正在蛇口那里加紧赶建深圳大学第一期工程，先把办公楼、教室、图书馆和教师公寓、学生宿舍建起来。校园建设是国内一流的，1984年8月就能完工，马上可以迁入，新校园如期开学。老罗希望我回北京转告汤一介，赶快敦促乐黛云早些回国，争取我们三人在新校址落成、新学年开始之时就能到深圳来。老罗对深圳大学的前景十分看好，对这所新建大学充满了感情，他的这种热忱深深感染了我。

就在来深圳的那天，我中午去铁皮房吃饭时，一眼就看见了三位美学界的熟人也在用餐。李泽厚、蒋孔阳和刘纲纪就在那天也从广州特地赶到深圳来作一番考察，一睹深圳真面目。大家坐下来一谈，听我说深圳大学想邀我和乐黛云来办中文系，请汤一介来办国学研究所，这三位都一致称好。李泽厚称赞深圳的地缘条件好，紧靠香港，跨过罗湖桥就到，就像北大到王府井那样方便，便于国际学术交流。蒋孔阳知道我在为国家教委主编一套《西方文艺理论名著教程》，因缺少资料，我曾去上海复旦大学请教过这位学长，他就向我推荐到香港大学去查找。听我一说，他就连声说好，这里到香港大学多方便啊！

在深圳第二天，我用了半天时间在市区转了一圈，主要街道都走过了，然后到刚创办不久的《深圳特区报》去拜访了从北京调来的老朋友许兆焕。老许原是《光明日报》的文艺部主任，在北京时常向我约稿，是文化艺术界的老熟人。半年前，他从北京调到深圳来参与创办《深圳特区报》，担任副主编。见面一谈，他就鼓励我到深圳来，直率地说："来，一定来，这里天地宽，发展余地大，你应该在这里充分施展你的才华。"他甚至说，你要来深大，我们马上推你当作家协会主席。我一听就怕了，赶紧说，别，千万别，我要来就专心搞学问，当教书匠。

虽然我这次到深圳只停留了三天，但亲身感受到了这里朝气蓬勃的改革开放气氛，心里也看好深圳发展的远景，精神振奋。我回到北京，立即把我的感受告诉了老汤。老汤和我一商量，就决定向张维校长回应：我们三人都跟张维校长去深圳。

三

1984年9月上旬，张维校长派了深圳大学的人事处处长向在京的几位系主任发出了邀请，约好同一天由张维校长亲自带领大家到深圳大学赴任。

这一次,我们跟随张维校长同去的约有十人。北大副教务长李赋宁,校长张维五次亲自登门,请来了当外文系主任。乐黛云也在前不久从美国赶回来了,加上汤一介和我,北大一共四人。清华有三位:图书馆馆长唐统一,电子系主任童诗白,建筑系主任汪坦。人大有一位,法律系主任高名煊,加上陪送我们的人事处处长,浩浩荡荡,乘飞机直奔广州。到广州已是中午,深圳大学派来的张广贤把我们接上一辆中巴,在路上奔驰了近半天,傍晚才到深圳大学在粤海门新建成的新校园。刚一下车,大家眼前顿觉一亮,这时夕阳西下,一片金黄色,照耀着新建的楼房和绿色的草地,美丽异常,第一印象就非常深刻。张维校长和我们这些人都被安排在准备做研究生楼用的腾霄斋居住,到楼顶一看,还能远眺后海湾和对岸香港的流浮山,令人神往。

1984年9月21日,深圳大学在教学大楼底层的大厅里举行了盛大的新校舍落成以及新学年的开学典礼。市长梁湘和副市长邹尔康来参加了剪彩,梁湘还作了热情洋溢的讲话,下决心要把深圳大学办好。张维校长主持了大会,并且宣布了中文系等几个新系的成立。他当场就把汤一介、乐黛云和我向梁湘、邹尔康作了介绍。邹尔康是浙江人,市委的秘书长,又是主管文教的副市长,当他知道我是苏州人,就用浙江官话和我交谈起来。他很希望中文系办起来以后,要想法推进和海外华人文化的交流,争取更多的海外华人到深圳来考察,这给我留下了深刻印象。那一次,他就给了我一张名片,上面记着他的办公地址和电话。他告诉我若有什么困难,可以找他。香港中文大学的饶宗颐、香港大学的罗忼烈、东亚大学(澳门大学前身)的程祥徽也来这里祝贺,我也从此开始了和港澳学者的交往。

在中文系初创的最初三年,我们三人基本上是按照张维校长所说的方式,来往于北大—深大之间主持这里的工作。乐黛云、汤一介夫妇是在春季来,我则是在秋季来。我在北京得了秋季型过敏反应症,一到秋天就浑身不舒服,可到了深圳却满身舒畅,真是天留我也。试了三年,北大敦促我们三人都回到北大去。党委副书记、副校长张学书看见我就催,赶快结束深大的事,回北大来罢!可是,张维院士比较了解我，知道我已适应了深圳的生活。1987年初，他在清华园寓所和我作了一次长谈，劝我留在深圳大学，为发展人文学科继续做贡献。北大中文系主任严家炎找我，要我尽早回到北大。当时北大还未争取到文艺学博士点，杨晦在1983年去世，失去了申报文艺学博士点的最佳时机。家炎是国务院学位委员会文学学科评审组的成员，这次他竭力动员我，为北大的文艺学学科发展，正式向国务院学位办申报博士点。因为他是我的师兄，1956年我们一同跟杨晦攻读文艺学副博士研究生，关系极好，可以推心置腹，坦诚相见。我说服了他，我不回北大了。但我在北大新辟了文艺美学这一新的专业方向，需要发展，怎么办？我说这好办，我建议他把即将毕业的研究生王岳川留在北大，文艺美学这一学科就会后继有人。家炎兄见我去意已定，也就谅解了，就这样放我走了。汤一介、乐黛云夫妇就回到了北大，而我就留在了深大。从此，我和深大结下了不同寻常之缘，将在此厮守终生。深圳，成了我最后的精神家园。

改革开放不久，我在北大已评上了高级职称，获得了教授席位，将领衔申报文艺学博士点。北大不少师友劝我不要离开最高学府，安安稳稳教教书算了，不必再到那边陲小镇去折腾。可在当时，我成离开北大的第一人，南方的报刊为我拍手叫好，说是"敢吃螃蟹的第一人"。其实，我在当时也只是随着改革开放的节拍，早走了半步，对于未来究竟如何发展，并无"胸有成竹"，只能走一步看一步，紧追着深圳的步伐，边摸索边前行。

在深大初创期间，给我印象最深的是这里工作效率之高。每天中午，党委书记、常务副校长罗征启就在会议室召开工作午餐会，和各系系主任及各处处长同吃一样的盒饭，学校大事就在此时商定，决不拖拉，令人赞叹。

四

回顾这近卅年的历程，我们究竟为深圳大学做了些什么呢？答案是我们在这三个方面做了些事：

（一）发展新兴学科

按照张维校长的思路，中文系不能照搬内地的模式，学科要有创新。乐黛云从美国回来以后，力主在国内发展比较文学，通过比较，把中国文学和外国文学沟通起来，深大中文系应以此为主攻方向。对此，我亦赞同。汤一介在这里创办了国学研究所，吸引了孙猛、周勤、景海峰等年轻学者来研究中国传统文化。但中文系比内地更开放，学科应向更宽阔的方向发展，促进中外文学的交流。所以，乐黛云和我，一方面参与了北京大学比较文学研究会的工作，又在深圳大学成立了比较文学研究所，南北呼应。后来乐黛云回北大在中文系全力办比较文学研究所，广东也成立了比较文学研究会，我被推举为第一任会长。

到了1988年，深圳已自觉意识到要向国际化城市发展，这成了市政府的共识。当时梁湘、邹尔康已被调到海南去当省长、副省长，接替邹尔康当副市长的林祖基是位杂文家，也很重视文化建设，我们有过数次交谈。他觉得，在深圳办中文系，专业不应太细、太专，应该更加宽泛些，以适应深圳文化建设的需要，推动国际文化交流。张维院士一再鼓励我在人文学科的今后发展上多花些力气，有所创新。那时，系主任在深大的学科建设方面权限很大，可以自定系的名称，确定学科专业方向。我深思之下，和副手章必功、景海峰、郁龙余等一起商定，决定把学科方向扩大，把文学的比较，扩展成文化的比较，中文系改建为国际文化系，并把国际文化系的办系方针明确为：沟通中西，应用为主。那时，国内还从未出现过这样的系，北大有国际政治系，却无国际文化系。《深圳特区报》副总编许兆焕以为这在国内乃属创举，为国际文化系叫好，特别写了一个报道，在《光明日报》第一版发表了。后来深圳大学成立文学院，基本思路就是由中文、外语、传播三个系组成，力图促进中外文化的沟通，以传播为中介。深圳大学的人文科学发展，是从中文、外语开始，不断寻找新的生长点；然后又从新的生长点出发，又继续发展和拓展。我们在中文系初办时，就由张卫东和东亚大学（澳门大学前身）商谈合作办学，在香港、澳门招收学生来深圳学汉语,以后,又在中文系开办了对外汉语班。如今,对外汉语已经发展成独立的国际交流学院,学生已近千人。当时担任副校长的应启瑞曾积极支持国际文化系开展对外汉语教育,如今看到国际文化交流已在深大蓬勃发展,我感到十分欣慰。著名美学家蔡仪的博士生吴予敏一进中文系就积极投入大众传播专业的建设。如今大众传播专业已独立为深大富有特色的传播学院,文学院也已生长发展为中文、历史、哲学三个系。

(二)推动国际文化交流

来深圳的第二年,1986年,乐黛云和我就在深圳大学举办了一次盛大的学术活动:中国比较文学学会在这里成立,并开了第一届国际学术研讨会。这一次,北京大学的副校长季羡林也来了,大家推举他为名誉主席,选出了杨周翰为主席。国际比较文学学会会长佛克马以及美、法、日等国的比较文学学会主席都来了,这在深圳历史上是从来没有出现过的学术盛会,近百位学者云集深圳,真个是深圳历史上的创举。

也就在这一年,汤一介也在深圳大学主持了一次中国传统文化研究的协调会议,美国学者杜维明、上海学者王元化、北京学者庞朴等都来到了深圳。

最盛大的一次学术活动是在1986年召开的海外华人文学国际研讨会。广东社会科学院希望在深圳大学召开一次港澳台文学国际会议。我想,既要开,就不要只限于港澳台,应该把范围扩展到东南亚,更远的到欧美,可以称作海外华人文学国际研讨会。经过讨论,这次会议就定名为港澳台及海外华人文学国际研讨会,在美国的好几位华人作家如陈若曦等都来了,一百多人。我把此事告诉了当时的副市长邹尔康,他一口答允要来参加开幕式,而且说,他会去动员梁湘也来。果然,在粤海门客舍开幕那天,邹尔康陪着梁湘一起来到了会场,悄然坐在听众席里听着作家、学者的发言。那时开学术会议绝不讲排场,主席台上只有主持人或发言者站在上面,其他的与会者全都坐在听众席上,连市长也不例外。当我向全体与会者介绍梁湘市长、邹尔康副市长时,他俩都站起来向大家致意。梁湘当场说,我们是来听大家讲的,向大家学习,请大家多为深圳如何建设文化出主意,全场热烈鼓掌。上海来的徐中玉教授连声称赞,深圳开了新风。香港作家曾敏之在会后对我说,这样的市长谦虚谨慎,不摆官架,这才受人尊敬,我们这些在海外的华人,在市长身上看到了深圳的未来,将来必然辉煌。

就在这一年初春,我应香港中文大学之邀,去了由钱穆创建的新亚书院做访问学者,在山顶上住了一个多月,会见了饶宗颐、金耀基、袁鹤翔等十多位学者。在香港大学和香港中文大学搜集了我正在主编《西方文艺理论名著教程》所需的外文资料。从此,我和香港的学者、作家建立了密切的文化交往。由于学术文化交往的需要,邹尔康特别向市外事办公室作了交代,为我办理了一个可以常年自由出入香港的赴港证。香港大学、香港中文大学有什么重要的国际学术会议,香港朋友就给我打电话,立即可以去香港,当天即可来回,这正像我从北大到王府井去参加《文艺报》特约评论员会议一样,所花时间差不多。

由此以后,在深圳大学举办的国际会议越来越多。中华全国美学会就在深圳大学举办过国内第一次国际美学研讨会,会长汝信和秘书长滕守尧都来了,美、英、法、日等国的美学学会主席也来了。我的一位访问过深圳大学的朋友,美国的著名美学家布洛克也再来深圳,旧友重逢,分外高兴。

(三)开展特区文化研究

我到深圳以后,曾请著名美学家王朝闻夫妇来访深圳大学,并且成立了深圳市美学学会,我任会长,徐葆煜为副会长,特请王朝闻做名誉会长。深圳建经济特区之初,文化气氛还比较薄弱,作为较早成立的文化社团,深圳市美学学会开展了多方面的文化活动,如画展、摄影展、书法展、艺术演讲等等,丰富了早期创业者的文化生活,此后,深圳市文化界就不断动员我,要我到市里去当专职的文联主席。我坚决不走此路,我自己明白,像我这种书生,只适合在校园里生活,比较自由,可以做做学问。我会密切关心国家大事,但我有自知之明,没有那个能力去实际操作，运筹帷幄，无力去付诸实践，还是安于当教书匠。林祖基倒很尊重我自己的选择，但他好意劝我，你那国际文化系不能只抓一头，要抓两头：一抓国际文化交流，二要抓特区文化交流。国际文化交流的目的还是要发展我们自己的文化，学习国外是要建设经济特区自己的文化。我细想，觉得有道理。

于是，我在国际文化系成立了一个经济特区文化研究所，由我自己主持，想吸引一些年轻教师来关注经济特区文化，研究经济特区文化如何发展。为此，我还请吴俊忠当副所长，协助我开办了两届经济特区文化研究班，在深圳市吸收献身于文化建设的中坚力量，探讨文化，提高水平。这研究班前后来了卅人左右，其中有宣传部副部长、文化局局长、特区文化研究中心的主任和一些作家等。当时校长罗征启亲自向大家说了，在经济特区文化研究班结业，经专家评审，可以承认研究生学历，发给毕业证书，甚至可以给予学位。副市长林祖基对我说，只要深大发毕业证书，我们深圳市就会予以认可，特区特办。但在1989年的政治风暴之后，此事就不了了之，改革很难再有推进。

从此，我就把全部精力投入文艺学的学科建设。到了20世纪90年代初期，我和暨南大学的饶芃子教授作为学科带头人，向国务院学位委员会联合申报设立文艺学博士点，终获通过，我成为深圳大学自己产生的第一位博士生导师。我们在华南地区设立了文艺学的第一个博士点。后来，中山大学也成立了文艺学博士点，我又受邀在中山大学招博士生。我先后为国家培养了十届文艺学博士生，其中还有韩国、中国香港来的。我的第一位博士生王列生，如今已成为中国艺术研究院政策研究中心的主任。

自1984年到深圳大学以后，我先后在北京大学出版社、作家出版社、中华书局等出版了我的著编：《文艺美学》、《文艺美学论》、《西方文艺理论名著教程》（两卷）、《中国古典文艺学》《文艺学方法论》《中国古典美学丛编》（两卷）、《中国古典文艺学丛编》（三卷）、《西方二十世纪文论史》《西方二十世纪文论选》（四卷）、《西方文艺理论名著选编》（三卷）等。我的著作有300万字左右，但为教学需要而主编的教科书和教学资料则有近800万字。我先后被选为中国文艺理论学会副会长（会长为徐中玉、钱谷融）、中外文艺理论学会副会长（会长为钱中文、吴元迈）、广东省美学学会会长，深圳市文联副主席、作家协会主席、文艺评论家协会主席等。但这都是社会兼职，既不占国家编制，又不拿额外报酬，全是尽尽义务。1993年，国务院为我颁发了一个"突出贡献证书"，表彰我"为发展我国高等教育事业做出的突出贡献"。

五

我在71岁（2004）那年，离开了深大的教学岗位，但还担任着深圳大学学术委员会副主任、人文社会科学委员会主任的职务；在中山大学、暨南大学还在培养文艺美学博士生。我的学术生命并未结束，反而因为摆脱了许多杂务，能更加集中精力，思考和研究我所感兴趣的美学中的一些疑难问题，以求有所突破。我在北大30多年，直接受到许多著名学者如朱光潜、宗白华、杨晦、蔡仪、王朝闻、季羡林、冯至、王瑶等人的教诲，我发现了人文学者发展的一个较为普遍的规律，那就是和自然科学不大一样。人文学者的成熟，要靠长期积累，一般要到50岁左右才有自己的独立建构。我和叶朗都特别敬佩我们的学长张世英教授，他的大半辈子都在研究黑格尔哲学和西方哲学，但从80岁开始，连续写出了《新哲学讲演录》《境界与文化》《中西文化与自我》和《我的哲学生涯》等几大部哲学、美学专著，说的全是他自己的哲学和美学创见。他已经把西方的哲学和中国的哲学融会贯通，经过他自己对人生的体验和感悟，建构了他自己的美学学说，而且旗帜鲜明地标举出：美学，乃是哲学的最高形态，可称之为第一哲学。2010年他90岁，北京大学举办了第十八届世界美学大会，叶朗请了张世英和吴良镛两位最年长的美学家在开幕式上作主旨发言。张世英竟用英语在大会上作了整整一个小时的学术报告，全面阐释他对中国美学精粹的理解，使全场与会的数十位国际著名美学家深为敬佩，没有想到中国还有这样兼通中西而自成体系的美学家。

张世英是我一向敬重的学长，有三四年我和他以及汤一介常在一起活动。但我也没有想到在他90岁时还能用英语发表这样精彩的学术创见，见面时我紧握着他的手连声说："你真了不起，为你骄傲。"他真是生命不止，学术不停。这种坚韧不拔的学术精神，使我敬佩不已，激励着我们这些后进面对今后的人生。

  我们这些后进比他那一辈学者晚了十年左右时光，先天不足，后天失调，已经无法达到他那一辈的学术高峰。但经过30多年北大的熏陶，学术也融进了我的血液中，学术生命成了我生命中不可或缺的一个有机部分，已经难以割舍。如今，我每天还有七八个小时在作学术的思考、阅读和写作。清早，我一般是在五点左右醒来，已经睡不着了，但我并没有马上起来，约有一个多小时在思考，想起美学上的一些问题，应该怎样来解决。许多论文的构思，大多是在这个时间形成的，然后再七点左右起床，早饭后再查阅资料，围绕这构思加以论证、完善。我的学术阅读和写作大多是上午和晚上，但不开夜车。去年，我大约写了十万字的文章，写的大多是我自己感兴趣的问题，例如美学究竟研究什么，美究竟存在于何处，大自然的美在哪里等等。还有些是应一些国际性会议的要求而写的。比如，2011年由孙家正主持的太湖文化论坛首届国际年会在苏州召开，我应严昭柱之邀赴会，写出了《中华文化重和美》一文。2012年由中华美学学会主持的蔡元培美育研讨会在杭州召开，金雅邀我在大会上发言，我写了《蔡元培的美育精神》一文，深大学报已在今年第一期上作为特稿发表。

  前几年，我参加国内外的学术研讨会仍很多。香港大学、香港中文大学都有不少相识的学者，一开会就能相聚，刘再复、曾敏之、张隆溪、黄子平、许子东等都在香港一起开过会。近几年去香港少了，但在内地还常去一些地方，除了第十八届世界美学大会、太湖文化论坛这样一些重要的学术会议之外，文化部艺术研究院常请我去北京参加一些有关文化发展战略、中华文化如何走向世界等问题的研讨，在这里还能见到一些老熟人，如李希凡、刘梦溪、严家炎等。但老熟人是越来越少了，自然规律不可抗拒。

  我的日常生活较有规律。我过着简朴的生活：除了学术的思考、阅读和写作之外，每天必做三件事：一是关心时事，必看新闻；二是坚持游泳，乐在其中；三是弹奏钢琴，自由抒发。游泳是我自小学的，我生活在江南水乡，从小就在小河里自由泳，到深大后，滨海小区建起了小游泳池，我和罗征启都是每天都要光顾的泳友。60岁时迁入深大新村，时为外事办主任的白天向我推荐，我就开始到五洲宾馆游泳。快70岁时，我迁入益田村，我看中的是楼下就有一个游泳池，有半年可以天天游泳，还有半年关闭后，我就去五洲宾馆游，一年365天，除了外出开会，能有350天可以天天游泳一个小时，岂不快哉。我游泳已不仅是为锻炼身体，而且也是一种精神乐趣。我能躺在水面上纹风不动达半小时之久，这是我在北大时从一位美国教授温德那里学来的。静卧水上，仰看蓝天白云，常会浮想联翩，有些文章的构思就是在这时萌发而生，然后再看书充实。我年少时读的是无锡师范，必须要学会钢琴和风琴，我在家乡教过半年中学，教的就是语文、历史和音乐。十年前，我自己也有了钢琴，是女儿胡燕菘送我的。于是，我在思考、阅读、写作的间歇，弹上一些我喜欢的乐曲，作为休息，每天弹上两三回，自得其乐，尽兴而已。我老伴张景贤，原是清华大学中文系的教师，到深大来后任学报编辑，并在中文系夜大和留学生班兼课。退休后开始学画，已有七八年工夫，画兰、梅、竹、牡丹等，多是自我欣赏，赠予友人，也是其乐融融。

我年少时羡慕冰心能亲近大海，到了晚年，我更钦佩她的为人之道。冰心在91岁时回忆自己的一生，始终不忘记她的祖父的十字训诫："知足知不足，有为有弗为。"这是冰心的祖父谢子修挂在厅堂上的一副联，从小就教育冰心，要"知足"，物质上的衣、食、住、行等，要懂得知足，不要去苛求享受；但在人品、操行、学识上，要永远"知不足"。而"有为"呢？对人民国家、世界和平、人类进步有益的事，就要支持，不利的就要"弗为"。冰心一生都记着，身体力行。冰心晚年，回忆祖父的教导，动情地说："这话说来，将近八十年了，这十个字我还是牢牢记住了，也努力去实践了，但是否都做到了，还不能我自己来说。"我亦将以十字训诫来做人生反思。

2012年，在我即将跨入80岁之际，新任校长李清泉来校后设立了深圳大学咨询委员会，聘请香港科技大学创校校长吴家玮以及钟南山院士等为咨询委员，文科的咨询委员请了我和教育部的顾海良等参与，为深圳大学的重大决策作咨询。人三十而立，深圳大学从无到有，从小到大，从低到高，已经长成大人了。我祝愿深圳大学能更茁壮地成长。

一个愿望是深大能更高地发扬改革开放的精神，敢于推向深水区。深大是靠改革开放才能有今天的成就，但改革开放如今已到了深水区，那就更要在学术上创新，把更多精力放在学科建设上面。实行学分制、聘任制、改善行政管理，特别是学院管理等等，这都是改革开放的题中应有之义。但攻坚的难关还是学科建设、学术水平，必须为此花更大的力气。深大不可能去和北大、清华这样的名校比，但应该集中力气重点发展一些具有自己特色的学科，在学科的某些领域要优越于一般高校，这就像企业里要创建出一些特色品牌，才能在国内甚至在国际上占有一席之地。这就需要有一些人更重视科学研究，既要有国际视野，知道当今世界学科发展的最新动态，又要心目中有中国问题（包括深圳问题），懂得什么问题迫切需要解决。在传统学科中也要善于发现问题，寻找新的生长点，从而发展新的学科。应该吸引年轻教师把更多注意力放在学术创新上来，不能只当教书匠，既要教好书，也必须重视学术创新，关注学术前沿，才能与时俱进，提高教学水平。

第二个愿望是，深大能在深圳的"文化立市"中发挥更大的作用。深圳市于新世纪初在国内率先提出了"文化立市"，但在理论和实践的结合上还并不怎么完善，既需要作深入的调查研究，也需要有理论上的进一层探索。在深圳的高校中，只有深圳大学的学科比较齐集，既有社会科学，又有人文科学，深圳大学应该发挥学科优势，围绕"文化立市"作出较为全面的调查和研究，为深圳市起到"智库"的作用。这样，深圳大学不仅为深圳市的"文化立市"起到促进作用，而且也推动了深圳大学自身的学术水平和学科创新。

第三个愿望是，希望深大积极参与"深圳学派"的建设活动。近年来，有关"深圳学派"如何建设的争论不断。我看关键还在于要有人能潜下心来，真正从事科学研究，如今是说得多，做得少。深圳大学是深圳市各类学术力量最为集中的地方,责无旁贷,理应积极参与"深圳学派"的建设。我意,不妨先来探讨一下,深圳市的建设怎样体现"以人为本",怎样建成美丽家园。说清楚这个问题,对全国都有重大意义。我希望深圳大学能早日建成高等人文研究院,对一些重大理论问题开展科学研究。

预祝深圳大学三十而立。

2013年春节完稿于望海书斋

附编　文友抒怀

学术生涯五十年
——《美的追寻》[①]序

谢维信

今年是深圳大学建校20周年,恰好又适逢胡经之教授70岁诞辰,教学生涯亦将50年了,这虽是时间上的巧合,但却蕴涵着特有的意义和因缘。大家都知道,当初深圳大学初创之时,起点就很高,得到了清华、北大、人大等国内名校的大力支持,不少学有专长的系主任就来自这些名校。胡经之教授来自北大,当时在国内文艺学领域已是一大名家,刚过50就到深大。他从最古老的大学来到这所最年轻的大学,带来了北大的优良学统,在这里耕耘了近20年,如今到了古稀之年。他是我校目前还在教学岗位上继续奋斗的资历最深、教龄最长的一位元老了。年轻的深圳大学,正是有了像胡经之教授这样资深的教授、学者所带领的师资队伍,才会有今天的跨越式的快速发展,才会有与日俱增的影响。我担任深圳大学校长这些年向不少领导或朋友介绍学校的发展,最让我感到自豪的,就是我们有这样一支高素质高水平的实力雄厚的师资队伍。这是在20年中积累起来的最宝贵财富,是深圳大学腾飞的希望所在。

论教龄,论学问,论对于特区文化发展的贡献,胡经之教授堪称深圳大学的"人瑞"。早在1984年夏,他和第一任校长张维院士一起,从北京来到深圳这片正待开发的处女地,开始了辛勤的耕耘。他参与了中文系的创办,后来又曾把中文系改建为国际文化系,长期担任系主任。他积极倡导培养适合于特区发展的国际化文科人才,推动教育改革,开拓新的专业方向。1993年他和暨南大学饶芃子教授一同创

[①] 深圳大学文学院编,北京大学出版社,北京,2003年。

办了华南地区的第一个文艺学博士点,成为深圳大学办学历史上第一位由自己产生的博士生导师。他为深圳培养了一批博士和硕士研究生,整合并培植了布局合理的文艺学学科梯队。在深圳大学获得硕士学位授予权,争取博士学位授予权的关键阶段,他都精心规划,全力推动,建立了开创之功。

胡经之教授是享誉全国的学者,是具有中国特色的文艺学学科的创导者。数十年来他坚定地信仰马克思主义真理,坚持用马克思主义观察社会,观察历史和现实,在纷纭复杂的社会发展进程中,保持清醒头脑和正确的理论航向。他非常热爱我们伟大的祖国和优秀的民族文化,长久浸润于中华民族深厚的美学遗产中,体会人类审美文化的真谛。他自觉学习和继承五四运动以来的新文化传统,将这个传统与我们民族文化复兴的伟大事业联系起来。他具有"传道、授业、解惑"的为人师表的古风,数十年如一日,悉心培养人才;同时他也是一位充满与时俱进、开拓创新精神的学者,淡泊明志,专心于文艺美学的理论创新工作,毫无懈怠。尤其难能可贵的是,他在深圳特区开办初期就投身于这片改革开放的热土,在遍地拓荒的环境中,在早期还不成熟的市场经济的喧腾中,开始了人文学科的教育与研究事业。他为特区文化和文学艺术的发展、特区文艺人才的培养付出了大量心血、精力。对于胡经之教授来说,到特区工作的19年,也许是"从中心地域到边缘地区"的开拓式转变。我们看到,并不是什么人都能够适应这个巨大转变的。如果我们历数一下胡经之教授的学术论著,就会发现,他的大多数著作都是在特区的生活和工作环境中完成的。他勤奋工作的成就,就像是在曾经有人称之为是"沙漠"的地方栽活了一大片树木,字字句句,点点滴滴的心血,灌溉了特区文化的土壤,使它成为生机勃勃的沃土。胡经之教授在这片沃土上扎下了根,深圳人也没有忘记他,在人文社科界被尊崇为深圳文化艺术领域的学术带头人,文化建设热心人。

时至今日,深圳特区已经从一个不起眼的边陲小镇,迅速发展成举世瞩目的现代化城市,成为中国改革开放事业的实验场。在新的世纪,深圳人民正心潮澎湃奔向新的目标:力争到2005年率先基本实现现代化；到2010年达到世界中等发达国家水平；2030年赶上世界发达国家水平，使深圳成为建设有中国特色、中国风格、中国气派的社会主义示范区。正所谓"好风凭借力，送我上青云"。深圳大学地处这样的时代发展环境中，更需要在党的十六大精神的指引下，继续发扬当年特区创业时心怀大志、艰苦奋斗的"拓荒"精神，像胡经之教授这样，忠诚于党的教育事业，在更高的起点上，创造新的业绩，给特区人民更大回报。

2003年3月25日于深圳大学

谢维信　时任深圳大学校长，深圳大学学术委员会主任。

附编 文友抒怀

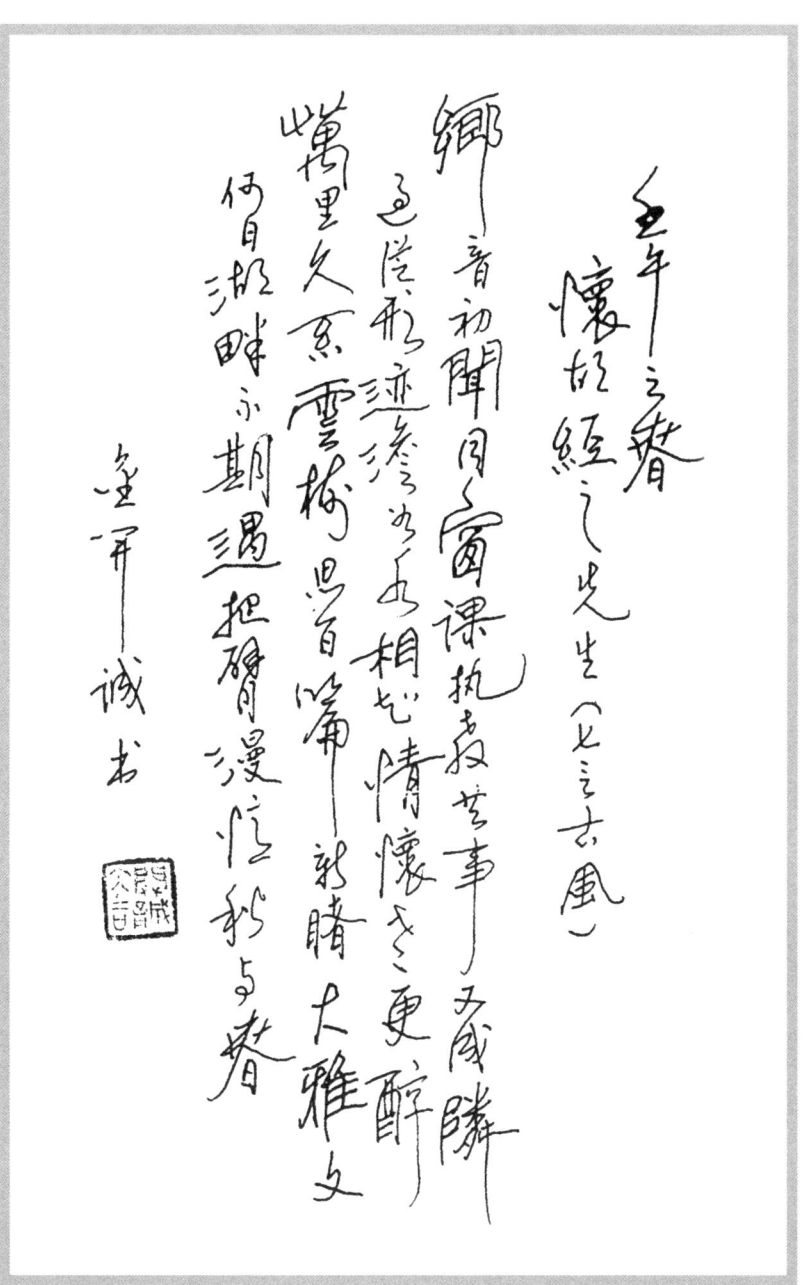

壬午之春怀故经之先生（七言古风）

乡音初闻同窗课，执袂共事又戍鳞。
迢递飞迹渺为鸿，相忆情怀愈更醉。
万里久无云树思，昔年新睹大雅文。
何日湖畔不期遇，把酒漫话秋与春。

壬午诚书

壬午之春怀经之

（七言古风）

乡音初闻同窗课，[1]
执教共事又成邻。[2]
过从形迹淡如水，
相知情怀老更醇。
万里久系云树思，
百篇新睹大雅文。
何日湖畔不期遇，[3]
把臂漫忆秋与春。

注释：

[1] 余与经之先生为同乡，在北大同窗听课，闻其乡音即知。经之为梅村人，其地旧属无锡县，今属无锡市。然经之恒自称为苏州人，此亦无妨，因余亦为半个苏州人也。

[2] 余与经之毕业后，均留系任教，又均曾有寓所在北大畅春园53号楼。

[3] 此湖畔或为太湖之畔，或为未名湖畔。

金开诚 时为全国政协常委。已出版的著作有《文艺心理学概论》《屈原辞研究》《谈艺综录》《文化古今谈》等20多种。

第一辑
钟情文艺美学

汇入了生命体验的美学探索

钱中文

我们虽都在北京,彼此也都知晓,但我和经之先生见面相识,却要在20世纪80年代初期。1985年4月,我和他都去扬州参加文艺理论学术会议,虽未深谈,但以后接触就多了。1986年的深秋,我们又都去参加了在苏州召开的"全国文学观念学术讨论会"。那时,经之先生尚执教于北大,知道他在讲授文艺美学,还在深圳大学参与建校的工作,从事文学理论教学,同时觉得他对展开比较文学研究也很热心,正可说是志同而道合。会后,我们一起游览了苏州雕花楼、紫金庵等古迹,闲谈中,知道他也是无锡人,见是同乡,也就增添了几分亲切感。

以后,经之先生邀我参加他的北大的硕士研究生的论文答辩会,这使我认识了一些优秀的年轻人,如张首映、王岳川等。同年,张首映就考上了我的博士生。

记得1986年还有一次深谈的机缘。那是在深圳大学举行《西方文艺理论名著教程》定稿会上,经之先生是主编,我应邀与会。在这次会上,我认识了一些从事文学理论、西方文论教学与研究的朋友,如李衍柱、曾繁仁、邹贤敏、李寿福等。会议结束后，主人组织我们去海边游泳，去新建的开发区、山区度假村参观。但印象最深的还是经之先生邀我到他的家里闲聊。经之先生的家离海边不远，房子不算特别宽敞，但比起那时我辈在北京的住房情况要好多了。要是白天有工夫在窗口小坐，透过树丛眺望大海，那是很有情趣的事呢！夜里探望窗外，只见火光点点，已不甚分明了。那天晚上，我们谈得十分投机，从故乡事、北京的各种奇事传闻，到深圳时事、天下事，无所不谈，有时开怀大笑，体验到有种难得轻松的自由感。夜深了，他就安顿我在他家里住下了。

1989年，经之先生赠我《文艺美学》，这是他经营了七八年的一本专著。阅读之余，我感到这是我国文艺学中的一本精品之作。在80年代，甚至现在，这类著作也不算很多。现在主要的问题是不少学术著述不是厚积薄发，而是随机随发，无积而发。几人分工一凑，一本东西就出来了，快是快了，但缺乏学术的厚实感与可信性。我佩服经之先生坐得下来的本领，这与他在北大学习、教学期间所受的训练是分不开的，与他在不少老学者之间切磋学问耳濡目染是分不开的。经之先生在北大求学期间受过良好的知识训练，后来对文艺学与美学这些学科的相互关系有过长期的思索，终于在20世纪80年代初，提出使文艺学与美学相互沟通的"文艺美学"，并得到老一辈的学者如朱光潜、王朝闻的鼓励与首肯。这一首倡，确实富于远见卓识。80年代初，文艺美学的初稿本来可以出版，但经之先生奉行"宁可晚些，但要好些"的宗旨，毅然一再修改而写成了现在的《文艺美学》。

经过经之先生的倡议与其他学者的一起推动，现在高校中文系普遍开设了"文艺美学"，"文艺美学"成了中文系的一门基础性学科，在这点上，经之先生的首创精神功不可没。在当今时代，学科的综合、交叉与互渗，可能形成新知识、新学科。我知道，有的部门在80年代外国文艺思潮如潮水般涌来时，就纷纷提出要建立新学科，有的研究机构还成立了新学科研究室。但是十多年过去了，新学科却并未出现，何故？原因在搞科学研究是浮躁不得的，学术上的真知灼见，新的推进或是新的发现，不是靠一时的意气风发、心血来潮，而是借知识的积累、底蕴的深厚、踏实的学风获得的。不是把外国的东西翻译过来、加上自己写的东西合在一起出版，就算有国际水平的新学科了。一个普通的论题的研究，怎么算是新学科呢？作为真正的新兴学科的"文艺美学"的出现，倒是从另一个方面说明了这个问题。经之先生把这种对文艺学新兴学科建设执着追求的精神，也带到了深圳大学。当时整个华南地区，文艺学没有一个博士点，他就积极推进，在1993年向国务院学位办建议，应在南方及早设立文艺学博士点，以推进文艺学的改革创新。此建议得到了学位办和许多评审专家的支持，从而在南方较早就有了一个文艺学博士点。大家很敬佩经之先生的这种精神，可以说，若没有他的积极参与和努力，在当时群雄争起的关头，是很难获得成功的。经之先生对学科建设的贡献，在学界，可说有目共睹。

其次，经之先生的《文艺美学》在治学上做到了中西融会。经之先生原本具有深厚的古代文论的底子，文艺美学提出后，他带领助手，广泛搜集我国古代文论资料，先是编成《中国古典美学丛编》，然后又经删削增补，编成了《中国古典文艺学丛编》，从整体上把握了古代文论的体系、基本范畴及其内涵。同时，经之先生很快转向西方文论，有意识地收集当代西方各种文艺思潮，各家文论，编辑资料，熟悉了各个流派、倾向及其范畴，和别的学者合作，主编了《西方文艺理论名著教程》与《20世纪西方文论史》。这样，在全面把握了中国文论的范畴与精神和西方文论的最新成果，分辨了各自特征与相互通约的基础上，再来撰写他的文艺美学，就能高屋建瓴，左右逢源，在总体上真正做到了中西融会。于是，我们见到《文艺美学》的独特的构成：审美活动、审美体验、审美意象、审美超越、艺术本体、艺术的审美构成、艺术形象、艺术意境、艺术形态、艺术阐释与接受。这个文艺美学的结构或体系，和经之先生对它所做的独特的阐释，显示了作者深厚的学术功力，深思熟虑的精深学理，诗学与美学的和谐结合，和贯通中西的学术传统，成为文艺美学中最具创新力度的著作，从而充实和丰富了我国的文艺科学。

再次，经之先生治学的现代意识、前沿意识令人感佩。新时期为研究古代文论开辟了大好的局面，以他的资历与执着，是完全可以就古代文论写出洋洋洒洒的大部头专著来的。但他没有,不是不能,也非不为,而是另有所为,他想打通美学与文艺学形态,使之结合为"文艺美学"。在用与不用之间,他既选择了不用,又选择了用,使我国古代文论从一个方面实现"现代转化",使不用转化为用,《文艺美学》就是这一转化的形态之一。一些学者,尽可以去以古释古,并自成学问。实际上完全以古释古是根本做不到的,不过这种研究自然是基础的、根本的,也是极为需要的。在任何优秀的、存活到现今的古代文化遗产中,都必定存在着属于未来的成分、全人类的成分、古今通约的成分,吸取这些有生命力的部分和有用的因素,使之汇入当代文艺学的建设,也极为迫切,不少当代文论研究者正为之殚精竭虑,不懈努力。去年年初,一些研究古代文学的学者对"我国古代文论的现代转换(化)"集中火力批判说:古今文论背景有别、血缘上几无联系而不可通约,嘲弄中国古代文论的"现代转换(化)",是漠视传统的"无根心态"、"殖民心态",编了"新好了歌"——"世人都晓传统好,唯有西学忘不了",提出"'传统'是拒绝现代化的",由此宣布"中国古代文论的现代转换(化)"是个"虚伪命题";"古代文论的历史研究尚处于很浅的层次,很低的水平,古代文论的理论阐释水平难以提高,也正是由于这个缘故"。而古代文论界"像一个僻远的乡村突然因古迹成为旅游胜地,全村都兴奋起来……热烈欢呼'转换'的口号,希望借此激活走向僵化和停滞的古代文论研究";探讨古、今的两班人马,"都在自己掘开的洞口小天地里唱歌跳舞、多情自赏,各摆弄各的工具",结果是东西对垒,各说各的,中西文论并存、转化、贯通,并未落实,"最多只能拿出一些用来炫耀的装饰的皮毛功绩"。最后,劳师日长,知难而退,悄然收工,"转化"自然是被他们宣布失败了。新时期以来,除美学讨论到后来出现了情绪化倾向,在文艺学的探讨中,还未见过如此轻佻、浮躁、把人一棍子打死的学风。如果他们读一读《文艺美学》和其他学者古代文论如何转化方面的著作,可能就不至说出这类浅薄的话来,浅薄得把自己曾在程门立雪三年的老师都一扫而光了!已经出版的一些探讨古代文论转化的著作,可不是什么装饰的皮毛功绩!让人感到意外的是,编了"新好了歌"的作者,在自己文章最后,大概为了壮胆,还要引用西学为结束,不知是否他正是"唯有西学忘不了"的缘故?

20世纪90年代,我和经之先生等发起成立了中外文艺理论学会,交往更多,彼此也有了更多的了解。1999年,我和童庆炳教授编辑《新时期文艺学建设丛书》,第一辑就收了经之先生的《文艺美学论》。经之先生寄来了稿件,并附了一篇"自序"。读罢"自序",使我更多地了解到经之先生对文艺美学的提出与投入的原因。他从小就受到水乡风物、园林雅趣的熏陶:那里湖光山色,风帆点点,稻香鱼肥,渔舟唱晚。结合幼时叹唱的古诗、古文的教学,家学渊源,培植了他对艺文的兴趣,使他不断投向了文学艺术的海洋。以后在名师的指点下,将生命的审美体验汇入了他学问的追求之中。

随着90年代文化现象审美化的泛化,经之先生提出要注视现实,研究大众文化及其多种形式,及时转向文化美学的研究,显示了其目光的敏锐性。

漫读经之先生的一些散文,深感经之先生的生命线是漫长的。从江南稚子到北大学子,然后留校教学,又到"海滨游子"。"唱晚岭南应无悔","家园亦可在天涯",何等爽朗、达观!

我们都到了古稀之年,但我们都想为我国的文艺学建设做一些力所能及的事,尽一些菲薄之力。愿经之先生在文艺学和文艺美学里,结出更多的精神果实来!

2003年1月25日于北京

钱中文 时为中国社会科学院学术委员会委员、文学研究所研究员、博士生导师,国际文学理论学会副主席、中国中外文艺理论学会会长。

胡经之教授与文艺美学学科

曾繁仁

最近,深圳大学文学院约我写一篇有关胡经之教授学术思想的文章,我立即欣然接受。其原因在于我同胡经之教授认识交往近20年,他的道德、文章均给我留下深刻印象。可以这样说,胡经之教授是我国美学界真正将所研与所行做到统一的学者。他毕生从事美学研究,同时又毕生努力按照美学的精神去生活,审美地对待人生。因此,我总是将胡经之教授作为自己的楷模。还有一个更为重要的原因就是,胡经之教授同我国文艺美学学科有着极为密切的关系。可以这样说,任何有见识的学者在论述我国新时期文艺学与美学的发展时,都必然要涉及文艺美学的提出与发展,而又都必然要涉及胡经之教授在文艺美学学科的发展中所做出的重要贡献。我国文艺美学学科的发展之所以会取得今天的成绩,我们山东大学文艺美学研究中心之所以会成为全国人文社科百所科研基地之一,都是包括胡经之教授在内的前辈学者所做努力与贡献的结果。我们山东大学文艺美学中心于2001年5月中旬正式挂牌,胡经之教授不仅欣然接受文艺美学中心专家委员会委员的聘任,而且不远数千里从深圳飞到济南参加挂牌仪式,并专门撰写了《发展文艺美学》的论文,在会上作了重要发言。胡经之教授在发言中指出:"经过20年共同努力,如今文艺美学已发展成为文艺学的一个专业方向。山东大学又成立了文艺美学研究中心,为全国文艺美学的研究提供了一个良好基础,这必将有力地推动文艺美学这一富有中国特色的文艺学科方向获得更好的发展。"[1]殷殷之情,溢于言表。我个人认为,胡经之教授是我国美学界和文艺学界

---

[1] 胡经之:《胡经之文丛》,作家出版社,北京,2001年,第64、396、382、127页。

对文艺美学科学的形成与发展,用力最勤、贡献最大的一位学者。而在文艺美学学科方面的建树,也成为胡经之教授近半个世纪学术活动的主要内容。

胡经之教授是我国文艺美学学科的重要倡导者,而在大陆他则是首倡者。美学由20世纪初传入我国,长期以来都作为独立的学科发展。与美学相应,还有文学理论学科。解放后由于苏联的影响,文学理论发展为文艺学。在我国,70年代才出现"文艺美学"学科这一新的提法。最早,由台湾老一代美学家王梦鸥于1971年出版《文艺美学》一书。本书分上下篇,上篇除文艺审美的历史概述外,还探讨了文艺美学的研究对象;下篇则以"适性论"、"意境论"、"神游论"构筑"文艺美学"体系。①这本书对胡经之教授的长期思考以深深的启发。1993年,胡经之教授写道:"在我最近参加的一次国际学术会议上,我坦率地告诉台湾和香港学者,我所著《文艺美学》的书名,就是受台湾著名学者王梦鸥的启发而题。还在70年代,我集中精力研究《红楼梦》时,就读过老一辈学者王梦鸥的红学著作,甚感敬佩。由此我又读了他的一本文艺评论的书,深感他所说的文艺美学,实在应发展成一门独立的学科。"②胡经之在1986年所写的《艺术美的探求》一文中,还特地向学界介绍了王梦鸥的《文艺美学》一书的基本内容。在这里,胡经之教授严谨的学风与不掠人之美的高尚学术道德的确给我们以深深的教益。但是,在中国大陆,在"十年内乱"刚刚结束的特定历史背景下,恰恰是胡经之教授第一个在1980年春昆明召开的极其重要的全国首届美学会上提出,高等学校的文学、艺术学科的美学教学,不能只停留在讲授美学原理,而应开拓和发展文艺美学。而在中华美学会首届年会的简报中就摘登了胡经之教授关于建设"文艺美学学科"的建议。1982年1月,胡经之教授作为北京大学出版社文艺美学丛书编辑委员会的重要成员之一,参与编辑出版了《美学向导》一书。胡经之教授在该书发表重要论文《文艺美

---

① 古远清:《台湾当代文学理论批评史》,武汉出版社,武汉,1994年,第331、334页。
② 胡经之:《胡经之文丛》,作家出版社,北京,2001年,第64、396、382、127页。

学及其他》，该文全面论述了文艺美学与文艺学以及美学的关系，探讨了文艺美学的对象、内容和方法。胡经之教授在有关文艺美学的学科定位问题上指出，"文艺美学是文艺学和美学相结合的产物，它专门研究文学艺术这种社会现象的审美特性和审美规律"。在有关文艺美学的对象和内容问题上，胡经之教授指出，"探讨文学艺术的作品、创造和享受，亦即产品、生产和消费这三方面的审美规律，这就是文艺美学的对象和内容"。关于文艺美学的研究方法，胡经之教授指出："文艺美学研究文学艺术审美的'自律'，不能离开整个社会发展的'他律'，不能轻视'他律'对'自律'的制约作用，正如研究地球的自转，不能抛开它围绕太阳的公转。"又说，"文艺美学既需要采取'自上而下'，又需要运用'自下而上'的方法，分析和综合，演绎和归纳相结合"。①在方法问题上，胡经之教授吸取了韦勒克"内部规律"与"外部规律"、杨晦先生"自转与公转"以及门罗"自上而下与自下而上"等各种观点，并加以综合。可以说，胡经之教授的《文艺美学及其他》一文是我国最早的一篇从独立学科的角度，全面论述文艺美学的论文，实际上是他的文艺美学学科体系的雏形。在这里，需要特别说明的是，胡经之教授之所以能在我国20世纪80年代初即提出比较完整的有关文艺美学学科体系的理论观点，这绝不是偶然的，而是同他在北京大学30多年的学术生涯与理论熏陶分不开的。北京大学是我国现代美学的发源地，不仅有一代美学宗师蔡元培所倡导的"以美育代宗教说"，而且当代著名美学家及其美学理论活动无不与北京大学直接有关。特别是1949年新中国成立后，北京大学更是人文荟萃，人才辈出，汇集了朱光潜、宗白华、杨晦、游国恩、林庚、季镇淮、王瑶、吴组缃、季羡林、冯至、曹靖华等一大批美学与文学大家，还有社科院文学所的何其芳、蔡仪、余冠英、俞平伯以及当代理论家周扬、张光年、邵荃麟、林默涵以及苏联文艺学家毕达可夫等都曾活跃在北京大学的讲坛之上。特别是，胡经之教授1957年

---

① 文艺美学丛书编委会：《美学向导》第1版，北京大学出版社，北京，1982年，第26、43、44页。

师从杨晦教授专攻文艺学研究生，1961年又参加周扬主持的人文社会科学教材的编写工作，作为蔡仪主编的《文学概论》的编写人之一，同时参加王朝闻主编的《美学概论》的讨论。而从胡经之教授本人来说，20世纪50年代末就曾探索古典艺术为何至今还有艺术魅力问题，并著有数万字的长文发表。而北大特有的学术氛围又使其思考这样的问题："当时的文艺学太政治化，而美学又太抽象，只在客观、主观上争来争去。我想寻找一条道路，能否把美学和文艺学贯通、融合起来。"①更为重要的是1978年在我国开始的"改革开放"与"实事求是，解放思想"的思想路线，为突破僵化的理论教条的束缚注入了新的活力。在美学与文艺学领域则着重在突破主客二元对立的思维模式，克服以哲学普遍规律代替学术特有规律以及以政治代替艺术的错误倾向。这就为胡经之教授及其他学者倡导文艺美学学科提供了良好的社会环境。正如胡经之教授20年后写道："改革开放给中国带来了新的憧憬和希望，审美理想之光引发了80年代的新的美学热潮。但这时的美学已不是停留在哲学思辨，而是着眼于思想的自由解放，美被看成了自由的象征。"又说："从我自己的经验出发，如果美学只停留在争论美是客观的还是主观的这样抽象的水平上，这并不能解决艺术实践中的复杂问题。"②由此可知，胡经之教授与其他学者对文艺美学的倡导正是适应了时代的潮流，并符合美学与文艺学学科自身发展的规律。因而，文艺美学在20世纪80年代初一时成为热潮，并受到学术界与社会的广泛重视。而其对"左"的僵化的美学与文艺学思潮的突破与学科发展所起到的重要推动作用也是不容忽视的。这正是胡经之教授为我国美学与文艺学学科发展所做出的重要贡献。

  胡经之教授不仅是我国文艺美学学科的重要倡导者，而且以自己的实际的学术活动，成为文艺美学学科建设的重要推动者。正如胡经之教授自己所说："文艺美学，成了我学术关注的中心。"③可以这样说，这种对文艺美学的关注，从20世纪80年代初一直贯穿到今天，

---

① 胡经之：《胡经之文丛》，作家出版社，北京，2001年，第64、396、382、127页。
② 胡经之：《文艺美学的反思》，载《江苏社会科学》，1999年第6期。
③ 胡经之：《文艺美学论·自序》，华中师范大学出版社，武汉，2000年，第5页。

历时20多年。20多年来，胡经之教授为文艺美学学科的建设与发展倾注了自己的全部心血，取得了十分显著的实绩。胡经之教授于1980年首次在北京大学为研究生和本科生开设"文艺美学"课程，受到普遍欢迎。1981年，他还在北京大学首次招收了文艺美学方向的硕士研究生。当年的这些研究生，今天大都成为美学、文艺学与文艺美学学科的重要学术带头人，如王岳川、王一川、陈伟、张首映、丁涛、王坤等人。同时，胡经之教授还同叶朗等学者一起，在朱光潜、宗白华、杨晦等学术前辈的指导下，编辑出版了《文艺美学丛书》，为我国文艺美学学科提供了第一批高质量的学术成果。1984年，由胡经之教授与盛天启等人发起成立北京大学文艺美学研究会，胡经之被推为会长，负责主编《文艺美学论丛》。这是我国第一个文艺美学学术研究团体。20多年来，胡经之教授还自觉地为文艺美学学科的发展进行文献资料方面的准备工作。他说："文艺美学要发展，不仅需要掌握西方的思想资料，也需要掌握中国自己的思想资料，更需要掌握当下现实中不断涌现出来的艺术实践的活生生的现实资料"，"这些，都是在为有志于发展中国文艺学的有识之士，提供些许理论资料"。[①]为此，胡经之教授以相当多的精力，在其他诸多学者的积极参与合作下，先后主编出版了《西方文艺理论名著选编》（1986）、《西方二十世纪文论选》（1989）、《中国现代美学丛编》（1987）、《中国古典美学丛编》（1988）、《文艺学美学方法论》（1994）。这些宝贵资料都为我国文艺美学学科的进一步发展奠定了重要基础。

胡经之教授从1980年首倡文艺美学学科，并开设"文艺美学"课程，编写"文艺美学"教材，至1983年已写出教材第二稿，出版社催其及早发稿付排。但胡经之教授却并未交稿，因他感到"全书的内在逻辑尚嫌不足，脉络尚需进一步理顺，一些关键问题还需深一层展开讨论"。他认为，"文艺美学并非就是美学原理和文艺学原理的简单相加，需要寻找自己的逻辑起点和思想脉络，这就需要思考和研

[①] 胡经之：《胡经之文丛》，作家出版社，北京，2001年，第64、396、382、127页。

究"①。这一思考就思考了5年,胡经之教授前后历经8年的漫长岁月,又写出了一部35万字11章的《文艺美学》论著。这部论著在迄今所见的10余部文艺美学专著中是一部具有全新面貌和深厚学术含量的论著,成为我国文艺美学学科的重要代表性论著之一。这也是胡经之教授对文艺美学学科建设所做出的另一重要贡献。胡经之教授坚持马克思主义历史唯物主义方向,认为审美活动是整个社会生活的一个方面。他说:"审美现象、审美活动是整个社会生活中的一个方面。文学艺术的审美规律,离不开社会生活中的其他社会规律(经济的、政治的、道德的等等)。"②同时,他又借鉴当代系统论,将艺术审美活动看作是一个有机的系统。他说,"无论是艺术创造者和艺术欣赏者,都是属于社会的,不是孤立的个人。把艺术活动放到社会系统中就成了这样的系统:社会—创作—作品—欣赏—社会"③。更应引起我们注重的是本书的基本观点与逻辑结构。胡经之教授一反以艺术形象作为逻辑起点,再进入创作与欣赏,由静到动的常规,他直接从审美活动入手,剖析艺术把握世界的方式,进而探究审美体验的特点,寻找艺术的奥秘,然后再转入艺术美、艺术意境等的论述。这是一种由动态分析走向静态考察的过程。问题在于胡经之教授为什么要采取这样的逻辑结构,何以要为了探寻这样的逻辑体系而耗费了八年的时光,其意义与价值又在哪里。我个人认为,胡经之教授《文艺美学》一书的创新之处在于,他从本体论的崭新角度来论述文艺美学问题,这就决定了他的基本立论与理论构架。这也是胡经之教授历数年之久苦苦探寻的成果。他说:"因此,文艺美学将从本体论高度,将艺术看作人把握现实的方式,人的生存方式和灵魂栖息方式。"④所谓本体论的高度就是将审美与艺术看作人的一种最基本的生存方式。正如胡经之教授所说:"因此,在我看来,艺术的要点在于揭示历史与生命何以才能达到一定程度的透明性,并在艺术体验之中,开启自己的本质和处境的新维度。这样,艺术活动就不是人的一件外部

---

① 胡经之:《文艺美学》,北京大学出版社,北京,1999年,第3、15、10、1、17、411页。
②③④ 同上。

操作活动,而是成为人的生命意义赋予活动。艺术直接成为人的一种特殊生存方式。"①将艺术和审美看作人的一种特殊的也是最基本的生存方式,这无疑是对西方当代存在主义本体论美学的一种借鉴,但又无疑对其进行了某种改造,抛弃了它所包含的消极灰暗的内涵,赋予其创造崭新人生的新意。这无疑是一种新的文艺美学学科体系的建立,不仅对文艺美学学科,而是对与之相关的文艺学、美学、艺术学学科都具有极其重要的意义。因为,长期以来,人们都只从认识论和实践论的角度审视审美活动和文学艺术,将文学艺术看作是现实生活的镜子和反映。尽管实践论美学包含了主体的能动创造的内容,但也主要是对客体合规律性的一种反映。但存在论美学却一反常规,将审美与艺术从单纯的认识与实践中摆脱出来,从总体上不是侧重于合规律性的反映,而是侧重于合目的性的存在。正是从这样崭新的视角和维度,胡经之教授才以审美活动这一人类特殊的存在方式作为其整个理论架构的逻辑起点,由此出发探寻人类如何在审美与艺术中生存。而其归宿则在于通过艺术与审美这一人类特殊的存在方式去塑造一代"新人"。胡经之教授在全书的最后指出:"艺术,不仅是人对世界的一种反映方式,它也直接是人的一种生存方式和实践形式。艺术,不仅是人对世界的一种审美掌握,它也直接是人的感性审美生成。只有在艺术本体与人的本体紧密相契之处,文艺美学才有可能真正展开其垂天之翼。"②在这里,胡经之教授道出了自己的努力方向——力图将本体论的存在论与马克思主义的实践论相结合,同时也道出了自己的期待——希望这样的结合做得更好,从而使文艺美学展开其垂天之翼。我们相信,胡经之教授的心血不会白费,有胡经之教授这样的前辈学者打下的坚实基础,与迄今仍在锲而不舍的努力,加上众多中青学者的成长与奋进,文艺美学学科的明天一定会更加美好!

作为胡经之教授的朋友,同时也是胡经之教授的晚辈,我衷心感

---

①胡经之:《文艺美学》,北京大学出版社,北京,1999年,第3、15、10、1、17、411页。
②同上。

谢他近半个世纪以来对文艺美学学科所做出的卓越贡献,同时也要感谢他一贯的以审美的态度对前辈、同辈以及晚辈的深情关爱。

2002年1月5日于济南

曾繁仁 时为山东大学文艺美学研究中心主任、教授、博士生导师,国务院学位委员会中文学科评议组成员,教育部中文教学指导委员会副主任,高教学会美育研究学会副会长。出版有《西方美学论纲》《走向二十一世纪的审美教育》等著作,发表《文艺美学学科的产生和发展》《试论生态美学》《走到社会与学科前沿的中国美育》等论文100余篇。

博采众长求创新

陆贵山

学术建树

经之先生可谓系统的理论形态的中国文艺美学的首创者。他有意识地把对文艺与审美的研究联系起来,侧重于深化和优化对文艺的美学研究,目的在于更加充分地揭示和阐明文艺的审美属性和特殊规律。这是对当时学术背景下呼唤对文艺进行美学研究的一种自觉的回应。

20世纪60年代波及哲学界、美学界和文艺界的美学大讨论,把哲学美学的研究推向了新中国成立以后的巅峰状态,形成了学界公认的中国当代美学的几大流派,可称之为:美的主观说、美的客观说,其中又包含着美的宏观说的自然学派和美的客观说的社会学派和美的主客观统一说。这些不同的美学观念,其中有的表述得相当完整和精湛,对从哲学基础上理解和阐释美的形态、本质和规律性特征颇有助益。但确实存在着明显的相通的缺失,表现为美学研究的哲学漫游多半限于对哲学理念的演绎和发挥,忽略了对文艺现象,包括对文艺创作、文艺批评、文艺思潮、文艺研究、文艺论争中所表现出来的审美特性和艺术规律的理论提升。美学研究面临着突破和超越哲学理念的束缚,消除长期形成的庸俗社会学、机械唯物论、直观反映论和哲学教条主义、艺术教条主义的思想影响。这迫切需要一种学理上的反叛、清洗和涤荡。经之教授适应这种特殊的学术建树的呼唤,实际上承担起和扮演着一个开垦新的学术园地的拓荒者的角色,在一块处女地上进行着辛勤的耕耘。当时虽然不能说是冒着风险,但恐怕不能认为只是限于勤奋，至少同时表现出一种冲刺的勇气和韧性的奋进。自经之先生起，大多数的学者，才从理论形态上，把文艺美学和哲学美学区分开来。

经之先生在弘扬西方学术和西方文论方面也做出了独特的贡献。他主编的相关的西方文艺理论的教材和资料广为全国高校中文系所采用，从形态、结构到观念，都比较沉实、稳健而又新颖，得到了学界的一致的赞誉。

他加盟暨南大学申报文艺学博士点，1993年经国务院学科组评审通过，实现了我国华南地区博士点的零的突破，功不可没，为提升中国南方和深圳特区的文化品位，做出了自己重要的贡献。他悉心培养的一批优秀的硕士生和博士生，大多已经成为全国文艺理论界有才气、有活力、影响的著名学者。

面对日趋严重的大众文艺走势的庸俗化、鄙俗化，他极力维护艺术的正气、纯洁和尊严。为了回应商品大潮的冲击，虔诚地守护文艺这块净土和阵地，他多次在相关的学术会议上呼吁发扬文艺的人文精神和美学精神，反复强调文艺创作应当"按照美的规律来创造"，忧心忡忡地反对文艺的极端的功利化和商品化所诱发和滋生出来的文艺的精神价值的坠落和滑坡。

学术风范

经之先生求实、求真、求新的学风，给我留下了极其深刻的印象。这和他所接受的教育很有关系。

经之先生在20世纪50年代和李希凡等人都先后读过中国人民大学的马克思主义研究生班。他的马克思主义哲学功底比较厚实，头脑中积淀并不断生发着内化的唯物、辩证、综合、创新的思维方式，观察和剖析问题比较全面、完整和准确。他的著述中少有狭隘、偏执和极端之论。在所谓"左派"和所谓"右派"的学术营垒中都有他的知心好友。"左派"看他不"右"，"右派"看他不"左"，从这个意义上讲，可以说是"左右逢源"了。他真的具有"亦此亦彼"的思维方式,他的做人和为学,既勤奋、执着、严谨,又亲善、谦和、宽容。有人却不是这样。口中喊着多元、对话、共存、互动、兼容,事实上却少有躬行,甚至一有与自己不同的学术观点出现,便大加封杀,说的是"亦此亦彼",做的是"即此非彼",唯我独尊,心性骄狂,学风浮躁,视他人的观点为异类,视同仁的学术劳绩和学术成果为草芥,甚至下意识地摆出学坛领袖状,不断打造一个盲目而又自信的膨胀了的自我。

学术思想总是相比较而存在相竞争而发展的,小事聪明的学人们往往难免大事糊涂。似乎都没有体悟到,看来否定和消解自己的他,往往是另一面的我。经之先生却相反,表面看来,他好像有点小事糊涂,不计较那些无关宏旨的细枝末节,但对带有原则性的大事,却能做到心中有数,是非分明。这是一种难得的操守和学养。

学术友谊

我同经之教授之间的友情是深厚的、难忘的。他是我的良师益友。他曾在人大马克思主义研究生班学习过,称得上是我的校友,更重要的是我的相当于师辈的好友。与他的每次交谈,都是灵犀相通,受益良多,得到道德文章方面的启迪,从这个意义上说,他又可称之为我的挚友和诤友了。

我最先见到他是20世纪50年代末,在光明日报文艺部一起开会、讨论文艺问题。80年代始,我拿着我的第一部专著《艺术真实论》到北大的中关村寓所去看他。斗室中堆满了书,当时他在准备《文艺美学》的教学资料,但心情并不很好,中文系曾想把他挖到人大来。面对着学术界的极其复杂的人际环境,他向我流露、诉说了心中无法摆脱的焦虑和苦恼。

1985年的暑假,我牵头在北戴河举办了文艺学方法论研讨班,除中国人民大学校内的教师外,邀请了全国老中青的著名专家,如陈涌、李希凡、陆梅林、程代熙、钱中文、吴元迈、何西来、王向峰、章国锋、林兴宅、鲁枢元,还有因故未能到班授课的刘再复先生。我也把经之教授请了去,当时他已去深圳参与创办中文系,但常来往于北大、深大之间。风云际会,学坛佳景。学术思想的主调、主旋、主导方面尽管是马克思主义的,但这是一次不可多得的能够充分体现"百花齐放,百家争鸣"的学术盛会。几乎当时所有文艺学的观念和方法都得到了试练和预演,包括不同学派、不同思潮、不同倾向的学术思想,都进行了平等的、友好的、和谐的对话与交流。可谓"众声喧哗"和"诸神狂欢",学员们大开眼界,茅塞顿启。经之教授在班上结合他正处于文艺美学高峰期的学术成果,以"文艺学方法论的多样与统一"为题,论述了他从事文艺美学研究的思维方法。他说:"文艺学方法论问题终于被我们重视了。灰姑娘一下子变成了金皇后,这不能不令人欢欣鼓舞。但随之而来的,则是需要我们做冷静的思考,比较各种方法的特性,弄清各种方法之间的关系,以便酌而用之。"如恩格斯所说,"方法是对象的'类似物'。研究这样复杂的社会现象,需要用不同的方法,从不同的角度去揭示它的不同方面"。他的演讲,让人如沐春风,似饮甘露,听来精神大爽,耳目一新,获得高度评价。

经之教授尽管自己取得了突出的学术成就,但总是虚怀若谷,胸襟坦荡,对不同学派的学术见解,都能采取爱护和尊重的态度。有一次,在主持一次中外文艺理论学会的闭幕式上,他做完研讨会的学术小结后,征求我的意见:"我讲的有毛病吗?""很好,各种学术观点都照顾到了。""你说没什么问题,我的心里踏实了。"2000年,我承蒙山东大学的谬爱,出任教育部百所人文社会科学研究基地——文艺美学研究中心的学术委员会主任,虽不好拒绝此种盛意,但心中着实有点不安。回想起来,我真是掠了他的美了。经之先生竟自谦地说:"我的年纪大了,还是由你做合适。"他的诚挚的情意和虚心的谦让,真是愧煞我也。

经之教授高贵的人品和他的纯洁的内心世界令我动容。他原籍虽是苏州,但出生在无锡,和王忍之等一道曾在无锡领导过学生运动,对家乡一直念念不忘。我们在一次谈到无锡民间音乐家阿炳的《二泉映月》时,他感同身受地说:"阿炳的命运和《二泉映月》的旋律反映出我们中华民族的苦难。"他脸上浮现出酸楚的神情,眼中闪出凄怆的泪花。这种折射着他的人文情怀和精神境界的场景,形象地书写着他的人生的座右铭,将永远镌刻和贮存在我的记忆中。

2002年仲夏于中国人民大学静园

陆贵山 时为中国人民大学中文系文艺学博士生导师,中国社科规划(中国社科基金)中国文学组副组长、全国马列文论研究会副会长、中国中外文艺理论学会副会长、中国作家协会理论批评委员会委员、《文学评论》编委、中国人民大学复印报刊资料《文艺理论》卷主编。

深邃严密的理论思维

张少康

经之是我的师兄和学长。1960年底,经之研究生毕业,我是本科生毕业,我们在同一年被留在北京大学文艺理论教研室工作。经之教文艺学和美学,我则教古代文论。从那时起一直到80年代经之正式调到深圳大学,我们在一个教研室共事了20多年。虽然我们的研究方向不同,但是,我们都是杨晦先生的学生,彼此间有着深厚的情谊。

1956年我国仿照当时苏联的做法,大学开始招收副博士研究生,杨晦先生招的三位副博士研究生是经之和严家炎、王世德,他们都成了著名的学者。可是由于各种原因,家炎兄转搞现代文学,世德兄被分配去了四川大学,只有经之兄留在北大文艺理论教研室。我留校后担任杨晦先生的助教,在杨先生指导下学习研究中国古代文艺思想,同时兼做教研室秘书。在我开始学术研究工作的时候,经之已经发表了不少文章,是学术水平很高的青年学者,所以我是非常敬仰我的这位大师兄和学长的,经常向他请教文学理论方面的问题。他对我这个师弟也非常关心,特别是从文学理论方面给了我很多帮助。

经之兄学术上的突出特点是有深邃严密的理论思维,这在我们当时的教研室里是大家公认的。那时我们看康德的《判断力批判》这一类思辨性很强的哲学和美学著作,都感到很吃力,很难理解。但是,经之兄研究得特别透彻,分析起来头头是道,写文章时引用也十分自如。他的文艺学和美学著作特别有理论深度,例如他在80年代初写的几篇很有代表性的长文章,如《论艺术形象》《艺术掌握世界的方式》《艺术美略论》等,都可以很清楚地看出这种特点。他的文学理论文章并没有很多大段的引文,都是他在深入研究的基础上,经过自己的理解和消化,构成自己有特色的理论体系,组织得非常严密,阐述得非常清楚,能够真正讲出很深刻的、经得起历史考验的,又有自己独创性的道理来,这是很不容易的。经之兄读的书很多很广,但他从不像有些人那样,只是为了炫耀自己有学问,而总是在认真地思考很多复杂的理论问题,希望能够运用理论思维真正解决一些文艺学和美学上的难点,把理论研究推向深入。所以他的学术论著不是追求量而是追求质,他前年出版的学术论文集《文艺美学论》所收20年来的重要文章,可以看出每篇都有一个重要的文艺美学问题,都有他独特的创见。

经之兄从20世纪50年代开始就注重从美学的角度来研究文艺学,研究生毕业时,写过一篇数万字的长文《为何古典作品至今还有艺术魅力》,发表在北京大学学报上。80年代以后,更是集中精力于文艺美学的学科建设。在我国当代文艺美学的研究和发展中,他是最为突出的创导者和建设者。

他不仅写了很多阐述文艺美学原理和理论研究方面的文章,还编选了很多古今中外的文艺美学资料,为我国当代文艺美学的研究做了很多基础性的工作。经之兄在文艺学和美学研究中,不仅以深邃严密的理论思维见长,而且还能够运用这些理论来具体分析评论古今中外的文学作品。他写了不少很有理论深度的文学评论,还对《红楼梦》这样的古典名著做过相当深入的研究。作为一个理论工作者,他始终是把文学理论和文学创作紧密地结合在一起来进行研究的。我以为这也是他的理论研究能取得丰硕成果的重要原因之一。

经之兄是一位孜孜不倦地在文艺学和美学领域辛勤耕耘了半个世纪的学者,同时也是一位仁慈宽厚、和蔼亲切的长者。他心地善良,待人真诚,不管是谁,和他相处都是非常愉快的。如果有什么事需要经之兄帮忙,他总是非常热心。不管是学术上还是其他方面,他都会尽一切努力给予真诚的关怀。在学术上他一贯有自己的主见,从不随便苟同。在那些动荡的年代里,更不会随着忽左忽右的形势而变化。对持有不同的学术见解的人,他总是非常虚心地听取其意见,即使是一些十分幼稚或明显错误的见解,他也都尽量找出其中合理的因素,非常善意地和他们进行讨论,特别重视以理服人。所以,大家都喜欢和他一起研究、讨论学术问题。经之兄对现实中的人和事,都有自己的思考,都有自己的看法,但是从不强加于人,不像有些人老有强烈的自我表现欲望。温和谦虚的为人,使他的形象在大家心目中更加高大。经之兄不管到哪里,不管是在北大还是在深大,人缘都非常好。因为他平易近人,谦逊热情,从没有架子,总是笑眯眯的,所以谁都愿意接近他。

经之兄的学问和人品,我是非常敬佩的,有他这样一位师兄和学长,我感到骄傲。他离开北大去深大,对深圳文化教育事业的发展起了很大的作用,但对北大文艺学和美学的教学和研究,应该说是一个很大的损失,好多同仁都不希望他走。当然,经之兄的身体在南方可能更好些。他对北京的蒿草花粉过敏,在北京时春秋两季,是很不好过的。但是,我一直觉得他要是留在北大,那么,北大的文艺学和美学建设一定会搞得更好,真的,非常遗憾!

不过,经之到深圳后在学术活动方面的才华,却有了一个得以充分发挥的客观环境,成为深圳这座新的现代化开放城市在文学艺术界具有凝聚力的人物,为深圳市文学艺术和教育事业的发展做出了重要贡献,从这方面看,也确实是一件大好事!

经之兄50年来的辛勤劳动已经结出了丰硕的果实。我相信他的学术青春将会更长更长,在新的21世纪中,他一定会在我国的文艺学和美学建设中,做出新的更大的贡献!

2002年夏于北大

张少康 时为北京大学中文系教授,博士生导师,中国文心雕龙学会会长,中国古代文学理论学会顾问。主要著作有《先秦诸子的文艺观》、《文赋集释》、《中国古代文学创作论》、《文心雕龙新探》、《古典文艺美学论稿》、《中国文学理论批评史》(上下卷)、《先秦两汉文论选》(合作)、《夕秀集》、《诗品》、《文艺学的民族传统》、《中国文学理论批评史教程》、《文心雕龙研究史》(合作)等。

打通古今　融汇中西

李衍柱

一

我知道胡经之的名字是在1959年。那时文艺界和各大学中文系的师生正在热烈讨论的一个话题，是毛泽东于1958年首次提出的革命的现实主义与革命的浪漫主义相结合。尽管郭沫若、周扬等文化界名流纷纷撰文，但学界的认识不一，莫衷一是。因此，1959年《文学评论》第一期发表的胡经之的长篇论文《理想与现实在文学中的辩证的结合》，特别引人注目。文章写得潇洒自如，生动活泼，理论联系实际，具有一定的说服力，与那些千篇一律、表态拥护的官场文章相比，可谓独树一帜，给充满八股气的文坛带来了一阵清新的风。年仅20多岁的他，由此也就成了我们这些正在大学读书的莘莘学子眼中的一颗新星。

我和胡经之是同龄人，并有着大致相同的生活经历。他曾经在无锡师范学校读书，我是1950年入青岛师范读书，先后都进了大学，分别在50年代、60年代就读了文艺学研究生，然后又都经过了"史无前例的'文化大革命'"的"洗礼"，饱尝了政治风云给予知识分子的种种炎凉与阴晴雪霜。我们是在"科学的春天"到来的20世纪80年代初期相遇、相识而又携手并进的。

在近四分之一的世纪里，我始终把胡经之先生看作是挚友和老师，见面我总是亲切地称他"胡老师"。我们在一起时总有说不完的话，天南海北、社会纵横、学术研究、文坛趣闻，以至个人的生活、子女的培养等等，无话不说。我一见他的面，特别当他没有刮胡子（有点络腮胡)而又在仰脸沉思或对话时,我立即就会想起俄罗斯的伟大诗人普希金的一张画像:自由、潇洒、坚定、自信,一双炯炯发光的眼睛,仿佛要穿透所面对的一切。

二

以文会友,以文交友,我和胡经之老师的真正接触是从《西方文艺理论名著教程》一书的编写开始。

20世纪80年代初期,改革开放伊始,我和张玉骧(上海师大)、邹贤敏(湖北大学)、李寿福(杭州大学)、林宝全(广西师大)、边平恕(杭州师院)、李秀斌(黑龙江大学)等几位在高校任教的老同学,由于大家在中国人民大学文艺理论研究生班学习期间,曾跟缪朗山先生系统学习过西方文艺理论,同时还听过朱光潜、宗白华开设的系列西方和中国的美学专题,回校后又向学生讲过西方文论,结合新的形势,大家深感编写一部西方文论教材的必要和迫切。因此,我们在开会见面和通信中,就开始酝酿编写一部适用于大学生学习的西方文论教材,并初步有了一个编写框架设想,接着又同一个出版社联系了出版问题。起初这个出版社接受了出版的任务,后来因形势变化,怕有"精神污染"而又拿不准,又不敢答允了。正是在这样一个关键时刻,1982年5月我去长沙参加纪念毛泽东《在延安文艺座谈会上的讲话》发表40周年学术研讨会上,遇到了胡经之老师。我们虽是第一次见面,但一见如故。胡老师的博学、睿智、坦诚、开放的思想风貌,我从内心里感到钦佩。会议期间,我和张玉骧、邹贤敏一起,同胡老师谈了我们拟编写一部西方文论教材和参考资料,征询他的意见。胡老师对此甚感兴趣,表示支持。会后,在回校的途中,我与胡老师恰好又是乘同一列火车并在一个包厢中(他去上海看望伍蠡甫、蒋孔阳先生,我到南京转车回济南),这样我们又有机会畅谈了大学的教学改革和科研问题。谈话中,我向胡老师具体谈了我们编写西方文论教材和教学参考文献的初步计划和遇到的困难。由于胡老师是全国最高学府北京大学的"嫡亲",师从名师杨晦、宗白华、朱光潜,又是专攻文艺学、美学的,因此,在谈话过程中,我以探寻的口气和诚恳的态度请他参加这一教材的编写,并希望他出任主编,带领和指导大家完成此项任务。真使我喜出望外,胡老师当即作了肯定性的回答,只是主编的事以后再说。他兴致勃勃地分析了北京、上海和全国研究西方文论和美学的力量,联系长期闭关锁国对学术研究和人才培养带来的严重危害,他认为组织全国高校力量,编写一部西方文论的教材和与此配套的西方文论名著汇编非常及时和必要。为了提高此书的权威性,他希望最好由伍蠡甫先生当主编,若他不当,则请宗白华先生和伍蠡甫先生作顾问。出版问题,他说:"学习西方文论,研究西方文论,在大学开设西方文论,是改革开放的需要,这根本谈不上什么'精神污染'问题。我与北大党委书记王学珍很熟,回去找找他,让他同北大出版社谈谈,我们的全套书争取在北大出版社出版,这样比在地方出版社出版影响更好。我这次去上海看看蒋孔阳先生和伍蠡甫先生,正好可以征求他们的意见。"胡老师的高见卓识和整体思路,使我非常兴奋,并且对完成此项任务充满了信心。

胡老师办事认真、细致、果断、迅速。回北京后他很快给我回了信,说北大出版社已同意接受出版任务,由文史室编辑部主任乔征胜先生具体负责此书。伍蠡甫先生说他精力不够,不当教科书主编,但答允当顾问,宗白华也很乐意当顾问。

此后,编写组全面展开了编写和编选工作。1983年8月、1984年8月、1985年11月先后在青岛、舟山、深圳召开了审稿、统稿和定稿讨论会。编写组成员来自北京大学、复旦大学、山东大学、山东师大、上海师大、杭州大学、湖北大学、湘潭大学、广西师大、深圳大学、厦门大学、杭州师院等12所大学。

1986年春在深圳召开定稿讨论会,中国社会科学院文学研究所钱中文先生,山东大学曾繁仁先生,中国人民大学章安琪、张秉真先生,暨南大学饶芃子先生等都参加了讨论。在《西方文艺理论名著教程》的编写和《西方文艺理论名著选编》编选的全过程中,胡经之老师全力以赴、统揽全局,反复认真阅读大家写的书稿和选的文论文献,并充分发挥北大图书资料储存的优势,为书稿的编写与编选提供了有利的条件。胡老师还具体同北大教务处、科研处与国家教育委员会联系,将该书申报为国家统编教材,并于1986年被批准为"高等学校文科教材"。在这当中,胡老师的几位研究生张首映、陈伟等也出了很大的力。记得1986年初夏,天不明,陈伟就从上海背了一大包书稿(选编的一百几十万字的复印稿)到了我家,累得满头大汗。对此,我甚为感动。《西方文艺理论名著教程》作为全国"高等学校文科教材"第1版于1986年由北京大学出版社正式出版,与此配套的《西方文艺理论名著选编》(上中下)150余万字,也于1985年底至1987年秋先后出版。为适应教学的需要,1989年11月《西方文艺理论名著教程》经修订、增补分上下两卷出版,全书97万余字,北京大学王岳川教授任下卷副主编,精心组织增写了20世纪西方文论原稿所缺少的新内容。1992年《西方文艺理论名著教程》获国家教委优秀教材二等奖。1999年编委会又在青岛市田横岛度假村讨论决定对《教程》进行一次全面的修订和改写。新的修订版将于2003年与读者见面。

从《西方文艺理论名著教程》一书的酝酿到第二次修订版正式出版,前后整整20年。正是在这20年中,我与胡经之老师相识并成为挚友。他出的新书总要送我一本,我有什么新的成果,也及时奉赠给胡老师。1996年由我主编的《文艺学范畴论》出版,胡老师为此书写序,并在《文艺报》撰文作了评介,给予鼓励。2000年《时代的回声——走向新世纪的中国文艺学》出版后他又在《东方丛刊》上发表了长篇书评。

胡老师的人格魅力和学术品格深深地影响了我。有几点对我印象特别深刻。

第一,自由、潇洒、审美的人生态度。我特别赞赏胡老师淡泊名利、追求自由、审美的心态。他在复杂的政治风云和市场大潮中,对于那些趋炎附势、以权谋私、形"左"实右、追名逐利、拉大旗作虎皮、不学无术的政治骗子和学术骗子,深恶痛绝。胡老师从北京大学到深圳大学,一方面固然与深圳特区建设和生态环境的优美适宜有关,更重要的我认为与他的这种自由、潇洒、审美的人生态度有关。他曾写过一篇《流水人生》的优美散文,文中写道:"人生犹如水中搏,既不能听天由命,随波逐流,亦不能违反自然,逆流盲动"①,"最理想的境界还当是海上游。海天相接,气势磅礴,仰卧在茫茫大海之上,最能体验到人与大自然的和谐统一,人、天、海完全融为一体,充分享受到了大自然赐予的乐趣"②。人生好比在大海中游泳,难免遇到点风浪,但只要懂得水性,掌握游泳的规律,即可"化险为夷",其乐无穷,获得美的享受,达到胜利的彼岸。"安家何必非故乡,乐业亦可在天涯",胡老师正是以一种"人生似流水,流水亦人生"的心态,离开了北京,而在改革开放的生活海洋中,创造了一个自己生存、发展和完善的新的精神家园。

第二,打通古今,融会中西的学术历程。在我们一起编写西方文论教材的过程中,胡老师多次说明,我们从事学术研究就应像王国维、朱光潜、宗白华、钱锺书那样,学贯中西,融汇古今,吸取古今中外一切有价值的东西,予以综合,创造出自己有特色的成果。他之所以"关注西方,只是把西方的文艺学、美学看作一种思想资料,取其新视界,借用新方法,目的还在于解释我们自己的文化艺术现象,以促进我国自己的文艺学、美学的发展"③。胡老师有深厚的国学功底,在20世纪50年代跟着杨晦先生读副博士研究生时,导师就让他攻读中国文艺批评史,以后又专门研究过《红楼梦》。20世纪80年代他又带领研究生从浩如烟海的中国古籍中查找诗论、画论、词论、曲论、书论、乐论、文论、曲论,编选出了《中国古典美学丛编》(上、中、下,65万字,中华书局,1988)、《中国现代美学丛编》(1919—1949)(42万字,北大出版社,1987)、《中国古典文艺学丛编》(一)(二)(三)(120万字,北大出版社,2001)。这些根据文献古籍编选出版的近300万字的中国美学、文艺学资料丛编,为中国美学、文艺学建设做了一件基础性的工作,深受国内外文艺理论和美学研究者的欢迎。与此同时,胡老师对西方美学、文艺学的文献资料也非常重视,我们编选出版的《西方文艺理论名著选编》,就有上、中、下三卷,计

---

① 胡经之:《胡经之文丛》,作家出版社,北京,2001年,第368页。
② 同上书,第367页。
③ 同上书,第126页。

150万字，收录世界各国的著名文论家、美学家80人的121篇文艺理论著作。为全面系统地掌握西方文论的研究方法和西方文艺理论发展的特点规律，胡老师除带领全国18个院所学者编写《西方文艺理论名著教程》外，还带领一批青年学者与王岳川一起主编了《文艺学美学方法论》（北大出版社，1994），与张首映合著了《西方二十世纪文论史》（中国社会科学出版社，1988）。听说他在北大时，还曾带领王一川、陈伟等选编过一套现代中西方作家论创作的教学资料，有200多万字，曾交一家出版社，后来丢失了，未能得到出版机会，真是可惜。从20世纪50年代到新世纪伊始，胡经之老师在半个世纪的学术历程中，为了打通中外，融汇古今留下了坚实的足迹，取得了卓越的成就，结出了丰硕的果实。

第三，深入浅出，平易近人，关注当下，以人为本。胡经之老师的学风、文风是具有自己的特色的。他还在少年时代，就特别喜欢朱光潜那些同青年谈美的文章，喜欢宗白华那些雅俗共赏、深入浅出谈艺术的文章，入大学后又爱读王朝闻分析艺术的文章，并以他们为榜样在自己的学术实践中学习和发扬。我们在教材编写过程中，胡老师也一再告诫大家，要注意学风和文风，不要把浅显的问题，讲得苦涩难懂，故作高深，故弄玄虚。"关键当然还是要理论联系实际，讲高深理论，也要密切联系文艺的实践（创作的、欣赏的、古今的、中外的），这就容易理解了。写作上，不妨也可以先从古今中外常见的文艺现象出发，从实际中抽出问题来予以分析，然后再回到实际的文艺实践中去。不要越来越抽象，从抽象到抽象，而应具体—抽象—具体，整体—个别—整体，这样，高深的问题也易于理解了"①。除了联系古今中外的文艺实际外，胡老师特别强调文艺理论研究和文艺批评应联系改革开放的"当下实际"，"依据我们自己的社会主义现代化的实际需要，吸取国内外文化传统中的合理因素，重铸现代人文精神"②。他认为，人文精神的根本，就是要在社会生活中以人为本，尊重个性，

---

① 胡经之：《胡经之文丛》，作家出版社，北京，2001年，第97页。
② 同上书，第214页。

在实践活动中,完善自我,优化人性,使人向着个性自由全面发展的方向前进。文艺创作应关注当下现实,探索人的命运,反映时代新面貌、新精神。在文艺研究中,我们既不能原样移植西方发达国家的个人人本主义,也不能简单重复、全面继承以"仁"为本淹没个性的儒学。我们要结合新时代的需要,按照马克思指出的方向,提升人文精神,营造新的精神家园。胡老师的这些思想观点,显然具有现实的实践价值。

三

具有百年历史的北京大学,形成了自己的优秀的学术传统,培育出了众多的学术大师,为华夏的科学、文化、艺术的发展做出了不可磨灭的贡献。胡经之是在新中国建立以后在北大的学术氛围中成长起来的第一代美学家、文艺理论家,在他身上同样可以看到北大的优秀学术传统的闪光。

胡经之走上学术之路的目标是"想沿着朱光潜、宗白华、王朝闻的行程,接着走,想把文艺学和美学熔为一炉"[①]。接着走、接着说,并非容易。胡经之老师为实现这个学术目标,脚踏实地,艰苦奋斗,不断探索了整整50年。胡经之老师执着地沿着朱光潜、宗白华、王朝闻所开辟的中国现代美学、文艺学的道路前进。他在文艺美学的研究领域,既有首倡之功,又在理论和实践上,做出了开拓性的贡献。

胡经之是在国内最早倡导文艺美学研究并在实践上最早招收"文艺美学"专业方向研究生的学者。从我与胡老师相处的日子得知他之所以要倡导文艺美学研究是出于对美学、文艺学如何进一步发展的思考有关。一是文艺学研究过于政治化。自列宁《党的组织与党的文学》与毛泽东《在延安文艺座谈会上的讲话》发表后,文艺的"从属论"、"工具论"、"武器论"成为对中国文艺的发展和文艺学研究产生重大影响的主导理论。进入社会主义现代化建设时期,如果继

---

① 胡经之:《胡经之文丛》,作家出版社,北京,2001年,第49页。

续沿着这个路子走下去，就会使文艺学逐渐失去自己的学术独立的地位。二是与美学的泛化、生活化有关。在新的形势下如何吸取世界20世纪美学、文艺学研究的新的成果，建立有中国特色的美学、文艺学，成了胡经之老师学术思考的中心。本来，恩格斯在19世纪四五十年代，就极力倡导以美学的和历史的观点去研究文学艺术，并把美学的和历史的观点的统一，看作是文艺批评的最高标准。恩格斯的这一思想是胡老师提出文艺美学研究的重要理论依据，他说："恩格斯倡导用'美学和历史的观点'来评价作品。我看文艺学的当务之急，乃是面向新的文艺实践，如何将美学的和历史的观点统一起来，解析改革开放以来新出现的文学艺术现象，做出新的理论概括。"[1]

经过长期积累、探索和反复修订而于1989年由北京大学出版社出版的《文艺美学》，比较集中地反映了胡经之的文艺美学理论。全书30万字，在1990年修订再版时，增至35万字。此书在继承吸收、融化中外优秀美学、诗学传统上，独具特色，自成体系。《文艺美学》的理论构架是以审美活动为逻辑起点，以审美体验为核心，采取系统的、综合比较的辩证逻辑思维方法，"将美学与诗学统一到人的诗思根基和人的感性审美生成上，透过艺术的创造、作品、阐释这一活动系统，去看人自身审美体验的深拓和心灵境界的超越"[2]。作者认为："探索文学艺术的创造、作品和享受这三方面的审美规律，这就是文艺美学的对象和内容。"[3]宗白华先生早在20世纪20年代就主张："美是丰富的生命在和谐的形式中"[4]，"艺术是精神的生命贯注到物质界中，使无生命的表现生命，无精神的表现精神"[5]。胡经之在《文艺美学》等著作中，发挥了宗白华的美学观点，把人类的审美活动、审美体验、作品的构成直接同人的生命活动联系起来，认为"艺

---

[1] 胡经之：《胡经之文丛》，作家出版社，北京，2001年，第37页。
[2] 同上书，第2页。
[3] 同上书，第16页。
[4] 宗白华：《宗白华全集》第2卷，安徽教育出版社，合肥，1994年，第58页。
[5] 宗白华：《宗白华全集》第1卷，安徽教育出版社，合肥，1994年，第324页。

术美是人对生活所感而发的审美体验的物化形态"[1],"艺术活动是人的本真生命活动,是一种寻觅生命的根和生活意义的活动,一种人类寻求对话、寻求灵魂敞亮的活动"[2],"真正的艺术,都是作家、艺术家的生命的自然流露、天性的能动表现"[3],"只有将文学艺术同人的生命意义追问、人的生命底蕴深拓联系起来,文艺美学的研究才有新的视野,才有新的维度"[4]。作者系统全面深刻地分析了审美活动的构成、特点和规律,对艺术审美价值的本质和艺术美的创造、艺术本体的深层结构和艺术形态的脉动及其审美特性,都作了富有创见的论说,特别对审美体验不同层次的审美特征的分析,更具有理论的创新性。书中把审美体验的探讨,看作是解决艺术之为艺术的内在结构的根本性的问题,同时也是研究艺术审美特征的关键所在。

从胡经之老师对审美体验的多次反复论述和他的学生王岳川的《艺术本体论》、王一川的《审美体验论》中,我们可以清晰地看出,在中国美学和文艺学研究领域,已经逐渐形成了一个"审美体验派"。这一新的学派,既不同于20世纪50年代美学大讨论中出现的四大学派(主观派、客观派、社会派、主客观统一派),又不同于20世纪西方美学、文艺学诸流派,它注意吸取国内外不同学派文艺学、美学研究的新成就,而又力图超越它们。我们坚信,在新的世纪,胡经之亲手培养的青年学子,必将为中国特色的美学、文艺学建设做出令世人瞩目的贡献。

2002年1月22日于山东师范大学寓所

李衍柱 时为山东师范大学教授、博士生导师,文艺学重点学科学术带头人,山东省专业技术拔尖人才,享受国务院特殊津贴。

---

[1] 胡经之:《文艺美学》,北京大学出版社,北京,1989年,第2页。
[2] 同上书,第9页。
[3] 胡经之:《胡经之文丛》,作家出版社,北京,2001年,第229页。
[4] 胡经之:《文艺美学》,北京大学出版社,北京,1989年,第19页。

文艺美学的教父

杜书瀛

有一次,我和学界几个年龄相仿的朋友谈天,山南海北,漫无边际,不知怎么话题落到学术的创造性与当代学者的状况。大家你一言我一语,认为我们这一辈学者,60岁左右的,或者60岁至70岁之间的,有点"苦",有点"惨"。"苦",主要指生活境遇;"惨",主要指学术作为。生活境遇的"苦"倒没什么,惯了,各种政治运动的"苦"、三年困难时期的"苦"、"文革"十年动乱的"苦"、五七干校的"苦"……都过来了,"身经百战"、"久经考验",对"苦"已无所畏惧,倘再有什么"苦"袭来,我们可以像《红灯记》中李玉和那样道:"谢谢妈!有妈给的这些'苦'垫底,什么样的'苦'都能对付。"学术作为的"惨",却引起朋友们长时间的议论,而且内心有些悲凉,有些哀痛,有些惭愧,有些无奈。总的感觉是我们这一辈人学术上缺少作为。一位朋友说:"虽不能绝对地一概而论,但从总体上说这辈人学术的创造性不大,甚至可以说缺乏创新意识,缺乏独立精神,缺乏自由意志,因而对学术的发展贡献甚微。"一位朋友说:"有的人写了一辈子文章,到头来数一数,有哪一篇是让人能够记得住的?"另一位朋友补充道:"有的人一本接一本出专著,有谁说得出哪一个独创性的理论观点或命题是他提出来的?"于是,朋友们为自己这一辈人做出这样一个无可奈何的判断:这是没有大家也出不了大家的一辈,他们辛辛苦苦却平平庸庸,愿意奉献却不善于创造,习惯于顺向思维而不懂逆向思维,"狼"性不足而"狗"性有余……当然,造成这种状况的责任也不能全由我们这些人自个儿来负,需要仔细寻找和分析有没有更深层次的时代的社会的原因——在某种时代氛围和社会禁锢之下,即使你个人很努力、很刻苦,即使你皓首穷经,把一些"经"倒背如流,又能如何?又能为中国学术和世界学术增添些什么新的东西?

在一段时间里,我常常反省这些问题。

是呀,我们常常埋怨世界对我们中国现代和当代的学术重视不够,或不重视。埋怨世界上其他国家不翻译、不介绍或很少翻译、介绍我们的学术著作和理论思想。可是,为什么不想一想我们有什么东西值得人家翻译、介绍?哪些东西应该是具有独创性的,对中国和世界上其他民族的学术发展有促进作用、有启示意义,可以成为人类共同的学术财富?当然,不应该要求它放之四海而皆准,世界上根本没有永恒的、绝对的、一成不变的、放之四海而皆准的学术真理。但是,它应该在一定时代、一定历史条件下、一定范围内对人类学术有价值、有意义。例如中国儒家经典、道家经典、禅学经典等等,古希腊罗马、埃及、印度以及文艺复兴以来的经典著作、各种学说,不但在产生它们的那个时代有价值,而且在今天也没有失去意义。

如果说时代久远一些的,例如在"古代"范围里,中华民族的学术思想对世界贡献多多,比世界其他民族毫不逊色;那么到了近代和现代,譬如就限定在近100年左右,而且限定在美学和文论这个领域,谈中国对世界的创造性的学术贡献,大概底气就不那么足。俄国学者拿出了"俄国形式主义",英美学者拿出了"新批评",法国学者拿出了"结构主义"以及后来的"解构主义",德国学者拿出了"现象学"、"存在主义"、"接受美学",卢卡奇、"法兰克福"学派等等提出了他们关于资本主义晚期艺术文化的"西马"理论……(再说一遍,我绝不认为这些理论学说放之四海而皆准,但它们总有某种意义和价值)那么,中国学者拿出了什么呢?让我们反省一下,中国现代和当代的学者,特别是60岁或60岁至70岁左右的学者,向世界贡献出了什么可以让人称道的富有创造性的著作和理论学说呢?

也许有人会批评说,你是站在欧洲中心主义的立场上,以西方的价值观念来看问题、来做比较,因而是片面的。那么,你就给出一个不片面的、全面的说法吧。

不管怎么说,为此,我时常感到困惑,并且不觉得多么有面子。

但是去年（2001）山东大学文艺美学中心召开的"文艺美学学科建设和发展"研讨会，使我作了一些新的思考，并且稍稍得到了一点安慰。

为准备发言，我阅读了些材料，作了些考察。最后，我得出了一个初步的看法：文艺美学这一学科的提出和理论建构，是具有原创意义的。虽然它还很不完备，但它毕竟是由中国学者首先提出来、首先命名、首先进行理论论述的。这可以算得上中国当代学者对世界学术的贡献吧？

而首先提出文艺美学学科名称并且进行初步理论建构的学者，是胡经之教授。我不知道中国当代学者，特别是上面所说60岁至70岁这个年龄段的一批"辛辛苦苦而又平平庸庸"的学者，是否可以从经之先生身上得到些许自我慰藉（即使有点阿Q气也罢）——终究还是有了一个可以说道的学术事件和学术人物啊！

据我所知，西方没有文艺美学这个学科名称，俄国和苏联也没有，日本、印度、埃及等也没有，而且好像他们之中有的人也不怎么承认这个学科名称。我在1988年与同事一起访问苏联时，曾同苏联科学院高尔基世界文学研究所高级研究员、著名美学家鲍列夫就这个问题进行过交谈。他当时的态度很明确：不赞成"文艺美学"这个学科名称。我当时整理的谈话记录是这样的：

杜：中国理论界现在提出"文艺美学"这一新的术语，也可以说是一个学科。您怎么看这一问题？苏联有无类似的提法？

鲍：（稍微思考了一下）我认为"文艺美学"，还有什么"音乐美学"，其他什么什么美学，这种提法不科学。苏联也有人提什么什么美学，但我认为并不科学。正像（他指着桌子）说"桌子的哲学"、（指着头上的电灯）"电灯的哲学"等等不科学一样，这样可以有无数种"哲学"。同样，如果有"文艺美学"、"音乐美学"，那么也可以提出无数种"美学"，这就把美学泛化了、庸俗化了。事实上美学就是美学。可以有文学理论、音乐理论、绘画理论……它们涉及的都是统一的美学问题。

后来，我在同几个年轻朋友一起编写《文艺美学原理》（社会科学文献出版社1992年第一版、1998年第二版）时，在"绪论"中引述了与鲍列夫的谈话，并表明了我不同的观点，为文艺美学学科创立的必要性、存在的合理性进行了论证和辩护，并且描述了它创立、发展的历程，用事实确证它无可否认地活着、茁壮成长着。

我相信"文艺美学"会被其他各民族的学界所承认、所接纳。它一定能够走向世界，成为世界学苑一枝独具光彩的花朵。

在美学史上，人们把第一个给"美学"（Aesthetica）命名（1750）、使美学成为一个独立学科的德国哲学家鲍姆嘉通称为美学的教父。刚才我说第一个提出"文艺美学"名称，并竭力倡导建立文艺美学学科的是胡经之教授，那么把他称为文艺美学的教父，当不为过誉。众所周知，教父，是基督教术语，本来指公元2至12世纪这段时间，在制订或阐述教义方面为后世基督教奠定了基础的神学家；也指教会行洗礼时为受洗者设置的男性保证人或监护人。后来借用它指称凡世某些相类似的人物。经之先生20世纪80年代的学术活动，堪当文艺美学教父之职。

文艺美学的学术思想和学术研究，当然不是自20世纪80年代始，正像美学思想和美学的学术研究活动并不自18世纪50年代才有一样。我在1989年写的《论人类本体论文艺美学》（先发表在1989年第3期《文艺理论研究》，后收入辽宁人民出版社2001年出版的拙著《艺术的哲学思考》一书）中曾经说："如果不拘泥于名称，而是看理论活动的实质内容，那么，不论在中国还是在外国，又可以说文艺美学是一门十分古老的学科。因为，把文艺看作一种审美现象，探讨和阐述文艺的美学规律，这在古代中国、古代希腊罗马、古代埃及、古代印度、古代日本以及古代阿拉伯各民族等等，都早已有之。"

但是，中外一两千年的文艺美学思想和文艺美学活动，却长时间无以名之，而且也长时间没有成为一个独立的学科；正像美学在1750年以前没有被命名，也没有成为一个独立的学科一样。

历史的脚步走到了20世纪70年代，我国台湾学者王梦鸥先生出版了一本书，名字就叫《文艺美学》。仅仅这个名字的使用，就应该在历史上记下一笔。但可惜的是,该书只是介绍中外自古以来重要的美学思想和文艺思想、各种理论学说,而没有对"文艺美学"的名称、学科性质、对象、内容、方法等等作什么界定和论述。因而使人觉得王先生使用"文艺美学"这个名称,似乎是不经意的,缺乏有意识地创立和建构"文艺美学"独立学科的理论自觉。

自觉地为"文艺美学"命名,并有意识地建构"文艺美学"这一独立学科的历史任务,被有心的中国大陆学者担当起来。在一次国际学术会议上,胡经之就坦率地对台湾、香港学者说:"我所著《文艺美学》的书名,就是受台湾著名学者王梦鸥的启发而题。还在20世纪70年代,我集中精力研究《红楼梦》时,就读过他的红学著作,甚感敬佩。由此我又读了他的一本文艺评论的书,深感他所说的文艺美学,实在应发展成一门独立的学科。"在1986年他所写的《艺术美的探求》一文中,还特别介绍了王梦鸥那本《文艺美学》的基本内容。

据经之先生在《文艺美学论·自序》(华中师范大学出版社,2000)中自述,"文革"前他就曾萌发过一种意向,"想融文艺学和美学为文艺美学",而直到开放改革之初,才得以集中精力思考文艺美学问题。他认为,艺术活动离不开审美活动,需按美的规律进行。这种艺术活动的审美本质和审美规律,应该获得系统的研究,"为了和其他美学相区别,我把这称之为文艺美学"。1980年在昆明举行的中华全国美学学会的成立大会上,经之先生正式提出建立和发展文艺美学学科,使美学和文艺学结合起来,并且建议艺术院校和文学系科,开设文艺美学课程。接着,他在1981年写了《文艺美学是什么》一文,发表于北京大学出版社的《大学生》杂志上,同时写了《文艺美学及其他》一文,收入《美学向导》(北京大学出版社,1982)。1980年,他在北大讲坛上开设文艺美学课程,1981年就招收以文艺美学为专业方向的硕士研究生,以实现他把文艺美学作为学科来建设的构想。

《文艺美学及其他》一文虽短,却在文艺美学学科创建史上具有重要意义。我记得我是在《光明日报》上读到这篇短文的(或者是经过改写或压缩的另一篇文章?),一读,就立刻被吸引了。经之先生认为,文学艺术至少有"普遍、特殊、个别"三个不同层次的审美规律。(1)文学艺术同一切审美活动共有的普遍审美规律。文学艺术不过是人类审美活动、审美现象中的一种形态,它与其他审美活动、审美现象具有共同性。(2)文学艺术区别于其他审美活动而独具的审美规律。文学艺术是审美活动和现象的独特形态,不同于其他审美活动和现象。(3)文学艺术的不同样式、各类体裁之间相互区别的更为特殊的个别规律。文学艺术的各种样式、种类、体裁,各具特点,规律有别。音乐、舞蹈、建筑、绘画、雕塑、戏剧、电影、文学等等,特征各异,不可取代。每一样式之中,又有不同类别,类别之下还可细分……它们都有独自的审美特性和审美规律。文艺美学在研究文学艺术自身特殊审美规律时,无疑,既不能脱离那些所有审美活动共有的普遍审美规律,又要联系下一层次更为特殊的个别审美规律(音乐的、舞蹈的、文学的等等)。但责无旁贷,文艺美学必然要着重研究文学艺术共有的这一层审美规律。音乐美学、舞蹈美学、建筑美学、电影美学、戏剧美学等等,则要着重研究各种艺术样式的个别审美规律,依次推进,层层深入。文艺美学就要在文学艺术这三个层次的审美规律的联结中研究自己的对象。经之先生提出,文学艺术作为一种审美活动和审美现象,本身就是一个独特的系统,艺术创造、艺术作品、艺术接受是其三个有机环节,探讨文学艺术的创造、作品和接受这三个方面的审美规律,就是文艺美学的对象和内容。经之先生还就文艺美学的方法问题提出了自己的看法:文艺美学既需要采取"自上而下",又需要运用"由下而上"的方法,分析和综合、演绎和归纳相结合。文艺美学离不开哲学美学、心理学美学和社会学美学,需要用"一般"来指导"个别";同时,也需要从"个别"到"一般",依靠音乐美学、舞蹈美学、戏剧美学、电影美学等具体部门美学,共同努力,从而揭示出文学艺术的普遍、特殊和个别的不同层次的审美规律。

当时我对经之先生的见解深表赞同,而且觉得他说出了许多学者心中酝酿了许久却又不甚明晰的一些想法,经他点明,豁然开朗。心有灵犀,心心相印。很快,文艺美学这支学界的新火把,燃烧起来了。

至今,它已经燃烧了20多年,而且越烧越旺。

20多年来,包括经之先生在内的一批中国当代学者,在文艺美学学科建设方面,都做了哪些工作呢?我在《艺术的哲学思考》一书中"论人类本体论文艺美学"一文里曾作过粗略的论述,现再作些补充。

第一,发表和出版了一批打着"文艺美学"标志或没有打着"文艺美学"标志实际上却是文艺美学的文章和专著。以出版时间先后为序,略述几种专著和丛书:由胡经之等编辑并且由许多十分活跃的学者撰写、包含不少文艺美学论文的《美学向导》(北京大学出版社,1982),胡经之主编的《文艺美学论丛》(曾出过数辑),由叶朗、江溶、胡经之等发起并主编的北京大学《文艺美学丛书》(北京大学出版社,已出版数十种),王朝闻主编的《艺术美学丛书》(多家出版社分别出版,已出数十种),周来祥《文学艺术的审美特性和美学规律》(贵州人民出版社,1984),王世德《文艺美学论集》(重庆出版社,1985),杜书瀛《文艺创作美学纲要》(辽宁大学出版社,1985年第一版、1987年第二版),胡经之《文艺美学》(北京大学出版社,1989年第一版、1999年第二版),杜书瀛主编的《文艺美学原理》(社会科学文献出版社,1992年第一版、1998年第二版),等等。

第二,初步确定了文艺美学的学科性质和对象范围。大多数学者认为,文艺美学是介于文艺学和美学之间的一门学科,"是文艺学和美学相结合的产物"(胡经之),它专门研究文学和艺术的审美特性和审美规律。

第三,初步厘定了文艺美学的学科位置。因为文艺美学既相关于美学,又相关于文艺学,因此可以分别从美学和文艺学两个系统测定它的位置。在美学系统中,纵向看,文艺美学处于一般美学和部门艺术美学之间的中介地位上,有人说,一般美学结束的地方正是文艺美学的逻辑起点,文艺美学结束的地方正是部门艺术美学的逻辑起点。"一般美学研究包括文艺在内的人类一切审美活动的一般规律;文艺美学以此为起点,研究一般规律在所有文艺种类中表现出来的特殊规律;部门艺术美学则以所有艺术种类中共同表现出来的美学规律为起点,研究各部门艺术(如文学、音乐、绘画、戏剧……)自身的特殊美学规律。"(周来祥)横向看,文艺美学同现实美学、技术美学一起，共同组成美学的有机成分。在文艺学系统中，文艺美学是文艺学诸多分支学科中的一种，它与文艺社会学、文艺心理学、文艺哲学、文艺伦理学等等处于并列关系。

第四，国家教育部门和学术机构，如国家教育部和各个大学、中国社会科学院文学研究所、国家社会科学基金会、国家学位委员会等，已经把文艺美学确立为二级学科。许多大学和科研机构，招收文艺美学方向的硕士或博士研究生（已培养出数批）。2001年，经国家批准，教育部人文社会科学重点研究基地山东大学文艺美学研究中心正式成立。这是我国第一个以"文艺美学"命名的国家级研究中心。

可以说，文艺美学这个学科，正红红火火地建设着、发展着、前进着。而对它的最早的倡导者胡经之先生，是不能忘记的。经之先生，功不可没。

然而，即使如此，我仍然不愿意称经之先生为大师。我仍然坚持认为这是一个没有大师的时代。这个时代没有一个学者的学术贡献可以让人们称之为大师。就拿文艺美学领域来说吧，这个学科还不算成熟，甚至还远不能说成熟。具体到经之先生，他对文艺美学学科的开创之功，固然不可磨灭，但后续工作正期待着他和许多学者去做。读者也期待着他的《文艺美学》专著更加完备，有更多理论建树。

2002年1月28日于北京安华桥寓所

杜书瀛　时为中国社会科学院文学研究所研究员、研究生院教授、博士生导师，河南大学和广西师范大学兼职教授，享受国务院特殊津贴。

理论创新潮流的先觉者

冯宪光

胡经之老师的教学生涯将近50载。50年,在人类历史长河中也不是一个可以忽略不计的时段,它是整整半个世纪。而对于个人来说,50年则在个体生命存活的岁月里占据着一个不小的位置。现时代的中国人,生存寿命的期域,早已大大扩展,人生70,早已不是古稀之年。然而,在一个学科领域,连续从事50年的工作,卓然成家,并且随着时代前行而与时俱进,至今仍引领潮流的学者,却并不多见。我以为胡经之老师就是这样的学者。

我是1978年进入四川大学做文艺学的研究生的。当时中国的文艺学正在随着社会经济和文化的转型,进行着消解单一政治化格局的审美化转型。事隔20多年,我至今一点都没有忘记当年听到胡经之老师提出建设"文艺美学"学科的信息,以及读到胡经之老师有关"文艺美学"的文章的激动心情。作为经历过"文革"风雨而又重新跨入大学之门的并不年轻的学子,那时经常为社会和文化的突破禁区的进步而兴奋不已。中国这二十多年的理论创新潮流的起点,就在那个时期。那是一个理论批评异常活跃的时期,任何一个新颖的观点的提出,都是思想解放的一次心灵洗礼。

近年时兴学术史研究。许多学者研究学术史的意图之一,是在过往历史的学术轨迹中去寻觅当下学术前进的路径。不少人把追寻的目光投注到上一个世纪之交的晚清,想从那一个时段找到中国学术现代性的起点。于是,晚清学术的学术史清理,成为近年一个热门是不难理解的。我不反对有人继续对晚清学术史进行深入挖掘,然而我认为学术史的清理还可以更多地关注20世纪改革开放的新时期。晚清即使有学术现代性的萌动,但正如一些学者所说,是"被压抑的现代性"。而在改革开放的新时期,中国的文化学术才真正步入现代性轨道。在新世纪的文学理论的现代性、科学性和民族性的开拓和建设中,我们更应当利用和开掘新时期理论创造的资源,不妨把更多的注意力放在对新时期学术史的研究上。

我们时常感叹中国在20世纪没有自己的文艺学、美学理论创新。实际上,在新时期20多年中中国学者有不少理论创新。理论创新的成果是存在的,需要我们理解和消化,需要我们阐释和拓展。而胡经之老师提出的"文艺美学"的学科创新,就是当年突出的一个创新的成果。

关于胡经之老师在文艺美学开拓和创新中的作用,不少人已经有相当精当的论述,在此无须赘述。而我想强调一点,20世纪80年代,胡经之老师关于"文艺美学"的学科命名,虽然是受中国台湾学者王梦鸥的一本《文艺美学》的启发而来,但却是对中国传统美学资源的创新性发掘。这一发掘使中国的文艺学、美学有了一门名为"文艺美学"的原创性学科。

记得雕塑家罗丹说过:"生活中并不缺少美,而缺少对美的发现。"对于理论家而言,罗丹的格言可以视为学术史理论总结的一种比喻。在学术史概括中,对理论创新的发现,有如艺术家对生活美的发现,同样艰难。也许,在漫长的百年之间,偌大一个中国,不大可能完全成为理论创新的沙漠,或许出现、存在过具有极高水准的美学和文艺学的创新。我认为,由胡经之老师提出的建设中国自己的"文艺美学"学科或许就是这种创新的一种。

胡经之老师提出应把"文艺美学"作为一个学科来发展。如今,文艺美学在中国国内流行了20多年,已为学术界所接受,并且纳入中国高等教育学位学科规划系列。这表明,文艺美学成为中国一门新的学科,已是既成事实。

中外美学都有悠远的传统,这种传统在中国和西方都可以追溯到最早的文字典籍,但是美学成为一种独立的学科体系,却是在西方18世纪。英国学者伊格尔顿说,"诞生于18世纪的陌生而全新的美学话语"的使命是,"理性必须找到直接深入感觉世界的方式,但理性这样做时又必须不危及自身的绝对力量"。美学作为一个体系性学科的出现,在西方是理性主义的产物,"鲍姆加登的美学试图达到的正是这种巧妙的平衡,如果说他的《美学》(1750)以改革的姿态开拓了整个感觉领域,它所开拓的实际上是理性的殖民化"[1]。这是理性主义在学术研究上规范学科的一种作为。它的一套思维方法、概念术语、言说方式,从根本上讲,都是西方逻各斯中心主义对审美活动理性化、结构化的产物。

美学一语是由王国维从日文转译为汉语的。1904年王国维的《〈红楼梦〉评论》被学术界视为中国美学文艺学现代转型的代表作与标志。它运用康德、叔本华的美学理论来阐释《红楼梦》的艺术价值,其根本特征是引进西方美学的思维方式、概念术语,来改造中国传统美学的主导模式。从1904年到现在的百年间,中国现代美学总体上也是依循王国维的路数,按照西方18世纪以来的理性主义美学观念对中国传统美学观念的研究和表达方式作体制性改变。从20世纪50年代开始的中国学术界的美学大讨论,总体上说,就是在西方近代知识论的立场上,从主体和客体的二元划分角度,对于什么是美的本质、美感的本质一类形而上学问题的讨论。

20世纪80年代出现的美学热,一开始就突出了美学的审美性转向。这个时候,最早提出"文艺美学"这一学科名称的胡经之,就形成了把"系统研究艺术活动的审美本质和审美规律"作为这门学科的主要任务的想法。据胡经之自述:"我这想法形成之后,就开始自己的探索。1980年春,中华全国美学学会成立,陪朱光潜老人赴昆明与会。在会上,我提出,艺术院校和文学系科,应该开设文艺美学课程,发展文艺美学这一学科,使美学和文艺学结合起来。我这想法,引起了艺术院校从事理论教学的教师的共鸣,也得到了美学前辈王朝闻、朱光潜、伍蠡甫等的支持。"[2]据我的猜想,朱光潜20世纪30年代出版

---

[1] [英]伊格尔顿:《美学意识形态》,广西师范大学出版社,桂林,1997年,第3页。
[2] 胡经之:《文艺美学论·自序》,华中师范大学出版社,武汉,2000年,第5页。

的《文艺心理学》可能在胡经之提出建立"文艺美学"这一新学科的学术心理中,起了理论的潜在作用。朱光潜在书中说道:"从康德以来,哲学家大半把研究名理的一部分哲学划为名学和知识论,把研究直觉的一部分划为美学。严格地说,美学还是一种知识论。'美学'在西文原为aesthetic,这个名词译为'美学'还不如译为'直觉学',因为中文'美'字是指事物的一种特质,而aestheric在西文中是指心和物的一种最单纯最原始的活动,其意义与intuitive极相近。"[1]美学应当研究的主要不是在汉语意义中"美"作为一种事物特质的客体特征,而是一种具体审美活动中以主体美感经验为中心的审美体验。这种从本质论向经验论、体验论的转向,在西方美学中发生在20世纪哲学文化的语言学转向之中。朱光潜留学欧洲时,就承受了西方美学转向的成果,于是才有上述见解。朱光潜很容易接受西方美学的转向,是和他自身所负载的中国美学面向审美实践、面向审美经验的传统直接相关。中国美学的这一传统在北京大学不少美学家中,有深厚学术影响。在新时期美学的审美化转向中,北京大学许多学者返回中国传统美学,对中国古典艺术的意境等问题进行了深入研究。华夏学术论坛上又游荡着传统美学的幽灵,使古老的文艺美学的传统,穿越了从王国维开始的西学美学范式,在中国新时期思想解放的学术实践中重新复活。胡经之老师的贡献,就是把他自己以及北京大学学者们发掘中国传统美学资源的深刻意向,集中地表达出来,形成"文艺美学"的学科意识。这一学科意识的揭示,既有时代理论审美化转向的特征,又有中国美学传统理论形态的根基,成为这20年来中国文艺学美学最主要的理论成就之一。我认为,如果说鲍姆加登用Aesthetica为研究"感性认识的完善"的学科命名时,是确立了西方美学的学科意识;那么胡经之老师提出"文艺美学"的学科概念,就是确立了中国美学的学科意识。

  确实,中国传统美学或文艺理论的主要形态就是文艺美学。在中国现代学科分类中一直都有艺术理论存在,而为什么在新时期以

---

[1] 朱光潜:《朱光潜美学文集》第1卷,上海文艺出版社,上海,1982年,第12页。

研究艺术实践活动为主题的学科,并不沿用文艺理论、艺术理论的名称,而要另称为文艺美学呢? 美国普林斯顿大学文学系教授高友工认为,中国传统的艺术批评理论是一种"抒情美学"。他说:"对抒情美学的强调表现在对'美学'(aesthetics)这个词的选择上。一些读者或许要问为什么要用'美学'而不用一个更合适的术语'艺术理论'(theory of art),因为我所讨论的文本主要是关于艺术批评的。然而我相信,美学这个词,在它意指各种艺术创造中的综合的艺术符码这个意义上,更有利于我们将古代中国传统中各种不同艺术形式加以整合,而形成一个统一的理论。美学关注个体的创造性体验,而艺术理论则关心和研究艺术的本质。"①中国古代的文学批评理论,由于它注重面对艺术实践,面对个体审美体验,集中研究艺术活动中的审美经验和艺术作品的审美价值,而往往不对艺术作形而上学的本质性说明。它实际上是在全球世界文化体系中的一种非逻各斯中心主义形态的美学。

在理论话语上,中国古代的美学也有文艺美学的特征。缪越在比较中西文论的特征时说:"中国古人论诗,极多精义,然习为象喻之言,简约之语;西方文评,长于思辨,擘肌分理,剖析明畅。中国诗评,宜于会意,西方文论工于言传。"②中国古代艺术批评的理论话语,往往用描述性论述来展示审美创造活动中的美感体验,形成一种"宜于会意"的话语述说。如果说艺术品本身引起了批评家的审美想象,进入一种会意性的审美体验,那么批评家的批评述说,则可以进一步引发阅读批评论著的读者,不去着力于概念概括,而投入对所评价的艺术品审美特质的重新感悟之中。如果用西方逻各斯中心主义的话语法则来衡量,中国的古代艺术批评是不成其理论的。但是这种负载着强大审美心理信息的话语,正是中国传统艺术批评的特色,是一种非西方理性主义话语的独特理论话语形态。

---

① [美]高友工:《中国抒情美学》,乐黛云等编选《北美中国古典文学研究名家十年文选》,江苏人民出版社,南京,1992年,第2页。
② 缪越:《〈迦陵论诗丛稿〉题记》,载叶嘉莹《迦陵论诗丛稿》,中华书局,北京,1985年,第8页。

我们早已习惯于用西方理性主义法则去建立和评价中国过去和现在的学术学科。《文心雕龙》确实是一部体大思精之作,在中国古代美学中确实是一部伟大著作。它的理论逻辑之严整,是可以和西方古代的诗学著作媲美的。在中国古代,《文心雕龙》的严整理论逻辑体系,是空前的,同时又是绝后的。对此,我们叹息了许多年,不知古人为什么不前赴后继地写出若干部《文心雕龙》。其实,历史的客观事实就足以使我们认识到,在中国非逻各斯中心主义的思维传统里,《文心雕龙》式的逻辑理论话语方式是特例,而不是常规。在《文心雕龙》之后,我们的古人不但没有继承刘勰的理论思路,反而用片断式、语录式的话语方式,写下大量诗话、词话、画论、乐论。法国理论家福柯的"知识考古学"告诉我们,在历史进展发生断裂的时候,断裂之处一定掩埋了文化的遗体。过去,我们时常跨越裂口,直奔可以和断裂之前相连接的理论形态,而忽视了断裂之处留下的巨大空白。这个过去不为理论批评学术史所重视的空白,应当是这个美学传统的聚居之所。这些理论述说,不去探寻艺术和审美的本质和本体,不对艺术的形而上学问题作深究和追问,而把思索的焦点集中于艺术创造和欣赏的审美活动过程的体悟,对充盈其间的审美感受、审美经验进行动态性描述。

陆机在《文赋》的序言中说:"余每观才士之所作,窃有以得其用心。夫放言遣词,良多变矣。妍蚩好恶,可得而言。每自属文,尤见其情。恒患意不称物,言不逮意,盖非知之难,能之难也。"中国古代的艺术批评家本人也大多是从事艺术创作的艺术家,这与西方美学的主将几乎是哲学家、专业批评家的情况大不相同。中国批评家对于艺术创作中的语言同实在、意义之间的矛盾,有很深切的体认。受逻各斯中心主义的制约,一般的西方理论家都有能够确切地认知对象的自信,而用一定的逻辑框架来网罗艺术审美活动。与此相反,中国美学家则认识到"恒患意不称物,言不逮意,盖非知之难,能之难也"。因此并不强求用理论话语来穷尽艺术实践的方方面面,构成一种对于难以言说的审美之秘不强求言说,而把艺术探索的接力棒交给读者的理论范式。因此,中国传统美学在理论形态和话语方式上,都是体验式的。现在在讨论文艺美学与一般美学与文艺学的区别时,有几点基本上成为学术界的共识:在研究对象上,文艺美学只研究艺术中的美和美感问题,一般美学范围更大,还要研究自然美、社会美等;文艺学只研究文学,而文艺美学则研究包括文学在内的所有艺术;在研究问题的方法上,文艺美学不采取形而上学的哲学方法,不涉及美或艺术的本体论问题,而且不涉及艺术的意识形态问题,而一般美学和文艺学都不能回避上述问题。这就形成文艺美学的独特问题:研究艺术的审美问题,艺术的超越社会、超越功利的审美特性。而且这种研究不脱离具体艺术实践,基本上以具体的美学的艺术批评的方式存在。文艺美学的这种独特性正好体现了前面所说的中国的文艺美学传统。这些问题,在胡经之老师的《文艺美学》和其他相关著作中,都有论述。

文艺美学的学科存在是一个既成事实。胡经之老师对于"文艺美学"的学科命名,使我们有了对于中国文艺学、美学的自觉意识。

在这一点上,我们要感谢胡经之老师,他是这一理论创新的先觉者。

2001年冬于成都

冯宪光 文学硕士,时为四川大学教授、文艺学博士生导师。

当代中国文艺美学的学术拓展

王岳川

审美作为人类生活中的重要精神现象,几乎是与人的生成同步发展的。然而,美学作为一门学科却出现在18世纪的西方。于是人们在研究美学尤其是中国美学的时候,经常感到很多美学规律和定义很难定义中国美学现象。怎样建构具有中国特色的美学理论并总结本土性的文艺美学现象,成为当代中国学者努力的方向。而20世纪80年代中国"文艺美学"学科的创建,就是中国美学家和文艺理论家对中国特色美学理论体系建设的一种尝试,一种审美精神寻绎的思想言说方式。在新世纪,对这一审美表征方式加以学术史的研究已经相当必要。

一、中国文艺美学研究的学术史

1980年春天,全国首届美学会议在昆明召开,胡经之先生在会上提出创建中国的文艺美学的设想。回来后,就在北大中文系开设了"文艺美学"一课,并于第二年就在北京大学开始招收文艺美学研究生。作为一门由中国学者自己创建的独立学科,文艺美学就学科定位、基本概念范畴、与其他相关学科的关系、文艺美学的未来发展等问题,进行了长期深入的研讨,进而明确要用美学的观点研究文艺现象,寻找文艺的独特审美规律,清理当代中国美学和文艺学的僵化现状和陈旧观念,以推进中国文艺学的学科建设与发展。

起初,胡经之在《美学向导》中提出了文艺美学这一学科的初步构想。1981年北大决定招收文艺美学研究生后,不少考生来信询问,文艺美学和文艺理论、美学是什么关系。胡经之为此写了《文艺美学是什么》在北京大学出版社《大学生》1982年第一期发表。在此之后，胡经之编了《文艺美学》学术论丛多卷，于80年代中期出版，①对当代中国的文艺美学研究形成一定的影响。北京大学出版社从80年代初期开始，陆续出版《文艺美学丛书》近30部，在学界形成良好的文艺美学研究氛围。②此后，中国学界出版了为数不少的文艺美学方面的著作，不仅包括一般文艺美学原理的研究，也有艺术门类美学的研究，还有现代文艺美学史研究的内容，③甚至还有美学很少触及的领域如书法美学、电视美学研究等。由王朝闻主编的《艺术美学丛书》，涉及艺术的各个门类。

从历史发展脉络看，文艺美学原理和特征方面研究的著作主要有：周来祥著《文学艺术的审美特征与美学规律》④，吴调公著《古典文论与审美鉴赏》⑤，王世德著《文艺美学论集》⑥，苏鸿昌著《文艺美学论集》⑦，皮朝纲著《中国古代文艺美学概要》⑧，王向峰主编《文艺美学辞典》⑨，张少康著《古典文艺美学论稿》⑩，栾贻信、盖光著《文艺美学》⑪，曹廷华著《文艺美学》⑫，姚仲明、陈书龙著《修

---

① 胡经之主编：《文艺美学》论丛第一辑，内蒙古人民出版社，呼和浩特，1985年；《文艺美学》论丛第二辑，内蒙古人民出版社，呼和浩特，1987年。
② 北大出版社在"文艺美学丛书"出版近20年的时间后，于1999年整理出版了"文艺美学精选丛书"10部：宗白华《艺境》，胡经之《文艺美学》，叶朗主编《现代美学体系》，金开诚《文艺心理学概论》，袁济喜《六朝美学》，蒲震元《中国艺术意境论》，马振方《小说艺术论》，黄宝生《印度古典诗学》，佛雏《王国维诗学研究》，王岳川《二十世纪西方哲性诗学》等。
③ 如卢善庆著：《王国维文艺美学观》，贵州人民出版社，贵阳，1988年；史瑶等著：《茅盾文艺美学思想论稿》，杭州大学出版社，杭州，1991年；陈永标著：《中国近代文艺美学论稿》，广东人民出版社，广州，1993年。
④ 周来祥：《文学艺术的审美特征与美学规律》，贵州人民出版社，贵阳，1984年。
⑤ 吴调公：《古典文论与审美鉴赏》，齐鲁书社，济南，1985年。
⑥ 王世德：《文艺美学论集》，重庆出版社，重庆，1985年。
⑦ 苏鸿昌：《文艺美学论集》，四川省社会科学院出版社，成都，1986年。
⑧ 皮朝纲：《中国古代文艺美学概要》，四川省社会科学院出版社，成都，1986年。
⑨ 王向峰主编：《文艺美学辞典》，辽宁大学出版社，沈阳，1987年。
⑩ 张少康：《古典文艺美学论稿》，中国社会科学出版社，北京，1988年。
⑪ 栾贻信、盖光：《文艺美学》，华龄出版社，北京，1990年。
⑫ 曹廷华：《文艺美学》，西南师范大学出版社，重庆，1990年。

辞美学》[1]，杜书瀛主编《文艺美学原理》[2]，王元骧著《审美反映与艺术创造》[3]，王一川著《审美体验论》[4]，马至融著《文学审美学》[5]，徐亮著《文艺美学教程》[6]，刘墨著《中国艺术美学》[7]，胡经之、王岳川主编《文艺学美学方法论》[8]，赵伯飞著《艺术美学概论》[9]，张长青著《古典文艺美学》[10]，王岳川著《艺术本体论》[11]，孙钦华著《文学美质论析》[12]，荣宋著《形象美学》[13]，皮朝纲编著《中国古代文艺美学概要》[14]，陈长生著《文艺美学论要》[15]，祁志祥著《中国美学的文艺精神》[16]，陈伟著《文艺美学论纲》[17]，王有亮著《汉语美学》[18]，王一川著《汉语形象美学引论》[19]，唐骅著《文艺美学导论》[20]，等等。这些著作深化了文艺美学研究，拓展了文艺美学思想和观念。

在门类艺术美学研究中，文学（诗歌、小说、散文等）美学研究成果丰硕，具有代表性的论著有：叶朗著《中国小说美学》[21]，肖驰

---

[1] 姚仲明、陈书龙：《修辞美学》，长江文艺出版社，武汉，1991年。
[2] 杜书瀛主编：《文艺美学原理》，社会科学文献出版社，北京，1992年。
[3] 王元骧：《审美反映与艺术创造》，杭州大学出版社，杭州，1992年。
[4] 王一川：《审美体验论》，百花文艺出版社，天津，1992年。
[5] 马至融：《文学审美学》，陕西人民教育出版社，西安，1992年。
[6] 徐亮：《文艺美学教程》，中央民族学院出版社，北京，1993年。
[7] 刘墨：《中国艺术美学》，江苏教育出版社，南京，1993年。
[8] 胡经之、王岳川主编：《文艺学美学方法论》，北京大学出版社，北京，1994年。
[9] 赵伯飞：《艺术美学概论》，西北大学出版社，西安，1994年。
[10] 张长青：《古典文艺美学》，湖南师范大学出版社，长沙，1994年。
[11] 王岳川：《艺术本体论》，上海三联书店，上海，1994年。
[12] 孙钦华：《文学美质论析》，云南大学出版社，昆明，1994年。
[13] 荣宋：《形象美学》，春风文艺出版社，沈阳，1995年。
[14] 皮朝纲：《中国古代文艺美学概要》，四川省社会科学院出版社，成都，1986年。
[15] 陈长生：《文艺美学论要》，河南大学出版社，开封，1996年。
[16] 祁志祥：《中国美学的文艺精神》，上海文艺出版社，上海，1996年。
[17] 陈伟：《文艺美学论纲》，学林出版社，上海，1997年。
[18] 王有亮：《汉语美学》，大众文艺出版社，北京，1999年。
[19] 王一川：《汉语形象美学引论》，广东人民出版社，广州，1999年。
[20] 唐骅：《文艺美学导论》，文化艺术出版社，北京，2000年。
[21] 叶朗：《中国小说美学》，北京大学出版社，北京，1982年。

著《中国诗歌美学》[1],陆志平、吴功正著《小说美学》[2],李传龙著《文学创作美学》[3],王长俊著《诗歌美学》[4],禹克坤著《中国诗歌的审美境界》[5],吴小林著《中国散文美学史》[6],周冠群著《游记美学》[7],洪珉著《文章美学论稿》[8],郎保东著《文艺审美意象学》[9],游友基著《中国现代女性文学审美论》[10],唐跃、谭学纯著《小说语言美学》[11],蒲震元著《中国艺术意境论》[12],贾祥伦著《中国散文美学发凡》[13],许评、耿立著《新艺术散文美学论》[14],李晓虹著《中国当代散文审美建构》[15],刘鸿庥著《文艺美学辨析》[16],杨海明著《唐宋词美学》[17],姜耕玉著《艺术与美》[18],陈允锋著《唐诗美学意味:初盛唐诗学思想研究》[19],等等。这其中还不包括研究西方文艺美学的著作和编著在内,可见这一学科在当代中国发展的广泛深入。

就有中国特色的书法艺术而言,近20年来,书法艺术美学研究有了长足的进展,以至于影响到东南亚、日本和韩国。这方面有分量的著作有:刘纲纪著《书法美学简论》[20],金学智著《书法美学谈》[21],

---

[1] 肖驰:《中国诗歌美学》,北京大学出版社,北京,1986年。
[2] 陆志平、吴功正:《小说美学》,人民出版社,北京,1991年。
[3] 李传龙:《文学创作美学》,陕西人民教育出版社,西安,1991年。
[4] 王长俊:《诗歌美学》,漓江出版社,桂林,1992年。
[5] 禹克坤:《中国诗歌的审美境界》,中国广播电视出版社,北京,1992年。
[6] 吴小林:《中国散文美学史》,黑龙江人民出版社,哈尔滨,1993年。
[7] 周冠群:《游记美学》,重庆出版社,重庆,1994年。
[8] 洪珉:《文章美学论稿》,中州古籍出版社,郑州,1994年。
[9] 郎保东:《文艺审美意象学》,南开大学出版社,天津,1995年。
[10] 游友基:《中国现代女性文学审美论》,福建教育出版社,福州,1995年。
[11] 唐跃、谭学纯:《小说语言美学》,安徽教育出版社,合肥,1995年。
[12] 蒲震元:《中国艺术意境论》,北京大学出版社,北京,1995年。
[13] 贾祥伦:《中国散文美学发凡》,山东友谊出版社,济南,1997年。
[14] 许评、耿立:《新艺术散文美学论》,济南出版社,济南,1998年。
[15] 李晓虹:《中国当代散文审美建构》,海天出版社,深圳,1997年。
[16] 刘鸿庥:《文艺美学辨析》,贵州教育出版社,贵阳,1997年。
[17] 杨海明:《唐宋词美学》,江苏教育出版社,南京,1998年。
[18] 姜耕玉:《艺术与美》,山东文艺出版社,济南,1998年。
[19] 陈允锋:《唐诗美学意味:初盛唐诗学思想研究》,新华出版社,北京,2000年。
[20] 刘纲纪:《书法美学简论》,湖北人民出版社,武汉,1979年。
[21] 金学智:《书法美学谈》,上海书画出版社,上海,1984年。

叶秀山著《书法美学引论》[1]，宋民著《中国古代书法美学》[2]，陈廷祐著《中国书法美学》[3]，萧元著《书法美学史》[4]，陈振濂著《书法美学》[5]，金学智著《中国书法美学》[6]，陈方既、雷志雄著《书法美学思想史》[7]，金开诚、王岳川著《书法艺术美学》[8]，钟家骥著《书画语言与审美效应》[9]，樊波著《中国书画美学史纲》[10]，宋焕起著《书法艺术审美论》[11]，杨修品著《书法美学》[12]，徐志兴著《中国书画美学简论》[13]，陈方既、杨祖武著《书法美辨析》[14]，等等。这些颇有深度的著述，对近20年全国性的书法大潮有相当的促进作用。

同样，在中国音乐美学以及影视美学方面的著作也有相当的影响。如于润洋著《音乐美学史学论稿》[15]，蒋孔阳著《先秦音乐美学思想论稿》[16]，李凌著《音乐美学漫笔》[17]，蒋一民著《音乐美学》[18]，郑锦扬著《音乐史学美学论稿》[19]，管建华著《中国音乐审美的文化视野》[20]，蔡仲德著《中国音乐美学史》[21]，修金堂著《音乐美学引论》[22]，

---

[1] 叶秀山：《书法美学引论》，宝文堂书店，北京，1987年。
[2] 宋民：《中国古代书法美学》，北京体育学院出版社，北京，1989年。
[3] 陈廷祐：《中国书法美学》，中国和平出版社，北京，1989年。
[4] 萧元：《书法美学史》，湖南美术出版社，长沙，1990年。
[5] 陈振濂：《书法美学》，陕西人民美术出版社，西安，1993年。
[6] 金学智：《中国书法美学》，江苏文艺出版社，南京，1994年。
[7] 陈方既、雷志雄：《书法美学思想史》，河南美术出版社，郑州，1994年。
[8] 金开诚、王岳川：《书法艺术美学》，中国文联出版公司，北京，1995年。
[9] 钟家骥：《书画语言与审美效应》，福建美术出版社，福州，1995年。
[10] 樊波：《中国书画美学史纲》，吉林美术出版社，长春，1998年。
[11] 宋焕起：《书法艺术审美论》，北京语言文化大学出版社，北京，1999年。
[12] 杨修品：《书法美学》，云南美术出版社，昆明，1999年。
[13] 徐志兴：《中国书画美学简论》，江苏美术出版社，南京，1999年。
[14] 陈方既、杨祖武：《书法美辨析》，华文出版社，北京，2000年。
[15] 于润洋：《音乐美学史学论稿》，人民音乐出版社，北京，1986年。
[16] 蒋孔阳：《先秦音乐美学思想论稿》，人民文学出版社，北京，1986年。
[17] 李凌：《音乐美学漫笔》，广西人民出版社，南宁，1986年。
[18] 蒋一民：《音乐美学》，人民出版社，北京，1991年。
[19] 郑锦扬：《音乐史学美学论稿》，海峡文艺出版社，福州，1993年。
[20] 管建华：《中国音乐审美的文化视野》，中国文联出版公司，北京，1995年。
[21] 蔡仲德：《中国音乐美学史》，人民音乐出版社，北京，1995年。
[22] 修金堂：《音乐美学引论》，黑龙江教育出版社，哈尔滨，1996年。

赵宋光著《音乐美》①、杨易禾著《音乐表演美学》②、曾田力著《冲击视觉的音波：影视剧音乐美学探索》③、茅原著《未完成音乐美学》④、修海林、罗小平著《音乐美学通论》⑤、程民生等著《音乐美纵横谈》⑥，等等。对音乐的本质和特性有了新层面的阐释，丰富了当代中国音乐美学思想。

在电影美学和戏剧美学方面，更是成果累累。钟惦棐主编《电影美学》⑦、郑雪来著《电影美学问题》⑧、谭霈生著《电影美学基础》⑨、李幼蒸著《当代西方电影美学思想》⑩、朱小三著《现代电影美学导论》⑪、罗慧生著《现代电影美学论集》⑫、胡安仁著《电影美学》⑬、姚晓蒙著《电影美学》⑭、张凤铸著《音响美学》⑮、郑凤兰、崔洪勋主编《电视剧美学》⑯、王志敏著《电影美学分析原理》⑰、王钦韶著《电影美学简论》⑱、陈培湛编著《电影美学教程》⑲、王志敏著《现代电影美学基础》⑳、李泱著《电影美学原理》㉑、周安华、陈兴

---

① 赵宋光：《音乐美》，湖北教育出版社，武汉，1996年。
② 杨易禾：《音乐表演美学》，江苏文艺出版社，南京，1997年。
③ 曾田力：《冲击视觉的音波：影视剧音乐美学探索》，北京工业大学出版社，北京，1998年。
④ 茅原：《未完成音乐美学》，上海人民出版社，上海，1998年。
⑤ 修海林，罗小平：《音乐美学通论》，上海音乐出版社，上海，1999年。
⑥ 程民生等：《音乐美纵横谈》，上海音乐出版社，上海，2000年。
⑦ 钟惦棐主编：《电影美学》，中国文艺联合出版公司，北京，1983年。
⑧ 郑雪来：《电影美学问题》，文化艺术出版社，北京，1983年。
⑨ 谭霈生：《电影美学基础》，江苏人民出版社，南京，1984年。
⑩ 李幼蒸：《当代西方电影美学思想》，中国社会科学出版社，北京，1986年。
⑪ 朱小三：《现代电影美学导论》，四川省社会科学院出版社，成都，1987年。
⑫ 罗慧生：《现代电影美学论集》，中国电影出版社，北京，1989年。
⑬ 胡安仁：《电影美学》，陕西师范大学出版社，西安，1990年。
⑭ 姚晓蒙：《电影美学》，人民出版社，北京，1991年。
⑮ 张凤铸：《音响美学》，北京广播学院出版社，北京，1992年。
⑯ 郑凤兰、崔洪勋主编：《电视剧美学》，山西高校联合出版社，太原，1992年。
⑰ 王志敏：《电影美学分析原理》，中国电影出版社，北京，1993年。
⑱ 王钦韶：《电影美学简论》，河南人民出版社，郑州，1994年。
⑲ 陈培湛编：《电影美学教程》，中山大学出版社，广州，1996年。
⑳ 王志敏：《现代电影美学基础》，中国电影出版社，北京，1996年。
㉑ 李泱：《电影美学原理》，中国和平出版社，北京，1997年。

汉主编《电视广告美学》[1]，陈玉通著《电影艺术美学散论》[2]，王世德著《影视审美学》[3]等，显示了文艺美学的当代发展新趋势。

戏剧美学方面的研究，除了一般的戏剧美学原理以外，还对喜剧悲剧美学精神，中外戏剧美学思想比较研究。主要著作有：杜书瀛著《论李渔的戏剧美学》[4]，苏国荣著《中国剧诗美学风格》[5]，曹其敏著《戏剧美学》[6]，陈孝英著《喜剧美学论纲》[7]，佴荣本著《悲剧美学》[8]，彭修银著《中西戏剧美学思想比较研究》[9]，牛国玲著《中外戏剧美学比较简论》[10]，焦尚志著《中国现代戏剧美学思想发展史》[11]，沈达人著《戏曲的美学品格》[12]，孟昭毅著《东方戏剧美学》[13]，姚文放著《中国戏剧美学的文化阐释》[14]，李晓著《戏剧与戏剧美学》[15]，周南雁著《中国古典戏曲的审美追求》[16]，苏国荣著《戏曲美学》[17]等，成果相当丰富。

不仅如此，在西方文艺美学、现代后现代文艺美学的研究方面也出了一批有影响的学术著作。如研究西方文艺美学的就有叶朗主编《现代美学体系》[18]，王岳川编《后现代主义文化与美学》[19]，董小玉

---

[1] 周安华、陈兴汉主编：《电视广告美学》，江苏文艺出版社，南京，1998年。
[2] 陈玉通：《电影艺术美学散论》，中国电影出版社，北京，1999年。
[3] 王世德：《影视审美学》，北京广播学院出版社，北京，1999年。
[4] 杜书瀛：《论李渔的戏剧美学》，中国社会科学出版社，北京，1982年。
[5] 苏国荣：《中国剧诗美学风格》，上海文艺出版社，上海，1986年。
[6] 曹其敏：《戏剧美学》，人民出版社，北京，1991年。
[7] 陈孝英：《喜剧美学论纲》，陕西人民教育出版社，西安，1993年。
[8] 佴荣本：《悲剧美学》，江苏文艺出版社，南京，1994年。
[9] 彭修银：《中西戏剧美学思想比较研究》，武汉出版社，武汉，1994年。
[10] 牛国玲：《中外戏剧美学比较简论》，中国戏剧出版社，北京，1994年。
[11] 焦尚志：《中国现代戏剧美学思想发展史》，东方出版社，北京，1995年。
[12] 沈达人：《戏曲的美学品格》，中国戏剧出版社，北京，1996年。
[13] 孟昭毅：《东方戏剧美学》，经济日报出版社，北京，1997年。
[14] 姚文放：《中国戏剧美学的文化阐释》，中国人民大学出版社，北京，1997年。
[15] 李晓：《戏剧与戏剧美学》，四川人民出版社，成都，1998年。
[16] 周南雁：《中国古典戏曲的审美追求》，山西教育出版社，太原，1999年。
[17] 苏国荣：《戏曲美学》，文化艺术出版社，北京，1999年。
[18] 叶朗主编：《现代美学体系》，北京大学出版社，北京，1988年。
[19] 王岳川编：《后现代主义文化与美学》，北京大学出版社，北京，1992年。

著《西方文艺美学导论》①，胡日佳著《俄国文学与西方审美叙事模式比较研究》②等。另外，一些研究西方马克思主义文艺美学思想的著作也不少。③

在商品大潮迭起而学术边缘化时代，中国的文艺美学却走出了一条自己的学术道路，形成从新的审美角度审视艺术审美内核的新视角。在我看来，文艺美学研究实现了中国学术界的几个思想转化：从形而上学的哲学美学研究，进入"形而中"或形而下的门类艺术审美规律和美学特征的研究；从单纯的文艺学和美学研究到文艺学和美学的交叉学科研究；从文艺的外部研究（文学社会学和心理学研究）走向文艺的内部审美奥秘的研究；从理论僵化的学科分类到面向文艺思潮实际的经验总结和问题剖析；从西方美学的横向挪用到中国当代美学形态的创建。这些无疑从各个不同侧面反映了当代中国文艺美学潮流从滥觞到壮阔、从形而上思辨到具体艺术特性把握的转化轨迹。

可以认为，当代中国的文艺美学的拓展，已经具有了新学科价值推进和知识增长的意义：其一，深化了文艺审美的本质，阐发了文艺创作和欣赏活动中艺术家、艺术品和欣赏者之间过程的整合性意义，将人与艺术的互动关系和通过审美体验达到艺术对人的本体呈现作为文艺美学的内在特征和本质；其二，使文艺美学研究突破了实践美学和形上美学的争论，强调生命美学、体验美学、本体论美学、解释学美学、修辞学美学对传统美学的超越，尤其强调艺术对理想、生命、精神自由、灵魂追问的全新意义，从而在主体与客体、存在与意识、感性与理性、认知与体验、经验与超验的二元对立中达到新的理论平衡；其三，将艺术存在与人的存在方式统一起来，使艺术体验成为拓展个体生存价值，整合个体与社会、人与世界关系的基本方式；其四，通过对现代心理学、社会学、政治哲学、文化研究、国际关系学

---

① 董小玉：《西方文艺美学导论》，西南师范大学出版社，重庆，1997年。
② 胡日佳：《俄国文学与西方审美叙事模式比较研究》，学林出版社，上海，1999年。
③ 主要有冯宪光：《西方马克思主义文艺美学思想》，四川大学出版社，成都，1988年；刘文斌：《马克思主义文艺美学研究》，内蒙古教育出版社，呼和浩特，1996年。

（如后殖民主义）等新学科的吐纳，丰富了文艺美学的关键词和核心范畴，深化了对走向过程的现代后现代人精神脉络和文艺形式的多元存在的研究。

事实上，文艺美学从诞生之日起，就在学科的交叉性质、学科的知识谱系定位、学科研究的方法论、学科的未来前景等方面遭遇挑战，这些问题引发了学科更深层次的问题。在我看来，文艺美学还是一门有待进一步发展和完善的新学科，任何因为一门学科尚不完善而认为不应该继续存在的看法，都是因噎废食的。

但是我仍然要提出一些值得关注的问题：怎样在跨学科或者交叉学科中给文艺美学的研究对象、研究方法、核心范畴、相关领域提出更具有体系性的理论？如何对当代艺术中的复杂问题加以深层面的研究，不停留在创建一门新兴学科上，而是深入学科内部，探索它的形成原因和未来趋势？怎样避免经院哲学般的理论僵化性，创建具有中西文艺美学视界融合的新思维，更多地对现实文艺现象文艺思潮发问，参与当代文艺批评和后现代文化研究层面，审视已经出现或者将要出现的生命意义和艺术价值新问题？

尽管，文艺美学研究不断受到文化美学或审美文化方面的影响，但是学术史的踪迹已经留下，后人只能面对文艺美学20年发展的历史脉络加以清理。而在这种清理中，胡经之的《文艺美学》无论是筚路蓝缕的开创之功，还是学科定位的严谨清晰，都是具有学术史研究意义的。

二、文艺美学的逻辑起点和价值终点

在文艺美学成为中国文艺学和美学界中的分支学科以后，问题不是简单了，而是更为复杂了。因为关于学科定位和学科基本问题的问题，时常产生一些学术争鸣，难定于一尊。

在这种状况下，作为文艺美学学科的首倡者，胡经之先生除了在20世纪80年代初在北大课堂上教授文艺美学以外，还全力撰写专著《文艺美学》，并于1989年由北京大学出版社出版。在出版10年后又作了一次修订，收入《北京大学文艺美学精选丛书》再次出版，表明这部著作能够经受时间的考验,对当代的文艺和美学问题中的新现象和新思潮有其参照解答力。作者在综合中西文艺美学思想的基础上,就一系列文艺美学前沿范畴和问题做了较为系统的考察,为当代中国文艺美学的建立和走向精神自觉开拓了新思路,使文艺美学成为关怀现实人生的审美价值重建的重要方式。

在我看来,这部《文艺美学》,是我国近20年来有体系和创见的文艺美学理论专著。作者站在当代美学发展的前沿,面对美学研究的多元取向,提出自己的文艺美学理论。他将审美活动作为全书的逻辑起点,以审美体验、艺术感兴为审美中介,最终在本体论上将艺术审美本体同人的审美生成联系起来。这里没有故弄玄虚和理论游戏,没有在诡辩中展开的伪问题,而是尽可能解答中西文艺实践中的具体问题,使自己的思考具有了人文精神的价值地基。

文艺美学关注人的感性审美生成的任务。在解答生命意义的美学问题中,文艺美学的前沿问题是拓展文艺和批评的新维度,解决审美文化中诸多新的文艺现象和思潮的问题根源,同时从方法论层面上研究当代艺术(现代与后现代艺术)的难点和疑点问题,为人的全面发展提供文艺美学理论层面上的支持。可以说,这部《文艺美学》,通过审美活动论、艺术价值论、审美体验论、艺术本体论、艺术形象论、艺术意境论、艺术形态论、艺术阐释接受论、艺术美育论全面展开讨论,分梳并理清了文艺美学学科提出的基本任务。

正因为吸收了当今世界美学研究和文艺理论研究的前沿思想,胡经之能够站在跨学科视界上阐释问题。他认为:文艺美学是诗学与美学融合,是艺术与哲学的结合——艺术感兴与哲学感悟的交融。文艺美学不仅要求美学具有诗的激情和灵性,而且也要具有哲学家对人生根本价值的终极关怀。作者一个贯穿全书的思想是:美学使人在感性与理性和谐自由之中,去寻求人类生命存在的谜底,使追问人生意义的形而上冲动伴随人的一生。因此,文艺美学是将本体诗化或把诗(艺术)本体化,从而使人的审美之思与本体沟通。

根据这一总体思路,作者首先找到文艺美学的逻辑起点——审美活动,认为人的审美活动是审美主客体的交流与统一的践行,文艺美学活动的深层结构和高层反思,集中体现在艺术的"审美体验"上,这也是人与艺术关系的本质和核心。审美体验是文艺美学研究的中心,它不仅与艺术本质相关联,而且也与人的审美本性密不可分。审美体验的探讨是解决艺术之为艺术的内在结构的根本性问题,同时也是研究艺术的审美特征问题的关键所在。审美体验达到的深度,是人自我存在和社会存在深度体认,审美体验达到的高度,是艺术的"审美超越",并由此构成艺术审美价值的本质。在作者看来,艺术价值首先在艺术将其视界投注在人与世界的整个体系(即人与自我、人与他人、人与社会、人与自然)上。同时,艺术价值还集中表现在艺术超越性、艺术与未来的接通上,艺术是人超越有限存在而与人类大同远景"先行对话"的中介活动。

  在文艺美学研究中,"艺术掌握"问题即人与世界的多维关系问题,是一个具有相当学术难度的问题。论者在讨论艺术掌握世界的方式中,吸收了美学史的成果,尽量厘清审美掌握和艺术掌握、艺术掌握与意象思维、艺术思维与科学思维的关系。同时自己力求解答艺术审美掌握的重要性问题,"人对世界的艺术掌握,只就其精神掌握方式而言,是能动地反映世界的审美掌握。这种精神掌握,是由艺术思维来实现的。艺术思维主要是运用同概念思维相统一的意象思维。艺术的意象思维过程是审美感情和审美认识相结合的过程,结果是产生艺术意象体系或艺术意境,有的创造了艺术典型"①。

  文艺美学中的"艺术本体和艺术真实"是一个极为重要的问题。艺术本体的本真存在,使得生命敞亮和审美体验升华。作者没有回避艺术本体论这一当代文艺美学的新问题,②而是直面这一问题。认为艺术真实并不仅仅属于艺术认识论范畴,而是属于艺术本体论范畴,它贯穿整个艺术过程中,形成审美主体体验之真、艺术作品之真、欣赏者二度体验之真。艺术世界与生活世界具有不尽相同但紧密相关的真实性形态。艺术真实性寓于艺术活动本体之真中。正是通

---

① 胡经之:《文艺美学》,北京大学出版社,北京,1989年,第155页。
② 王岳川:《艺术本体论》,上海三联书店,上海,1994年。

过创造使艺术本体存在外化并呈现为艺术美——艺术形象和艺术意境。艺术形象是作为有机整体的审美意象的符号化，艺术意境则是艺术本体的深层创构。作者认为，在文艺美学中，意境是一个标志艺术本体的范畴，因此，如何界定意境的诗本体性质，探索意境的深层结构和审美特征，从而进一步把握中国艺术精神的灵魂，是一个重要的任务。

艺术形态学研究，是文艺美学的另一重要维度。其主要内容包括：艺术形态学脉动及其审美特征，艺术形态分类的自觉，艺术分类的美学原则，作为整体序列的艺术种类，艺术诸形态的审美特征等。尤其是在艺术的审美特征研究中，作者对书法、建筑、绘画、文学、戏剧、音乐、舞蹈、电影等艺术的审美特征作了广泛的研究，拓展了文艺美学形态学的研究领域。这一形态学研究，同当前世界美学前沿问题——艺术审美阐释接受问题紧密联系起来，使问题抵达文艺审美价值实现的高度。作者首先考察了当代艺术阐释学和接受美学理论，并认为，艺术阐释学和接受美学注重读者的作用，重视理解者的视界与对象内容所包蕴的过去视界，在理解中达到"视界融合"以及注重对"未定点"、"空白点"的具体化，以生成作品的意义等方面对文艺美学研究是一个拓展。但作者没有满足于此，而是更深一层地分析接受（二度体验的）心理特点，并揭示出艺术接受过程的主体性特征。

最后，文艺美学的逻辑终点落实在人的审美生成上，艺术美学教育的根本目的在于人的感性的审美生成。作者强调：文艺美学关乎人生价值之处在于，通过艺术审美体验和美学理论反思，使人不断反思自己、超越自我。文艺美学始终将目光凝定在人的审美生成上，通过对艺术美的阐扬和塑造，去丰富和提升审美主体的人格心灵层次，去充分调动其审美的潜在可能性。（程相占《作为"形而中学"的文艺美学》认为：胡经之《文艺美学》一书的内在思路、基本观点、价值取向、研究方法等方面都与中国古代文论一致，也是一部"形而中学——心象"学。这一看法有其合理之处。）

胡经之的文艺美学研究，其开创性自不待言，也给学术界提出了一系列难以解决的问题。可以说，随着90年代学术思想的发展，文艺美学有了新的问题、新的重点和难点,也出现了文艺美学应承担的一系列极具现实意义的理论和实践课题。诸如:如何从审美发生学上阐释生命存在与艺术形式的同型同构关系?在艺术本体论中,如何看待当代文艺的某些反本体论现象?文艺美学如何思考文艺活动中自我与他者的差异和共识问题?在前工业社会、工业社会、后工业社会中如何看待审美体验和审美经验的嬗变,并在经验异化处境中恢复人与自然的和谐和回归精神家园?文艺的审美超越性和形而上意义是否在大众文化流行中逐渐丧失其精神价值和位置?在现代后现代时代审美超越性的可能性和前景如何?后现代电子信息技术与大众传媒对审美对象、审美主体、审美文本、审美关系产生了怎样的错位和转换?后殖民时代的克隆技术和跨国经济对市场化全球化时代中的文艺审美形态,有怎样的形态重塑和精神消解功能?文艺美学应当怎样从新世纪中国文艺价值重建、精神定位、人格塑造等本土性问题出发,进行新时代的思想和精神唤醒?这些无疑都是新世纪中国文艺美学不能回避的问题,需要学者们进行艰苦的思想探索。不妨说,一门学科创立之后,需要付出更大的心力,才能使既有的成绩得以巩固和发扬,否则,前景似未可乐观。

三、文艺美学的学术定位和方法论问题

文艺美学的学术定位并不像有的人所说的是缺乏理论体系,相反,我觉得缺乏的却是运用文艺美学这一学术视角来透视和剖析当代中国的文艺现状中的种种严重问题。20世纪90年代是一个特殊的时期,在这十年间,中国文艺美学研究有自己的影响力。毕竟中国已经不再仅仅处于从前现代到现代转型的过程中,而要面对现代性自身的诸种困惑。其中,不仅有政治、经济、文化的转向,还有人们审美心态的转向和艺术趣味的转向。

文艺美学与美学和文艺理论相辅相成。一般而言,哲学领域的美学学科研究哲学美学,哲学美学关注美的本质、审美心理和艺术三方面内容,它研究普遍审美原理、审美范畴和某些特性,因此它强调的是普遍性。文学领域的文艺理论主要研究四方面问题,即作家与社

会、作家与作品、作家与自我、作家与读者的关系,它研究的是文艺的一般规律和特性。在我看来,作为中介的文艺美学研究人的现实的审美处境和灵魂归属问题,它是通过艺术这一中介达到的。在美学中,有自然美、艺术美、社会美,最高境界是艺术美。文艺美学就是通过对艺术美的研究来对人的处境和灵魂问题加以审美解决。但在科学飞速发达的今天,文艺美学要解决现实处境似乎比不上政治、经济,解决灵魂归属又比不上宗教。所以,文艺美学的学术定位变得很难。那么,文艺美学存在的依据是什么呢?我想说的是,文艺美学是特殊的审美意识形态——它总是从更高的法则来检验现在,总是以未来理想的光亮洞烛现实的黑暗,以边缘的身份对抗中心话语权力。这种特殊意识形态的正面效应是带来群体的自我身份的确认,负面效应是显示某些事物的扭曲和变形——作家以自己笔下人物的沉沦来展示世界的真相,通过对自身的扭曲来展示黑暗。但文艺美学的最高境界不是后现代式的调侃、调皮、哗众取宠,而是本真状态的"童心、慧眼、傲骨、柔肠"。只有具备这样的文艺美学理想的艺术家,才可能有真正的未来。而很多当代艺术家只是在做秀,做秀的结果就是"秀"的时间非常短——昙花一现而已。

在现代性"理性"面前,张扬"感性"生成的文艺美学总是需要面对以下问题。第一,关注工具理性未来辉煌的时候,感性艺术怎样关注人的灵魂复归。追问科学在制造了一个辉煌神话之后,是否是把人类引向了一个更大的片面化。第二,为什么历史理性关注终极乌托邦而不关注个体生命的内在痛苦,关注分工的巨大利润却不关心日益严重的人性空洞。后工业社会究竟应该怎样发展?是在工具理性中不断"追新逐后"?还是在文艺美学中不断精神怀旧、不断人性复苏?比较高明的学术定位当在理性学和感性学之间形成一种巨大的文化张力,这一力量的合力的方向,可能是人类未来发展的一个方向。在这种向前和向后的话语权力空间中,可能构成人类精神发展的双元。

在文艺美学中需要警惕的是,对传统美学轻率地打倒骂倒的虚无主义做法,是缺乏创造力的"审父"。但半个多世纪以来,人们审来审去却发现父亲(传统)没有审倒,结果却是文化之根的总体遗忘。

"审父"时代后,人们开始了"自审"时代。这一代审视什么?人们在摇滚中成长,在随身听中长大,在学英语中漂泊。这代人能够为未来世界提供什么?有没有前人那种博大而深厚的文化积淀?但是自审的时代刚刚开始就变成了自虐。很多行为艺术家开始了反文化的行为主义自虐,通过艺术自虐的方式来显示艺术是一种抗议。但又不知抗议什么,抗议之后该怎么办。在自审与自虐之间,中国文化面临了决裂与选择的双重困惑。然而,决裂很容易也很姿态性,而创造却相当艰难。这表明21世纪的中国文艺美学的痛苦将是"试验的痛苦"。在传统经典之外我们要建立自己的合法性,我们必须找到历史的缝隙,并将自己的心性智慧的思考铸成我们的新历史。

在文艺美学为自己定位的过程中,文学理论和文艺美学却有着被文化理论或者文化研究所取代的阴影。今天文艺理论逐渐泛化为哲学、心理学、社会学等等。在我看来,文艺美学不会消亡,但是会成为一种知识型,在社会实践层面逐渐变成边缘,而走向中心的将是文化研究。文艺美学将从关注小文本的阐释,即词语、修辞、人物、寓意等小文本阐释走向关注大文本的文化阐释,即阶级、性别、文化、民族、华语压迫、权力运作等,这是因为文学的接受对象变了,文学的研究对象变了,文学传播的机制变了,因此文学价值的功能也就转变了。这无疑使得文艺美学在今天也是"难"的。文艺美学不是无限的,它只是让人认识到自身的有限性,以及人审美超越的可能性。

文艺美学有自己的方法,主要以审视人的现实审美处境和价值归依问题为宗旨,具体分为作家—作品—读者—社会等几个层面的审美关系研究,尤其重视读者和社会审美问题的研究。正惟此文艺美学注意吸收相关学科和新兴科技研究新成果。

近年来,文艺美学将解释学美学作为自己重要的方法论原则,认为不了解解释学精神就有可能使文艺和美学研究停留在客观文本意义层面,其结果就是没有发展和创新。对文艺美学意义的解释的另一极端是解构主义方法。解构方法进入文艺美学理论中,不再注重过多的现实政治企图,而注重文本的政治文化解读——从最小的脚注开始进行解构文本和理论体系,看其是否出了问题。同样女权主义研究对文艺美学研究中研究女性被压抑声音的揭示有敞亮之效,但不能泛滥,如果把这种理论方法变成一种性战争契机,一种权力的争夺,就将失去这一研究视角的意义。

当代文艺美学受后现代主义、后殖民主义和新历史主义方法影响很大。尤其是在后殖民理论视野中,关于东方主义与西方主义、文化霸权与文化身份、文化认同与阐释焦虑、文化殖民与语言殖民、跨文化经验与历史记忆等问题,都与后殖民语境中的"主体文化身份认同"和"主体地位与处境"紧密相关。后殖民主义文化研究方法成为当代文艺美学研究的重要话语,是其对社会文化理论文本解读的新方式:重新将阶级、阶层、文化冲突变成国与国的关系、第一世界和第三世界的关系来分析,强调文化审美的差异性。而新历史主义同样是讲文化、意识形态,它强调的是,被压抑的那部分权利和声音通过一种支离破碎的方法说出来的时候是怎样言说的。在当代中国有不少新历史小说和新历史电影,值得文艺美学深入研究。

文艺美学必须吸收新的方法,使自己能够从边缘处去审视处于中心的话语,在边缘性问题的剖析中逐渐消解中心话语。但是我们仍然得问:这些方法能为文艺美学提供一个完整的方法论体系吗?文艺美学去吸收挪用他者的方法,而文艺美学自己的独特方法是什么呢?是否存在中国本土性的文艺美学方法论呢?这是我们面临的困惑和需要解答的问题。

但也大可不必悲观,21世纪留给我们文化复兴的契机,这个契机就是文化"试验"。21世纪前面的10年很可能是中国文化的试验期,我们将能够提出自己有创建的文艺美学体系,这是有作为的文艺美学家必定要做的工作。当然,在文化试验中有两个问题需要解决,就是各国美学差异性与全球化审美共识性的问题。如果说传统美学是以内容胜,现代美学是以形式胜,那么到了新世纪的文化和美学试验可能会出现这样的情况:在形式方面去寻找人类的审美共识,而将民族的精华体验熔铸为审美差异性内容。中国文化已经进入必须试验、必须创新的文化进程中,因而只有从文化和美学的"拿来主义"走向"文化输出主义",21世纪中国的文化和美学才能具有世界性意义。这样,发展中国特色的文艺美学,正是时代的需要。

我仍然坚信,在反艺术和反美学的"后"时代,文艺美学仍有其不可取代的存在价值,真正的文艺仍然是一种灵魂唤醒的本真生命活动,是人的寻求生命意义和自我审美生成的过程。只有在艺术本体与人的本体紧密相连之处,文艺美学才有可能在中国本土文化资源中真正寻找到自己的思想地基,才会有新世纪东学西渐式的理论播撒和学术辉煌。

2001年冬于北京

王岳川 时为北京大学中文系教授、博士生导师,兼日本金泽大学客座教授,中国中外文艺理论学会副会长,中华全国美学会高校委员会秘书长,中国作家协会会员,中国书法家协会会员,中国文化书院研究员,首都师大等六所大学的兼职教授。

文艺美学的启示

王一川

当我提笔写这小文的时候,我在北大时的导师胡经之先生正在深圳大学指导文艺美学博士生。一想到胡老师,我眼前总是浮现着这样一个形象:个子不高,和蔼、儒雅、循循善诱。20多年前刚过20岁的我,哪能想到自己的学术命运会与这位学者联系在一起呢!

那是1982年2月中旬的一天晚上,我踏着皑皑积雪到北京大学中关园公寓,见到了我自考研以来日夜想见的导师胡经之先生,从此开始了我求学燕园的路程。刚从四川大学中文系本科毕业,我第一次走出封闭了我20多年的四川盆地,来到向往已久却又十分陌生的伟大祖国的心脏。这里有中国最好的大学、最好的教授,还有来自全国各地最富竞争力的高起点、高水平同窗!想到马上面临这样一个空前紧张激烈的学习环境,我不禁忐忑不安、诚惶诚恐。这种心绪到现在已过去整整20年,却还清楚地记得。

我们那届由于历史的原因,是在1981年招生,但到次年春季才入学的。我因为从四川南部偏僻的沐川出发,在成都转车,到达北大时已迟到两天。一场大雪刚过,燕园处处残留积雪。我去中文系报了到,才知系里的迎新会开过了,有的课程已经开始上课。我马上产生了一种"落后"的感觉:"我来迟了。"正是怀揣这种不安的心绪,我立即去中关园拜见导师。公寓坐落在北大校园东门外蓝旗营,在北大中关园的东北角,正好与现在的万圣书园斜对面。那是一座略有点古朴风味的旧宿舍楼,20世纪50年代初是为苏联专家而建的。胡老师家在二楼,敲开房门,胡老师热情地把我迎进门:我总算见到了胡老师。从这时起的两年半时间里,我们同届三位研究生会一次次"登堂入室",聆听老师的教诲。

　　胡老师那时即将跨入知天命之年，置身在"文革"后的改革开放年代里，焕发了学术青春，风华正茂，充满创造的热情。他的热情与我们的青春激情交织在一起，师生间洋溢着学术探索的快乐。

　　进入北大后我才知道，我辈之所以能攻读文艺美学硕士学位，首先得益于胡老师的倡导。正是在1980年全国美学学会成立期间，胡老师在全国首先提出建立"文艺美学"学科的构想。那时的文学理论界还充斥着"文革"时代"左"的倾向，谈论文学必须谈论"阶级斗争"和"为政治服务"。胡老师为了使文学理论尽快挣脱出这种"左"的错误陷阱，想到了美学。无论是马克思、恩格斯还是毛泽东，都承认文学艺术的"美"，都认可文艺的审美属性，并且都不否认各个阶级存在着"共同美"。如果把美学视野引进文艺学，既可以绕开"左"的陷阱、又有助于发掘文艺与人的本性的深层联系及其审美内涵，何乐而不为？在当时的中国学术界，这无疑是一个绝妙的构想。当然，胡老师知道，这样做不仅需要从学科上提出依据，而且需要在学科体制及人才培养体制方面提出改革构想。于是，经过深思熟虑，胡老师实施了他为文艺美学学科建设做出的双管齐下战略：在学科发展方面，强调在向来隶属于哲学的普通美学之外，建立隶属于文艺学的文艺美学学科，这就为文艺学学科引入美学视野提供了理论依据。同时，在研究生学位培养体制方面，他多方奔走，说服国家学位办及北大研究生院，在属于一级学科中国语言文学之下的二级学科文艺学中设立文艺美学这一专业方向。这样的学科与体制双管齐下战略终于收到了可喜的效果：从1981年起，文艺美学作为研究方向而成功地进入硕士研究生招生目录。胡老师在北大率先设置了文艺美学专业方向并开始招生，既和文艺理论分开，又不和哲学美学混同。他在当时影响甚大的《美学向导》上发表了《文艺美学及其他》，接着又在北大出版社《大学生》上发表《文艺美学是什么》，回答文艺美学考生的问题，还在《光明日报》撰文论文艺美学。而胡老师和叶朗、江溶等发起编辑的《文艺美学丛书》也陆续开始出版。我自己正是在得知胡老师将招收全国第一届文艺美学硕士研究生后，才报了北大。到北大后才知道，那年竟有98位考生，一道向往并选择报考了北大的文艺美学专业方向。无疑，许多人都为文艺美学学科的发展做出了宝贵贡献，但谁也不能否认，正是胡老师在这方面做出了超出他人的最引人注目的重要贡献。据此，把胡老师称作20世纪80年代我国文艺美学学科的创始者，应是恰如其分的。

胡老师不仅开创了文艺美学学科，而且实际地从事了这一学科的基础理论建设。我至今仍记得自己那时阅读胡老师在1980年春所写的长篇论文《论艺术形象》时的印象。这篇发表在1981年的论文，引用郑板桥有关"眼中之竹"、"胸中之竹"与"手中之竹"的精论，向"文革"时代有关文学是政治斗争的工具的教条发起挑战，提出了艺术形象的审美特质这一重要问题。他主张，艺术形象不同于普通形象，而是包含人的审美认识与审美情感的形象，这就将艺术形象与普通形象区别开来，为探索文学艺术的审美属性铺平了道路。同时，他又借鉴中国古典美学的"意象"论，提出艺术形象的独特特征在于"意象"性，而这个"意"不是一般的意义，而正是审美认识与审美情感的结晶。这就为文艺美学引进中国古典美学传统展示了新的途径。反复阅读这样一些言论，并且亲耳聆听胡老师的讲解，我的心整日里沉浸在领悟的激动和狂喜中。我懵懵懂懂地寻找了很久的东西，在这里似乎一下子就获得了。直到今天，我仍然认为，这篇长文是20世纪80年代中国文艺学界最富于学术水平的论文之一。它被收入中国社会科学院编的《中国新文艺大系》的理论卷，又被美国著名美学家布洛克收入他向美国第一次介绍我国美学家的著作的选集中。它所提出的问题不仅针对艺术形象，而且由此入手而涉及更根本的文艺本质问题：文艺绝不是政治斗争的简单工具，而是人的审美认识与审美情感的结晶。这篇论文所表述的思想，在中国文学理论从"斗争"说转向美学化的过程中扮演了至关重要的角色。它是一个醒目的路碑，铭刻着一代知识分子告别"文革"过度政治化陷阱而转向纯真的美学的心路历程。

"审美体验"，是胡老师全力倡导的另一个重要观点。在他看来，艺术所表达的审美认识与审美情感相互渗透在一起，扭结成一种深刻而令人难忘的人生体验——审美体验。审美体验正是通向艺术创造的东西。不是通常的生活印象而是深厚的审美体验，才是艺术创造的起点。胡老师的这个观点更强烈地击中了我，使我有豁然开朗的感觉。它是那样深深地打动了我、吸引着我，令我下决心在这条路上走下去。我的硕士论文题为"论艺术的内在结构"，就是尝试着论述审美体验，但那时只是浅尝辄止。直到我在北大毕业、到北师大攻读文艺学博士学位时，我终于选择了"西方体验美学"这个题目。这题目虽然自作主张地有意省掉"审美"二字而单谈"体验"及"体验美学"，并且不遗余力地伸张西方感性论与生命美学，但它的最初灵感毕竟来自胡老师的"审美体验"说。我的博士论文《意义的瞬间生成——西方体验美学的超越性结构》(1988)在80年代后期文学理论与美学同行中掀起过那么一点波澜，自然首先得益于胡老师当年的引路。我常常想，如果不是他的审美体验思想对我的成功"诱惑"，我还不知会在哪条学术道路上空耗时光呢！导师的作用似乎就是在这么不经意之间啊！今天我自己已经在带本科生、硕士生和博士生了，胡老师无疑是我心仪的偶像。

最优秀的理论家应当擅长什么？胡老师对我们讲，不是雄辩滔滔，也不是深奥莫测的思辨，而是"举例子"，也就是把一个具体的文学艺术实例讲清讲透。他的意思是，衡量一个理论家的理论水平的高低，不在于他的理论有多高多深，而在于他能否把一个例子讲清楚。如果一种理论，只是像天马行空，一泻万里，像天女散花，不着边际，并不解决任何问题，那就变成理论游戏，丧失了价值。举例，就是要使理论和实践结合，解决实践中的问题。什么？理论家的本事就在于举例子？那不是很容易的事？当年的我初听这话时，真怀疑是否听错了。但胡老师给予了肯定的回答。以后在学习中我才逐渐地明白，胡老师的话对于做理论的人多么重要而又多么基本！可以说，最近10多年来我的研究处处都在印证这句话。多年后我从体验美学与语言论美学中受到启示，提出了修辞论美学新思路，其核心就在对文本做修辞论阐释。可以说，我这些年的理论工作总是与具体文本分析有关，或者干脆以具体文本分析为依托：《中国现代卡里斯马典型》(1994)专门分析20

世纪小说中的典型人物形象;《中国形象诗学》(1998)从中国形象视角阐释80年代至90年代文学新潮;《张艺谋神话的终结》(1998)对影响广泛的张艺谋神话现象做了修辞论阐释;《汉语形象美学引论》(1999)结合具体文本分析当代汉语形象;《中国现代性体验的发生》(2001)则对晚清作家的几部文本作了新的分析。它们无一不是致力于"举例子"。回想起来,不得不叹服胡老师当年的教诲多么朴实而又多么深刻!

其实,我觉得,注重举例子的意义哪里只在让理论更具体而令人信服,更为重要的是在于养成一种脚踏实地、凡事务必求实求证的基本理论素养。有了这种素养,才可能从事真正的理论创新、寻求独特的理论个性。只有当把具体例子讲清讲透,理论才能真正立起来。正是这样,他对文化研究中重视个案研究这种方法极为赞赏。我以为,真正的理论不是空中楼阁,而总是屹立于文本分析的沃土中。如今,我对我的研究生也都是这样要求的。我让他们从基本的举例子做起,在此基础上去从事新的创造,而绝不做天马行空的空头理论家。我对学位论文的要求是:小、新、厚、面、实、透、反(为方便记忆,可念成"小心后面石头翻")。小是选题小,新是选题新颖,厚是挖掘深厚,面是论述面广阔,实是求实求证,透是点透点明,反是随时随地自我反思。在这七字"口诀"里,"实"可以看做举例子"精神"的一种具体体现。

胡老师一生以学术为本,努力履行一个学者的责任。我刚到北大时,正是20世纪80年代初期,燕园充满了活力和可能性,年轻学子们跃跃欲试。胡老师多次告诫我们,在北大机会很多,什么事都可能发生,但现在做研究生最重要的就是选准一条路,一心一意埋头做学问。我们入学不久,他就要我们从掌握资料做起,我们参编的《中国古典美学丛编》《中国现代美学丛编》等等,都是围绕文艺美学的学科建设而做的。当时,听了胡老师的话,我也衡量自己:一个来自偏远山区、出身寒微、性格内向的人,所能做的不就只是努力做合格的书生吗?难道我还能有其他更好的道路?从那时起到现在,我一直是在沿着同一条路做同一件事情,更感觉胡老师的话实属至理名言。能把一条道走到底,那才是真正的有意义的生活。

　　记得一位诗人说过:"生命有无数形式,活法不止一种。"那是对整个民族的个体人生而言。但我觉得,对一个学人来说,似乎应该改成:"生命有无数形式,活法只有一种。"我们可以选择的活法确实很多,但对于一个具体的人来说,能够亲身完整地体验一种活法,已经颇为难得了。在他大半生中,曾有多次机会可以走向仕途,但他还是选择了教学生涯,已坚持了50年。如今,胡老师仍然在南国继续他的文艺美学探求,仍在琢磨走向文化美学。我相信,作为我国当代文艺美学家,胡老师的这"一种活法"是无比精彩的!

2002年9月29日于北京

王一川　时为北京师范大学文艺学研究中心副主任、中文系教授、博士生导师。

文艺学的新开拓

陈 伟

文艺美学是在新时期应运而生的一门新兴学科,它具有鲜明的中国特色和时代精神。胡经之先生对创建文艺美学学科和探索文艺美学规律做出了很大的贡献。他的文艺美学研究自成特色。

一、以人生实践为出发点

为什么要创建文艺美学学科?怎样进行文艺美学研究?这是经历了"文革"十年动乱及文艺理论长期作为泛政治化话语之后,20世纪80年代中国学术界深刻反思的问题。胡经之先生是在这样的历史基础上,提出文艺美学的学科设想的。他认为:"如果美学只停留在争论美是客观的还是主观的这样抽象的水平上,这并不能解决艺术实践中的复杂问题……人类的审美活动产生于实践活动(生产实践、交往实践、生活实践),这审美活动又生发为艺术活动。因此,艺术活动离不开审美活动。但艺术活动又自成体系,从文学艺术家体验生活,到艺术创造,再到艺术为人所接受,均需要按照美的规律进行。这种艺术活动的审美本质和审美规律,应该获得系统的研究。"为了区别于其他美学分支,胡先生称之为"文艺美学"。[①]这段话明白无误地表明,文艺美学的范畴内涵及学科设想,并不是灵感突发的产品,而是胡经之先生长期进行学术思考的结果。这个结果虽然是思辨的产物,它的基础却是中国的社会实践和历史条件。

西方国家并没有文艺美学。美国有美学,是哲学的分支,设在哲学系,主要从本体论、认识论、方法论的角度来探索美的本质、美感、

---

① 胡经之:《文艺美学论》,华中师范大学出版社,武汉,2000年,第4~5页。

艺术等,属于美学中的"形而上学"。美国另有艺术哲学,是艺术学的分支,设在艺术系,主要探索文艺作品的内容与形式、文艺创作的途径、文艺批评的方法等,研究文艺的实践性规律和问题。

东欧国家、苏联也没有文艺美学。它有设在哲学系的美学和设在文学系的文艺学。苏联的美学,研究的范围、对象与美国的美学差不多。而苏联的文艺学由于将文学定位为"无产阶级总的事业的一部分",应当成为"社会民主主义机器的'齿轮和螺丝钉'"(列宁语),因此,文艺学主要研究和论证文学在社会中的定位问题,以及文学如何为党的事业服务、用什么方式服务、怎样鼓励和保证这种服务并批评消极服务等倾向。苏联的文艺学,与其说属于学术的学科分支,不如说属于政治的文化分支。它是一种政治的文化,关注的重点不是文艺的内在规律,而是文艺怎样更好地为社会政治服务。以历史的眼光看,苏联因处在社会斗争的尖锐时期,要求文艺为政治服务,设置重视文艺的社会定位的文艺学,也是无可厚非的,并在历史上起过积极的作用。

中国的文艺学主要借鉴苏联,而借鉴的时期正好是中国人民进行着急风暴雨式的社会革命的时期,因此,"文艺为政治服务"理所当然地引起了强烈共鸣,奉为圭臬。随着中国革命的胜利和中国无产阶级掌握政权,在革命斗争时期起过积极作用的文艺方针被总结成了文艺学理论,并进一步学术化、学科化了。

毫无疑问,移植于"战斗文化"的文艺学在和平的社会环境里缺陷是明显的:首先,它对文艺的内在规律不太重视,或者表面重视,实际漠视,造成了文坛上创作手法单调、作品人物雷同的尴尬局面;其次,以"战斗文化"的标准来进行文艺批评,政治标准第一、艺术标准第二,把和平时期学术领域中对文艺作品的探讨简单化、泛政治化了,也容易被一些别有用心的人如姚文元之流利用,来打击真正在作品中反映了社会复杂现象的优秀作家,造成了文坛上许多冤、假、错案。

有鉴于此,在中国社会拨乱反正的20世纪70年代后期,学术界已在考虑怎样使中国的文艺研究真正回到学术的轨道上来,最好的方法是从学科的界限入手摈弃文艺研究成为一种政治性文化的倾向。率先在这方面进行探索的学者中,就有胡经之先生。1980年春,中华美学学会在昆明成立。胡先生在会上提出应在文学艺术院系发展文艺美学学科,在高校中开设文艺美学课程,发出了建设中国文艺美学学科的第一声。在胡经之先生与其他专家的共同努力下,经过10多年的开拓奋斗,文艺美学如今已正式成了文艺学学科下的一个专业方向。对于这门学科的创建,胡经之先生筚路蓝缕,他不仅最早(1981)在北大招收了文艺美学研究生,在1980年就开设了文艺美学课程,而且还创办了"文艺美学论丛",参与发起编辑北京大学《文艺美学丛书》,自己奉献出了《文艺美学》《文艺美学论》等专著。

胡经之先生的文艺美学研究以人生实践作为出发点,并且和艺术实践紧密结合。胡先生对文艺美学问题的探索,虽然最终往往涉及深奥的理论问题,得出令人信服的理论结论,但理论探索的出发点都是具体的、活生生的文艺实践。如探索艺术形象的美学本质,他从郑板桥在画竹时的一段体会作为研究的起点。郑板桥道:"江馆清秋,晨起看竹,烟光、日影、露气,皆浮动于疏枝密叶之间。胸中勃勃,遂有画意。其实,胸中之竹,并不是眼中之竹。因而磨墨、展纸、落笔,倏作变相,手中之竹,又不是胸中之竹也。"胡先生从郑板桥的"眼中之竹"、"胸中之竹"和"手中之竹"的差别作为研究的切入点,经过严密的论证,深刻地阐述了艺术形象中审美意象构成的基本因素及基本方式。

又如对艺术美性质的研究。文学艺术需要美吗?为什么需要美?怎样才是文学艺术的美?描写丑的事物的文学艺术作品为什么可以是美的?胡先生提出许多文艺实践中的问题,又用许多文艺实践中的事实来加以说明,最后从理论上归纳出:文学艺术之所以美,在于它蕴含着艺术家独特的、合乎人类的自由本性及社会本质的审美体验。他以恩格斯青年时代写的散文《风景》作为具体分析对象,从恩格斯在这篇文章中表达的体会——面对优美的风景,"一切忧思……会烟消云散,你就会融化在自由的无限的精神的骄傲意识中"——指出恩格斯的这种体会就是审美体验,"正是恩格斯的心灵深处蕴藏着追求人类自由的崇高理想,才使他在此地体验到了一种特殊的自由幸福的愉悦之感"。恩格斯的审美体验产生于人生实践之中。胡经之先生对艺术美审美体验的研究亦以实践为起点,从而得出符合审美实际的论断:"文学艺术需要美。但艺术美不仅仅只是形式的美,而是形式美和内容美的统一。艺术美也不仅仅只是小说的题材,而是题材和主题的完美统一,文学艺术应该完美地描绘生活,从崇高而美好的审美理想上来反映生活,从而创造出艺术的美。"①换句话说,文艺作品的美主要在于文艺家在作品中表达了合乎社会本质、合乎人类本性的审美体验,它充分、全面地体现在文艺家对作品题材的认识和处理上,而不是在于题材本身的美与不美或作品外观样式被包装得漂亮与否上。胡先生的这个文艺美学观点对20世纪80年代初期关于作品题材的纷乱见解做了极好的阐释和澄清,使文艺创作从题材决定论的陷阱中走出来有了强大的理论依据。而这与胡先生以艺术实践为文艺美学研究的出发点是分不开的。

胡先生的文艺美学研究以艺术实践为出发点,但这并不意味着他把艺术实践看成是完全没有人的主观能动性的模仿活动。他的文艺美学研究充分地考虑着人在艺术实践中的主观能动作用。在过去的文艺学中有一种观点,把传统的模仿论混同于马克思主义的反映论,认为文艺作品内涵的真、善、美就在于它们所再现的成分。有的文艺作品着重写实际生活中的劝善、道德等现象,所以善的因素就突出;有的文艺作品着重写实际生活中有关知识性的东西,真的因素就突出;有的文艺作品着重写实际生活中的一些美好的事物和现象,美的因素就突出了。而文艺家在创作中的感情、意志、理想、想象等主观成分,都被排斥在艺术反映之外,把它们看成与艺术实践的客观性是不相容的。胡先生明确指出,这是对文艺实践的误认。文艺实践是人类众多的实践活动的一种,不仅是审美活动,还是创美活动。它具有一般实践活动的性质,那就是,依照客观的规律性,达到主体的自由性。实践活动的结果虽然是客观规律的体现,其中却蕴含着主体的

---

① 胡经之:《文艺美学论》,华中师范大学出版社,武汉,2000年,第73页。

能动性。文艺作品是文艺实践的产品,必须按照美的规律来创造。在文艺作品中,"思想倾向和对象描绘是结合在一起的:艺术内容是再现客体和表现主体的统一。对文学艺术的美学研究,只有把再现和表现这两个方面结合起来,才能揭示出艺术内容的审美特征。描绘假的、丑的、恶的现象,这作品却不一定是假的、丑的、恶的艺术;描写真的、善的、美的现象,这作品也并非必是真的、善的、美的艺术。艺术内容中再现和表现的辩证关系是极为复杂多样的,不能只顾一端"[①]。他的文艺美学研究从一开始就展示了崭新的面貌,完整地探索文艺作品、文艺创作和文艺接受各个方面的内在规律,使有关文艺的研究在文艺美学的旗帜下站在一个俯瞰全局的制高点上,从而使这门学科真正成为探索艺术实践各个领域的主要门径。

二、以审美活动为中心线索

胡经之先生的文艺美学研究从人生实践出发,引向艺术实践,其间,紧紧抓住以审美活动为中心线索而展开。顺着审美活动所涉及的主客体各个方面,揭示出文艺审美和创美的规律。文学艺术与其他审美活动存在着共有的普遍审美规律,又存在着自己独特的审美规律,以审美活动作为分析文学艺术与其他审美实践区别的切入口,能真正起到事半功倍的作用。

审美活动,作为文艺美学的中心线索,它的实质是什么?胡先生一针见血地指出:审美活动是人的"'理想'的、升华了的生命运动","审美活动,作为人类审视人生、体验生命价值的生命活动,乃是主客体相互作用的特殊形态,它整合了审美主体和审美客体"。在审美活动中,审美客体和审美主体都是客观的存在物,同时又都带有人类所独有的社会性。"审美客体是客观存在的,然而世界上的客观现象之所以成为审美客体,进入人的审美活动,乃是因为它对人类具有一定的社会意义,对审美主体具有这样、那样、肯定或否定的意义"。而另一方面,"审美主体也是客观存在,是世界上确实存在着的实体。人

[①] 胡经之:《文艺美学论》,华中师范大学出版社,武汉,2000年,第35页。

并不就是意识、精神,而是实实在在、有血有肉的物质"①。这里,胡先生运用马克思主义的辩证唯物主义立场,摈弃了审美实践中以黑格尔为代表的唯心主义立场和以费尔巴哈为代表的机械唯物主义立场。照黑格尔的看法,人就是意识和精神没有实践的实体。人能在实践中改造世界,这个本来符合客观事实的情况被黑格尔一阐述反而成了唯心主义的呓语。马克思主义为改正黑格尔头足倒置的认识论指明了方向。胡先生用马克思主义的方法,结合审美实践,把黑格尔倒置的本末反正过来,这样,在文艺美学研究中既不陷入唯心主义的泥坑,又充分考虑人的主观能动性,具有十分重要的意义。与黑格尔的唯心主义一样,费尔巴哈的机械唯物主义也同样有片面性。胡先生在批判黑格尔的唯心主义认识论的同时,也批判了费尔巴哈的机械唯物主义认识论,把审美活动真正定位在马克思主义的辩证唯物主义和历史唯物主义的基础上。

审美活动是人的重要的生命活动之一,具有调节主客体的作用。当然这种调节更多的是对主体自我发生作用,但主体自我调节好了,在应用性实践中便能更好地发挥出人的族类本质和主观能动性。由于审美活动的重要性和中枢性,把它作为文艺美学的中心线索能更好地展开对其各个子系统的研究和探索。胡先生的美学体系正是这样展开的。

文学艺术的创造,是由审美活动发展为创美活动的必然结果。但是艺术的创美,要以作家、艺术家对人生的审美活动作为基础。尤其是优秀的艺术品,往往体现了特定时代、特定社会的最有代表性的审美活动的成就。因此,对艺术的研究是对审美活动研究的顺理成章的发展,而对艺术体验的研究是文艺美学的核心。胡经之先生在这方面的重要建树是在他对艺术的审美价值及艺术美的研究上。

长期以来,我们把文艺的性质建立在一种误解上,那就是,文艺与哲学一样,反映着人对世界的掌握:哲学的掌握用抽象的概念,通过逻辑思维来实现;艺术的掌握用形象,通过形象思维来实现。在这

---

①胡经之:《文艺美学论》,华中师范大学出版社,武汉,2000年,第15~16页。

里,哲学与艺术的差异被认为仅仅在外观的概念和形象上的区别。

在新时期之初,胡经之先生以马克思主义美学观为出发点,率先对这个长期被误认的观点进行了澄清,写了《艺术的审美价值》《艺术美略论》等文章,指出:"文艺和审美,既在形式上有关,又在内容上有关。正是文艺具有独特的审美内容,才要求有独特的审美形式来表现。"什么是文艺的审美内容呢?那就是审美体验。审美体验是作家、艺术家按照审美理想、审美观念、审美趣味孕育、提炼、概括出来的艺术品的内在意蕴。它以意象的方式反映着现实实践中人与外界的审美关系。

审美活动必然产生审美体验,但审美体验不一定形成艺术作品,"审美活动领域比艺术活动领域更广,而艺术属于审美的更高范畴"[1]。审美体验怎么最后会成为艺术作品的内核呢?这是因为,作家、艺术家以富有创意的个性样式把握住了特定时代、特定社会历史阶段上的审美本质,使人的族类的本质力量在历史特定的范围内最大限度得到肯定,使人的主体精神世界的丰富性和自由理想在历史界定的范围内最大限度得到展开。这样的审美体验形成意象,得以物化,便是精彩的艺术品。

从审美活动开始到作品的完成,作家、艺术家酝酿艺术品的内容,充满着艰辛:第一,一个人虽有审美体验但若不能形成意象,创作艺术品的基础就不能成立;第二,形成了意象,没有将它们物化,创作艺术品也只能是水中捞月、镜中揽花,不可能完成;第三,文艺家在审美活动中产生了审美经验,形成了意象,并把它们物化了,但在整个过程中缺少富有创意的个性或没有把握所处时代的审美精神,这样的作品也不能成为优秀的艺术作品。因此,世界上被冠以"艺术"的作品不少,真正优秀的艺术作品却没有那么多。一个重要的原因就是,这些作品缺少符合时代精神的审美体验所孕育的意象作为它们的内容。文艺作品的内容,是人的内在生命的自然流露,就是审美体验;具体地说,就是以富有创意的个性和符合时代特点的审美本质孕

---

[1] 胡经之:《文艺美学论》,华中师范大学出版社,武汉,2000年,第43、73页。

育出来的审美体验形成的意象。文艺作品的创作,既包含着内容的形成,也包含着内容的物化;而内容的形成是首要的。所以胡经之先生正确地指出:"文学艺术需要美。但艺术美不仅仅只是形式的美,而是形式美和内容美的统一。"①内容的美甚至比形式的美更重要,而内容美的核心就是审美体验。这个观点为新时期的文艺创作从根本上摆脱各种外在条规的束缚,使之更符合人的族类本性发展的"美的规律",提供了指路标杆及理论依据。

文艺作品的内涵核心是审美体验,但审美体验并不是欣赏者直接面对的对象。欣赏者把握作品中作家、艺术家传达的审美体验,必须经由审美意象的中介。

审美意象是中国古典美学的范畴,对它的内涵存在着不同的阐述。有的学者根据审美意象在中国古代主要作为评判抒情性作品的准则,便将它现象性地界定为"虚实相生、情景交融"。这种见解是值得商榷的。第一,"虚实相生,情景交融"可以是一种外在的形象的状态,与意象却不能构成唯一的对应。第二,"虚实相生,情景交融"更恰当的是指抒情性作品的氛围、意境等,它的重点不在"意象"的象的性质上。第三,意象与形象是有本质区别的,对一件文艺作品,形象往往是指已经物化的可感性对象,而意象常常指艺术家心中正在营构之象。所以郑板桥说"手中之竹又不是胸中之竹",胸中意象,要转化为笔墨,"我有胸中十万竿,一时飞作淋漓墨"②。

胡经之先生准确地界定了意象的性质,把它作为从审美体验到形成文艺作品的中介,为文艺创作和文艺批评指明了关键的锁钥。他在《论艺术形象》一文中指出:"审美意象,乃是包含着审美认识和审美感情的心理复合体。审美意象包含着认识,但这是特殊形态的认识——审美认识,体现着感性认识和理性认识的特殊统一。"而"人在感受美丑时,同时做出审美评价,伴随着对美丑的审美感情,对美丑等审美属性持有肯定或否定的态度……审美认识是人对客观对象

---

①胡经之:《文艺美学论》,华中师范大学出版社,武汉,2000年,第73页。
②胡经之:《中国古典文艺学丛编》第1卷,北京大学出版社,北京,2001年,第178页。

审美属性的反映,而审美感情则是人对现实对象的审美属性是否满足人的审美需要做出反映"。正因为"审美意象中包含着审美感情,使得艺术不仅具有审美认识作用,而且具有审美教育作用"①。这样,审美意象的性质就很清楚了。第一,审美意象是"心理复合体",是审美体验物化成艺术作品的中介媒体。它一方面使审美体验清晰化,使初级阶段的感受升华为高级阶段的情感、思绪、感悟;另一方面又使审美体验形象化,使它符合物化为艺术品后被欣赏者欣赏的要求。第二,审美意象是审美认识和审美情感的统一体。审美认识是以审美的尺度对对象的认识和对对象审美特性的认识,而审美情感则是主体对对象审美属性是否满意的反应,这两者在审美意象里得到了高度的统一:审美认识充满着审美情感,审美意象中的情感依据审美认识而表现出喜怒哀乐,同时,审美意象中的认识由于审美情感而更注重审美价值的评判。第三,审美意象中的认识和情感是交织在一起的,因此,毫无疑问,以表现审美意象为重心的文艺作品必然具有认识作用,不过这种认识始终受到情感的制约,所以是一种审美性的认识,而不是科学性的认识。审美性的认识以意象作载体来传达,具有生动性、丰富性和情感性。

审美意象的这些性质显示,文艺作品的确有认识作用,以及由此而衍生的教育作用等等。这些作用不是外在地附加上去的,而是审美体验中必然产生的,并通过意象物化到文艺作品中。但同时亦表明,文艺作品的认识作用与科学性质的认识作用是完全不同的,它始终伴随着情感判断,具有审美性质。艺术的认识、教育作用就蕴藏在审美作用之中。

可以看出,胡经之先生以审美活动为中心线索,澄清了文艺美学中一系列重大难题,用马克思主义的观点和方法与唯心主义的文艺观和机械唯物主义的文艺观真正划清了界线。

---

① 胡经之:《文艺美学论》,华中师范大学出版社,武汉,2000年,第86~93页。

三、以人格提升为终极目标

文艺学、文艺美学和美学,从本质上说,都是为人性复归和人格塑造服务的科学。但文艺学、文艺美学和美学各有不同的特点。

文艺学主要从意识形态的角度来研究文艺,追求人性的复归和人格的塑造。它包括两个方面:第一,文艺作品反映的现实怎样有利于人性复归和人格提升;第二,文艺作品怎样反映社会现实有利于人性的复归和人格提升。就第一方面看,主要就是探索文艺作品怎样反映社会的本质。由于从意识形态的角度看问题,为了契合社会的本质,指导具体的文艺创作和文艺批评,文艺学为追求总体的社会发展的目标有时往往会放弃一些具体的人性复归和人格提升的要求,如在追求强烈的政治倾向性(至少在作者看来这种政治倾向性是符合社会发展的客观规律的)的同时,放弃一些艺术性的要求。20世纪40年代,为了反抗帝国主义、封建主义和官僚资本主义的压迫,毛泽东在延安文艺座谈会上曾提出"文艺为政治服务",这些都是为了追求社会总体发展的目标而放弃具体的人性复归要求的现象。就第二方面看,主要是文艺作品怎样应用自己的特殊手段来艺术地反映现实世界,使作家把想传达给欣赏者的思想和情感等能顺利地完成传达。古代哲人说:"知之者不如好之者,好之者不如乐之者。"文艺家就是要使欣赏者在"好"和"乐"的状态下接受他的思想和情感。

由于文艺学从意识形态的角度来研究文艺,追求人性的复归和人格的提升,因而,相对来说,它与特定时代的具体社会目标关系密切。从好的方面看,它对时代的要求反应敏锐,随物赋形,始终站在社会的潮头上;从不足的方面看,它缺少相对的稳定性和连贯性,较难上升到"美的规律"的境界。

美学学科在创建之初,就把人性复归作为自己的追求目标。如康德把判断力批判(美学)作为沟通纯粹理性批判(客观规律)和实践理性批判(主观目的)之间的津梁,席勒把"活的形象"(审美)作为熨平客观现实和主观愿望之间的通衢,都揭示出美学这门学科的特殊本质。马克思主义美学的最大贡献在于,给以往的美学家建筑在唯心主义基础上的、实际根本不可能实行的人性复归和人格提升找到了真正的基础，那就是，推翻人剥削人、人压迫人的社会制度，从消除"异化劳动"达到消除人性异化，从而达到真正的、完全的人性复归和人格提升。这样的人，就是审美的人了。马克思在《1844年经济学哲学手稿》中论述的这一著名理论，至今仍是美学的最高奋斗目标。

美学对人性复归和人格提升的追求基于人的族类本性，因为人的族类本性使人"懂得按照任何物种的尺度来进行生产，并且随时随地都能用内在固有的尺度来衡量对象；所以，人也按照美的规律来创造"。人在实践中始终蕴含着对外界的审美掌握的成分，因而，美学对人性复归的指导也更具有宏观性，更具本体论和方法论的意义。

文艺美学同样把对人性复归和人格提升的追求作为自己的重要目标。然而，文艺美学对人性复归和人格提升的追求，既不同于美学，也不同于文艺学。文艺美学与美学的不同在于：美学站在宏观的角度，从实践出发，追求人性的复归和人格提升；而文艺美学站在具体的角度，从文艺实践出发，追求人性的复归和人格提升。生活中也有美，但文艺中的美比生活中的美更概括、更浓郁、更典型，也更能激起审美者的反应和共鸣。

在反对过去的泛政治化的文艺学的同时，有的见解不免矫枉过正，认为文艺作品不应有外在的目的，不应该有教育作用和认识作用；文艺作品只需有审美的作用就行了。对这个问题的探讨当然很难简单地用"是"和"非"来做判断。胡经之先生从文艺美学的角度看问题，从分析艺术的审美价值入手，对此做了精辟的论述，指出："艺术审美价值，宽泛地讲，指人在艺术创作活动中，以作品的形式客观地反映了世界的审美价值财富，并且概括了主体对世界审美关系所形成的精神价值。另一方面，还包括在人通过艺术审美（欣赏）所获得的审美体验（二度体验）中，不断形成的新的审美趣味和审美心理结构，也就是对人的审美塑造——最高的审美价值。因此，艺术价值不仅在于完成作品，而且更在于完成人的灵魂的铸造，从而改造人的个性心灵，影响他的感觉、情感、理智和想象。"①这段话并没有对文艺的非审美的作用进行评判，自然，文艺的非审美的作用也有符合社会客观规律与不符合社会客观规律之分。这段话仅从文艺的审美价值分析，认为其中就已包含对人的心灵的塑造。这就从根本上排斥了文艺作品与人的本质、人类社会无关的论调，揭示了文艺在陶冶人的情怀、归复人性方面的独特作用。

胡先生认为："艺术作品的世界与人的生命世界同构，它有可能包含哲学、道德的思想，包含通过活生生的艺术形象传达的世界美的多样性。"因此，"艺术始终要面对人与自我的关系……艺术不仅关注'我与你'，而且也关注'我与人类'的关系。它使你、我、他，我们大家通过审美体验而沟通"②。这就是文艺的审美本质使人的族类本性得以归复的特性。在美学史上，康德首先从本体论的角度指出审美能使人与人之间沟通，但他提出的基础是"人同此心，心同此理"这一唯心主义观点。胡经之先生坚持马克思主义的基本观点，从人按照美的规律所从事的实践活动为出发点，探索审美体验的产生、审美意象的形成，然后揭示出审美价值里必然蕴含着的人的族类本性。这样，就给优秀的艺术作品为人所带来的人性复归和人格提升的作用找到了真正的客观基础，并纠正了在此问题上的种种偏颇。

人文学科，从总体上说，对人性的塑造都有积极的作用。然而，文艺美学对人性复归和人格提升的作用在中国当代人文学科中有独特的地位，是不容忽视的。这体现在三个方面。

第一，文艺美学在本质上源于美学，与美学一样，探索人在实践中如何遵循美的规律，使自己的理想在客体世界得以实现，同时使主体的自由性最大限度地得到伸张。但文艺美学的对象不是整个世界，而是文艺作品，这就避免了美学所必须面对的琐碎和繁杂，而从浓缩的、典型化了的世界中揭示美的规律，这样对人性复归和人格提升所产生的作用也就更有力度了。

---

① 胡经之：《文艺美学论》，华中师范大学出版社，武汉，2000年，第45页。
② 同上书，第46~47页。

第二,由于当代中国的经济从"计划"向"市场"的转型,在这样的背景下,社会价值评判的尺度转向了如何有利于提高人的素质。"以德治国"和争做"先进文化的代表",便是这种社会价值观的反映。什么样的文化是先进文化呢?那就是符合美的规律的文化。什么是"以德治国"的"德"呢?那就是对外符合社会发展的客观规律,对内符合人性伸张的必然要求。这就是建设当代中国审美文化的重要内容,也是当代中国社会主义精神文明的奋斗目标。而文艺美学对此有得天独厚的先机。

文艺美学的终极目标是追求人性的复归和人格提升,而这种追求又在比现实更具典型性的文艺领域进行,这样,它对新世纪建设有中国特色、时代特点的精神文明必将做出其他学科无法企及的贡献,尤其对加强人的修养,提高人的素质,培养先进的道德情操将发挥巨大的作用。

第三,文艺美学对批判继承中外优秀的文艺遗产,在古人的肩膀上更上一层楼,有十分积极的推动意义。人类文明发展至今,在文艺史上留下了无数瑰宝。批判地继承中外先哲的优秀遗产,是发展当今精神文明的必由之路。然而,继承前人优秀文艺的准则始终没有得到很好的界定。为什么古代封建阶级的优秀作品我们喜欢欣赏呢?为什么外国资产阶级作家的优秀作品我们加以青睐呢?这是过去的文艺学长期没有很好地解决的问题。有人曾照搬苏联的"人民性"概念来加以解释。可是,有的文艺家从来没有与人民有多少来往,他们的人民性又从何说起呢?这个难题只有文艺美学能够解答。文艺美学从美的规律入手对作品沿革溯源,就能探索到中外先哲的优秀作品之所以能够吸引今天的欣赏者的原因了。

除了作品,理论亦是。古人对文艺的真知灼见没有组织成体系的长篇大论,而更多的是散见于笔记、对话、题序等中的有感而发的审美感悟。美学往往难以从理论的形态对它们加以概括,这也是中国古代美学史难写的一个重要原因。这些先人的感受一部分是对作品的评判,更多的是体会,所以用批评史对它们加以探索亦属牵强。这座宝库至今开发得很有限。什么才是阿里巴巴的口令呢?这就是文艺美学。文艺美学从文艺作品的内在审美规律入手,对古人进步的美学思想进行梳理、采撷,必然能发掘出许多长期以来被忽视的宝贵遗产,从而积极推动当代文艺创作与批评的发展。

当代文艺美学的以上三个特点,对人性复归和人格提升所带来的积极作用,是其他学科无法代替的。胡经之先生提出文艺美学有复归人性和人格提升的重要作用,正是认识到了审美和人性的密切关系。

胡经之先生对中国文艺美学,无论从学科的提出还是学科的规范,都做出了重要的建树。他的文艺美学理论体系,从实践入手,通过审美活动展开,最后归结到对人的提升、人文关怀的作用,正是当代审美文化的微观写照。随着新世纪的到来,胡先生20年前点燃的文艺美学的火种,必然会将中国的文坛和学苑映照得更加辉煌灿烂。

2001年秋于上海

陈 伟 时为上海师范大学教授、文艺学博士生导师。

与时俱进的文艺美学探索

姚文放

一

"文艺美学"无疑是20世纪80年代我国文艺学和美学圈内最受关注的热点之一;世纪之交这一学科又着实再度"热"了起来,至今仍方兴未艾。期间"文艺美学"的概念总是与胡经之先生的名字联结在一起,这一方面是由于胡经之先生在国内最早提出把"文艺美学"作为一个学科来发展,另一方面是因为他自20世纪80年代初至今20多年来一直致力于"文艺美学"的建设,一直活跃在这一学科的前沿,引领着这一学科与时俱进、不断发展。总之一句话,对于国内"文艺美学"这一学科的确立、建设和发展,胡经之先生其功伟矣!

在1980年春于昆明召开的中华全国美学学会首届年会上,胡经之第一次提出了建立"文艺美学"的意见,引起了与会者的浓厚兴趣。其后他发表了《"文艺美学"是什么?》[1]《文艺美学及其他》[2]《文艺美学简介》[3]等论文,期间也发表了一批探讨艺术的审美本质的论文,如《论艺术形象》《艺术掌握世界的方式》《艺术的意境》等,发表在各家学术刊物上。同时还在国内许多高校做学术报告,宣讲关于"文艺美学"的构想,对于"文艺美学"的确立起到了积极的推动作用。

从1980年起,胡经之开始着手撰写《文艺美学》一书,历时8年,

---

[1] 参见《大学生丛刊》,北京大学出版社,1982年第1期。
[2] 参见《美学向导》,北京大学出版社,北京,1982年。
[3] 参见《当代文学研究参考资料》,1984年第5期。

数易其稿,该书终于在1988年完成,1989年11月由北京大学出版社出版,列入该出版社的"文艺美学丛书"。由于全书成稿时间较长,书中关于文艺美学基本问题的一些看法已经与8年前的观点有所发展和深化了。10年后,为北大百年校庆,又由于图书市场的需要,北京大学出版社又集中出版了"文艺美学精选丛书",将该书收入其中,作者借此机会又对该书做了一些修订。

世纪之交,国内学术界又一次兴起了关于"文艺美学"的讨论,胡经之也参与了这场讨论,发表了若干重要论文,如《反思文艺美学》[①]《发展文艺美学》[②]《超越古典:文艺美学新方向》[③]等,将他关于在新的时代条件下如何发展文艺美学的意见做了比较集中的阐述,标志着他的文艺美学思想又有所突破、有所前进了。比较显著地昭示其发展动向的当推《走向文化美学》[④]一文,"文化美学",这无疑是又一个富于生长性和未来性,因而值得予以重视的学术亮点。

二

一门学科如何定位,直接关系到这一学科能否成立的问题,因而如何对"文艺美学"进行学科定位,自然也就成为胡经之进行文艺美学探索时首先必须思考的问题。20年来,胡经之在这一问题上的观点经历了重要的发展。

20年前,在草创"文艺美学"之初,胡经之在回答"'文艺美学'是什么"的问题时持下列观点:"文艺美学,顾名思义,当是关于文学艺术的美学。它的研究对象,自然是文学艺术","文艺学和美学的深入发展,促使一门交错于两者之间的新的学科出现了,我们姑且称它为文艺美学。文艺美学是文艺学和美学相结合的产物,它专门研究文学艺术这种社会现象的审美特性和审美规律","文艺美学属于文艺

---

① 参见《文艺理论研究》,1999年第4期。
② 参见《胡经之文丛》,作家出版社,北京,2001年。
③ 参见《文艺研究》,2001年第1期。
④ 参见《学术研究》,2001年第1期。

学,又可归入美学"①。

在1989年出版的《文艺美学》中,胡经之对上述观点做了重要的修正,他在该书的"绪论"部分开宗明义地指出:"文艺美学绝非是美学和诗学的简单相加,也不是仅仅以文学艺术作为自己研究的对象,相反,文艺美学就其本质而言同人的现实处境和灵魂归宿息息相关。可以说,文艺美学是当代美学、诗学在人生意义的寻求上、在人的感性的审美生成上达到的全新统一","文艺美学将从本体论高度,将艺术看作人对现实沉沦的抗争方式、人的生存方式和灵魂栖息方式","如果说,艺术是人类的精神家园,那么,文艺美学就是这个'家园'的守护者"。②这些提法,分明已大大突破了他草创"文艺美学"时对于这一新兴学科所做的界定。

《文艺美学》在1999年出了修订本,值得注意的是,在以上所引"绪论"的文字中作者加进了这样一段话:"人生活在世界上,一要生存,二要发展,三要完善。只有人和环境达到和谐平衡,人和现实才产生审美关系,才有文学艺术。研究文学艺术,必然要触及人和现实的关系。"③这里指出文艺美学研究文学艺术,必然要触及人和现实的关系,可以看作是作者关于文艺美学的学科性质的观点又将有重要变化的一个明显信号。

在世纪之交所写的一批有关反思文艺美学、发展文艺美学、走向文化美学的论文中,胡经之着重阐述了以下几层意思:其一,人的生命活动在本质上是实践的,包括生产实践、交往实践、生活实践、精神实践,这些实践活动不仅追求实用价值、功利价值,而且追求审美价值,以提升人生境界,进而从中发展出一种独立的审美活动——艺术生产,因此文艺美学必须在"艺术生产"的意义上来研究文学艺术;其二,在文学艺术中,政治、经济、道德、哲学、文化的各种因素,都被做了审美的改造,被组织和吸纳进审美结构之中,转化为审美价

---

① 胡经之:《文艺美学及其他》,《美学向导》,北京大学出版社,北京,1982年,第26、30、40~44页。
② 胡经之:《文艺美学》,北京大学出版社,北京,1989年,第1~2页。
③ 胡经之:《文艺美学》(修订版),北京大学出版社,北京,1999年,第1页。

值；其三，每个人都不可能脱离自己创造出来的文化世界，但任何文化都是处于一定人文关系中的人的活动的结果，都是人化的产物。对于人们生活于其中的文化世界，可以从不同的角度去看待，但最令人感兴趣的还是如何从美学的角度来审视，"我们需要各种各样的文化研究，我更希望走向文化美学"。从这里不难看出胡经之对于"文艺美学是什么"问题认识的明显转变，即文艺美学不仅研究文学艺术的内在规律和一般特征，也不仅研究人的生存方式、灵魂归宿和精神家园的问题，而且要着重研究人的实践行为和艺术生产，研究审美化的政治、经济、道德、哲学等因素，特别是研究从美学角度去研究文化，从而走向"文化美学"。

三

问题意识是胡经之文艺美学思想的重要方面。他认为，文艺美学作为一个学科，总是应该有自己的问题，特有的问题，才使得文艺美学的提出和存在成为必要。然而他在上述几个阶段概括文艺美学所面对的问题又有变化和进展。

胡经之最初主张文艺美学应该解决两个方面的问题：一方面从普遍、特殊、个别这三个层次的审美规律的联结中去把握文学艺术的本质，第一个层次是文艺与一切审美活动共有的普遍审美规律，第二个层次是文艺区别于其他审美活动而独具的审美规律，第三个层次是文艺的不同样式、种类、体裁之间相互区别的、更为特殊的个别规律；另一方面则应到"创作—作品—欣赏"这一系统中去把握文艺的本质，文艺美学包括了文艺作品（产品）的美学、文艺创作（生产）的美学、文艺享受（消费）的美学等三个部分。[①]

《文艺美学》一书基本上保留了上述意见，只是在表述上对少量概念作了调整，如称文艺美学包括文艺创造（体验）的美学、文艺作

---

① 胡经之：《文艺美学及其他》，《美学向导》，北京大学出版社，北京，1982年，第26、30、40~44页。

品（本体）的美学、文艺享受（阐释）的美学等三个部分。但是除此之外，他又指出："人是一种超越性存在，人是一种可能性，人只有在创造过程中成为自己。艺术是人的创造活动中最自由的形式，也是人的超越性的表征。只有将文学艺术同人的生命意义追问、人的生命底蕴深拓联系起来，文艺美学的研究才有新的视界，才有新的维度。"①这就把人的存在、自由、超越性、生命意义、生命底蕴等作为有待于解决的问题提到了文艺美学的面前。

当胡经之在世纪之交对文艺美学进行反思时，对于以上意见做了进一步的发挥。在他看来，如果把文学艺术作为人的一种特殊的生命活动来考察的话，那么对于文艺美学来说，可以深入探索的问题很多：人类为什么需要文学艺术？文学艺术是一种什么样的生命活动，是人的什么样的存在方式？人怎样在生活中产生了审美体验？又怎样转化为文学艺术？文学艺术究竟对人发生什么样的作用和如何起着作用？②

如果说这还是将文学艺术与人的生命存在方式联系起来向文艺美学提出问题的话，那么在当今商品经济急速发展、社会意识发生振荡，价值观念和审美标准随之发生变化，影响着文学艺术的生产、传播和消费之际，势必对文艺美学提出一系列新问题：文学艺术究竟是否还需审美价值？文学艺术的审美价值和交换价值、实用价值和审美价值应是什么关系？艺术创作究竟还有没有、需不需要遵循艺术规律？社会的发展，使得艺术的性质、结构、功能和规律究竟发生了什么样的变化？③

当胡经之提出建立"文化美学"的意见时，他又指出，放在"文化美学"面前的有这样几个问题：其一，"人间的文化创造，怎样才能符合美的规律，这是文化美学必须回答的首要问题"；其二，"文化产品的实用价值、交换价值、审美价值应是什么结构关系，这也是文化

---

① 胡经之：《文艺美学》，北京大学出版社，北京，1989年，第19页。《文艺美学》修订本在这方面的意见大致相同。
② 胡经之：《反思文艺美学》，《文艺理论研究》，1999年第4期。
③ 胡经之：《发展文艺美学》，《胡经之文丛》，作家出版社，北京，2001年，第63页。

美学必须回答的问题";其三,"对文化的审美,和自然审美、艺术审美是怎样的关系,它们之间的联系和区别,这涉及更为复杂的审美标准、审美理想等,亦应是文化美学不应回避的问题"。①

不难看出,20余年来,胡经之始终怀抱着强烈的问题意识紧紧追踪文艺美学的学科发展,从而,他所揭示的理论问题也越来越深广,越来越贴近人本身、贴近时代的脉搏和社会的变革。

四

在确认了文艺美学的学科性质和文艺美学所要解决的问题之后,自然需要考察采用何种研究方法、理论构架和范畴体系来体现文艺美学的学科性质、解决它所面临的问题,从中也可以看出胡经之的思想发展。

最初他提出文艺美学的研究方法是,吸取其他美学部门的研究成果,既需要采取"自上而下"的方法,又需要运用"自下而上"的方法,达到分析和综合、演绎和归纳相结合。②这显然还是比较传统的提法,不过其时胡经之已经关注到工艺学、语言学、符号学、信息论、控制论等最新科学成果及其方法了。至于文艺美学的理论构架和范畴体系,此时主要还是沿用"文艺作品—文艺创作—文艺享受"这一套路。

到了《文艺美学》一书,虽然他仍然认为文艺美学要解决的问题包括"文艺创造、文艺作品、文艺享受"三块,但在具体构想上却有了较大进展。作者认为,与其面面俱到、四平八稳,不如有感而发、无感不发;与其重复别人说过的问题,不如另辟蹊径、独树一帜;与其采用一般教科书从静态分析走向动态分析的方法,不如选择从动态分析走向静态分析的路程。③基于这一想法,全书先从分析审美活动

---

① 胡经之:《走向文化美学》,《学术研究》,2001年第1期。
② 胡经之:《文艺美学及其他》,《美学向导》,北京大学出版社,北京,1982年,第26、30、40~43、44页。
③ 胡经之:《文艺美学·序言》,北京大学出版社,北京,1989年,第3页。

入手,再考察审美体验和艺术审美价值,进而剖析艺术掌握世界的方式,然后再探究艺术真实、艺术美、艺术形象、艺术意境和艺术形态,最后转入对艺术的阐释接受和艺术审美教育的论述,整个内容成为作者"从动态分析走向静态分析"这一立意主导之下的逻辑展开,构成了完整有序的理论构架,而其中所涉及的概念、范畴,也整合为一个富于新意的范畴体系。

在新世纪关于建立"文化美学"的思考中,胡经之感到,我国目前的文化现象极其错综复杂,我们急需研究这些错综复杂的具体文化现象,也需要及早对文化发展作宏观审视,从整体上关注文化发展的美学方向。这里在方法论上有两点值得注意:一是文化研究往往带有跨学科的性质;二是文化研究综合采用各种新方法。总之他认为,文化美学重视具体的文化现象,并从中吸收养料;但更应重视归纳,从众多的文化现象做出的分析中,从美学高度进行思考,做出理论概括,走向文化美学。①由于是对于"文化美学"建设的一种最新构想,所以对于如何搭建"文化美学"的理论框架和范畴体系,尚语焉不详,然而,从他对于当代审美文化及其所涉诸多内容的热切关注中,我们可以感受到,在他的思想中,这一新兴学科的雏形正在酝酿之中。对于今后这方面的动向,我们当拭目以待。

五

以上对于胡经之先生20年来在文艺美学建设方面所做的贡献做出了概括,对他在文艺美学的学科定位、理论问题、研究方法、理论构架和范畴体系等方面进行的探索做出了描述,从中得出的一个突出的印象是,胡经之的文艺美学思想始终追随着时代的发展、呼应着历史的需要而与时俱进,他始终不是以一个落伍者的身份,而是以一个先行者的形象站立在学术前沿,为这一新兴学科的建设鼓与呼。

与时俱进,这是一种积极进取的理论品格和学术风范,也是一种

---

① 胡经之:《走向文化美学》,《学术研究》,2001年第1期。

学术理论富于生命力的表现。经常有这样的情况,某种学术理论一旦得到承认,产生了一定的学术影响,便似乎成了一种定论、一种成见,不能轻易加以变更和改动。久而久之,这种定论成见便成了陈规陋习,成为一种僵固、死板的东西,成为窒息新鲜思想的框套、束缚前行步履的羁绊。在这方面黑格尔就很有代表性,他从现代辩证思维出发,用"正、反、合"的三段论来看待整个世界所有事物之间的逻辑联系和运动规律,无疑具有相当的深刻性。但是当他将这一思想方法作为固定模式来套用一切时,那就恰恰违背了辩证法,造成了削足适履的主观性和强制性。虽然他有时也能做一些补救,但他对于这一理论创获的自许导致了执着定论、固守成见的态度,无视历史发展过程中的种种例外、曲折和偶然,表现出"以不变应万变"的惰性,从而将许多鲜活生动的思想闷死在体系和模式的僵硬外壳之中,造成了一代辩证法大师恰恰走向了形而上学的历史讽刺。恩格斯在论及这一问题时曾做出这样的评价:黑格尔的错误在于,"这些规律是作为思维规律强加给自然界和历史的,而不是从它们当中抽引出来的。从这里就产生出整个牵强的并且常常是可怕的虚构:世界,不管它愿意与否,必须符合于一种思想体系,而这种思想体系自身又只是人类思维某一特定发展阶段的产物"[①]。从这一例证可以得出的结论是,学术理论应该从客观自然界和历史当中抽引出来,而不是相反。由于客观自然界和历史是逝者如斯、变动不居的,所以学术理论也应与时俱进、光景常新。在这一点上,可以说胡经之的文艺美学研究具有示范的意义。

胡经之在20世纪80年代以来每一个时期、每一个阶段所从事的文艺美学探索中都留有历史的脚步、时代的痕迹,同时也体现了他本人不懈的精神追求。他最初提出建立"文艺美学"时,将对于文学艺术的审美特性和审美规律的重视放了十分突出的位置上,这与刚刚结束十年"文革",人们迫切求美、爱美、需要美的时代氛围相协调,也与要求文学艺术回归审美本位的学术动向相吻合。当他在80年代末完成《文艺美学》一书时,关于人的本质力量、人道主义以及文学

[①] [德]恩格斯:《自然辩证法》,人民出版社,北京,1972年,第46页。

的主体性问题的讨论正炙手可热。人的本质是什么？人的生存意义何在？人的精神归宿如何？文学艺术如何表现这一切？从创作界、批评界到理论界、学术界可以说是人人争说的话题，而胡经之正是从理论学术的高度及时对此做出回答，并将对于"人"的问题的思考融入他的文艺美学探索之中。90年代以来我国的经济体制发生了重要转变，长期形成的计划经济体制逐步为社会主义市场经济体制所取代，随之在社会生活、精神文化、文学艺术等各个方面发生了翻天覆地的变化，每一个有社会责任感的学者，都必须对此做出积极的回应，包括"更高地悬浮于空中"的学术理论的回应。在这种情况下，胡经之出于一贯的学术理论风格，考察在现代商品社会文学艺术的命运、审美价值的构成、艺术规律的意义以及文学艺术的性质、结构、功能和规律所发生的变化，进而提出建立"文化美学"，那就是顺理成章的事。特别是他主张跨学科研究、采用多种新方法，在宏观把握的基础上更加重视对于具体文化现象的归纳和分析，成为建设"文化美学"的重要方法论，这分明是一种富于现代性的学术理论品格。

然而，肯定学术理论应拥有与时俱进的品格并不意味着学术理论一味追时髦、赶潮流，这里还有一个问题，即学术理论如何保持自身的稳定性和规范性的问题。任何学科都有它的适用范围和理论阈限，任何学科都不是"无边"的，这种边界和限度要靠学术理论对于研究对象的适应度和相符性来维持。换言之，学术理论的性质取决于研究对象的性质。同理，文艺美学的学科性质归根结底取决于它的研究对象——文学艺术的性质。尽管文学艺术总是随着时代前进，但是文学艺术的基本性质、文学艺术的审美特征和美学规律，这仍是相对稳定和一贯的，不管时代如何更迭、历史如何变迁，文学艺术的审美特征和美学规律不会如影随形地发生即时更变，正是这一点使得文艺美学总是具有某种稳定性和规范性。看来一种既有时代感又有自身价值取向的学术理论必须在顺应历史发展与维护自身规范之间保持必要的张力，任何偏差都可能造成失误。在这一点上，胡经之文艺美学的20年探索也是富于启发性的，虽然他20年间在文艺美学的学科定位、理论问题、研究方法、理论构架和范畴体系等方面不断做出适时顺变的重新设想和构建,但是有一条是他始终紧紧抓住不放的,那就是他时时强调的:文艺美学要解决人如何按照美的规律来创造文学艺术、创造文化这一根本问题。有了这一条,在具体问题上的构想无论怎样顺时适变,它也不会是其他东西,而只能是文艺美学。

2002年春于扬州

姚文放　时为扬州大学文学院常务副院长、教授、博士生导师,江苏省有突出贡献的中青年专家。时任中华美学学会理事,中华美学学会审美文化学术委员会副主任,中国中外文艺理论学会理事,江苏省美学学会理事。

文艺美学学科的拓荒者

陶水平

近20年来,在祖国的南疆边陲深圳,一大批有志者用自己辛勤的劳动建设了一座现代化的城市。而在我国的学术界,同样也有这样一批执着的学者,用自己勤奋的研究为了祖国当代学术的繁荣而不懈努力。胡经之先生这位德高望重的学者就是其中的代表人物之一,他几十年如一日,孜孜不倦地献身于文艺学、美学研究。尤其是在进入新时期以来,首先呼吁创设文艺美学学科,并像一头默默劳作的拓荒牛,辛勤地耕耘在文艺美学领域,为之殚精竭虑,倾注了极大的心血。如今,他呼吁创设的文艺美学学科已成为一朵绚烂的奇葩,绽放在祖国当代学术的百花园中,蔚为大观,备受注目。

胡经之先生的学术贡献是多方面的,他的为人为学,他的儒雅谦和,早已为海内外学术界交口称誉。作为同样从事文艺美学教学和研究的晚辈学人,我与胡先生也有不少讨教和交往的机会。在胡先生教学生涯将届50年之际,我想从自己个人体会的角度,谈谈我心目中胡先生的学术成就。我以为,胡先生的治学有以下三个令人敬佩的卓著之处。

第一,首倡文艺美学学科研究,精心撰写了《文艺美学》教材,系统整理了中外文艺美学的研究资料,悉心培养了多位优秀的文艺美学研究生,积极参与和组织了多种文艺美学学术活动,促进了这门新兴学科的日益成熟。胡先生献身学术之初,起点就很高。他青年时代追随我国老一代美学家文艺学家杨晦、朱光潜、宗白华等学习和研究文艺学和美学,深得老先生们的真传。20世纪60年代初,就在思考马克思所提出的"古典艺术为什么具有永恒魅力"这样一个经典问题,并撰写了几万字的长篇论文,表现出对艺术美研究的初步而明确的兴趣。由于"文革"的干扰、耽误,这一研究陷于中断,进入改革开放的新时期以来,胡先生迸发出极大的学术干劲,重新开始了他的文艺学和美学研究。20世纪80年代初,与不少有识之士一样,他深感大学文学和艺术专业的教材需要更新,不能再像50年代那样,照搬苏联的那一套,把文艺理论教材搞成"哲学认识论+政治工具论+几个文艺事例"的拼盘,而应当切切实实地研究文学艺术的美。同时,又对当时大学中文和艺术专业开设的抽象的哲学美学课程及其教材深感不足,认为这种停留于对"美的本体+审美经验"的哲学思辨,忽视了文艺专业所要研究的艺术美特点。基于对这两方面缺陷的深刻反思和忧虑,他毅然在1980年春的中华全国美学学会成立大会上向文学艺术学科建言:"艺术院校和文学系科,应该开设文艺美学课程,应该发展文艺美学这一学科,使美学和文艺学结合起来。"这一倡议引起中文和艺术专业教师的强烈共鸣和响应,也受到与会老一辈美学家的支持和鼓励。回北大后,胡先生全力投入文艺美学研究,并在1981年招收了全国首届文艺美学硕士生,撰写了文艺美学研究的系列论文,就文艺美学的学科性质问题阐述了自己的重要意见,认为"文艺美学是美学和文艺学的内在的有机融合"。为此,他还着手创办《文艺美学丛刊》,参与组编北京大学《文艺美学丛书》,动笔著述《文艺美学》这部具有开拓意义的重要教材。胡先生并不满足于此,他想得更远,为了使新生的文艺美学学科具有深厚的学术底蕴,他着手组织整理和主持编写了与文艺美学学科有直接关联的多套中外美学、文艺学研究方面的大型资料汇编以及文论史和方法论方面的系列教材。经过这一系列艰苦的学术努力,文艺美学作为一门正式的学科日臻完备。近20年来,文艺美学学科取得了长足的发展。我国当代学者撰写了一大批文艺美学著作和论文(包括以此为题目和虽未以此为题目但实为文艺美学研究的论著),大大推进了文艺美学学术研究的深入和发展。许多高校中文和艺术专业也纷纷开设了文艺美学的课程,建立了文艺美学研究的学术机构,设置了文艺美学专业的研究生招生方向,国家学术机构也正式将文艺美学作为和文艺理论并行的文艺学的一个专业方向,鼓励文艺美学的学科建设。尤其是进入新世纪以来,我国学术界多次就文艺美学问题展开了专题讨论和研究,几乎所有知名学者都参与了这次讨论,其热烈和深入的程度甚至超过了20世纪50年代的美学大讨论,成为我国当代美学文艺学发展史上一个值得大书一笔的事件。经过胡先生和许多同仁学者的共同努力,文艺美学学科终于成为我国当代一门具有时代特色的、无愧前人、无愧世界的新兴人文学科。今天,当我们享受文艺美学这一学科的繁荣局面的时候,自然会由衷地称赞和感谢胡先生为这一学科所做的奠基性的贡献,并决心在此基础上继续更加深入地展开这一学科的研究。

其次,治学高屋建瓴,论题重大、视野高远、理论严密、底蕴厚重。尤其是注意融汇古今、贯通中西、联结多种艺术门类。胡先生的文艺美学研究理论视点高远、视野开阔是有口皆碑的,他孜孜以求的是关乎文学艺术根本存在价值的"艺术美特质"这个大问题。的确,尽管穷究某一个作家、某一本书也可以成为某一领域的专家,但是,胡先生走的是另一条更为重要也更为艰难的治学之路,他关心的是文艺学和美学的重大基础理论问题。他年轻时对中外古典文学名著爱不释手,他不满足于对具体作品的研究,进而要探究"古典艺术为何至今仍具有魅力"这一更深层次的理论问题。他几十年所做的学术研究都与他青年时代对这一问题的探讨有关,或者说,是对这一课题研究的不断深化。显然,这也正是他的拓荒牛性格的使然,是他的治学执着的具体表现。不仅如此,他进一步把当时各自分立的文艺学与美学打通,主张将这两个学科融合起来,建立文艺美学这一边缘学科或新兴学科,来专门研究艺术美问题,从而显示了胡经之先生既恢弘而又圆润的治学风格。当然,他对这种重大基础理论问题的研究一点也不空疏,人们时常可以读到他的论著中的生动具体、令人叹服的例证和分析。因为他对这种基础理论课题的研究本来就是起源于对艺术作品审美价值的感悟和体认,这也体现了前辈学者值得我们学习的良好学风。难能可贵的是,除了将美学和文艺学打通之外,胡经之先生的文艺美学研究还始终贯彻了三个重要的打通,即中外美学文艺学打通、古今美学文艺学打通、各门类艺术审美特征打通。当然,仅仅是学术上的打通还不够,各种打通之后的目标和结果应是走向学术的整合。在对文艺美学学科进行多种整合的过程中,胡经之先生的研究没有机械拼凑的痕迹,而是达到有机融合的境界。胡先生的这一学术特色在他的代表作《文艺美学》这部研究生教材中得到鲜明的体现。这部著作的直接动笔撰写就历时8年之久,它其实更是胡先生大半生治学成就的结晶,是一部具有很高学术含量的学术精品。我本人从事文艺美学的教学和研究也有十几个年头,指导了几届文艺美学方向的硕士生,用的就是胡先生的这部教材(另以业师童庆炳先生的《文学活动的美学阐释》和杜书瀛先生的《文艺美学原理》作为基本参考书)。经过多年的教学实践,深感胡先生的这部《文艺美学》犹如一颗熟透的橄榄一样,越咀嚼越有味。这部著作的基本构架是后人治文艺美学时必须首先面对和参考的,其中的一些章节甚至是若干年内人们难以超越的。由此,我也深深体会了胡先生的这部著作迟迟不肯交稿和几易其稿的个中三昧。如前所述,胡先生的学术成就是多方面的,并且都是围绕文艺美学来展开的。但我以为,仅仅以这部《文艺美学》,就足以说明胡先生在我国当代学术界所做的贡献,并奠定其地位。这也表明胡先生的为学与其为人一样富于远见、充满睿智。

第三,立足现实,重视原创,关注文艺创作实践和文化建设实践,努力践行文学、艺术、文化、社会和人生的审美化。胡经之先生并不是一位规避现实、满足在象牙之塔做研究的书斋学者,他的全部研究都体现了对现实生活的关注。通过读他的一些学术随笔和回忆文章,我们得知,胡先生早在读中学时就担任过学生领袖,参加了进步学运,一向接触社会现实。北大中文系毕业后留校任教,亲身经历了20世纪五六十年代的多次重大文学活动和文化事件,与社会各界的许多名流贤达有过交往,可以说是当代学术文化发展的一位重要参与者和见证人。胡先生在北大任教多年后,因身体原因,迁居深圳,执教深大,参与创办中文系,后又改建为国际文化系,培养了大量的本科生、硕士生和博士生,为深圳的文化和教育事业付出了辛勤的劳动。他的文艺美学学术研究也体现了立足现实、关注现实、重视原创的特点,他多次呼吁"文艺美学要走向当代,面向现实,总结新的艺术经验,做出新的理论概括"。他的《文艺美学》这部精心撰写的力作,突出地体现了对学术个性的追求,其中许多观点都是综合创新的产物。该书以马克思主义的精神实践、精神生产理论为基本构架,有机融合了我国古代道家美学诗学和西方现代现象学美学诗学等多种学术精华,深刻总结了古今中外各门类艺术的审美经验,创造性地建构了一个有当代中国气派的人类学、人本学、人生学视角的文艺美学体系。胡经之先生本人还身体力行,在繁忙的教学之余,注目深圳的文化实践,积极参与或组织了深圳的许多文化活动,对所谓"文化沙漠"之说既警觉又不以为然。从他新近出版的文丛中,我们可以得知,他就深圳的文化建设过程中所取得的新经验和所存在的问题撰写了大量的评论及随笔,反复倡导要以马克思主义的美学观点、文化观点和生产观点为指导,按照"美的规律"来进行特区的物质生产和精神生产。在这些生动优美文章的字里行间,跳动着一颗热情、年轻、美好、执着的心灵,流露出胡先生对美的世界的强烈渴望。不到20年时间,胡先生在深圳就认识结交了许多作家、艺术家朋友。这些朋友把他视为良师益友,每有新作,喜欢送他指正。他也乐意为他们写评论文章,表达自己热情的鼓励、真挚的赞许、善意的批评和良好的祝愿。这些文艺评论徐徐道来,文笔清新,文如其人,也都收入了他的文丛。胡经之先生不仅是一位极富思辨力洞察力的理论家评论家,而且也是一位极富艺术体验的优秀作家,他撰写了大量充满诗情画意的回忆性散文,可圈可点,令人称道。笔者与胡先生交往有年,他对后辈学人热情友好,不愧为一位宽厚长者、童心赤子。胡先生在日常生活中也富有诗意和情趣,业余爱好广泛,体现了"生活的审美化"与"审美的生活化"的人生追求。有论者称胡经之先生的为人为学,"学者风范,审美人生",可谓一语中的,准确地概括了胡先生的为学与为人。

胡经之先生年届古稀,但他毫无老态,也未感到老之将至,而是以更为年轻的心态、更加奋发的作为,继续为深圳大学的学科建设而忙碌着。我们衷心地祝愿胡先生事遂其愿,祝他永远年经,为祖国的学术事业尤其是文艺美学事业笔耕不辍,做出新的贡献!

2002年春于南昌

陶水平　时为江西师范大学文学院教授,文艺学硕士生导师,文艺理论教研室主任,江西省高校学科带头人,省政协社科界委员。

让美学回到艺术

肖 鹰

20世纪80年代初期,在全国美学热发端之际,胡经之先生力倡"文艺美学"研究,著书立说,奔走呼告,开拓了20世纪后期中国美学、文艺理论研究的新思路,终于促成将"文艺美学"确立为一个新的二级学科。胡经之先生的努力,已积20余年之功。回顾胡先生这个时期的学术活动,我认为,它给予20世纪后期即将重振美学的中国学术界最重要的启示是:让美学回到艺术。

自18世纪中期被确立为一门独立的学科以来,美学的研究主要有两条路线。现代美学体系的奠基人康德把美学作为哲学体系的一部分,从他的哲学的基本观念出发,考察和阐释审美现象和艺术问题,这是一种自上而下的美学路线。一个世纪以后(19世纪后期),费希纳在审美艺术的研究中,以心理学代替哲学,主张用心理学的实验方法来进行美学研究,这是一种自下而上的美学路线。这两条美学研究的路线,在美学250余年的历史中,此消彼长,既矛盾冲突,又相互促进,呈现出谁也代替不了谁,谁也离开不了谁的局面。应当说,正是这个矛盾冲突的局面构成了美学历史发展的图画。为什么这两条相反的美学路线始终能够构成"既矛盾冲突,又相互促进"的运动?答案是明确的:它们都以艺术活动为美学的基本(核心)研究对象,正是研究对象的同一性,决定了两条路线的美学研究之间存在深刻的统一性和密切关联。换句话说,两个多世纪以来,西方美学的运动发展是建立在把艺术活动作为基本对象的研究和思考基础上的。这就可以理解,在西方学术界,美学并非不考察自然对象的审美问题(自然美),但是"美学"与"艺术哲学"是两个同义词(至少是近义词)却是得到普遍共识的。

19世纪末20世纪初,美学从西方传到中国。20世纪前50余年,可以说,自上而下和自下而上两条美学路线,都在中国得到了广泛的传播和接受。以朱光潜和宗白华两位先生为代表,大概而论,朱先生代表了自下而上的心理学、美学路线,他的著作《文艺心理学》《谈美》,都是以审美心理学为基础和主体的;宗先生则代表了自上而下的哲学美学路线,他影响最广泛最深刻的著作,是关于中西艺术比较的论说,这些论说都是以中西哲学基本精神的差异为主导(立论)的。但是,无论治学路线上有多大差异,两位先生都牢牢抓住艺术,以对中西艺术的精深造诣为基础,则是共同的。宗先生的美学思想,是同他对中国传统艺术中的诗、书、画的精深感悟分不开的。朱先生则在中西诗歌的研究中独辟蹊径,撰写了杰出的《诗论》。晚年朱先生为教诲美学界的年轻学者,题诗说:"不通一艺莫谈艺。"准确讲,朱、宗两位先生,连同更早的王国维等,一代宗师,在引进西方美学思想的时候,并不是引进一批抽象的概念或教条,而是引进了对艺术的重新关注和思考,美学包含的新的艺术精神和观念,开拓了对艺术研究的新思路和新方法。王国维的《红楼梦评论》,作为以西方美学思想阐释中国传统文学作品的开山之作,它在美学思想和方法上的启迪意义远远超过了它在"红学"研究上的贡献。因此,20世纪前50年中国美学的丰硕成果,是建立在朱、宗一代宗师在中西艺术的土壤上辛勤耕耘基础上的。

但是,新中国成立后的最初30年,由于当时政治的强制作用,美学以艺术为中心,自上而下和自下而上矛盾共存的美学研究局面被破除了。当时的文艺政策只允许一条以马列主义、毛泽东思想为指导方针的自上而下的美学"研究"路线存在。这条路线的实质是寻找在文艺理论领域贯彻执行当时党的意识形态的途径,它的核心是马克思主义的美学化和美学的马克思主义化。20世纪50年代后期那次"美学大讨论",作为第一次全国美学热,是在这个特殊的背景制约下展开的。虽然有客观论(蔡仪)、主观论(吕荧、洪毅然)、主客统一论(朱光潜)和社会实践论(李泽厚)之争,但是,都把目光集中在"美的本质",并且都以马克思的唯物反映论作为自己的理论出发点(立论的基础或论据)。因此不仅可以看到当时政治背景对这场讨论的作用,而且也可以看到这种作用实际上已经植入参与讨论的学者们的学术意识中。这就不难理解,虽然时代改变了,讨论的主要参与者也大都更换了,在80年代初进行的第二次美学大讨论,仍然重复了第一次大讨论以"美的本质"为主题、以唯物反映论为前提的基本特征。

把"美的本质"作为美学研究的核心,以区别"唯物"或"唯心"为美学研究的基本任务,是自上而下的美学路线独裁的结果。它不仅取消了自下而上的心理学研究路线,而且实质上取消了美学研究的基本对象:艺术。换句话说,在这种以划分"唯物"或"唯心"美学立场为基本内容的自上而下的美学路线钳制下,艺术不再作为一个需要研究的特殊对象,而只是一个需要给予哲学式的政治定性的对象。无疑,这是一种自我取消的美学路线。因此,现在来反思20世纪50年代那一次"美学大讨论",我们就应该从更深的层次上理解,为什么这场被誉为"文革"前"唯一的一次真正自由的学术大讨论",却最终是毫无学术成效的讨论。不过,在"政治"上它却是"卓有成效"的,即美学界被迫形成了学术研究的政治定视(政治本位意识)。80年代初的第二次美学大讨论,首先是这种政治定视的惯性运动。虽然"美"和"艺术"又成为讨论的两个关键词,但是,大家关注的焦点,并不是审美—艺术活动的特殊性质,仍然是这种特殊活动背后的普遍的政治哲学含义(意识形态价值)。

达30年之久的政治定视顽固捆绑着80年代初期的美学研究,使美学在"唯物"或"唯心"的争论中原地旋转。因此,突破这种政治定视,就成为美学走出怪圈的一个关键举措。突破政治定视的核心和实质是让美学回到艺术,使美学的研究建立在对艺术本身的独特性和特殊规律的考察基础上。换句话说,必须重新使艺术真正成为美学研究的基本对象(中心对象)。在80年代初,许多美学、文艺理论界的学者,在不同程度上意识到了这个关键问题。这是中国美学界在80年代初的"思想解放"。胡经之先生倡导文艺美学的研究,是美学界"思想解放"的一个先声。胡先生努力的目标是非常明确的,就是让美学

回到艺术的土壤上。胡先生在近年出版的《文艺美学论》①一书中,这样表述他当时的思想:

> 从我自己的体验出发,如果美学只停留在争论美是客观的还是主观的这样抽象的水平上,这并不能解决艺术实践中的复杂问题。审美现象,乃是一种特殊的社会现象。美学,要研究审美现象,实乃审美之学,必须揭示审美活动的奥秘。人类的审美活动产生于实践活动(生产实践、交往实践、生活实践),这审美活动又生发为艺术活动。因此,艺术活动离不开审美活动。但艺术活动又自成系统,从文学艺术家体验生活,到艺术创造,再到艺术为人所接受,均需按照美的规律进行。这种艺术活动的审美本质和审美规律,应该获得系统的研究。为了和其他美学相区别,我把这称之为文艺美学。

从这段话可见,胡先生主张"文艺美学",有三个方面的考虑:第一,美学研究的重要问题,不是"主观"或"客观"的问题,而是艺术实践中的"复杂问题";第二,广泛的审美活动是艺术活动的基础,一切艺术活动"均需按照美的规律进行";第三,在审美活动的领域中,艺术活动又自成系统,它的审美本质和审美规律"应该获得系统的研究"。这三个方面,回答了胡先生为什么倡导"文艺美学"的思想根源。这三个方面,以今天的眼光来看,是美学界的共识,准确讲,是进行美学研究的思想前提。但是,胡先生在80年代初有这样明确的思想,并且将之集中表达为"文艺美学"的主张,以当时的文化思想背景,无疑是远见卓识,令后学敬仰。

胡先生倡导"文艺美学",就是倡导美学回到艺术。美学回到艺术,就是回到以艺术研究为中心的自上而下和自下而上两条路线矛盾运动的正常状态。当然,更准确地说,因为20世纪文化学、社会学、人类学等学科对美学研究的广泛介入,美学研究的正常状态是多学科、多层次、多元化的。但是,无论是两条路线矛盾运动,还是多元化的

---

① 胡先生:《文艺美学论》,华中师范大学出版社,武汉,2000年,第4~5页。

研究，美学研究的正常发展都必须以对艺术活动的深入研究为基础和核心。20世纪后期，中国美学能步步深入地回到艺术世界，并且取得了多方面的发展，当然是靠了美学、文艺理论界诸多前辈的共同努力。但是，胡经之先生倡导"文艺美学"，以其目标之明确、努力之集中，功绩是斐然的。

追寻胡经之先生20余年来的学术活动，我们看到，胡先生不仅有倡导"文艺美学"之功，而且治学执教，在他开辟的这个园地中辛勤耕耘不辍。一方面撰写、主编了《文艺美学》《文艺学美学方法论》《西方文艺理论名著教程》等一批著作，对学术研究起了重要的推动作用；另一方面为学术界培养了一批有实力有建树的学生，他们已经在美学界产生重要影响。胡先生的《文艺美学》出版以来，多次再版，后期又经胡先生修订、充实新的学术成果。这部著作，是一部备受高校教师、学生欢迎的文艺美学专业教材，清华大学艺术教育中心就在用它做培养硕士研究生的基本材料。它作为胡先生近20年学术研究的一个结晶，以它强健的生命力不断映证胡先生倡导和致力"文艺美学"研究的价值和意义。

2002年秋于北京

肖　鹰　时为清华大学人文学院教授，从事美学、当代文化的教学与研究。著有《形象与生存》（1996）、《真实与无限》（2000）、《体验与历史》（2003）等。在《中国社会科学》《哲学研究》《文艺研究》《文学评论》等刊物上发表论文多篇。

从分蘖走向整合

吴予敏

人类的审美经验具有无可比拟的丰富性。多元的理论观照能够透过各个独特的视角对审美经验做深入细致的剖析。历史地看,理论思维的发展是一个辩证的运动过程。从总体走向局部,突出"深刻的片面";或者,从分蘖走向整合,强调"整体的融通"。马克思主张在理论研究中要善于从个别抽象出一般,再从一般回到个别,即要经历分析与综合的辩证思维运动。只有这样,人们的认识才能逐步接近真理。文艺美学是在20世纪80年代初作为美学和文艺学的交叉学科提出来的。这一学科主要研究各个不同门类艺术的共同的美学规律,或者说是着重研究艺术创造和鉴赏接受过程中的审美规律。从美学角度而言,它研究的是文艺的共性;从文艺角度而言,又是研究其审美特征,以区别于对文艺的社会学、心理学、伦理学的研究。这一学科的创立,本身就是从大一统的美学或文艺学体系中分蘖的结果,也是对于长期忽视文艺的美学规律的状况深刻反思的结果。

胡经之教授是我国当代文艺美学的主要倡导者之一。探求文艺的审美特性一直是他多年的理论关切所在。早在20世纪60年代初,他即被马克思提出的"古典艺术至今仍有魅力"的问题深深吸引,这个问题的核心就是艺术创造的审美规律。只有契合于这一规律的作品才会经久不衰,成为人类文明的瑰宝。长期以来,我们对文艺作为特殊的精神生产活动,还缺少系统而深入的研究。文艺美学试图走出这样的思维困境。

20世纪80年代至90年代是我国文艺观念空前活跃的时期。西方各种流派的理论纷至沓来。特别是随着资本主义的现代性危机而引起的哲学和文化思想的激烈震荡,更增加了理论领域的复杂性。胡经之在引进介绍西方诸种文论流派方面做了大量富有成效的工作。然而他真正的兴趣却是在文艺美学理论的整合。他在20世纪80年代中期出版及10年后又修订再版的《文艺美学》就是这种理论整合的成果。

胡经之依循马克思关于艺术生产的基本观点，将实践论、价值论、认识论、符号论等文艺观整合于内涵扩充了的审美反映论构架。他认为，艺术生产是创造主体将审美体验和感悟表现在有限的物质形式中，以有限的艺术符号，传达出丰富的审美信息。艺术生产是人按照美的规律改造主观世界，进而更好地改造客观世界的活动，因而，艺术作为掌握世界的特殊方式，不仅是精神创造，也是实践创造。他充分注意到文学艺术掌握世界的方式的特殊性，认为它不仅涉及反映论，也涉及实践论、价值论。而就反映论而言，又包含了认识、情感、想象、意志等多种活动的相互作用。文学艺术对现实的反映，不仅反映了客体状况，而且反映了主体自身，更是反映了主体和客体的审美关系。

强调以建设和发展当代文艺美学为目标，将中国古典美学文艺学与西方美学文艺学打通融合，形成对普遍审美规律的完整把握是胡经之著作的又一特点。例如他在论述审美体验的动态过程时有机融合了西方审美心理学的理论和大量的中国古典艺术家的深切体悟，揭示出审美体验的模糊性和超越性、双向建构性和流动深化性等特征。在艺术掌握与意象思维、艺术形象与审美意象的构成及其符号化、艺术意境的审美特征、通过创造性阐释接受实现文艺审美价值等理论的关节部位，他均能打通中西。取他山之石，不拘巨细，采前人遗韵，不问宏微，围绕艺术的美学本质，务求周览圆照。

人与现实的审美关系是一个宏大的永恒发展演变的主题。当艺术创造突破了狭隘的政治功利主义的笼罩之后，正面对着一个瞬息万变的市场化、信息化、全球化和工业化的社会现实。胡经之在他的文艺美学的思考中，已经敏锐地注意到人类的交往实践作为与生产实践所不同的实践方式在现时代有了更加突出的地位。也就是说，交往和交换，将人与物和人与人的关系互为渗透，互为转化，从而使艺术生产活动也深受市场交换和信息交流的影响。这不但影响到艺术创造的形式，还深刻影响到审美价值观念和艺术活动的方式。正是在这个意义上，胡经之提出了艺术创造是否还要依照美的规律来进行这样尖锐的理论问题。走向整合的文艺美学不是满足于拾人牙慧的圈中话语，只有立足人与现实世界的关系，更加密切地关注人的生存方式和当代重大课题，才能真正找到属于自己的话语，拓出新的理论天地。

2002年于深圳

吴予敏　时为深圳大学文学院院长、教授。自1979年起，在《文学评论》《文学遗产》《读书》等发表《礼乐文化与美学精神》等论文，著有《无形的网络》(1986)、《美学与现代性》(2001)等，现正从事文艺美学、广播美学、文化美学的研究。

醉心艺术探秘

汤学智

胡经之先生给我的赠书和来信均以"兄"相称,相见时也情无距离,行无拘束,言无忌讳,有的只是一种无间的亲切感。正因为如此,我的心里对他深怀真诚的敬意,把他视为可以信赖的师长,称他为"经之师"。我和经之学长的相识是从神交开始的。

那是20世纪80年代初期,当时我在中国社会科学院文学研究所科研处工作。个人的研究兴趣在文学理论领域,因此比较关注文学理论和批评方面的文章。

1981年11月30日,《光明日报》刊载先生《"红学"与美学》一文(此文更为丰富的内容,1982年发表在《红楼梦研究集刊》;同年,还有《红楼梦里的石头故事》等文问世)。当我打开报纸,见到这个题目,如遇"梦中情人",我的眼睛顿时一亮,立刻被紧紧地吸引住。当时学界关于《红楼梦》的研究,正处于热潮之中,(据有关统计,1981年,仅在《红楼梦研究集刊》《红楼梦学刊》和有关报刊发表的文章,就多达300篇)但文章的作者大多是古典文学研究者,探讨的思路也基本是传统的思想、艺术、主题、人物、历史、作者、版本、考证等等方面,这些研究虽然有不少新知和新见,但于我这个搞文学理论的却总觉得有些不过瘾。我感到内心有一种隐隐的期待,一时又说不清楚。或许正是《"红学"与美学》这个新颖的题目触动了我的深层期待,令我"一见钟情"。那种如饥似渴的阅读感受,至今还记忆犹新。就像参观一个熟悉而又陌生的艺术展览,当在作者的导引下,从"《红楼梦》是艺术",到"艺术需要美",再到"美在整体",走过一个个"展厅"之后,你不仅对《红楼梦》,也对美学,产生一种新的认识,似有一股清风吹过心田。我意识到,他所探索的是一条文艺与美学结合的新路。在这里,文学批评向美学升华,闪烁着理性的光芒,美学研究向文艺深入,兼备了平易的品格。两相结合的结果,凝聚成新的能量,跃动着创造的生机,显示出诱人的魅力,令我欣喜不已。从此,胡先生的名字深深刻入我的脑海,开始了难忘的神交。我十分留意他的作品,一旦发现,便认真拜读,希望得到更多的智慧碰撞和知识滋养。

记得那时,他还有一篇文章深深地触动过我。文章的题目是《论艺术形象——兼论艺术的审美本质》,写于1980年初,发表在《文艺论丛》第12期(上海文艺出版社,1981年)。这篇35000字的长文,我是一口气读完的,不仅没有厌倦之感,反而越读越兴奋。由于广博的知识学养和深入精细的研究,经之师很善于抓取富有典型意义的原生话题,首先阐明其自身的价值,然后由此及彼,层层深入,步步推进,揭示一连串相关的理论命题,建构起自成一体、富有内在生命的理论环链,让你不能不信服。该文的原生话题是"艺术形象"。他开篇论证"艺术形象,这是文艺学的基本范畴";接着,由艺术形象深入进去,开掘出"审美意象",指出,"对于艺术形象的探索,就不能不把注意力集中于审美意象问题上";再接着,是顺藤摸瓜,探讨"审美意象的独特本质"、"审美意象的结构方式"等更为专深的问题;最后,由分解走向辩证统一,阐明从现实的审美关系到艺术形象"是一个复杂的反映过程",进而达到"从整体上来了解艺术形象"的境界。行文旁征博引,内涵丰富,不仅理论新意迭出,方法论上也给人诸多启迪。很自然地让人想起马克思从"商品"这个"原生细胞"起步,揭示资本主义发展规律的研究思路。几年后,有机会协助许觉民(中国社会科学院文学研究所所长)编选《中国新文艺大系·理论卷》(1976~1982),我便很高兴地将此文收入其中,让它学史永存。

在我的印象中,我们真正见面的时间并不多。第一次在1985年4月,地点是古城扬州。正是"烟花三月下扬州"的时节。那一年,全国文学界正兴起探讨新方法的热潮,会议的名称便是"文艺学方法论研讨会"。那时,中国社会科学院文学研究所的所长是影响正盛的中年学者刘再复,他积极倡导和推动文学研究的方法论变革。这次会议由文学所时任文艺理论研究室正副主任的王春元、钱中文组织发起，获得全国许多活跃而有影响的理论家的热烈响应与支持，胡先生也应邀与会。会上，他作了题为《文艺学方法论的多样和统一》的发言，既鼓励具体研究方法的多样性探讨，又主张在更高的哲学方法层面的有序和统一。在我看来，他的识见不仅具有积极开放的襟怀，而且显示着应有的严谨与冷静。初次交识，我们都有一种相见恨晚、一见如故的感受。他的敦厚谦逊、亲切平易，给我留下深深的印象。这次见面，从"单相思"到"两相情愿"，我们的友谊有了新的内涵。

20世纪80年代中后期，由于工作发生了"错位"调动，我去了外国文学研究所，从此失去联系多年。不幸而又有幸的是，后来我有缘于90年代初得以返回文学所，重新开始文学研究。再次见到胡先生，是在90年代中期一次世界华文文学研讨会上。他带来了长文《海外华文文学的精神魅力》，后来在《文学评论》上发表。10年过去，先生的学术研究有了更大的发展，而且高足成群，但他那敦厚谦逊、平易近人的品性依然如初，和蔼可亲的音容笑貌依然如初。我们的重逢，没有热烈的拥抱，没有过分的寒暄，一切都平平常常，就好像两个经常见面的朋友又一次相遇。这种情景更使我难以忘怀。我想起"心有灵犀"这个词。我相信，真正的朋友不在于形式上来往的多少，而在于心的相通。有了这一点，即使是多年不相来往，仍然是可以信赖的知己，互相之间倘有什么困难和需求，只要一句话，甚至一个暗示，对方都会尽最大努力去办好的。相反，如果没有这一点，纵然天天见面，也是人心隔肚皮，总觉得有一种无形的距离，你越是想接近他，便越是强烈地感受到这种距离的存在。我讨厌这种虚伪的"朋友"，正因为如此，十分珍惜与经之师这份难得的友谊。

新时期以来，经之先生先后出版了许多很有分量的学术论著，内容涉及美学、文艺学、比较文学和古典文学评论多个领域。但我以为他独特的创造性贡献，是将美学引入文艺学，率先提出并创建了"文艺美学"学科。实际上，他的所有研究也都是围绕着这一中心和目标而展开的：有的提供了丰富的知识背景，有的提供了建设性的理论资源，有的提供了有益的方法论参考，有的本身就是这一课题的一个组成部分。

　　建设"文艺美学"其实是他多年的一个夙愿。还在20世纪60年代参与《文学概论》编写的过程中，他已经萌生了"融文艺学和美学为文艺美学"的愿望，只是由于"文革"，无法付诸实践。"文革"刚刚结束，他便全身心投入这一工作。一面开设"文艺美学"课，主持编辑《文艺美学》论丛，发起成立北京大学文艺美学研究会，进行实际推动；一面积极撰写学术论文，进行理论建设，整个精神处于创造的亢奋时期。20世纪80年代初、中期，即有一批重要成果问世。他的作为《新时期文艺学建设丛书》之一的《文艺美学论》文集（2000年版），所收主要就是这一时期的论文。这些论作，奠定了"文艺美学"建构的理论基础。这一理论的基点是对于艺术"审美"特性的确认。他指出，艺术活动离不开审美活动，从艺术家体验生活，到艺术创造，再到艺术为人所接受，均需按照美的规律进行，因此"审美"是艺术的特性。由"审美"特性出发，他认为，以往的文艺学只注重对文学的社会学、心理学、伦理学的研究是一个很大的缺陷，欲改变这种状况，使文艺学更贴近艺术的本真，必须加强对艺术活动审美本质及其审美规律的探讨。这一探讨的理论成果，集中体现于他的专著《文艺美学》（1989年出版，1999年修订再版）中。该书坚持马克思主义美学的基本原理，将艺术生产定位于人按照美的规律改造主观世界，进而更好地改造客观世界的活动，本身就是人的一种创美活动。全书突出了这种创美活动的特性，但又不自我封闭，而是倾注着作者创造性的理论思考。其创造性主要表现在三个方面：（1）坚定地把艺术与人的积极本质和灵魂升华视为一体，强调文艺美学"就其本源而言同人的现实处境和灵魂归宿息息相关"，判定艺术是人自我认识、灵魂唤醒的本真生命活动，是人的一种寻求生命意义和自我审美生成的过程，是人的一种生命超越形式，是"人类灵魂之光"，进而申明文艺美学的使命"在于探索和揭示艺术这一灵魂之光的奥秘"，由此确立了美学和文艺学在理论上的结合点；（2）具体理论建构，不仅注意缘"审美"向美学方向深化，另辟蹊径，造成由审美活动、审美经验、审美超越、审美把握、艺术的审美构成、审美创造，乃至艺术形态、艺术接受、艺术教育中的审美内涵等诸多部分构成的有机理论整体,而且论述力求贯通中西,融汇古今,具有很高的理论含量;(3)在审美生成上,突出价值论的中介与关键作用,又将实践论、认识论、符号论加以沟通整合,使理论更富生机。如此,一面携美学向文艺学延伸(突出对文艺共性的研究),一面又引文艺学向美学提升(强化对文艺审美规律的探讨),形成独树一帜的"文艺美学"理论新体系。近年有青年学者王德胜著文向"文艺美学"的合法性提出质疑,认为很难将它与一般美学和文艺学区分开来。①尽管诘问有一定道理,但他本人并不否认"文艺美学研究"是"一种可能的学理方式或形态"。我想这样的辩难,不仅不会影响"文艺美学"的存在,相反会进一步促使它的深化和发展。

事实是,经之先生并没有在自己所取得的成果面前停步。他以与时俱进的姿态,密切关注人类学术的新发展,努力摘取"他山之石",为我所用,以促使理论的进步和新变。20世纪90年代后期以来,他集中考虑的主要问题有两个:一个是如何"发展文艺美学";一个是如何"走向文化美学"。前者的提出,基于如下问题:今日的文学艺术是否还需要审美价值,文学艺术的审美价值和交换价值、实用价值和审美价值应是什么关系,艺术创作究竟还有没有、需要不需要遵循艺术规律,社会的发展,使得艺术的性质、结构、功能和规律究竟发生了什么样的变化,等等。他认为,文艺美学应该在回答这些问题中,获得新的进步。后者的提出,则是在包罗万象的文化研究兴盛起来之后,试图进一步从整体上探讨文化发展的美学方向。二者的共同特点是:面对现实,意在创新。他强调,我们的理论,必须面向我国正在走向社会主义现代化的当下现实,研究新问题,而且,决不能丢弃自己的价值取向和价值判断,只有这样,才能对世界先进文化的发展做出应有的贡献。在这里,我又一次感受到心灵的共鸣——这也正是我所持守的信念。

近期得知,由他和郁龙余联合主编的《文化美学丛书》已陆续面

---

① 王德胜:《文艺美学:定位的困难及其问题》,《文艺研究》,2000年第2期。

世，深为他的实干精神所感动。我仿佛看到了他辛勤劳作的身影。我相信，关于"发展文艺美学"的课题，他也在认真紧张地思考着，不久的将来，定然会有新的成果奉献于世。

在结束本文的时候，我要对经之师说句悄悄话：保重身体，来日方长，悠着点干！

2002年2月28日于北京南方庄

汤学智 中国社会科学院文学研究所研究员。主要研究领域是文学理论，重点是当代理论批评思潮，也曾涉足港台文学。

艺术审美特性的探求

凌继尧

1962年我考取北京大学。二年级时，胡经之和陆颖华老师为我们上文学概论课。一年级时，金开诚、陈贻焮等老师给我们上过中国文学史课。文学概论不可能像中国文学史那样具体生动，然而仍然给我们留下了深刻印象。近40年过去了，胡老师在外文楼一楼教室给我们上课的情景犹历历在目，恍如昨日。当时北大把此课列为全校重点，教务处、科学处的主管都来听过课。

胡老师是中文系系主任杨晦的研究生。当时北大的学生都知道，杨晦先生是五四运动中翻院墙跳进赵家楼点火烧楼的北大学生之一。胡老师宽阔的前额、炯炯有神的眼睛、带有吴侬软语味道的普通话和一身书卷气，使他很快在我们同学中获得了一个善意的外号：英沙罗夫。英沙罗夫是屠格涅夫小说《前夜》中的人物。这部小说的女主人公叶莲娜体现了当时俄国社会的精神觉醒和争取自由、争取解放的渴望。她所钟情的知识分子英沙罗夫是一个燃烧着民族解放激情、反对土耳其人统治的保加利亚革命家。当时我们不知道胡老师的"叶莲娜"在哪里，不过，我们心目中的英沙罗夫就是胡老师这个样子。

当时我虽在俄语系，但也是江苏人，算是老乡，所以常在中文系办公室二院附近见到胡老师时聊几句。胡老师扶着一辆在20世纪60年代初期北大校园中算得上很靓的红色自行车。我刚到北大不久找他时，他告诉我，他正在中央党校参加蔡仪先生主编的《文学概论》的编写工作，很快要结束了，就要回北大。这是周扬主持的全国文科教材会议确定的项目。

我和胡老师接触频繁是在1978~1981年，当时我在北大西语系读朱光潜先生的研究生。1978年7月我来北大参加研究生复试，复试课程有两门——美学和英语,都由朱先生命题并阅卷。英语复试还由朱先生监考,地点在民主楼二楼西语系的文学教研室。教研室里一只木托架上摊开着一本极其厚重的英文原文辞典,为了检索和翻阅方便,辞典右侧边缘按英文字母顺序做成凹槽。英语修养炉火纯青的朱先生在这硕大的英语辞典旁边监考英语,这给考生一种威慑力量。朱先生拿出赖伊特(William Knight)的《美的哲学》一书,让我把其中几页内容翻成中文,不可以查辞典。以前我从未接触过英语的美学著作,所以翻译起来很勉强。有了这次教训,在研究生入学后,我利用系里的有利条件潜心学习英语,以便研读西方美学。我还在《美学译文》第2辑(中国社会科学出版社,1982年版)上发表过译自英国美学杂志的文章。胡老师看过我的英语美学译文,但鉴于我的俄语比英语好,他建议我改搞苏联当代美学。他着重谈了两个观点。第一,苏联美学和文艺学对我国产生过重要的影响。胡老师回忆起1954年春到1955年夏苏联专家毕达可夫来北京大学,为中文系文艺理论研究班讲授文艺学的情景。胡老师在研究班和蒋孔阳、霍松林等一起听课。虽然从现在的观点看来,根据毕达可夫讲稿出版的《文艺学引论》一书(高等教育出版社,1958年版)有很多局限性,然而毕达可夫的讲学对中国学者熟悉马克思主义文艺学的一些基本术语、概念、范畴、命题和体系仍然具有重要的意义。第二,我国过去对苏联美学和文艺学的接受带有很大的选择性,接受了很多教条主义和庸俗社会学的观点,而对新鲜的、有生命力的美学关注不够。特别是"文化大革命"期间,中苏学术界完全隔绝。但实际上苏联在20世纪60年代出了不少美学著作,在这种情况下,研究苏联美学和文艺学的最新进展,具有很大的现实意义。20年后,有的学术著作表述了和胡老师类似的观点。杜书瀛、钱竞主编,孟繁华著的《中国20世纪文艺学学术思想史》第三部写道:"甚至可以说,一直到今天,还没有任何一个国家的文艺学像苏联文艺学那样,给我们留下如此不可磨灭的深刻记忆。"[①]然而,

---

[①] 杜书瀛、钱竞主编,孟繁华著:《中国20世纪文艺学学术史》第三部,上海文艺出版社,上海,2001年,第78、133页。

"令人遗憾的是,中国在接受苏联文艺学影响的时候,并不是连同它的传统一起接受的。中国特殊的历史处境,决定了接受的选择性,而选择的恰恰是不久之后在苏联被纠正、具有教条主义和庸俗社会学意味的文艺学"。①

在胡老师的启发下,我于1979~1980年集中阅读了北大图书馆和北京图书馆收藏的几乎所有的20世纪60年代下半期以来出版的苏联美学著作,并大量摘译了有关内容。那段时期我成了胡老师中关园一公寓的家中的常客,并认识了他的家人。他的爱人刚调到清华大学中文系工作,大女儿刚考取北京大学,小女儿上北大附中。胡老师和我谈得最多的是以斯托洛维奇为代表的审美学派的观点,介绍我看了不少资料,使我也对斯托洛维奇深感兴趣。恰巧李泽厚先生来信约我翻译斯托洛维奇的《审美价值的本质》一书,收入他主编的《美学译文丛书》中,交由中国社会科学出版社出版。我在研究生期间译完了这部书,并请胡老师通读了译文。我也以《斯托洛维奇的美学思想》为题做了毕业论文。

早在20世纪50年代,胡老师就注意斯托洛维奇了。原来我并不知道斯托洛维奇的论著早就有了中译本。一次在胡老师家,他拿出学习杂志社1957年出版《美学与文艺问题论文集》,上面译载了斯托洛维奇发表于《哲学问题》1956年第4期上的论文《论现实的审美特性》。我看到胡老师在该书目录中这篇论文的题目旁边用红铅笔做了一个记号,表明它的重要。斯托洛维奇的这篇文章论证了艺术的审美本质的根源——现实的审美属性,即人的审美关系的对象或客体。他的观点主要有两点:其一,审美属性客观存在着;其二,审美属性是自然物质形式和社会内容的辩证统一。审美属性就其内容来说,是社会属性;就其结构来说,则是客体的物质方面与它们对社会的客观关系的统一。在审美属性中表现出来的客观社会关系,不是知觉的关系,也不是认识的关系,而是实践的关系。因此,审美属性,无论从它的自然

---

① 杜书瀛、钱竞主编,孟繁华著:《中国20世纪文艺学学术史》第三部,上海文艺出版社,上海,2001年,第78、133页。

对象性方面或者社会意义方面来说,都是客观的。

胡老师在《文艺美学》序言中写道,"当时(指20世纪50年代——引者注)美学争论的主题是:美是主观的还是客观的,是自然的还是社会的。坦率地说,关于美的本质,当时我最信服的是苏联美学家斯托洛维奇的见解。他最先提出美是社会的,又是客观的。后来,他又加以发展,把美看成是一种价值。依我看来,美是价值说也许不是终极的美论,却是当前对美的较为合理的解释。但是,当时我最感兴趣的不在于此,而是在于:艺术的特性何在?"[1]可以说,胡老师的思路和斯托洛维奇是一样的,斯托洛维奇是从现实的审美属性出发去思考艺术的特性的。斯托洛维奇认为现实的审美属性就是艺术的独特对象,这种对象不同于科学的对象。也就是说,他不仅从认识论方面,而且从审美本体和审美评价方面提出了艺术的特殊对象问题。在20世纪20年代,弗里契主张的艺术社会学在苏联很流行,忽视作品的艺术价值以及对它们的审美评价。三四十年代,在批判庸俗社会学观点时,开始注意从反映论角度来看待艺术,但是又把艺术仅仅归结为一种认识论。在50年代中期,苏联美学界开始提出艺术的特殊本质问题,把艺术的本质首先说成是审美的。斯托洛维奇就是其中突出的一个。在突破和超越艺术认识论、在苏联文艺学由认识论向审美论的转型中,斯托洛维奇起了重要的作用。胡老师写道,"还在50年代我攻读文艺学研究生时,就有一个问题时常困惑我:文艺学和美学是什么关系?文艺和审美的联系与区别何在?""于是,我的美学探索就从这里开始",[2]"经历了六七十年代的沉默思索,我逐渐形成了一种看法,觉得真也好,善也好,要真正成为艺术的内容,都必须通过审美为中介;真、善经过审美之光的折射才能转化为艺术的内容"[3]。可以说,胡老师是我国最早对艺术的审美特性进行思考的学者之一。

艺术审美论是对艺术认识论的跨越。艺术认识论原来只是我国

---

[1] 胡经之:《文艺美学》,北京大学出版社,北京,1989年,第1页。
[2] 同上。
[3] 同上。

有关艺术本质的诸多观点中的一种,然而20世纪50年代以后,它在我国文艺学中获得独尊的和话语霸权的地位。它不仅影响到整个文艺学的研究,而且影响到文学史研究、文艺批评和文学创作。艺术认识论在我国的传播是比较文艺学中一种意味深长的现象。胡老师1985年在他编写的《中国现代美学丛编》的前言中写道:"当人们今天以美学的力量在艺术领域中冲击'政治'与庸俗社会学阴魂,确立艺术的审美特性和情感特性时,其实只是在继续现代美学未竟之事业。早在二三十年代,现代美学就已经普遍地把审美与情感作为艺术内蕴来探讨,把艺术看作审美的艺术、情感的艺术,看作发抒、宣泄自我情绪、苦闷、悲哀、志向的方式。可惜由于中国现代历史的特殊演变,这种积极探讨不得不在一个时期内停顿。在绕了一个大弯之后又在更高阶段上回到原地,当代美学在重新探讨这些课题。"[1]这里所说的"中国现代历史的特殊演变",就是我国在接受外国美学和文艺学理论时进行选择的根本原因。顺便指出,胡老师编的《中国现代美学丛编》是我目前撰写《20世纪中国艺术学》一书的案头必备参考书,我所援引的一些原著资料就采自这本书。胡老师从比较美学的角度对中国现代美学的论述我也深为赞同:"现代美学的最早倡导者如王国维、蔡元培、鲁迅等,最初都是从西方美学取来火种,开创了现代美学研究;后来的黄忏华、朱光潜、宗白华等后继者更是全力引进西方美学。甚至可以说,几乎每一个现代美学家无一不受到西方美学潮流的浸染;也可以说,中国现代美学正是在西方美学的'撞击'下产生的。"[2]这段话也完全适用于中国现代艺术学。不深入研究外国艺术学对中国艺术学的影响,就无法理解中国艺术学的发展脉络。

胡老师早就思考艺术审美论问题,然而他对艺术认识论的哲学基础、理论资源、逻辑推引等十分熟悉,因为他于20世纪60年代初期参与了蔡仪主编的《文学概论》的编写工作。蔡仪是艺术认识论

---

[1] 胡经之主编:《中国现代美学丛编·前言》,北京大学出版社,北京,1987年,第4页。
[2] 同上。

在我国最成熟、最有影响的代表。蔡仪坚持艺术认识论的观点是一以贯之的。他在1942年出版的《新艺术论》中反复说明一个重要命题：艺术是对现实的认识。①《新艺术论》解放后在上海群益出版社出了第二版。1958年又在北京作家出版社出了第三版，第三版改名为《现实主义艺术论》。蔡仪于60年代初主编的《文学概论》到1979年才出版。该书开宗明义第一句话就是："文学是一种社会现象，是一种社会意识形态。作为社会意识形态的文学和客观社会生活的关系如何，这是文艺理论中一个最根本的问题。"②这就为文艺认识论定下了基调：文艺是对现实的认识。这种观点的局限性在于：完全用哲学思维对存在的关系来解释艺术对现实的关系。它的合乎逻辑的结论是：艺术和科学具有相同的认识对象和目的，它们的区别仅仅在于认识形式。于是，只从艺术的认识形式，而不从艺术所表现的内容中寻求艺术的特性。

艺术认识论明显地受到苏联美学和文艺学的影响。早在1930年胡秋原就十分赞赏苏联学者沃伦斯基的著名论文《认识生活的艺术与现代》，他认为，"艺术与科学同样，是认识生活。与科学有同一对象即是生活——现实。不过，科学是分析，艺术是综合。科学是抽象的，艺术是具体的。科学诉诸人类理智的脑，艺术诉诸人类之感性"③。沃伦斯基是苏联第一家大型综合刊物《红色处女地》的主编。他在该刊1923年第5期发表了得到卢那察尔斯基赞同的论文《艺术作为对生活的认识》，我怀疑胡秋原所说的《认识生活的艺术与现代》就是此文。那时苏联美学和文艺学中还是弗里契的庸俗社会学占据主导地位。我们在上面谈到，文艺认识论在苏联文艺学中确立主导地位是在20世纪三四十年代。然而从50年代起，文艺认识论就遭到批判，被指责为"文艺学中片面的认识论定向"。然而50年代以后，这种观点开始在我国文艺学中占据统治地位，并产生深远的影响。从比较文艺学的角度看，这种现象确实值得研究。不过，胡老师在参与

---

① 蔡仪：《美学论著初编》上册，上海文艺出版社，上海，1982年，第32页。
② 蔡仪：《文学概论》，人民文学出版社，北京，1979年，第1页。
③ 《现代文学》创刊号，1930年7月。

《文学概论》编写后,已经对文艺认识论产生怀疑,在文艺美学课堂上明确表示过,那观点已陈旧了。不过他对这种理论的熟悉,有利于他扬弃这种理论。

1981年,胡老师建议北大在文艺学专业中设立区别于哲学美学的文艺美学的这一方向的硕士学位,并很快招收文艺美学的研究生。在这之前,胡老师已为研究生和本科生开设文艺美学课程,我也听过这门课。在课堂上他就说过,他虽然参加了《文学概论》的编写,而且执笔写的是第一章,但已经不满足于已有的论述,而是要突出文艺的审美特性,所以才另开"文艺美学"一课。当时选这门课的人很多,东、西、俄语系的人都有,人大、北师大,一些艺术院校的研究生也有来听的。我认识的有中文系文艺学研究生曾镇南、董学文,现代文学研究生钱理群,后来成为著名作家的中文系本科生陈建功、黄蓓佳等。设立文艺美学这一学科方向不是胡老师的偶发奇想,而是他长期深思熟虑的结果。20世纪60年代初期编写《文学概论》时,王朝闻主编的《美学概论》也同时启动。这两本书都在70年代末、80年代初才出版。胡老师写道:"无疑,这两本书都努力吸取了当时的学术成果,例如《文学概论》把理论奠基在认识论上,而《美学概论》对美的解释采取了李泽厚的说法,既是客观的,又是社会的(这也是苏联斯托洛维奇的见解)。但是《文学概论》还是太政治化,而《美学概论》太哲学抽象化,都不大从艺术活动、审美活动本身的实际出发。这促使我在后来更加想把文艺学和美学熔为一炉。"[1]文艺美学的提出,反映了胡老师把文艺审美论引入文艺学的意图。长期酝酿、久积于胸的文艺审美论观点,终于在适当的时机一吐为快了。正如有的研究者所指出的那样:"苏联文论由认识论向审美论的转型在其生成的当时便对中国文艺理论产生了影响,它将中国文论家的理论视野引向文艺的特殊本质的探讨。不幸的是这种文艺特性的探讨初露端倪便在'文革'的文艺专制主义的震慑下被迫中断和沉溺。新时期的思想解放使中国的文艺创作重新焕发了蓬勃生机,中国理论家的艺术精神和审

---

[1] 胡经之:《胡经之文丛》,作家出版社,北京,2001年,第384~385页。

美意识在适宜的时代氛围当中迅速得以成长,钱中文、童庆炳、杜书瀛、胡经之等一批五六十年代成长起来的文论家,纷纷发表见解,表述他们对艺术的审美本质的关注,诸如,杜书瀛的《关于艺术的掌握世界的方式——论艺术的特性》、胡经之的《论艺术形象——兼论艺术的审美本质》、童庆炳的《关于文学特性问题的思考》等等,都以他们对于艺术审美的自觉意识,推动了新时期初期文论由'他律'认识论向'自律'审美论的转化。"[①]胡老师不仅是我国最早思索、论证艺术审美本质的学者之一,而且是从研究生培养的组织体制上促使文艺美学这一学科迅速发展的第一人。我认为,这是胡老师对我国美学和文艺学事业的最大贡献。

1981年,我在研究生毕业后离开了北京。我们那一届研究生是在经历"文化大革命"十年浩劫后首次招收的研究生,很多人都拖家带口。当时北京短期内难以解决我们的两地分居问题,因此,毕业时我放弃了留京的可能,到了南京工作。离京前,胡老师请我吃了一餐饭,为我饯行。1984年,胡老师也离开北大去深圳工作。数年前,他到南京来参加学术会议,我们重聚、畅谈,感慨万千。我在北大学习了9年,有一个很深的体会:北大只有在你离开它时才显得更加美好。胡老师在北大生活了30多年,不知有同感否?

2001年冬于南京

凌继尧　时为东南大学人文学院教授、博士生导师,享受国务院特殊津贴。

[①] 杜书瀛、钱竞主编,张婷婷著:《中国20世纪文艺学学术史》第四部,上海文艺出版社,上海,2001年,第208页。

"诗意栖居"于大地上的美学家

林宝全

"思是在的,因为思由在发生,属于在。"

——海德格尔

爱美之心人皆有之,这已是人们的共识。然则,思美之心是否也人皆有之呢?我以为未必。何故?如果说前者在很大程度上是人类带有本然性的一种感性精神需求,那么后者则是对人类这种精神需求的一种自觉的理性反思。爱美者仅止于凭借审美感官自享其美,其享美的内容往往是有限的、浅层的,其审美的视野往往是狭窄的,其对美的认知,一般只知其然而不知其所以然。而思美者则不止驻足于感性的爱美,而是进而要对人类审美、创美、享美的生命活动进行历史性的和学理性的思考,力图揭示与掌握美的规律,为人类开拓更广阔的美的领域。古往今来,无数的美学家都是这样的美的反思者,他们探索美的理论成果在不同历史时期、不同社会条件下,从不同侧面提升着人类审美、创美、享美的水平,为营造人类美好的精神家园做出积极的贡献。唯其如此,历来善于思美者及其成果总是受到人们的敬重。这里我想提到的,也正是这样一位值得人们敬重的美学家——胡经之先生。

去年金秋,胡经之先生赠我一本他的美学文丛。这是他继那两本深受学界赞誉的《文艺美学》和《文艺美学论》之后的又一珍贵的思美成果。拜读之余,深为经之先生对美的执着追求精神所感动。他爱美、寻美、思美、播美、育美,五十年如一日,在美学园地里孜孜不倦地耕耘,为实现人类美好的理想奋斗不息。

经之先生说:"我喜好作美学的思辨,在沉思中享受着思辨的愉悦。"(《向往超越》)或许有人感到疑惑:怎么?美是直观的、感性的、生动的、多彩的,而你竟然能在对美的抽象、理性的思辨中享受愉悦?产生这种疑惑的人,不懂得思辨有辩证唯物主义和主观唯心主义之别。对后者,马克思、恩格斯在《神圣家族》中曾做过深刻的批判,指出以布鲁诺·鲍威尔一伙为代表的思辨唯心主义者是"用'自我意识'即'精神'代替现实的个体的人",他们对现实的批判,不是从现实出发,而是从他们主观先验设定的所谓"实体"出发,搬用一大堆"外国话","在实践和历史中胡言乱语"。与此相反,辩证唯物主义者的思辨,则是从活生生的现实出发,去思考、分析、研究人类一切实践活动(包括审美活动)的客观规律。这种基于现实的抽象思辨,不是远离现实,不是与感性经验隔绝,而是更深刻地感受着实践、把握住实践。正如毛泽东所指出的:"只有理解了的东西才更深刻地感觉它。"经之先生的美学研究就是始终坚持这种辩证唯物主义的思辨方法,紧贴现实、紧贴实践,从人类活生生的实践活动中去追寻美、去揭示美的规律,把对美的形而下感受、体验与形而上的抽象、概括有机地融为一体,这使他的美学著述与那些专以堆积晦涩词语为能事、令人望而生畏的美学书籍迥然相别。读之,有一种亲切感,它能把你爱美之心提升到一个更高的境界。

马克思在批评脱离实践的哲学家时曾说过一句名言:"哲学家们只是用不同的方式解释世界,而问题在于改变世界。"我以为中国当代美学研究似乎也存在着这种理论与实践相脱节的弊端。大概有感于此,经之先生一再呼吁并身体力行在美学研究中要"面向当下"、"面向现实"。他严肃指出,"抛开了生动活泼的实际,从抽象到抽象,只能使文艺学、美学如天马行空,不着边际,虚无缥缈,不知所云,也就失却了生命力。目前,我们的文艺学、美学的最大缺憾,不是缺乏理论资料,而是不面对实际,忽视实践材料"(《博采众长》),应该说这一批评是切中时弊的。

海德格尔在纠正人们误解德国诗人荷尔德林那句"诗意地安居"(一译为"诗意地栖居")的名诗句时,曾说过一段发人深省的话:

当荷尔德林倡言人的安居应该是诗意的时候,这一陈述一旦作出，就给人一种与他的本意相反的印象，即："诗意地"安居要把人拔离大地。因为"诗意地"一词作为诗来看待时，通常被理解为仅属于乌有之乡。诗意的安居似乎自然要虚幻地漂浮在现实的上空。诗人重言诗意的安居是"在这块大地上"的安居，以此打消这种误会。荷尔德林借此不仅防止了"诗意的"一词险遭这类可能的错解，而且通过附加"于这块大地上"道出了诗的本质。诗并不飞翔超越大地之上以逃避大地的羁绊，盘旋其上。正是诗，首次将人带回大地，使人属于这大地，并因此使他安居。

"人充满劳绩，但还诗意地安居于这块大地之上。"①

如果说作为虚构的艺术——诗的创作所追求的"诗意地栖居"的艺术境界，不应误解为"要把人拔离大地"，"虚幻地漂浮在现实的上空"，而应正确地理解为要"将人带回大地，使人属于大地，并因此使他安居"；那么，作为研究艺术美、自然美、社会美的美学就更不应该引导人们脱离现实的大地，去追求乌有之乡。当然，主张美学理论要面向现实，也决不能误解为否定美学理论具有超越现实的品格。不，真正科学的理论永远都是对现实的超越，但这种"超越"是基于、源于现实的超越，超越是为了推进现实，是要引导人类按照美的规律去实践、去改造现实世界、去创造更美好的世界。这正是经之先生所追求的美学理论研究的终极目的。

我们高兴地看到，改革开放以来，经之先生一直是走着一条努力使美学理论与审美实践活动紧密结合的学术研究道路。如果说，20世纪80年代他对美学的思考，主要集中在如何使美学与艺术实践活动结合起来，从美学的角度深入揭示艺术活动的审美规律，从而奉献出他那本为学界所称道的《文艺美学》论著，其理论成果为建立美学的新学科、培养文艺美学专业人才和提高人们的艺术创作和艺术欣赏的审美水平发挥了重要的作用；那么，90年代以来，他的美学思考已从文艺领域扩及整个社会文化和自然领域。这是因为人类的审美活动、审美关系并不只限于艺术范围，而是和广阔的实践活动、实践关

---

① [德]海德格尔：《人，诗意地安居》，郜元宝译，上海远东出版社，上海，1995年。

系相结合。他说:"除了艺术审美外,至少还应对两类审美现象做出理论概括:一是对自然的审美;二是对文化的审美。"(《走向文化美学》)。《胡经之文丛》中的系列美学随笔、文化评论就反映了作者在这两个领域里所做的美学思考。

先说前者。经之先生对自然审美情有独钟,可以这么说,他之所以步入美学殿堂,最初的情感动力便是源于对自然美的至爱。正如他自己所说的:"我对文艺美学的爱好,初始是由对自然山水的陶醉而引发,继而爱好文学艺术,然后才由此而对美学思考感兴趣。"在他的美学随笔与散文中有不少篇章涉及他陶醉于自然美的审美体验的生动描写。《流水人生》所描绘的他在青岛茫茫大海之上自由地舒展身体、静卧仰泳时那种人、天、海完全融为一体的审美喜悦就是生动的一例。经之先生由对自然美的喜爱、向往,进而从学理上思考人与自然应建立什么关系。马克思曾说过,大自然(如植物、动物、石头、空气、光等等)既是自然科学的对象,也是艺术的对象,"是人的精神的无机界,是人必须事先进行加工以便享用和消化的精神食粮"(《1844年经济学哲学手稿》)。经之先生认为我们必须用马克思主义的这种价值论观点来看待和处理人和自然的关系:自然不仅是满足人类物质需求的对象,同时还是满足人类精神需求的对象。人和大自然的关系,不仅是物质生产上的功利关系,而且还建立了精神上的审美关系。这就客观上要求人类必须善待自然、珍重自然。据此,经之先生一面对现实生活中那种无序开发自然、盲目生产、竭泽而渔、杀鸡取卵、暴殄天物、污染环境等破坏生态平衡的种种现象进行了尖锐的批评,指出这种违背自然规律的生产实践,不仅损害了自然美,而且最终将导致人类的最基本的生存条件的破坏,从而扼杀人类的本性。这些批评文字表达了一位面向现实的美学家对人类命运的终极关怀。另一方面,经之先生又指出,珍重自然,不是要我们消极地俯伏在自然脚下,祈求自然的恩赐,做自然的奴隶。人类为了生存、发展和完善,需要改造自然,但是这种改造,应当按照美的规律进行。这就要把自然的外在尺度和人类的内在尺度两者统一起来,依照马克思所说的"在最无愧于和最适合于"人类本性的条件下来进行这种物质交换,使自然和人类都得到优化,人和自然达到动态平衡,建立起人和自然的和谐关系。为此,他提出在我国社会主义现代化建设中,要重视发展"生态美学",从审美的角度,引导人们按照美的规律珍重自然、善待自然、改造自然,最终实现人"诗意地栖居"于这块大地上的美好理想。

关于后者——对文化的审美是经之先生论述较多的一个现实课题。他对这个命题的重视,是基于如下两方面的思考。一是社会主义现代化,不只是物的现代化,更重要的是人的现代化,而人的现代化的核心是要培育现代人格。现代人格的培育,不仅需要弘扬科学精神,也需要重视人文精神。发展文化美学正是为了从文化审美的角度去提升人们的人文精神水平。二是对于文化也要一分为二,必须分别对待:"有真文化,也有伪文化,有正文化,也有负文化。"并非一切文化都对人的完善具有肯定的价值。君不见"当商潮还带着浓厚的资本原始积累色彩粗俗地袭来时,一些文化为迎合粗俗的趣味完全沦为金钱的奴婢"吗?君不见在片面追求利润的刺激下,文化垃圾也正在迅速地增长吗?一些文化产品(包括文艺产品)在内容上对假、丑、恶津津乐道,予以美化,对真、善、美则冷落、嘲笑,予以丑化。面对这种审美判断的颠倒、审美关系的扭曲,经之先生郑重地提出了这样一个值得人们深思的问题:"难道文艺从仅是政治斗争的工具、道德说教的手段这狭窄的山谷中走出来之后,就必定沦落到更可怜的境地?我们的文艺应向何处去?"对这一现实命题的思考,促使经之先生大声疾呼:美学研究要走向文化美学,要充分关注文化发展的美学方向。

文化美学需要回答当下文化实践活动中涌现的许多问题,诸如人间文化创造怎样才能符合美的规律,文化产品的实用价值、交换价值、审美价值应是什么样的结构关系,文化审美、自然审美、艺术审美三者之间的关系如何,通俗文化与高雅文化如何建立和形成互动、互补关系走雅俗共赏之路,等等。这一切问题在《胡经之文丛》中均有扼要的、中肯的阐析。例如关于在商品经济条件下如何正确对待文化生产中的交换价值与审美价值的关系问题,经之先生认为,"无论是文化产品还是文化行为,在商品生产条件下,都可能成为商品,因而具有交换价值……文化生产可以而且应该重视交换价值,甚至,可以通过文化生产获取剩余价值。上海的国际艺术节、'欧洲文化之都',深圳华侨城组织的文化活动等,不乏成功之例。但是,这不应以牺牲文化本身的精神价值为代价。文化生产的根本目的,还是要提升人类自身,高扬人文精神"(《着意文化建构》)。至于作为文化生产重要组成部分的艺术生产,就更是要以生产审美价值作为主要目的。"真正的文学艺术不必跟着交换价值的变幻而疲于奔命,还是需要潜下心来,按照美的规律来创造,创作出更多更美的作品来,以满足人民的审美需要。就是在古代,像郑板桥为人写字作画,明码标价,却决不降低所卖字画的审美价值,难道我们今人反而要牺牲艺术的审美价值以迎合粗俗的趣味吗?"(《面向当下》)像这样实事求是、深入浅出的美学分析,无疑对启迪人们努力在文化实践活动中提高审美水平起着十分积极的作用。

胡经之先生的美学著述甚丰,不论是文艺美学的系统论述,或是自然生态美学和文化美学的深刻思考,都回荡着一个主旋律,即按照美的规律去鞭挞现实生活中的假、丑、恶,按照美的规律去创造现实生活中的真、善、美。在他的心目中,美不在天上,美就在人间。美学之树,只有根植于现实的土壤,才能焕发出她的美的生命光芒。在一篇《精神家园何处是》的散文中,他有一段感人至深的肺腑之言,"应该按照'美的规律'来创造世界。若真能把自然的'人'化和人我自身的'文'化和谐结合起来,营造我们的精神家园,这个世界将多美好,真正实现天更蓝、水更清、地更绿、花更多、城更美、风更正、气更顺、命更长。我还希望再补上一句:人更好——希冀人我能提升到一个真、善、美相统一的境界。"这是经之先生对他身居的精神家园——深圳经济特区的期望,也是对我们社会主义祖国精神家园的殷切期望。

经之先生不愧是一位诗意栖居于大地上的美学家!一位理想主义与现实主义相结合的美学家!人民呼唤这样的美学家,有中国特色的社会主义文化建设需要更多这样的美学家。

2002年春天

林宝全 时任《马克思主义美学研究》年刊副主编。

我的文艺美学之缘

程相占

一

大学时代，出于对社会现实的迷惘乃至恐惧，我选择了报考研究生的道路。当时对于什么叫"研究"几乎全然不知，只知道读研究生可以继续待在校园里。1989年春夏之交，怀着惴惴不安的心情，我到所报考的山东大学中文系参加复试，得知自己的考试成绩是中国文学批评史专业第一名，在全系计划招的20余名学生中名列第五，录取应该不成问题。就算是对自己努力的奖励或者纪念吧，我到山东大学门口书店转了转，用买好车票之后剩余的几十块钱，买下中华书局出版的一套三册的《中国古典美学丛编》。说实在的，当时我对于书的编者是谁并未留意，只不过觉得书中的"形神"、"气韵"、"意境"、"感兴"等条目与中国文学批评史的内容有相同之处，将来或许用得着。

时间一晃就到了1997年，我已经在山东大学当了两年教师。按照我所在的文艺理论教研室的惯例，每个教师都应该给本科生讲授文学概论这门基础课。对于我来说，这并非一件轻松的小事，因为我所攻读的博士学位是中国古代文学史专业元明清方向，从未对文学理论下过专门功夫。备课过程中查阅了数种相关教材，感觉到在界定文学观念时，应该对于文学的审美特性或者说审美本质予以足够的重视。我自己的学习经历告诉了我，研究文学史的前提是必须弄清楚文学是什么，或者说什么不是文学。大量的中国古代历史文献流传了下来，其中哪些是文学，哪些不是；对于这个问题的思考，是文学史这门学科成立的理论前提。自己以前隐约感到这个问题的重要性，甚至尝试着写了有关的理论探讨文章拿给导师袁世硕先生看,但算不上深究。而文学概论的基本任务之一应该是解释、论证文学观念。在比较了几种文学观念的基础上,我提出了自己的文学定义:文学是人类文化系统中、以语言为传达媒介的艺术样式,试图从文学与文化、艺术、语言三者的关系中,逐层突出文学的特性。而文学与艺术的关系所要回答的是文学的审美本质。这部分讲义,我大量借鉴了胡经之先生的《文艺美学》,从基本观点到具体例证,诸如审美活动的特点、审美体验的特征,林黛玉的《葬花吟》,蒋捷的《虞美人·听雨》等等,基本上全部照搬。并且,还特意提醒学生们将《文艺美学》作为这部分的参考书。我这时候初步具备了一点学术意识,明白读书应该了解书的作者,按照孟子的说法就是"读其书而知其人";这才联想到自己以前买的那套书,主编正是胡经之先生。不过,这时我并没有进一步思考文艺理论与文艺美学的关系,似乎将二者完全等同了。

二

时间又过了3年。2000年5月,山东大学文艺美学研究中心要举行揭牌仪式及"文艺美学学科建设与发展研讨会"。身为文艺美学研究中心的研究人员,理所应当向大会提交论文,并为文艺美学学科的合法性进行必要的论证。这就意味着,必须思考文艺美学作为一个学科到底有什么存在根据。我这才又带着研究的目的重新研读胡经之先生的《文艺美学》。研读的突出感觉是,书中涉及大量中国古典文论或古典美学,这引起了我的注意。我任教以来主要从事中国古代文论的科研与教学,几年来一直思考着"中国古代文论现代转换"的理论话题,并独自承担、进行着国家社会科学基金项目"中国古代文心论的现代阐释"的研究。这些意识背景促使我将胡先生主编的《中国古典美学丛编》与其《文艺美学》对照研读,细读后得出的初步结论是,《文艺美学》较多借鉴、引用了中国古代文论的内容,从理论材料到最高理论范畴甚至内在思路,都有明显的古典美学痕迹。这不意味着《文艺美学》早已进行着"中国古代文论的现代转换",并且已经取得较大的成功了吗？看来，这一学术口号的提出者对于中国当代文论现状并不十分了解。

这倒还在其次。我最感兴趣的是文艺美学作为一门学科成立的理论资源。开会前的一个多月内，我集中研读了所能找到的近两年来发表的与文艺美学学科定位有关的学术论文，其中有几位学者都从中西比较美学的视野出发，指出中国古典美学的民族特色在于文艺美学相对发达，而纯粹的哲学美学，也就是理论形态的美学相对不足。文艺美学这一学科（或者说研究范式）有助于充分吸收中国传统文论资源，进而创立具有民族特色的当代中国美学新形态。那么，究竟如何给文艺美学进行学科定位呢？我突然想到了徐复观和庞朴两位先生的"形而中学"的说法。在解释"形而上者谓之道，形而下者谓之器"时，徐复观先生曾经提出"形而中者谓之心"，而庞朴先生则提出"形而中者谓之象"。根据我自己对于古代文论的了解，心与象之间有着极其紧密的联系。比如古人认为心是无形、无色的，只能借助象来显现，此即为"意象"；而象则如章学诚曾指出的那样，是"人心营构之象"。所以我将徐、庞两位先生的说法综合在一起提出，中国古代文论究其实质是形而中学，也就是心象学。我从事"中国古代文心论的现代阐释"这一项目的研究已经3年，认定中国古代文论在发达的哲学心性论影响下，有着一个发达的文心论传统。这个传统正是古代文论的"潜体系"之所在。如果一定要给古代文论建构一个体系的话，这个体系只能是形而中学——心象学。那么，中国当代的文艺美学研究是否与此相契合呢？带着这样的期待，我认真思考了胡先生《文艺美学》的理论思路与内核，结果惊奇地发现二者十分接近。比如，新中国成立后我国美学热衷于讨论美的本质，美学论争集中在美是主观的还是客观的这样机械形而上学的问题上；而文艺理论长期不谈文艺与审美的关系，只是从庸俗社会学这种形而下的层面看待文艺的本质。针对这种理论状况，胡经之先生的《文艺美学》将研究重心转向文艺活动的审美特性，考察审美规律在文艺活动中的具体体现。这就意味着，它将美学的注意力从富有形而上学色彩的美本质论落实到具体的文艺活动中，并将一般社会学视野中的工具化的文艺（形而下之器)上升到美学高度来考察文艺与审美的关系。这个思路正与古代形而中学相近。从理论内核方面来看,《文艺美学》从超越主客二分的审美活动开始,依次探讨了审美体验、审美超越、人与世界的艺术关系、艺术的审美构成、作为审美意象及其符号化的艺术形象,并最终将艺术意境视为"艺术本体的深层结构"。如果套用中国古代文论的概念来讲,作为审美活动之核心的审美体验无疑是心的活动,审美意象正是象,而意境无非是达到一定心灵境界的人心所营构的特殊之象。所以我得出结论说:《文艺美学》正是一部形而中学——心象学,它是中国古代形而中学——心象学的当代复苏。我将这些思考写成一篇论文,题为《作为形而中学的文艺美学——中国古代文论视界与文艺美学研究》,提交给文艺美学研讨会。

我并非专门从事文艺美学研究的,相关理论储备单薄,加之筹办会议的诸多杂务花费不少时间,所以论文写得十分匆忙。论文的结论是否准确,胡经之先生本人又会如何看待这个结论?说实在的,我心中并没有把握;想到胡先生也要来济南参加文艺美学研讨会,更是有点不安。不过又自我安慰道,胡先生来了,正好当面求教,也好补一补文艺美学课。会议临近结束时,我给胡先生打了电话,把我的会议论文情况做了些介绍,并表示趁胡先生方便时向他当面求教。那天晚上,我如约到胡先生房间,正好没有其他人。胡先生说可以接受我的看法,鼓励我继续深入研究这个问题。谈到最后,胡先生问起我的学习经历,得知我曾师从袁世硕先生攻读博士学位,高兴地说他与袁先生认识,缘由是他当年也专门研究过《红楼梦》,而袁先生的学术专长正是明清文学。说到这里,我的心才坦然了一些,觉得与胡先生也亲近了许多。

济南文艺美学研讨会结识之后,我和胡经之先生开始了通信联系。胡先生在给我的一封信中提到,甚为同意我关于"形而中学"的说法,并随信寄来他于1980年发表的《中国美学史方法论略谈》一文的第一部分(后收入《胡经之文丛》中),其主要意思是:西方美学发展过程中出现过的"自上而下"和"自下而上"这两大互相对立的趋势,中国古代美学也有自上而下建立和自下而上发展两种情形。他认为，中国美学史应对这两种趋势做综合研究，然后在这两种趋势中，清理出美学发展历史的中轴线。这根中轴线，在胡先生看来，就是历代人对于审美活动、艺术活动这种特殊现象的认识历史。总之，中国古代自上而下地从哲学、道德、政治的思想体系中，逐步分出美学思想、审美观念；同时，也自下而上地从具体审美现象认识审美活动本质。两者都向一个方向接近，那就是：从不同的方面去认识审美活动、艺术活动。因此，我们的美学思想史研究应该在两种趋势中，抓住审美这根中轴线。读罢此文，我只能感慨自己阅读范围太有限，这么富有启发性的文章竟然没有接触过。确实，西方传统形而上学抛开人的历史存在而穷究世界的存在根据，所用的方法是近似于数学的纯粹逻辑演绎法（或公理推导法）。作为哲学一部分的美学也往往跳过感性的审美经验而直接上升到理性和哲学思辨。所以，"拒斥形而上学"成为西方现代哲学的一个响亮口号。而中国古代文论在注重形而上追求的同时更加重视感受、情感、体验，虽然理论气息显得缺乏，但是对于审美经验有着许多细致地描述，形而"上"的追求实际上浑融于审美体验之"中"。如此说来，"形而中学"的提法应该包含有补救西方传统形而上学之弊端以重建形而上学的意义。

三

2001年初冬，我又收到了胡先生惠寄的新著《胡经之文丛》。当时正忙于备课上课，只是像欣赏相册那样仔细欣赏了书前的照片，读了序言和后记就放下了。最近才抽出时间细读，了解到胡先生曾经师从杨晦先生研究中国文艺思想史，证明了我以前的推测。我深深地被两篇文章吸引、打动，乃至震撼。吸引、打动我的是胡先生自己写的《流水人生》，震撼我的是王列生先生的《想念老师》。我想不到在这里与我的一位老师相遇，胡先生也肯定想不到。

我的家乡河南新野地处平原，我上大学前几乎没有看见过山，所见的水也不过是小池塘、村子周围的水沟，以及一条几乎长年断流的小河，如果那也能叫作河的话。但是，我对水一直怀着极深的好感。

1998年承担国家社会科学基金项目以来,我一直在思考一个题目:文心与水机——中国古代文论中的水喻。最近甚至又想到另外一个与水有关的问题:先秦思想中的水喻与郭店楚简《太一生水》。资料搜集了一些,但就是下不了手,关键原因或许在于:我水性不好,不"会水"。我的家乡将善于游泳者称为"水性好"或"会水",其中"水性好"的说法竟然与庄子的思想话语暗合,使我不由得不佩服乡民的深刻。我只不过能在水里扑腾一两下,与胡先生文中所描绘的游水境界相比,自己无疑是旱鸭子。看了胡先生"水上气功"的精彩表演,我愈加认定:自己关于水的文章写不出来,原因一定是自己水性不好。在欣赏胡先生静卧水中散步的精神境界时,脑海中浮现出1998年初夏的一个场景:我自费带着中文系97级的本科生,去李清照故里明水(章丘)百脉泉公园游玩。自从济南的泉水只剩泉眼、大明湖变成大暗湖以后,明水的百脉泉已经完全取代了济南的众名泉,而成为真正的"泉城"。学生们不顾管理人员的善意劝阻,在泉水汇成的湖面上开起了水战,一个个都成了落水鸭,在阳光下鲜亮无比。女孩子尤其发了疯,竟然向我这文学概论任课老师身上泼过来,吓得本人把双手高举入云,至少高喊了20遍"投降"。小桨在清澈的水面上拂动,哗哗;手指在洁白的书页上拂动,沙沙。就像小船不小心撞在了巨石上一样,读着读着,我一头撞在了王列生先生的《想念老师》,那里有一个名字:张瑞德。

　　大概是大三下学期,张瑞德老师接替前任成了我的辅导员。我那时就像扔在墙角、蒙着厚厚灰尘的半块砖,一点儿也不起眼。全年级共有114名学生,辅导员哪辈子也不会注意到我。只是听班里的消息灵通人士讲,张老师曾在某大学读过研究生,刚从安阳调到郑州大学中文系。我那时已经决心考研,所以找了个机会向张老师请教。张老师说,做学问很不容易,文学理论方面的书,可以看美国人韦勒克的,他将来若讲文学概论,就要采用他的书作为教材。研究生考试成绩公布后,学校随成绩通知单寄来一份定向合同书,要求先行找好定向单位签订合同,否则不予录取。我一下子乱了心神。因为早在正式通知之前已经请人打听到,我的考试成绩相当优异,只不过所报考的导师牟世金教授已病危,大概要转给别人带。我拿着山东大学的通知书找张老师,张老师认为一定是因为牟先生不能带了,我才任人摆弄。张老师十分生气,安慰我说先去山东大学看看,不行就去国家教委状告山东大学。我垂头丧气地来到山东,在没有得到任何合理解释的情况下,乖乖地和烟台师院签订了定向合同书,只想顺利入学再说。大学毕业后,我和张老师联系很少,只听说他后来也去攻读博士学位了;接着就读到他刊发在《思想文综》第2辑上的论文《传统的断裂与现实的困惑——从古文论一视角看20世纪中国文学理论》,作者简介是暨南大学中文系博士生。我一下子高兴起来,觉得以后有问题可以向张老师请教了。

1999年盛夏,我回郑州大学参加中文系85级同学毕业10周年联欢,心想这次一定能见到张老师。谁曾想报到时,每一个同学都首先领到一份报纸,上面印着大幅照片:张老师身着博士学位服,手持一束亮丽的鲜花,面带温和的微笑,看着他的每一个到会的学生。照片下面是文章《瑞德老师,我们不哭》。方知张老师不久前因病去世,在郑州的同学已经举行过纪念活动,不哭的文章就是我班的同学写的。

说实在话,我不太怕死。我亲眼看见过久病之人咽气前的痛苦挣扎,他企图用一团麻绳勒死自己,挣扎耗尽了生命的最后一点力气。那是我的一位至亲,他死于我12岁那年的年头。我一直关注中国古代哲学史的研究,所以既知道冯友兰先生晚年的关门弟子张跃博士因病死于33岁,又知道另外一位北京大学哲学系的高才生周晋,病死时才28岁。周晋的导师陈来教授在为周晋的遗著《道学与佛教》所作的序言中指出:在这个时代,聪明好学之士并不少见,但论性情德行上的修养,就往往无从谈起了。并举例说在中国历史上,不幸短命的青年哲人并不罕见,如明代徐爱,悟性德性兼优,三十而卒。如此说来,"瑞德"之名,岂非谶乎!

我虽不善书法,但颇喜读帖,王羲之的《兰亭序》就有数种。每当随逸少漫步会稽山阴,在茂林修竹里聆听流觞曲水的如弦清韵时,每每又被刺痛:虽道是修短随化,终期於尽,但每个人的生命毕竟只有一次,死生亦大矣。固知一死生为虚诞,齐彭殇为妄作。我对于学术界孤陋寡闻,并不知道胡经之先生和暨南大学饶芃子先生联合培养博士生的事。读了王列生先生的《想念老师》才明白过来：张老师也是胡先生的学生。既然如此，胡先生关于流水人生的境界描绘，其底蕴或许就不应该轻易读过了。胡先生说自己游泳主要是一种精神漫游，有一天躺在水面上真的睡着了，安静地返回大自然，那也是一种幸福。不怕胡先生见怪，我真的坚持认为，这是一种无法比拟的人生幸福。至于我本人，不会水，水性不好，所以，此生求之不得。

  从事美学研究的人，日常生活中往往会陷入一个窘境：你们搞的学问是干什么的？有什么用处？胡先生的《文艺美学》从本体论的高度，将艺术视为人的生存方式和灵魂栖息方式，追问人的生命意义，所以，文艺美学也就是艺术生命之学。没有认真思考生死问题之前，这些论断或许显得笼统、空洞；而将人的有限生命置于生、死两个端点之间再来品味时，我感受到的是生命灵性的呼唤。我现在有些明白：走上求学之路，也就意味着踏上了无限的追问之途。孤独漫游时最需要的是心灵的感应和慰藉。诗云："伐木丁丁，鸟鸣嘤嘤。出自幽谷，迁于乔木。嘤其鸣矣，求其友声。"子曰："以文会友，以友辅仁。"精于诗学的孔子是否借鉴《诗经》之句而提出这一古训，这里无法确定；不过，我的求学经历使自己养成了原道、征圣、宗经的习惯：我将永远恪守先哲古训。

2002年2月于济南千佛山下

  程相占 时为山东大学副教授，2000年被聘为教育部人文社会科学重点研究基地山东大学文艺美学研究中心专职教授，主任助理。主要论著有：《中国古代叙事诗研究》（广西师范大学出版社，2001年）、《文心三角文艺美学》（山东大学出版社，2002年）。

附编 文友抒怀

超越和整合

李 健

在美学、文艺学界,一提起文艺美学,人们就会想起胡经之先生,把他和文艺美学这一学科联系在一起。这是因为,他最早提出了开拓和发展文艺美学的想法,①初步论述了学科构想,②并付诸实践,开展了文艺美学的研究。在北大,他在1980年就开设了"文艺美学"课程;接着,他又在北大研究生院招收了文艺美学方向的硕士研究生。文艺美学这一学科探索的意义在于,它打破了传统的文艺理论研究模式,促使我国的文艺理论研究从认识论的分析向艺术审美特性探讨的重大转化。今天,以美学的眼光研究文学艺术,探讨艺术的审美特性已成为学人们的自觉行为,但在改革开放之初,为此尽心费力的人还不多。后来,经过许多人的共同努力,文艺美学才逐渐发展成为文艺学的一个学科专业方向。我们回顾一下胡经之先生的文艺美学研究,有助于我们了解这一学科方向发展的历程。

一

胡先生关于文艺美学的想法产生很早,20世纪50年代中期,在跟随杨晦先生读研究生时,他就产生了一种朦胧的愿望,想从美学的角

---

① 1980年,在昆明召开中华全国美学学会成立大会上,胡先生提出开拓和发展文艺美学的想法,先后得到朱光潜、宗白华、王朝闻、伍蠡甫等美学家和高校教师的支持。
② 参阅胡经之:《"文艺美学"是什么》,《大学生丛刊》,1982年第1期;《文艺美学及其它》,《美学向导》,北京大学出版社,北京,1982年。另参阅杜书瀛主编:《文艺美学原理》第1版,社会科学文献出版社,北京,1992年。

度来研究文学艺术作品,追问艺术的生命意义。①然而,这并非胡先生的胡思乱想。他是从前人的美学研究中深受启发,从黑格尔到王国维、梁启超,乃至朱光潜、宗白华。终于,在改革开放之初,他提出将文艺美学作为文艺学的一个学科方向来发展。

文艺美学作为一个学科方向,它的构架应是怎样的?是不是美学原理和文学原理的简单相加?这是胡先生首先必须考虑的。从目前出版的文艺美学著作来看,各人有各人的想法,大家都在力图糅合文学原理和美学原理,应该说,探索都是有益的。胡先生也有自己的想法,他要寻求自己的逻辑起点和思想脉络,使文艺美学既不是文学原理,也不是美学,不是两者的简单相加,而是有自己的内容与个性的学科。

在《文艺美学》序中,胡先生这样写道:

> 在我的思考中,曾想以艺术形象作为我分析的出发点,由艺术形象的特性引出艺术的内容、形式、构成、形态等等,然后再转入创作活动和欣赏活动。这是从静态分析走向动态考察的行程,常见的教科书就是采用这种方法。但我经过几番思考,还是放弃了这条路程,而顺着另一脉络展开去。我想,与其面面俱到,四平八稳,还不如有感即发,无感不发,有话即长,无话即短。审美活动、艺术本体、审美体验等问题,别人说得不多,而我有话要说,为何不由此入手展开?而别人在过去已谈得不少的批评、鉴赏等问题,我又何必多说!于是,我先从分析审美活动着手,剖析艺术把握世界的方式,进而探究审美体验的特点,寻找艺术的奥秘,然后才转入艺术美、艺术意境等的论述。这是从动态分析走向静态考察的路程。也许,这不是最好的方法,但既然我已沿着这条脉络展开我的思路,那就让它去罢!

这里就把他的思想的脉络说得很清楚。这也是胡先生对文艺美

---

① 参阅胡经之:《文艺美学论·自序》,华中师范大学出版社,武汉,2000年;《为何古典作品至今还有艺术魅力》,北京大学学报(人文科学版),1961年第6期。

学学科的大致构架。这一构架从1981年开始,一直到1988年才完成,八年的时光!可见胡先生谨慎的程度。他是在用自己的美好年华编织文艺美学这张网。

这个框架有什么独特之处呢?

首先,它是一个逆向思维的产物。一如胡先生所言,常见的教科书采用的是从静态分析走向动态考察的方法,而他的《文艺美学》则反其道而行之,先从动态的分析着手,然后走向静态的考察。在这一行程中,胡先生有话则长,无话则短,说出自己内心的感受,这是极为可贵的。与时下无话硬说,包罗万象,企图构筑大厦而内容空洞的所谓学术著作相比,胡先生这个小小的框架是否别有一番滋味呢?

这种逆向思维就是一种创新。反其道而行之往往是不易的,它要求反其道者要有气魄。在长江三峡上,顺水行舟就很难,逆水行舟是否更难?是否更要求逆行者有坚强的意志和过人的胆识?道理不言自明。

在胡先生看来,审美活动、审美体验、审美超越、艺术掌握是动态的,艺术本体、艺术美、艺术形象、艺术形态是静态的,而艺术阐释接受、艺术审美教育是动态还是静态的呢?仍然是动态的。实际上,胡先生的文艺美学的构架是从动态—静态—动态。这就使得这一框架充满灵性,具有鲜活的生命,表现出一种可贵的创新精神。

其次,它对艺术意义和艺术存在本体非常重视。胡先生说:"以追问艺术意义和艺术存在本体为己任的文艺美学,力求将被遮蔽的艺术本体重新推出场,从而去肯定人的活生生的感性生命,去解答人自身灵肉的焦虑。因此,文艺美学将从本体论高度,将艺术看作人把握现实的方式、人的生存方式和灵魂栖息方式。"[1]一句话,文艺美学的研究以人为中心,追问人的生命意义。因为是人按照美的规律创造了艺术,对艺术之美的研究归根到底是对人的研究。

艺术的意义是什么?艺术存在的本体又是什么?这些问题恐怕用一两句话或几句简短的话不好回答。艺术的意义就是要能够体现艺

---

[1] 胡经之:《文艺美学》(修订版),北京大学出版社,北京,1999年,第1页。

术存在本体的价值，展现艺术存在本体的顽强生命力。文艺美学不仅注重艺术形象、艺术意境和艺术形态等的魅力，更要揭示这些魅力的产生之源，展现创造这些艺术魅力的主体存在的价值。这才是文艺美学的真正目的。在这种意义上，我们可以称文艺美学是艺术生命之学。尽管这种称呼使韵味顿失，但保留了文艺美学的本真。

再次，它将美学与诗学熔为一炉，天衣无缝，毫无痕迹。全书以审美活动作为逻辑起点，然后重点分析研究审美体验，再由审美体验而转向审美意象，从而经由符号而外化为文学艺术。这就将美学和诗学有机地统一在一起，使人们不易分清彼此你我。这就融化了诗学和美学，使之你中有我，我中有你，从而又重塑了一个新我，也重塑了一个新你。例如，在审美体验一章，胡先生考察了审美体验发生的层次、审美体验的特性、审美体验的层次性和拓展性系列等，这是对审美活动的考察，也是对艺术创作的考察。但是，两者融合得是那么巧妙，没有丝毫刀斧之痕。

这样看来，胡先生的文艺美学构架确实有他的长处。总体上富有逻辑性和层次性。应该说，这与胡先生长久思考文艺美学有关。在他的文艺美学构架中，也表现出他那中西贯通、融合古今的气派。这不是西方式的艺术哲学构架，而是一个具有中国特色的文艺美学构架。

二

对艺术生命意义的追问是贯穿胡先生文艺美学研究的一根耀眼的红线，他对文艺美学各问题的探讨都交织着这一主题。在对艺术生命意义的发掘中，胡先生表现得是那样热情奔放。他首先引用了海德格尔的一句名言表达他对艺术生命意义的感觉："一切思着的思都是诗的活动，而一切作诗则都是一种思。"无论是艺术创作还是艺术审美都是真正意义上的艺术创造。"艺术的根本目的是通过审美之途，通过赋诗运思，感悟人生生命意蕴所在，并在唤醒他人之时也唤醒自己,走向'诗意的人生'。"①

在讨论审美活动的过程中,胡先生着重把握的是审美主客体交流与契合的关系,强调人类的自由实践。他认为,只有当人的活动转化为自由的实践活动时,人的活动才能提升到审美水平。胡先生撇开对这一问题泛泛而谈的做法,对人的自由的实践活动进行了较为深入的分析。他认为,人的自由的实践是对必然的掌握和超越,只有在实践中掌握了必然,才能超越,达到真正的自由,才能确立真正的审美关系。这里实际上是对马克思主义的实践观从审美的角度做出的有深度的发挥,是对艺术生命意义的有意味的追问。在文艺创造活动中,主客体是怎样交流契合的呢?胡先生指出,文艺的交流有两个特殊的过程:一是通过艺术思维糅合艺术素材和主观创造,另一个是艺术素材的社会化。这种社会化的艺术素材不仅使自己获得了审美的定性,而且表现出艺术家的创造精神,再现了生命的意义,在交流的过程中实现了艺术和生命的统一。

审美体验论是胡先生论述得十分精彩的内容,在这里同样表现出他对艺术生命意义的关注。

首先,他给审美体验以定位。他说:"审美体验属于审美心理深层结构和动力过程的问题,也是当代美学关注的中心问题"②,"审美体验的心理过程就是大脑皮质从抑制到兴奋的过程,是相对稳定的审美经验的激发流动、重新组合的过程,是审美主体对审美对象进行聚精会神的体验时所感受到的无穷意味的心灵战栗"③。这就把审美体验与审美经验区分开来,强调审美体验的个性色彩。他运用了大量实例分析了审美体验的特殊性,认为无论是人生体验、道德体验还是日常生活体验等等都可转化为审美体验,但是,都必须有一个转化的条件。

其次,胡先生还对审美主体和审美客体的静态和动态两种状况进行了分析,以期揭示审美体验的真正奥秘。在静态的分析中,他认

---

① 胡经之:《文艺美学》(修订版),北京大学出版社,北京,1999年,第17页。
② 同上书,第55页。
③ 同上书,第76页。

为,审美主体必须具备发生审美体验的两个主观条件:一是审美能力,诸如审美感受力、审美想象力、审美理解力、审美情感等;另一是必须对审美对象特征具有相应的丰富经验(包括审美经验和非审美经验)。而对审美客体来说,其必须具有审美特征和审美信息刺激丛,富有美的魅力和美感的兴发力量。这样,才能引起审美主体的审美体验。在动态的分析中,胡先生采用了动感的、具有生命形式的结构方式加以探讨。他先是分析了审美经验的多种心理功能共同活动所产生的起兴、神思、兴会等几个不同的层面,阐释了审美体验的动态发展。再者是总结审美体验过程的相对独立的三个环节,即"虚静"表征出的一种极端凝神的心理状态、兴感勃发时超越时空的"神思"状态和最高的体验层次表征为灵感实现的"物化"境界。接着讨论了再度体验的审美特点。胡先生指出:"对作者审美体验的物化品——艺术作品的再度体验,构成了一个完整的艺术审美体验系统。这种再度体验是整个审美体验的不可缺少的部分,它是审美价值实现的唯一途径。"[1]再度体验首先是对艺术作品"符号"的破译,以便把读者的审美注意力凝聚在审美对象上;其次是以情节、意境、气韵等与主体心灵的交融,使读者理智地接受并达到情感的渗透;最后是让主体充分发挥自己的审美体验的能动性,达到"超以象外,得其环中"的境界,使灵魂受到震撼。

再次,胡先生还对艺术体验的特性、层次性和拓展性系列进行探讨,认为艺术体验具有模糊性和直觉超越性,具有激情性和随机性,具有流动深化性,具有双向建构性,具有二象性特征。同时,他还比较了中西文论中的著名范畴如兴和移情、神思和想象、兴会和灵感等。这些探讨均注重对艺术生命意义的发掘。

胡先生对艺术体验的分析具有动感,其对艺术生命意义的追问一层深似一层,具有极强的艺术理性精神。其他诸如对审美超越、艺术掌握、艺术本体、艺术接受、艺术审美教育等的分析,同样贯穿着对艺术生命意义的追问。

---

[1] 胡经之:《文艺美学》(修订版),北京大学出版社,北京,1999年,第73页。

就是对于"静态考察",他也始终联系着艺术生命意义来展开论证。

关于艺术形象,胡先生认为,它是艺术思维的产物;它涉及如美学、心理学、逻辑学以至语言学和各种工艺学上的许多问题,只从一个方面很难把它说清楚。紧接着,胡先生从中国古代的画论入手,分析了郑板桥的"眼中之竹"和"胸中之竹"。他认为,郑板桥的眼中之竹虽然美,但并不是艺术形象,只是园中之竹映入眼帘在脑海中产生视觉映象;而他的胸中之竹也并非就是艺术形象,由于经过思维的加工,这时,它已不是纯粹的感觉、知觉或表象,思想情感已参与其中了。胸中之竹已成为意象,具有审美特质之象了。这里实际讨论的是艺术生命意义问题。在对审美意象的特征、结构和符号化的分析中,完成了他对艺术形象生命意义的考察,具有很强的哲理性。

同样,胡先生对艺术意境的探讨也关注艺术生命意义。艺术意境是中国古代文艺学美学中非常重要的范畴,它的产生过程是非常复杂的。胡先生在分析这一问题时,并没有将其静态化,而是将其置于一个动态的背景中加以考察。他指出,我国古代的言志说、物感说、比兴说、言不尽意说都与意境的发生有千丝万缕的联系,不好简单给意境找一个生成之源。他说,审美意境的构成有三个层面,那就是境、境中之意、境外之意。这三个层面相互关联,是逐步深入的。境外之意是审美意境的极致,它秉承了宇宙之气的生命心灵,达到了"天人合一"的妙境,具体又表现为天、地、人三者之间的关系,这是一个由低到高、由物至心、由物质到精神的超越关系。胡先生的这一视角非常独特,尽管这个问题还有进一步深入探讨的必要,但是,胡先生这一独特的视角给我们以很大的启发,从中,我们能真切体味到他对艺术生命意义的关注。

三

胡先生的文艺美学研究,非常注重对美的规律的探讨。艺术之所以成为艺术,就是因为遵循了美的规律来创造。美的规律是马克思主义美学思想的一个重要的内容,很多学者在研究这一问题时,只喜欢对其做单面的理解,不愿意进行多面的分析。

然而,胡先生对此有比较独特的认识。他说:"人类不仅要按照美的规律来生产,生产出来的新客体,不仅要符合主体的实用需要,而且还要符合主体的审美需要。只是,在一般物质生产领域,虽然也要按照美的规律来生产,但创造审美价值不是其主要目的,创造实用价值才是首要目的,审美价值从属于实用价值。就是在精神生产领域的经济学、政治学、哲学等的创造,尽管也按照美的规律进行,但也不以创造审美价值为主要目的,审美价值从属于功利价值。"[1]也就是说,在按照美的规律的创造中,存在着艺术的审美创造和非艺术的审美创造两种情况,只有充分揭示现实世界中人的审美价值并且超越这种审美价值达到人的思想灵魂净化的审美创造才是真正的艺术审美创造。这样,胡先生就把"按照美的规律创造"的命题深化了。

首先,艺术审美离不开美的规律。艺术审美的目的是要发掘出审美对象中所蕴藏的精神内容。胡先生认为,这种精神内容是"按审美理想、审美观念、审美趣味所组织起来和系统概括化了的审美体验"[2],表现在文学艺术作品中就成为意蕴。这种意蕴不是普通的哲学观点、政治观点、道德观点、宗教观点等,而是这些观点被审美体验折射转化成为艺术的内容,具有特殊的审美价值。艺术审美就是要领悟艺术对象的审美价值。这种审美价值是人在艺术创作活动中,以作品"概括了主体对世界审美关系所形成的精神价值。另一方面,还包括人在通过艺术审美(欣赏)所获得的审美体验(二度体验)中,不断形成的新的审美趣味和审美心理结构,也就是对人的审美塑造——最高的审美价值"[3]。这样,艺术审美的本质就是审美超越,最终实现人的心灵的净化和精神的升华。胡先生对艺术审美的"美的规律"的分析,依然离不开对艺术生命意义的考察。

---

[1] 胡经之:《艺术:按美的规律创造》,《文艺研究》,1999年第4期。
[2] 胡经之:《文艺美学》(修订版),北京大学出版社,北京,1999年,第25页。
[3] 同上书,第130~131页。

其次,艺术创造离不开美的规律。胡先生指出:"艺术家为了要创作出美的物品,不能不按照'美的规律'去改造一些物质对象,用工具(器)去作用于物,把物和物结合起来,成为一个美的物品,就像能工巧匠制作漂亮的器皿用具、精巧的刺绣织品一样。不按照'美的规律'从物质上去掌握客体,艺术家就决不能创造出艺术品。"①艺术掌握是物质掌握和精神掌握的统一,它有自己的特殊规律。"艺术掌握也创造意象,但这意象并非未来实际存在的实用物品的意象,而是个想象中的审美意象"②。它要给人以美的享受,满足人们审美需要。同时,艺术掌握也要由艺术思维来实现,通过艺术思维创造艺术意象,并且主要运用意象思维来实现审美情感和审美认识的统一,因此,艺术掌握离不开美的规律。

再次,艺术形态离不开美的规律。胡先生说:"文学艺术的创造,既然要靠劳作,也就必然要有作法。在长期的艺术实践历史过程中,每种艺术类型都积累了一套艺术劳作的'手法'。要能创造出美的作品,当然必须按照美的规律,运用精湛的技艺,精心加以制作。"③每一种艺术形态都有自己的符号系统,它们正是依靠这些艺术的符号向人们传达审美的信息。然而,艺术符号毕竟是有限的,用有限的符号传达无限的信息,这便出现了一个艺术上的悖论。因此,刘勰概叹:"至于思表纤旨,文外曲致,言所不追,笔固知止。"④表达出现了困难,但是,困难并非不可克服。"这就不仅要通过意象经营,把生活中得来的人生感悟、体验组织起来(构成内形式),还要通过意匠经营把一定物质材料组织起来(构成外形式)。而且,更重要的是把这两者完美地结合起来,使形式美和内容美统一起来,构成有机整体:艺术美。"⑤通过对艺术符号的审美把握,进而把握文学艺术中的"活

---

① 胡经之:《文艺美学》(修订版),北京大学出版社,北京,1999年,第141页。
② 同上书,第150页。
③ 胡经之:《艺术:按美的规律创造》,《文艺研究》,1999年第4期。
④ 刘勰:《文心雕龙·神思》,据王利器校笺《文心雕龙校证》,上海古籍出版社,上海,1980年,第188页。
⑤ 胡经之:《艺术:按美的规律创造》,《文艺研究》,1999年第4期。

的形象",获得深刻审美感受。

由此观之,美的规律无处不在。尽管文学艺术中的整体状况非常复杂,尽管我们也不可能穷尽文学艺术中的所有规律,但是,美的规律是真正的艺术创造所必须遵循的。

四

胡先生的文艺美学研究较早地进入了比较文艺学的视野,并且能够娴熟地运用跨文化的比较探讨文艺美学中的相关问题。为了实现这一目标,早在20世纪80年代初期,他就发表了《比较文艺学漫说》,同时着力做了大量的准备工作,先后主编了《中国现代美学丛编》、《中国古典美学丛编》、《西方文艺理论名著教程》、《文艺学美学方法论》(与王岳川共同主编)、《西方二十世纪文论史》(与张首映合撰)等。这些工作,使得胡先生视野更加开阔。他中西并包,古今兼容,对问题分析既具有开放性,又具有很强的学理性。

例如,他对审美体验层次性和拓展性序列的论述,就讨论了中西方跨文化的三对范畴,即兴与移情、神思与想象、兴会与灵感。胡先生并没有机械地比较它们的异同,而是将它们置于跨文化的语境下,进行全方位的比较。在比较兴会与灵感时,胡先生发现,中国古代的兴会说注重和谐的物我交流和"虚静"状态;注重"物化";注重以情节理;注重人的内在修养。而西方的灵感说注重宗教、神学上的"迷狂";注重人的自我性;注重激情、狂热;强调最高的美是上帝。在比较兴与移情时,胡先生这样说:"中国美学的'兴'的感物起情,与移情说主体将生命灌注对象而情感化有某种相似之处;审美移情的主体生活在对象里,大有'隋往似赠,兴来如答'的味道。"[1]他认为,兴与移情"都是主客体相交,都是情感投射,都是表现为感情互置和兴奋"[2]。同样,在比较神思与想象时,他首先阐释两者在

---

[1] 胡经之:《文艺美学》(修订版),北京大学出版社,北京,1999年,第85页。
[2] 同上。

不同文化语境中的内涵,然后再加以比较。他认为,中西方都认识到神思或想象的发生离不开审美主体和审美客体这两个条件,都看到了神思、想象的超时空性和设身处地的体验特征,都看到了神思或想象既有情感的激发又有理性的制约,都认识到神思或想象是艺术创造的动力和成败关键,都认识到神思或想象是由感物到心物一体等,分析得鞭辟入里。这种比较方法的运用,深化了文艺美学和比较文艺学的研究。

胡先生的文艺美学研究还广泛借鉴了西方现代文艺学、美学的研究方法,如文艺心理学、新批评主义、结构主义文学批评、原型批评、符号学、阐释学、接受美学等,并且能认真地去粗取精,去伪存真,显示出一种兼容并蓄的风度。

在人类的审美创造活动中,涉及较多的,也是人们难以理解的现象是心理现象。在解决这一问题过程中,胡先生运用了文艺心理学的方法。

例如,在分析审美体验和审美经验的区别时,胡先生就着重从心理的角度来把握,认为审美体验是主动的,富有创造性、导向性的;它是主体审美的张力场,随着情感、想象、理解、灵感等多种心理因素的交融、重叠、震荡、回流而呈现出不同的形态。而审美经验有积淀性、被动性和接受性的特点,注重历史的沉淀,更多普遍认同,是相对静止的、一般的。然而,它们之间又有联系。审美体验是一种特殊的审美经验。这样的心理分析给人以清新之感,却无陈腐之气。

在对审美意象的分析中,胡先生引进了西方符号学批评的观念。他认为,审美意象要转化成为艺术形象,必须用一定的物质符号加工。艺术符号分为两大类型:一是语言符号,二是非语言的其他符号。如人体、色彩、光线等。不同的艺术符号具有不同的功能,但其使命,都是为了满足人们的审美需求。

在对艺术欣赏的分析中,胡先生运用了阐释学和接受美学的观点,探讨了其在艺术对话中的意义。他认为,艺术阐释学和接受美学对艺术欣赏中接受主体地位的重视、对读者中心的强调以及将作品意义看作是接受过程中生成的观点对我们的文艺美学研究有新的启示。我们的文艺美学研究要充分注意挖掘读者的接受潜力,使艺术审美欣赏是一种创造性的欣赏。由此,他着重分析了艺术欣赏(二度体验)的心理接受特点,饶有趣味。

胡先生的文艺美学研究还非常注重自身的感悟,这是对传统文艺批评的复归。采用现身说法,通过自己对自然、艺术的理解,分析一些深奥的理论问题,使人感到既亲切,又有韵味。

例如,在分析审美活动的主客体关系时,胡先生讲述了他乘船从长江三峡进入枝江湖面看到夕阳西下的感受。那种描绘非常感人。他把夕阳西下与人生的美好联系起来,是因为这种景致引发了他对儿时美好生活的追忆,引发了他对江南水乡美妙景致和自己成长过程的追忆,表达了先生乐观的生活态度。这种审美体验与过去的审美经验相碰撞,产生了无穷无尽的美的回味。

此外,胡先生还常常结合对古今中外文学艺术作品的分析来阐释文艺美学诸问题,这些阐释实际上也是他个人的审美感悟。

胡经之先生以自己的学术实绩向世人展现了他的文采风流。他对文艺美学的无尽的追问表现了一个严谨学者极强的使命感和责任心,因此,赢得学术界的赞誉。但是,胡先生并未因此满足,不时还在思考文艺美学问题。如今,刚编完了自选集《文艺美学论》一书的胡先生精神抖擞,在文艺美学的王国继续孜孜耕耘。

2000年5月1日于广州

李　健　时为北京师范大学中文系博士后,阜阳师范学院中文系教授,主要从事中国古典文艺美学研究。

美学与诗学的融合

晓 笛

1980年春,胡经之教授提出了一个他本人经过20多年思索的建议:高等学校的文学、艺术系科的美学教学,不能只停留在讲授哲学美学原理,而应该开拓和发展文艺美学。这一倡导,在文艺学和美学界引起了较大的反响。当年胡先生即在北大开设这一专题课程,后又在国内率先招收文艺美学硕士研究生。20世纪80年代,美学热浪一浪接一浪,各种美学流派和思潮在中国均表演了一番。美学热的兴起使各种美学图书也接踵而来。据出版界人士估计,中国大陆在80年代出版的美学方面的图书超过1000种! 在美学的热浪中,作为"文艺美学"学科的倡导人胡经之却"沉默"了。读者一直寻觅不到他从80年代初就开始写作而出版社早在1983年就预告"即将出版"的那本"文艺美学"。直到1989年,翘首以待的读者终于读到了胡经之的《文艺美学》。

读了作者的前言,方得知这书之所以迟迟未出版,原因不在出版社方面,而是作者自己对1981年、1982年完成的一、二稿很不满意,认为"全书的内在逻辑尚嫌不足,脉络尚需进一步理顺,一些关键问题还需要深一层展开讨论"。为了对学术、对读者负责,"宁可晚一些,但要好一些",因此从初稿到定稿花了8年时间才交付出版。这种嘉惠学术界、对著书精益求精的写作态度使这本晚出的《文艺美学》在林林总总的美学书海中独树一帜,真正成为"文艺美学"这门学科的奠基之作。

一、对"文艺美学"学科做了较为合适的界定

现代科学的发展,一方面使学科越分越细(如从哲学中分出美学,美学中又生出多种子学科);另一方面,各学科之间又互相渗透、交叉,开始新的整合(interdisciplinary)。问题是对这些新分离的学科如何界定。人们发现,一方面希望各学科做科学的定量定性的界说,而另一方面又只能含糊其辞。对文艺美学,胡经之下了一个比较明确的定义:"文艺美学必须以整个美学和诗学作为自己的基础与参照系","是将美学与诗学统一到人的诗思根基和人的感性审美生成上,透过艺术的创造、作品、阐释这一活动系统,去看人自身审美体验的深拓和心灵境界的超越"。这个界说把侧重于"基本原理、范畴探讨"的美学与着眼于"文艺一般规律和内部特性研究"的文艺学同"文艺美学"较好地区分开来。美与诗学的融合而不是相加是文艺美学的基本特征。胡先生力求避免"两张皮"的弊病,对这个新学科做了理论上的探索和阐释。

二、在体系的安排上有所创新

常见的文艺理论和近年出版的较为肤浅的文艺美学著作常常以艺术形象作为分析的出发点,即走从静态分析和考察的行程,以艺术形象作为分析的出发点,由艺术形象的特性引出艺术的内容、形式、构成、形态等等,然后再转入创作活动和欣赏活动。胡先生的思路是从动态分析转入静态考察。全书共十一章,从分析审美活动着手(第一章"审美活动"、第二章"审美体验"、第三章"审美超越"),剖析艺术掌握世界的方式(第四章"艺术掌握"、第五章"艺术本体之真"),来探究审美体验的特点,寻找艺术的奥秘;然后再转入艺术美、艺术意境论(第六章"艺术的审美构成"、第七章"艺术意境"),至此才完成了动态的分析,向静态考察过渡,艺术形态论即艺术的具体形式(第九章"艺术形态")、艺术阐释接受论即人对艺术的接受(第十章"审美价值的实现"),最后落实到审美教育论(第十一章"艺术审美教育")。全书脉络清晰,一气呵成,完成了

从哲学美学的高度对艺术的意义、艺术的审美本质和艺术本性与人的存在本体的关系考察，揭示出艺术审美必然以寻求艺术本真生命意义和人的感性审美生成的奥秘为根本旨归的真谛。

仅举以上两点，就足以证明胡先生的这本新作的学术价值。

（原载香港《大公报》，1991年6月20日）

晓　笛　香港《大公报》特约撰稿人。

人文精神是家园之魂

杨黎光

一直是在报刊上零星地读深圳大学文艺学博士生导师胡经之教授的文章。他的文章,每每把深奥、复杂的文艺学理论以平实、通俗的文字简洁地诠释出来,读来颇启智益思,发人深省。

这次奉读新出版的《胡经之文丛》,全面领略了胡教授融合古今美学修养的文化思想,可以说是一次深入的美学理论和文艺理论的进修,受益匪浅。而他反复呼吁提升人文精神的赤子之情,更让我感怀不已。

构建人文精神,已非新近两年的时髦,更非一朝一夕的功效。当年轰轰烈烈的有关讨论,现在可能已经被人们所淡忘,但胡教授依然孜孜于一个文化学者深广而执着的信念:

> 若问:推动科技进步、持续发展经济又是为了什么?经济发展如何以人为本,科技如何服务人民?这就必然要超越科学而走向人文。

这种执着的见地和信念,与胡教授一生探寻艺术创造的审美规律、研究人与现实的审美关系、关注人们当下的生存状况是密不可分的。

艺术生产是人按照美的规律改造主观世界从而去改造客观世界的活动,它不仅仅是精神创造,也是实践创造。作为我国当代文艺美学的主要倡导者之一,胡教授在打通中国古典美学文艺学与西方美学文艺学的壁垒之后,尤其敏锐地意识到艺术创造正面对着一个瞬息万变的市场化、信息化、全球化和工业化的社会现实,市场交换和信息交流不但将影响到艺术创造的形式,还将影响到审美的价值观念和艺术生产的主体。

"艺术对象创造出懂得艺术和能够欣赏美的大众",换一个角度看,文化生产不仅为主体生产出文化对象,也为文化对象生产着主体。作为市场化、工业化集中发展的结果,城市既是文化缔结的果实,也是文化诞生的土地。

一个现代城市的发展成熟,将最终体现于它的文化性格。"物质文明是一个城市的躯体,而精神文明则是一个城市的灵魂"。年尚弱冠的深圳,在经济发展、科技应用和城市建设等方面达到的速度,在全世界是罕见的;其构建改革开放与市场经济的观念文化,也领全国之先。20多年间现代高科技工业文明的不断熏陶和培育,逐渐形成深圳别具一格的开拓意识、时效意识和竞争意识,然而,与大江南北星罗棋布的历史文化古城相比,深圳的城市人文底蕴建设,依然任重道远。

在这个由四面八方的移民组成的城市里,夹杂着五颜六色的地域人文。各种地域人文的碰撞交流,终将需要一种新的精神来构筑和辨识大家自己的家园。"人文精神就是这个家园之'魂'。"对于一个飞奔向前的现代深圳来说,这种精神就是对深圳人本质的关爱、宽容与呵护。

海德格尔说:"但是,人类从何处获得我们关于居住和诗意本性的信息?人类从何处听到达到某物本性的呼吸?人类唯有在他接受之处才能听见这种呼唤。"我想,胡教授必定从他繁花生树的美学构架和日夕起居的城市里,听到了这种呼唤。

2001年秋于深圳

杨黎光 中国作家协会会员,中国报告文学学会会员,中国散文学会会员。时为深圳特区报业集团副总编辑、高级记者。第一、二届"鲁迅文学奖"获得者,首届"徐迟报告文学奖"获得者、首届"冰心散文奖"获得者、"中国报告文学首届'正泰杯'大奖"获得者、"深圳市优秀专家"称号获得者。

关注文化研究

杨宏海

最早见到胡经之老师,是在1986年。当时,刚刚诞生不久的深圳大学举办了一次"港澳台暨海外华文文学国际研讨会",我作为深圳报刊的特约记者应邀出席这个会议,并做采访。我先后采访了秦牧、陈若曦等几位来自海峡两岸的知名作家,本来也想采访这次会议的主办人胡老师,因见他会里会外都在忙,只得作罢。但胡老师朴素、平和、厚道的形象和他的一口江浙普通话,给我留下了非常深的印象。

20世纪80年代初期,深圳经济特区的文化建设刚刚起步。胡老师作为北京大学文艺美学的知名学者,在学术生命的黄金年代,毅然来到当时被称为"文化沙漠"的深圳办学,对他来讲这是人生的重大抉择。肩负着培植深圳学术文化、繁荣深圳"特区文化"的重任,南下的胡老师刚驻足这片神奇的土地,就表现出了超前的眼光和兼容并蓄、海纳百川的学术胸怀。为了让深圳文化更好地面向世界,并为年轻的经济特区培养人才,他在深圳大学参与了中文系的创办,不久他把中文系改建为国际文化系,并且创办起特区文化研究所和研究生班。我原在内地一所高校工作,1985年调到深圳市文化局后,开始从事文化调研。1988年我考取了深大国际文化系的特区文化研究生,导师就是胡经之老师,从此便跟胡老师结下师徒之缘。

在深大学习,是我人生的一个新的起点,也使我的学术生涯进入一个新的阶段。我有机会经常当面聆听老师的教诲,他的道德文章、学术理念给了我很大的影响,直到今天仍受益良多。胡老师认为,深圳是个年轻的移民城市,各地移民从四面八方带来了各自的文化特质,加上毗邻港澳,东西方文化都在这块热土上交汇、碰撞,产生了既不同于内地,又区别于港澳的文化形态。对此,胡老师很早就在思考,深圳的文化建构具有较大的可塑性,因此需要这座城市的决策者、管理层和市民都要有一种文化自觉,都要有一种战略的眼光,如何继承祖国优秀传统文化、吸收海外先进文化,同时又避免重复西方现代化进程中的弊端,通过文化创新建构一种新的文化格局。这些思考直到今天仍然发人深省。针对我的业务资源和理论兴趣,胡老师鼓励我利用在文化局从事文化工作之便,多下基层调查研究,关注当下的文化现象,多搞实证研究,为政府制定科学的文化规划提供咨询意见。在胡老师的指导下,我的《论深圳经济特区文化特质及发展趋向》一文很快发表,并在文化理论界引起了一定反响。

邓小平视察南方发表重要谈话后,新一轮思想解放运动在全国兴起,文化部建议由深圳牵头,组建一个专门性的"特区文化"研究机构。1993年,经市委研究同意,由文化部和市文化局共同创办了"深圳市特区文化研究中心",我被委派参与筹建并做这个研究机构的负责人。胡老师对此非常赞同,认为这是市委市政府具有战略眼光的举措,鼓励我高起点严要求将这项工作扎实地做起来。有胡老师作为我的高参和后盾,在上级部门的关怀支持下,我以饱满的热情参与到新的工作中去,到北京、上海、广州等高校招聘了一批博士、硕士,很快组成一支年轻的文化理论队伍,开展一系列文化调研活动。胡老师作为"研究中心"的顾问,自然成为"研究中心"同仁共同的老师,他积极参与我们的文化研究,并提出诸多指导意见,对我们的工作起着积极推动作用。我们的研究成果,不少被吸纳进市委、市政府的文化决策之中。

胡老师经常强调,制定城市文化发展规划,不仅要有硬件建设,还要关注学术文化,提升人文精神,同时还要加强对内对外的文化交流。在胡老师指导下,我们加强了与北京、上海、广州、香港文艺界的交流,不定期地举办各类文化交流活动,逐步建立起深圳与海内外的文化交流网络。1997年,我出版了专著《文化深圳》,广东省文艺批评家协会等单位在广州为拙著举办专题研讨会。胡老师和黄树森、饶芃子、黄伟宗等老师一道,专门为我这位后学操办这次活动。其中胡老师既为本书作序,又在会上给予我热情鼓励,同时又中肯地指出我理论概括高度不足的局限,恳切地希望我拓展研究视野、提升学理水平,使来自深圳的文化理论成果能在全国逐步形成一定影响。

如果说,当年在北京大学从事并倡导文艺美学研究,以及受国家教委委托编著"西方文艺理论名著"系列高校教材,奠定了胡老师在国内学界地位的话,那么南下深圳参与特区文化建设,则标志着胡老师走出学院派的"象牙之塔",在新的学术领域里辛勤耕耘。深圳火热的生活,使他更加注重理论联系实际,撰写了不少文艺评论和文化研究的文章,对深圳文艺事业起到重要指导作用。自1988年以来,文艺界一直公推他为深圳市作家协会主席、文联副主席,文艺评论家协会成立,他又被推为主席。深圳市委宣传部特聘他为深圳市文化艺术评审委员会主任。为总结特区文艺的发展道路,他主编了《深圳文艺20年》一书,并撰写序言。一篇洋洋万言的《深圳艺术之路》在《文艺报》头版发表,引起文化艺术界的广泛关注。

学以致用的学术理念、关注当下的人文情怀,以及对深圳本土文化的实践考察,使胡老师在学术建设上不故步自封,而能与时俱进。进入新世纪,胡老师以世界先进城市为参考系数,思考人文环境与生态环境如何和谐发展的问题,提出美学研究与文化研究相结合,从而走向"文化美学"的理论构想。他认为在文化现代化的进程中,既需要面向世界、博采众长,又需要对文化生产做价值评估,引导文化生产"按美的规律"来创造。文化美学可以通过对高雅文化与通俗文化的研究,探索出一条当代文化雅俗共赏的新路。这个理论命题颇具创新性,其学科建设的学理性和文化实践的可操作性都是非常值得研究和深入挖掘的,相信其对于深圳学术发展的意义也将会慢慢得以体现。

熟悉胡老师的人都知道,栽培后学、扶掖新人是胡老师的一大美德。目前活跃于深圳高教、科研和宣传文化领域的骨干,不少都受过老师热情的指导和提携。胡老师谦逊和蔼,不慕名利,他是深圳市专家联谊会的创会副会长,团结和吸纳了一大批人文社科方面的专家。前几年,他就极力推荐由更年轻的同志来担纲接班。在他的极力引荐下,经民主推选,又让我承担了这一社会工作。

胡老师任劳任怨,勤勤恳恳,南下深圳伊始便为了深圳文艺理论的建设奔走呼号,苦心经营。他是深圳市文艺评论家协会的创始人、老会长,针对深圳文艺理论与批评薄弱的问题,他一再强调加强"三个建设":首先是加强中青年文艺理论人才的建设;其次是加强"深圳文艺"的学科建设;第三是加强理论创新的业务建设,努力形成文艺评论与文化理论研究的深圳学派。我调任深圳市文联担任专职副主席后,胡老师便多次指出,要将繁荣和发展深圳文艺理论与批评作为一项重要工作来抓。他还叮嘱我广泛团结文艺界人士,形成合力发展深圳文化,殷切之情溢于言表。

转眼之间,胡老师的教学生涯已经走过了50年的历程,而他参与深圳的文化创业也将近20年。对这座新兴城市的人文学术事业而言,胡老师堪称是文化拓荒第一人。深圳吸引了胡老师,而胡老师也以满腔的热情回报了深圳。今天看来,胡老师南来的意义远远超过了他的丰硕的学术贡献,成了一个学人世俗关怀与文化关怀并重的象征。时至今日,老师虽然年近古稀,但他仍然精神抖擞,壮心不已。我衷心祝愿老师健康长寿,带领我们在"文化深圳"的征途上不断攀登新的高峰。

2002年冬于深圳

杨宏海 时为深圳市文学艺术界联合会专职副主席,研究员,深圳大学客座教授。广东省文艺评论家协会理事、深圳市文艺评论家协会常务副主席、深圳市专家联谊会副会长兼秘书长、第五次全国"文代会"代表。出版著作有《文化深圳》《中国经济特区文化研究》等多部,参与创作的大型歌舞剧《祖国,深圳对你说》等作品先后获"中宣部五个一工程奖"、"中国文联民间文艺山花奖·优秀成果奖"、"广东省鲁迅文艺奖"、"广东省优秀社会科学成果奖"等。1996年被深圳市委、市政府评为"深圳市杰出专家",被广东省委、省政府评为"广东省优秀中青年专家"。

从文艺美学到文化美学

陈吉庆

一、前言:"余幼好此奇服兮,年既老而不衰"

胡经之教授的美学追求始于少年时代故乡的自然山水对他的熏陶和滋润,在《文艺美学论》的自序中,胡先生开宗明义地告诉我们:"我对文艺美学的爱好,初始是由对自然山水的陶醉而引发,既而爱好文学艺术,然后才由此而对美学思考感兴趣。"

"上有天堂,下有苏杭"。胡经之先生于1933年出生在江南第一古镇——无锡和苏州之间的梅村。江南的秀山丽水,千百年来令无数文人骚客倾倒,唐朝大诗人白居易、宋代大词人苏轼都做过苏杭的地方官,白居易《忆江南》三首之一诗曰:"江南好,风景旧曾谙;日出江花红胜火,春来江水绿如蓝,能不忆江南?"江南的山水哺育了这位智者,开启了胡经之先生少年时代的美的心灵。"太湖,石湖,阳澄湖,那水;惠山,虎丘,灵岩,那山,多迷人!我为之深深陶醉。"[1]

江南的自然山水给了胡先生美的心灵,而朱光潜先生的《谈美》小册子则引发了胡先生对美学理论的兴趣。胡先生说:"引发我对理论感兴趣的,还是朱光潜的那本小书《谈美》。这本书不是故作深奥,使人望而生畏,而是紧密结合生活和艺术的实际现象,从中引出道理,娓娓道来,平易近人,通俗易懂,感到亲切。特别是对艺术美的分析,使人茅塞顿开,豁然开朗。但也引起我的困惑,那就是说:自然中没有美,自然本身无所谓美。这,对于我这个中学生来说,无法理解。然而,也正是这种困惑,在我心中萌发了做美学思考的兴趣。"[2]自然

---

[1] 胡经之:《文艺美学论》,华中师范大学出版社,武汉,2000年,第2页。
[2] 同上书,第3页。

美的问题一直在他心中盘旋。对于20世纪50年代的那场美学讨论，他觉得蔡仪的典型说固然解释不了自然美，但朱光潜的移情说也解释不了自然美，就是李泽厚的自然人化说也难以自圆其说。在胡先生看来，美、丑、悲、喜等只存在于人和世界的关系中，是关系质。自然美乃是自然物对人类自由本质的一种肯定价值，是客观存在，不是审美主体的主观感受，但也不是自然物的天然本性。

1952年，全国高等院系大调整，时年19岁的胡经之先生考入北京大学中文系，受到当时北京大学中文系著名教授杨晦先生的青睐，因而大学毕业后继续攻读杨先生指导的文艺学副博士学位，成为杨先生的得意门生。在杨先生的点拨下，胡经之先生夯实了中国古典文艺理论的坚实功底。由于北大名师云集，胡先生有幸能向美学大师朱光潜、宗白华等名宿请教美学。由此，他对文艺学和美学的关系产生了极大的兴趣，于1961年发表在北大学报上的洋洋数万字的研究生毕业论文，题为《为何古典作品至今还有艺术魅力》，开始了从美学上研究文学的初步尝试。

二、"衣带渐宽终不悔，为伊消得人憔悴"：文艺美学的孕育

1958年，当时的中宣部部长周扬率何其芳、邵荃麟、林默涵、张光年等在北大开设"马克思主义文艺理论讲座"，倡导建立和发展马克思主义文艺学和美学。胡经之先生作为这个讲座的助教，不能不受其熏陶。马克思主义文艺学和美学对胡先生的文艺美学研究产生了重大影响，这在胡先生后来的文艺美学研究中是显而易见的。

1961年至1963年，胡先生在参加蔡仪主编的《文学概论》的过程中，和著名美学家王朝闻交往密切（都在中央高级党校编书），受启发甚多，逐渐萌发了一种意向：想熔文艺学和美学为一炉。胡先生说："我在'文化大革命'前，就曾有过想把美学、文艺学融会贯穿起来的心思。"（《胡经之文丛》后记）但是，在那个政治运动连绵不断、高潮迭起的年代，胡先生文艺美学的意向难以得到实现。

直至20世纪70年代末，改革开放的实行，带来了科学的春天，胡先生才得以实现他融文艺学和美学为文艺美学的梦想。这时，胡先生

想开拓文艺美学的意向经过长时期的深思熟虑,已经呼之欲出了。

美学论坛上曾呈现出百花齐放百家争鸣的局面,热闹非凡。朱光潜、蔡仪、李泽厚,诸派各持一说,公说公有理,婆说婆有理。胡先生冷静地关注着这场美学大辩论,但他没有介入,而是在思考着他多年来一直在思考着的问题:如何用美学来解决文学艺术的复杂问题?胡先生认为:如果美学只停留在争论美是客观的还是主观的这样抽象的水平上,并不能解决艺术实践中的复杂问题。在胡先生看来,审美现象是一种特殊的社会现象。美学要研究审美现象,必须揭示审美活动的奥秘。人类的审美活动产生于实践活动,这审美活动又生发出艺术活动,因此,艺术活动离不开审美活动。但艺术活动又自成体系,从文学艺术家体验生活,到艺术创造,再到艺术接受,均需要按照美的规律进行。艺术活动和审美活动不一样,它不仅需要对审美活动中产生的审美经验作提炼,组织为意象、意境,而且还需要予以符号化,把意象、意境等转化为艺术符号。因此,艺术创造不仅是一种审美活动,而且还是一种创美活动。这种创美活动,正需要文艺美学来研究。胡先生说:"为了和其他美学相区别,我把它称之为文艺美学。"①

经过多年的思考和探索之后,胡先生的文艺美学思想已成雏形。1980年,胡先生陪著名美学大师朱光潜在昆明参加中华全国美学学会的成立大会,在会上,胡先生第一次正式地提出了自己的文艺美学想法,要把文艺美学作为一个学科来发展:"艺术院校和文学系科,应该开设文艺美学课程,发展文艺美学这一学科,使美学和文艺学结合起来。"②此举引起了艺术院系的强烈共鸣,也得到了美学前辈朱光潜、王朝闻、伍蠡甫等人的支持。胡先生受到鼓舞,回北大后,立即着手进行文艺美学的学科建设工作。

---

① 胡经之:《文艺美学论》,华中师范大学出版社,武汉,2000年,第5页。
② 同上书,第5页。

三、"满园春色关不住,一枝红杏出墙来":文艺美学的理论建构

1980年,胡先生的美学研究已渐入佳境,文艺美学的思考也瓜熟蒂落。围绕文艺美学的课题,胡先生先写了《论艺术形象》长文,同时,又写了论证"文艺美学"这一学科的好几篇论文。

在胡先生看来,文艺美学绝非文艺学与美学的简单相加,而是二者的有机融合,即从美学上来审视文学艺术。胡先生说:"文艺美学研究文学艺术的美学问题,对文学艺术从美学上进行探索。"①胡先生强调说:"文艺美学,既属于整个美学,是美学的一个部门;又有自身的相对独立性,区别于其他美学","文艺美学……是从美学上来研究文学艺术"②。

过去有一种错觉,以为马克思主义只从社会、政治角度看文艺,其实,马克思主义创始人是极为重视从美学上来评价作品的。1847年,恩格斯在评论歌德的诗歌时指出:"我们绝不是从道德的、党派的观点来责备歌德,而只是从美学和历史的观点来责备他。"(《马克思恩格斯全集》第四卷)1859年5月8日,恩格斯在《致斐迪南·拉萨尔》的信中,再一次提出了美学观点,他说:"我是从美学观点和历史观点,以非常高的,即最高的标准来衡量你的作品的。"(《马克思恩格斯全集》第29卷)不过,恩格斯的这一主张在相当长的时期内没有引起文论家们的充分注意,多数文论家只是强调他的历史观点而忽略了他的美学观点。胡先生的文艺美学明确要求从美学上来审视文艺作品,可以说是对恩格斯文艺学美学观的继承和发展。

在相当长的历史时期内,由于过分强调文艺的政治功用,因此文艺成了政治的附庸和"时代精神单纯的传声筒"(马克思语)。西方从古希腊柏拉图的《理想国》,直至近代列宁对高尔基《母亲》的评价,都强调文艺的政治思想功能。中国也是一样,从2500年前孔子的"诗无邪",中经唐宋道学和明代理学鼓吹的"文以载道""文以明道""文以贯道",一直到"文艺为政治服务",都忽视文艺的美学功能。

---
①胡经之:《文艺美学论》,华中师范大学出版社,武汉,2000年,第1页。
②同上书,第9页。

胡先生倡导从美学来研究文学艺术，其实是重返马克思主义，可谓功德无量，善莫大焉。

在《文艺美学是什么》《文艺美学及其他》和《文艺美学——文学艺术的系统研究》等论文中，胡先生构想了文艺美学的理论体系。这个理论体系包含着三个相互联系而又区别的环节，即：文艺创作（创造）的美学、文艺作品（本体）的美学和文艺接受（阐释）的美学。传统的文艺学美学只注重作者和作品的研究，而轻视对接受者的研究，胡先生的文艺美学在传统文艺学美学的基础上吸收了近代西方某些文艺学美学理论对接受的重视的合理因素。胡先生说，"虽然是从美学上来研究文学艺术，但也把这种复杂现象作为一个完整的对象，加以系统的研究。文学艺术，作为一种审美活动和审美现象，本身就是一个独特的'系统'的存在。这个'系统'是由三个方面构成的：文学作品的创造，是由艺术家、作家来完成的；创造出来的产品，是个'独特'的存在；作品之所以被创造出来，又是为了满足人类的一种特殊的社会需要，它必然要由读者、听众、观众所观赏，才能完成这个特殊审美活动的整个过程。艺术创造—艺术作品—艺术接受，就是文学艺术活动过程的三个必要环节，而作品，则是联系前后两个环节的中心环节。文艺美学要对这个完整过程做系统的研究，弄清文学艺术这个独特'系统'的三个方面。因此，它包括了三个方面的美学"[1]，"探讨文学艺术的创造、作品和接受这三个方面的审美规律，这就是文艺美学的对象和内容"[2]。

胡先生对文艺美学三个环节的具体操作做了内涵的规定：

"文艺创造的美学，要弄清楚这种特殊审美活动的过程，研究这个过程的一些主要环节；作家、艺术家在创作过程中所使用的方法，探索在这个过程中是怎样按照'美的规律'创造的。"[3]为了从理论上论述文艺创造的美学，胡先生撰写了《论艺术创造》《艺术掌握世界的方式》和《艺术：按美的规律创造》等论文。

---

[1] 胡经之：《文艺美学论》，华中师范大学出版社，武汉，2000年，第9页。
[2] 同上书，第11页。
[3] 同上书，第10页。

"文学作品的美学,必须揭示这种特殊产品的特殊价值、特殊功能和特殊结构,从而弄清文学艺术的独特本质。它还要研究文学艺术的不同审美特性,美与丑、悲与喜、崇高与滑稽在艺术中是如何表现的,它们同生活中的美丑、悲喜等的联系和区别何在。艺术美和生活美的关系,就是必要课题之一。艺术美中形式美和内容美的联系和区别,二者如何结合而为艺术美,等等,都是必须探讨的问题。"①为了从理论上论述文艺作品的美学问题,胡先生撰写了《艺术的审美价值》《艺术美略论》和《论艺术形象》等论文。

"文学接受的美学问题,研究文学艺术如何被读者、听众、观众所接受,即所谓在当今许多国家所重视的'接受美学'。我们要弄清'艺术魅力'究竟是怎么回事,读者、听众、观众在面对文学艺术这个特殊的审美对象时,怎样引起审美体验,找出艺术享受中的审美规律。"②为了从理论上论述文艺接受的美学问题,胡先生结合自身的审美实践,撰写了《论审美活动》、《论接受美学》(与张首映合著)等论文。

为了理论联系实际,胡先生现身说法,又写了《美学亦应解"红学"》《情真意美倍感亲》和《动静交错意趣生》等论文。

自始至终贯穿在文艺美学三个环节中的主线是"美的规律"。胡先生说,"人是按照'美的规律'来创造的","所以文学艺术也离不开整个审美活动的普遍规律"③。而"美的规律"又分为普遍的、特殊的和个别的三个不同的层次,即:(1)文学艺术同一切审美活动共有的普遍审美规律;(2)文学艺术区别于其他审美活动而独具的审美规律;(3)文学艺术的不同样式,各类体裁之间相互区别的更为特殊的个别规律。胡先生强调:"文艺美学也在文学艺术的这三个层次的审美规律的联结中研究自己的对象。"④

于是,严谨有序而又独辟蹊径的文艺美学理论体系应运而生了。

---

① 胡经之:《文艺美学论》,华中师范大学出版社,武汉,2000年,第10页。
② 同上。
③ 同上书,第7页。
④ 同上书,第9页。

1989年，胡先生将他的讲稿正式出版，借台湾学者王梦鸥的一本评论小书之名，正式名为《文艺美学》。

与上述论文相表里，围绕文艺美学的学科建设，胡先生又主编、出版了几种理论资料，如《中国古典美学丛编》（共三册，与王一川、陈伟、丁涛编）、《中国现代美学丛编》（与陈伟、王一川编）、《西方文艺理论教程》（与李衍柱等编）、《西方二十世纪文论史》（与张首映合著）、《文艺学美学方法论》（与王岳川主编）。

从昆明回来不久，胡先生在北京大学中文系首次开设文艺美学课程，随后，又在北大率先设立"文艺美学"这一专业方向，开始招收文艺美学硕士研究生，为文艺美学的教学忙得不亦乐乎。后来胡先生在《胡经之文丛》的后记中回忆道："80年代初，我的心思都扑在'文艺美学'这门课程上了。"他与盛天启等发起成立北大文艺美学研究会并被推为会长，组织北大的青年学者，翻译了不少西方的文艺美学资料，出版了"文艺美学论丛"数辑。

2001年，教育部直接指导的文艺美学研究中心在山东大学成立，年近古稀的胡先生撰写了《发展文艺美学》一文，赴会宣读，以示祝贺。

"十年磨一剑"，从20世纪80年代初开始，经过20余年的不舍追求和惨淡经营，到21世纪初的今天，文艺美学已星火燎原，蔚为大观了。

四、"欲穷千里目，更上一层楼"：走向文化美学

在研究文艺美学的同时，胡先生还在思考着另一问题：文艺美学应该走向文化美学。因为，"文学艺术，作为文化的一种重要现象，离不开整个社会的文化发展"[1]，"当代文艺学扩展文化视野，更要关注对复杂的文化现象做价值分析，辨别真、善、美和假、丑、恶。因此，我们不仅需要发展文艺美学，也需要发展文化美学"[2]。

真正引发胡先生对文化美学深入思考的，是深圳特区文化实践

---

[1] 胡经之：《文艺美学论》，华中师范大学出版社，武汉，2000年，第8页。
[2] 胡经之：《文艺美学论·自序》，华中师范大学出版社，武汉，2000年，第9页。

活动的现实呼唤。1984年,胡先生辞别生活了30余年的北京大学,孔雀东南飞,南下深圳参与创办深圳大学中文系,和乐黛云教授轮流当深圳大学中文系主任。这是胡先生人生中的一次大转折,"从此,我和特区的文化艺术结下了不解之缘。开始,我致力于文化艺术的国际交流"(《重在参与求创新》)。这时,胡先生深深感到了自己文化观念的转变,他说:"我发现自己的文化观念有一个大的变化,那就是:人们如何看待自然,对自然采取什么态度,这也是文化观念的表现。"(《胡经之文丛》后记)1985年,胡先生在深圳大学参与举办了中国比较文学学会成立大会,同时举办了比较文学国际研讨会。1986年,胡先生又在深圳大学参与举办了港澳台暨海外华文文学国际研讨会。到深圳以后的头几年,胡先生开始思考深圳大学的教育如何面向深圳现实发展,怎样培养适应深圳需要的现代化文化型人才,他把深圳大学中文系改建成了国际文化系,以适应建设国际性城市的需要,为深圳培养国际文化交流人才。(这在当时是国内创举,《光明日报》曾做过报道)20世纪80年代后期,胡先生办起了特区文化研究生班,又先后邀请了王朝闻、王瑶、王力、布洛克等国内外著名文化学者、专家来深圳做学术交流。除担纲深圳大学国际文化系主任之外,胡先生还兼任了深圳市作家协会主席和深圳市文联副主席等职务。"文化局邀请我参与特区文化发展战略的研讨,引发了我对特区文化的思考。"(《重在参与求创新》)"深圳的文化系统就开始邀请我参加一些研讨会,商量深圳的文化发展战略。于是,我也就开始撰写短文,发表一些看法。"胡先生写了一系列文章,如《深圳艺术之路》《重在参与求发展》《珍重大自然》《提升人文精神》《重视人文教育》《走向文化美学》等。

"到了90年代……我更多关注起文化研究来。"(《胡经之文丛》)特别是邓小平视察南方以后,胡先生有机会走出国门,经由香港,去了东南亚数国,考察了新加坡、马来西亚、泰国,后来去了美国,陆续又访问了德国、法国、比利时、荷兰等国,走了20多个城市。胡先生高兴地说:"一下子扩展了我的视野,真切体验了一下欧美的文化,从而引发了我对文化的进一步思考。"(《胡经之文丛》后记)

一般的文化研究大都是从政治学、经济学、社会学或人类学的角度出发,而胡先生对文化的思考别具一格,他是从美学的视角来审视文化现象的。在《走向文化美学》一文中,胡先生第一次提出了文化美学的思想:"我们可以把文化区分为物质文化和精神文化,但任何文化都是处于一定人文关系中的人的活动的结果,人化的产物。对于我们生活于其中的文化的世界,我们可以从不同的角度去对待,但我最感兴趣的还是从美学的角度来审视。我们需要各种各样的文化研究,我更希望走向文化美学。"在《胡经之文丛》的后记中,胡先生又一次强调了文化美学的思想,他说:"有真文化,也有伪文化,有正文化,也有负文化,并非都是对人的完善具有肯定价值。在片面追求利润的刺激下,文化垃圾也正在迅速增长。因此需要对文化生产作价值评估……引导文化生产'按美的规律'来创造,走向文化美学。"

文化之美是人所创造的美,不同于天然之美。在胡先生看来,如果人能按照美的规律来创造,人类就能创造出美。但是,如果人类劳动违反了美的规律,创造出来的就不一定美。胡先生说:"那么,人间的创造,怎样才能符合美的规律,这是文化美学必须回答的问题。人间的文化创造,并不只是仅为满足审美需要而展开的,很可能首先是为满足实用需要,甚至可能把交换价值放在首位。这样,文化产品的使用价值、交换价值、审美价值应是什么结构关系,这也是文化美学必须回答的问题。对文化的审美,和自然审美、艺术审美是怎样的关系,它们之间的联系和区别,这涉及更为复杂的审美标准、审美理想等,亦是文化美学不能回避的问题。"(《走向文化美学》)

胡先生文化美学的视点主要放在深圳的特区文化。胡先生认为,深圳文化属于岭南文化的范围,而岭南文化源远流长,自成体系,深圳文化当然离不开岭南文化的传统,有自己的文化历史。但是,胡先生说:"深圳这二十年的文化艺术,发生了崭新的变化,恐难笼统以岭南文化名之","但我向来认为,特区的文化艺术,尚在形成之中,还未定型。从20年已经呈现的现象看,深圳的文化艺术,自成特色,一是面向当下现实,二是关注人的命运,三是趋向雅俗共赏"(《重在参与求创新》)。

胡先生的文化美学关注深圳的生态环境和人文环境。他说:"我喜欢深圳这地方的生态环境……如何建设精神家园……这需要触及文化的整体建设。"(《胡经之文丛》后记)在胡先生看来,深圳在20世纪80年代主要学香港,台湾的风尚也通过香港在影响深圳。港台文学、流行音乐、港台明星都曾在这里掀起过热潮,然后经这里中转,又辐射到内地。胡先生认为,深圳的建筑业也是模仿香港,一有点钱,就争着盖高楼,像水泥森林矗立道旁。因此,胡先生说:"我觉得,我们的眼光不能只盯住香港,而要拓展视野,多方位审视世界,吸收多种优秀文化,欧美诸国、俄罗斯、澳、新等,都应作为我们的参照系数。我发现,在我走过的20多个城市中,凡是给我留下美好印象的,不仅注意营造人文环境,而且特别珍视生态环境。"(《胡经之文丛》后记)

对于深圳的文化建设,胡先生发表了一系列中肯的意见。他说:"在现代化过程中,能否保持生态平衡,是否能优化生态环境,这不仅需要有高度的科学水平,而且也需要有高度的人文精神。社会主义现代化,更不能只求经济发展,而要实现社会的全面发展。所以,当深圳决策层提出:一个城市,物质文明是形,精神文明是神,身体和灵魂都要发展,才是全面发展的人,我由衷感到高兴"(《胡经之文丛》后记),"物质文明是一个城市的躯体,而精神文明则是一个城市的灵魂","高扬人文精神,营造精神家园"(《提升人文精神》),"科技和文化必须双翼齐飞"(《重在参与求创新》)。

值得一提的是,胡先生的文化美学理论与"三个代表"(代表先进生产力的发展要求,代表先进文化的前进方向,代表最广大人民群众的根本利益)的精神不谋而合。在《提升人文精神》一文中,胡先生说:"江泽民的'三个代表',就体现了科学精神和人文精神的统一。江泽民最近又提出,既要依法治国,又要以德治国,更突出了人文精神。"

胡先生为文化美学而疾呼呐喊,2000年,海天出版社邀请他一起主编《人与自然丛书》;2001年,胡先生又与郁龙余主编了《文化美学丛书》，并亲自为该书撰写了总序《走向文化美学》一文。

胡先生的文化美学是对其文艺美学的超越。

五、结束语："路漫漫其修远兮，吾将上下而求索"

文艺美学、文化美学，成了胡经之先生的生命追求。"余幼好此奇服兮，年既老而不衰。"如今，胡先生虽已年近古稀，但他依然宝刀未老，还在著书、撰文，不时还上山、下海，真可云：雄视文坛，笑傲江湖。曹孟德《龟虽寿》诗曰："老骥伏枥，志在千里。烈士暮年，壮心不已。"诚胡先生晚年之写照。

2002年秋于深圳

陈吉庆 时为深圳市宝安专科学校高级讲师。加入深圳市文艺评论家协会，在省、市级刊物发表论文、杂文多篇，主编文集3部。从事文艺和美学研究。

第二辑

寻求审美人生

共同的希望

姜 忠

人生常常有很多的机缘,或者影响、改变人生的道路,或者转化成激励、促进人生发展的动力。我和胡经之老师从相识、师从再到共事,就是一份难得的机缘。

我和胡经之老师都是在经济特区创业的初期来到深圳的,我可能比他早来一年多。所不同的是,那时他已经是一位享誉全国的著名学者,而我还是一个初闯深圳的热血青年。胡经之老师是一个江南人,离开北京,来到广东,不必再忍受北方凛冽的寒风,可以说是如鱼得水。而我来自黑龙江畔,告别了生我养我的黑土地,只身南下,迎接酷热骄阳。我先是在中共罗湖区委宣传部工作,后来调到市委宣传部。那时,我们常请胡老师来参加讨论如何建设深圳文化艺术的战略问题。市府大楼与香港仅一步之遥,与深圳大学所在地后海湾却隔着一个多小时的车程。从市中心到深圳大学殊为不易。没有像样的公路,只有泥泞的小路,从菜地和果园中间穿过。21座的中巴车在这条路上颠颠簸簸,将"遥远的大学"和城市中心连接起来。胡先生生活在那个宁静的海滨,一个远离世俗喧嚣的地方,呼吸着红树林的气息,每日听潮起潮落。

一次,我和胡老师聊起来,我们都认识周扬同志的儿子周艾若,过去我从他那里知道了不少文艺界的信息。不过我在大学里是学习哲学的,由于个人兴趣经历和家庭的影响,更热爱马克思主义哲学和自然辩证法,对于美学却没有多少了解。在我心目中,美学似乎是相当高深的学问,是那些大学者面对文化经典和自然风光所发出的感悟。这也许正好适合胡经之老师的性情。而我们却每天纠缠在繁忙的事务中。刚刚开创的经济特区,有多少紧迫的事情等着我们去处理呀。到处都是工地,每天都有来自全国的青年打工者,南来北往的客商络绎不绝,跨越两个制度的特殊地带的文化互相碰撞,这一切都是那样的紧张和令人激动,有时候我们自己都没有时间做最起码的梳妆,哪里还谈得上品味什么是"美"呢?对于正在创造新生活的人来说,来不及像朱光潜先生所说的,"慢慢走,欣赏啊!"

但是,深圳的文化艺术事业发展很快,祝希娟、黄宗英、王子武等艺术家纷纷落户特区。胡老师虽在高等学府,但积极关注文化艺术,大家都推举他为作家协会主席。他对特区的文化艺术发展很热心,我感觉,这是一位非常可亲的和蔼长者,丝毫没有大学者的架子,对于初生的特区文化,抱着那么大的热情。胡经之先生当时也不过五十来岁,但是在平均年龄只有二十出头的深圳,已经是一位饱经风霜的前辈了。令人敬佩的是,在他的内心里,涌动着和我们年轻人一样的创业的激情,改革的冲动,青春的理想。大家在一起,都在奔一个前景,尽管没有人知道,这个前景具体会是什么样的,却都充满信心,就好像小平同志说的,"要杀出一条血路来"。我们都没有升官发财的念头,没有下海淘金的心理,但是有一种莫名的自豪感,好像冲出了旧的体制,正在开创新生活,做着一个伟大的实验。

我在大学读书的时候,是一个只知拼命苦干的人。因为我们这一代人,经历了"文革"、上山下乡以及基层工作磨炼,深感大学深造机会的宝贵。大学毕业,我没有选择从事学术工作,而是投身到实际工作中。因为我们除了个人兴趣,还有更重要的责任。马克思主义哲学告诉我,实践是更好的课堂,更何况是中国改革开放的第一块试验场呢?然而,我们工作越紧张,越感到自己原先所学的知识实在是太不够用了。那时,姓社姓资之类的问题,还在纠缠人们的头脑,思想战线还有许多新问题要做全新思考。特区发展一波三折,经历着考验,而体制改革的构想,又要求理论的证明。学习,思考,创新,实践,是这样内在地联系在一起,不是仅仅停留在书本上。我们产生了非常迫切的学习欲望。当时的工作非常繁忙,市委领导还非常重视我们年轻干部的学习与培养。可是,紧张的第一线的工作,不允许我们脱离岗位专心读书。就在这个时候,深圳大学国际文化系举办了"社会文化研究生班"。当时,深圳已提出了自己的奋斗目标,要向国际性城市方向前进。胡老师就积极响应,付诸行动。一是他把中文系改建成国际文化系,这在国内是首创,《光明日报》还在头版做了介绍;二是创办了特区文化研究所,把文化研究提上日程;三是及早抓紧为特区培养更高层次的急需人才。这个研究生班,是深圳大学教育改革的一项重要举措,得到了上级领导的大力支持。那时,我们没有特别在意什么"学位"、"学历"的区别,只是感到这是一个非常宝贵的学习机会。参加这个研究生班的,大多数都是有一定实践经验的干部,有教师、文化部门的领导、转业的工程兵。胡经之老师亲自担任了这个班的班主任。他带着一个老共产党员的责任感,精心组织课程教学,将一些年富力强、学问深厚的老师介绍给我们,安排他们上课。而他自己,也利用各种场合,正式的或非正式的,给我们讲授文艺理论和美学知识。由于是在岗学习,我们有时候在时间上难以兼顾,有时候又有点急于求成。胡经之老师总是鼓励我们看到自身的优势,启发我们要善于从实践经验中进行理论总结,善于运用文化理论分析深圳特区的文化现象,比较深圳和香港的文化异同,增加对于建设特区文化的自觉性。我们这个班的同学,后来大多成为深圳市文化战线的领导和骨干,如文化局长苏伟光、市委副秘书长刘学强、市文联常务副主席杨宏海等。但不论我们后来走得多远,在什么岗位上,都难以忘记胡经之等老师曾经带给我们的知识和鼓励。

记得有一位哲人说过,世界之大,芸芸众生多歧路;世界之小,人生何处不相逢。我从深圳大学研究生班毕业以后,先后换了几个工作岗位。每次在市里开会,碰到胡经之老师,他总是那样关切我的工作情况,令我感到很温暖。1996年,组织上派我到深圳大学担任党委书记。老实说,一个学生来领导有众多教授、博士组成的综合大学,自己心里是没有底的。我过去工作过的地方,有大兴安岭的林场,有党政机关,有宣传部门,有妇女群众团体,有党校,唯独没有综合大学。如何坚持正确的办学方向,如何发挥知识分子的积极性和创造性,如何适应特区发展加快教育改革,如何大力推进学科建设,如何在特区大学里坚持党的基本路线、保持政治稳定,如何做好教师和学生的思想政治工作、培养一代优秀的四有人才,所有这一切,都是压在心头的沉甸甸的任务。市委通知我去接受任命的时候,我正在荔枝公园里跑步。当时我想,党把深圳经济特区唯一的大学交给我,我要把它办成什么样子呢?在未来的道路上,我能够跑多远,能够达到那个理想的终点吗?

所幸的是,我的这些踌躇,后来都被一一化解了,代之而起的,是办好大学的决心和信心。这个信心来自像胡经之老师这样的忠诚于党的教育事业的专家学者的坚定而无私的支持,来自许多优秀学者、教师的共同努力。胡老师多次向我介绍深圳大学的发展历程,非常坦诚地谈出他对于端正办学方向,优化育人环境,培养学科带头人和各级干部队伍,以及推进学科建设的看法。他再三和我说,学校一定要以学科建设为中心,以学科建设带动科研和教学。这些看法,是他多年实践经验的积累总结,有些非常中肯。我深切感到,胡老师把北大的优良学统也带来了,这对于我们这一所年轻的大学如何实现跨越式发展很有用。对于深圳大学的改革精神和改革成就,我们都是充分肯定的;对于过去的一些不正确的或不成熟的做法,我们都有改正的想法。胡老师多次鼓励我,希望我以党的事业为重,要放手工作,不要有各种顾虑。在我来深圳大学之前,他就是学术委员会的副主任,人文社会科学委员会的主任,对深大学科发展的情况十分熟悉和关心。针对学科发展的现状,他特别向我提出,要非常重视人文社会科学的发展。深圳大学是经济特区里唯一一所综合大学,人文社会科学有着举足轻重的地位。随着深圳经济特区的高科技和市场经济的高速发展，社会科学更需要贴近时代，贴近社会发展，贴近政府决策，发挥理论总结与引导的作用、智囊参谋的作用。人文科学关系到特区精神文明的水平，关系到道德伦理、审美文化的建设，更需要高屋建瓴地开展理论研究。马克思主义哲学告诉我们，科技生产力、经济与政治、文化的发展有时候是不平衡的。物质文明上去了，不等于精神文明就自然上去了。而没有社会主义的精神文明，仅仅靠科技力量和物质财富并不能建成社会主义现代化的示范区。胡老师从他到深圳的第一天起，就致力于特区精神文明的建设。他不是一个远离社会发展的待在象牙塔中的学者，而是一位有着深厚的人文关怀的人，他希望我们的城市和社区，变得更加美好，他热切盼望我们的大学有朝一日再次崛起，更上一层楼，成为深圳特区先进文化的象征。

正是这样一个共同的希望将我和胡老师的心紧紧连在一起。现在胡老师虽然年已七旬，教学生涯也已经50年了，是目前深大资历最深、教龄最长的一位元老，但身体健康，心胸开阔，继续在从事教学和科研，写他的文艺美学著作，探索如何走向文化美学。我热忱祝愿他健康长寿，能为深大的学科建设继续做贡献，让深圳大学更上一个台阶。

2003年3月25日

姜　忠　时为深圳大学党委书记。毕业于黑龙江大学哲学系，曾先后担任深圳市委宣传部副部长、市委机关党委书记、市委党校常务副校长、市妇联主席等职。

特区文化开荒牛

李小甘

胡经之教授是深圳成立经济特区之后,较早来特区参与文化学术建设的少数人中的一个,堪称文化学术界的"开荒牛"。

还在1984年春,胡经之就从北京"闯"到深圳。当时清华大学张维院士任深圳大学首届校长,邀请北大人来参与创办中文系。胡经之专程来深圳考察了一趟,回京不久,就和汤一介、乐黛云教授等随张维校长一起来到了深圳大学,办起了中文系。随着深圳建设现代化国际性城市的定位,他很早就意识到深圳培养国际文化交流人才的重要性,于是在20世纪80年代中期就把中文系拓展为国际文化系。这在国内尚属创举,《光明日报》为此在头版做了介绍。

胡经之对深圳情有独钟。清华大学在20世纪80年代要创建中文系时,就曾邀请他加盟。后来,浙江大学要创办文学院,邀他去当学术带头人。南京大学、苏州大学邀他去参与创建文学博士点。负责筹建汕头大学的罗列教授也曾邀他去那里参与学科建设。他在罗列家住了几天,坦率地对这位北大学长说道:"这里风景优美,住房宽敞,但一是信息不灵,二是交通不便,三是语言不通,没法研究学问。"结果,他哪都没去,而是跑到这岭南海滨,沉淀下来了。

深圳的生态环境好,胡经之喜欢这里。但他更赞赏这里的人文环境,自由宽松,可以在文化教育领域多些开拓。

胡经之研究的是美学和文艺学。他在北大,师从"五四"老人杨晦学习文艺学,又跟随朱光潜、宗白华研究美学,试图把文艺学和美学熔为一炉,开拓一门边缘、交叉学科:文艺美学。他在北大时已做了初步尝试,在国内率先开辟了文艺美学这一专业方向,招收了文艺美学的研究生。但他的学术著述,却大多是在到深圳后才最终完成。他的《文艺美学》《文艺美学论》等学术专著,以及受国家教育委员会委托主编的《文艺学美学方法论》《西方文艺理论名著教程》等高校教材,都先后完成于深圳。

为开拓深圳的学术文化,胡经之花了不少心力。他致力于国际文化交流,在20世纪80年代中,参与举办了好几次在国内外都有影响的国际学术会议:中国比较文学成立大会暨国际研讨会、世界华文文学国际研讨会、国际美学研讨会等等,分别迎来了国际著名学者、作家季羡林、饶宗颐、杨周翰、王力、王朝闻、汝信、徐中玉、王瑶、秦牧、赵浩生、叶嘉莹、陈若曦、叶维廉、刘若愚、刘以鬯、曾敏之等。

学术文化如何在深圳生根、提高,这是胡经之最担心并时刻关心的。他所研究的文艺学,直到90年代初,博士点只在北京、上海等地才有,长江以南,没有一个。胡经之和饶芃子教授(暨南大学)合作,向国家申报文艺学博士点,终于在1993年获得成功,实现零的突破,成为整个华南地区的第一个文艺学博士点。他,也成了深圳大学第一位博士生导师。

胡经之一直关注着深圳的文化艺术发展,持之以恒。80年代中期,他就在深圳大学创建了特区文化研究所,任所长。他办起了特区文化研究生班,为深圳培养急需的文化艺术高级人才。如今,这些人已成了深圳文化建设的重要力量。他很早就关注特区文化研究。学术研究之外,他不时写些评论、随笔、散文,大多针对深圳的文化现象、文学艺术、作家作品,有感而发,有话则长,无话则短。他曾在50年代被《文艺报》聘为特约评论员,后又加入了中国作家协会。到深圳后,大家推举他为深圳市作家协会名誉主席、文艺评论家协会主席、文联副主席,使他更具有了一种使命感。这次作家出版社为他出版《胡经之文丛》,收入了他来深圳后10多年来所写的评论、随笔、散文,主要是他对深圳文化艺术的思考和评说。读他的文丛,可以从中约略见到他在改革开放以来,特别是到深圳以后的心路历程。

在市场经济较为发达的深圳,文化艺术必然也会走向市场。但文化艺术走向市场的目的,归根到底是为了服务于人民大众。胡经之在《艺术创造为人民》一文中,专门论证了艺术发展的方向。他认为,深圳的文化艺术之路坚持了为人民服务这个根本方向,在艺术实践中,正在形成自己的特色:面对现实,以人为本,雅俗共赏。深圳在高速发展物质文化的同时,又能重视精神文化建设。经过思考,他在好几篇评论中提出,深圳要率先基本实现社会主义现代化,精神文明也要两手抓:一手抓科学精神,一手抓人文精神。深圳要增创新优势,就要提升人文精神。文学艺术是精神文化的重要组成部分,文学艺术的发展,也有赖于两手抓——一手抓创作,一手抓评论,只有这样,才能多出文化艺术精品。他身体力行,自己就对深圳的文化艺术写过不少评论。郁秀的《花季·雨季》,彭名燕的《大腕》,吴启泰的《千年等一回》,林祖基的《微言集》,杨黎光的报告文学,田升的讽刺小说,黎珍宇、张黎明的中长篇小说,钟永华的诗,王子武的画,甚至"打工文学",都在他的视野之内。他赞赏那些在深圳仍对文化艺术执着追求的人,"特区自有情义在","特区依然觅诗魂"。在一些美学随笔中,他则以漫谈、随感的方式,对当前学术动向,不时发表一些独到见解:倡导美学要"关注现代"、"面向当下"、"博采众长"。对文艺美学做了反思,在新的历史条件下鼓励"走向文化美学","发展当代文艺学"。针对文学艺术中的问题,他鲜明地提出要"按照美的规律来创造"。这些随笔的影响,不仅限于深圳,而且也引起了国内文化学术界的注意。文丛中还有一些散文直抒作者心灵。有对故乡、母校、师友的怀念,更多是表达了对深圳的挚爱,对未来更美好的期盼。人生何处觅文心?正是在深圳这块土地上,他对人生有了更多的思索,也获得了更多的文心。

如今,深圳特区已走过21年的历程,胡经之教授也已年近七旬,但他仍然奋斗在文化教育岗位上,担任深圳大学学术委员会副主任、人文社科学术委员会主任,带博士生,指导青年教师,做学术顾问,积极参加文化教育活动。深圳市艺术评审委员会还聘请他为主任。他将把自己的后半生,全部奉献给深圳。这种精神实在可敬、可佩!面向21世纪,深圳的文化艺术事业的发展,需要更多像胡教授这样的学者、专家和文化艺术人才的参与和关注。相信《胡经之文丛》的出版,对多出精品、多出人才,提升深圳的文化内涵和文化品位能起到积极的促进作用。冒昧写上这些文字，以表达对胡老师教学生涯50年的祝贺，也体现对他为人、为文的敬意。

2001年6月28日于深圳

李小甘　时为中共深圳市委宣传部副部长，为中国作家协会会员。著有文艺评论集《思想树》，文化随笔录《莲花山夜话》《红场白雪》等，并曾参与策划摄制电视剧《钢铁是怎样炼成的》《日出》，参与编导影视纪录片《走向新世纪》《共和国的窗口》等。

过从二十年

章必功

1982年早春,我从长江边的一座小山城来到北京大学中文系修读古代文学硕士。初来乍到,一片陌生,分不清燕南燕北,常与那些来去匆匆衣着普通的博学鸿儒擦肩而过,竟浑然不识。过了几个月,上了一些课,认识了古代文学的一些老师,也听说了其他专业一些专家的大名。这些名字中就有胡经之教授。当时,我住29楼313,隔壁住着陈伟与王一川,主修文艺美学,导师恰好是胡先生。介绍起他们的导师来,两位总是喜形于色,颇有因名师而高徒的得意。一天,我在书店忽然看见了胡先生的《中国古典美学丛编》上中下三集,毫不犹豫,立刻买下。可惜,"隔行如隔山",在校近3年,虽心仪已久,却一直没有机会与胡先生谋面,直到1984年深秋,我到深圳大学中文系报到,方知本系主要领导正是北大的乐黛云和胡经之先生。

那时节,深大方兴未艾,国内学者纷至沓来。主力有三家:清华大学,支持理工;人民大学,支持经济;北京大学,支持人文。北大支文:一是外语,一是中文。中文系的多数教师都有一段未名湖青春,且都是乐、胡的弟子辈,戏称"北大帮"。

记得1984年到1986年,乐、胡二人都没有正式调来,只是兼职。因在北大有教学任务,两人飞来飞去,一年中,每人有半年时间在此坐镇,轮流坐庄,主持系务。办系方针是学贯中西,培养应用型人才。1987年左右,乐先生回到北大,胡先生就留在深大,主持中文学政,倡导中西文化交流,培养国际文化交流所需的人才,因而改中文系为国际文化系。下设中英文秘书、比较文化、旅游文化等专业和专业方向。这在国内不仅是一个形式上的创举,也是适应深圳经济特区的社会发展需要和人才市场需求,力图拓宽传统中文学科的一个实质上的创举。这是国内第一个国际文化系，《光明日报》还在头版做了新闻报道。我们也很兴奋，因为按照这一建系方针，我们应该而且必须突破原来的专业界限，既要抱元守一，守住所学专业，又要触类旁通，融会新的专业，讲授新的课程。例如，学东方文学、讲东方文学的郁龙余教授开了一门"旅游资源的开发和利用"，居然坐上了深圳市旅游协会专家组的交椅。我自己也在这个教学改革的环境中和压力下，为旅游文化专业开了一门新课"中国旅游史"。这门课的讲稿1991年正式出版，胡先生亲自写了一篇评论在报上发表，以资鼓励。我的导师北京大学教授褚斌杰先生和倪其心先生审阅了，连说有意思，并问我的脑筋怎么转到这个行当，我说是北大的老师胡先生和北大的师兄郁先生逼的，褚师大笑，说北大中文系端的是攻无不克、天下无敌。现在，每当我看见这本小书，都要想起胡先生治下的国际文化系所开展的教学改革。

胡先生当系主任时，又非常重视深圳经济特区的文化研究，请求学校批准设立了深圳大学特区文化研究所，亲任所长。还在深圳市成立了美学学会，亲任会长，并应邀担任了深圳市文联副主席、作家协会主席。我们开玩笑说，胡老师是一手抓传统中文革新，要将"之乎者也"和"ABCD"相对接、相交融，一手抓特区文化建设，要将"沙漠"变"绿荫"。胡先生说，别人说深圳是"文化沙漠"，咱们来深圳定居的就要争口气，要努力把它建成咱们新的精神家园！与此相关，胡先生十分关心深圳干部的文化修养和专业水准。先生拍板在深圳妇联开办了妇女干部大专班，他还自任班主任，在深圳档案局开办了档案干部专业（大专）证书班，又面向深圳在职干部开办了星期天中文秘书大专班。为了提高深圳人的整体素质和培养更高素质的人才，他还自任班主任，开办了两届特区文化研究生班。现任深圳大学党委书记姜忠同志、深圳市政府副秘书长刘学强同志、市文联副主席杨宏海同志、深圳市原文化局局长苏伟光同志等，都是研究生班的研究生。

1992年，因年龄的关系，胡先生不再担负行政工作，中文系的系主任由我接替。胡先生的主要精力用于文艺美学研究、特区文化研究，并担任学校学术委员会的副主任及人文社会科学委员会主任。同时从华南地区的学科建设考虑,胡先生和暨南大学饶芃子先生领衔向国家申报文艺学博士点,开始培养文艺学博士生,在华南地区有了第一个文艺学博士点,在深圳大学设立分教处。他是深圳大学的第一位博士生导师。1994年,我调到学校任职,与胡先生见面的次数比过去少了,但在报纸上经常看到胡先生的文学评论、文化随笔。工作上也有几次重要合作。1996年,胡先生挂帅,为深圳大学申报文艺学硕士点过程中,胡先生亲自指导申报工作,修订申报材料,果然如愿。我和其他几位老师也因此成为深圳大学的硕士生导师。目前,深圳大学正在申报文艺学博士点,依然由他担当学科带头人,为学科建设继续做贡献。

今年,深圳大学成立20周年,胡先生教学生涯亦有50年了。他前30年在北京未名湖,后20年在深圳后海湾。我与胡先生能共事20年,领教20年,确是幸事。胡先生慈眉善眼,为人谦和,学问精深,心境豁达,每遇大事,总能给我睿智的指导和真切的帮助。可以说,我在深圳大学的进步,每一步都与胡先生有密切的关系。借此机会,谨祝胡老师健康长寿。

2003年3月26日于深圳

章必功 时为深圳大学教授、副校长兼师范学院院长。主要著作有《红楼讲稿》《元好问暨金人诗传》《文体史话》,译著《意识形态的时代》,论文《六诗探故》等。

在梅村读书时光

姚汉荣

那已是半个多世纪以前的往事了。

当解放战争的炮声即将在东北战场打响的前夕,我和经之同时进了无锡县师范学校读书。

无锡县师范学校的校址在无锡市区东面十公里处的梅村镇。梅村古称梅里,是春秋时代吴国先祖吴泰伯的故里。泰伯为了让父亲周太王将王位传给三弟季历,便从西北黄土高原奔到长江下游的荒蛮之地——梅里。泰伯就在这里开疆拓土,他死后,就葬在梅里东面两公里的鸿山。之后,泰伯的后人又在梅里建立了一座规模宏大的泰伯庙,以纪念这位吴人的祖先。所以,梅村的上空,荡漾着一层浓浓的中国古文化气息。当时的泰伯庙,就是无锡县师校舍的一部分。

我和经之并不是同一个年级。经之读的是中师,而我读的只是初师,两人相差一个档次。按理说,我是不可能了解经之的,但经之却是学校无人不晓的"名人",原因有三。一、经之读书的那个班级有不少出类拔萃的学生,经之更是这批学生中首屈一指的人物,他是那个班级的班长。二、经之班级的班主任名叫陈东刍,这位陈先生,性格刚正,作风古朴,学贯古今,是全校师生心目中最为敬佩的饱学之士。就是这位陈先生,却不加掩饰地宣称经之是他最得意的学生,这样一来,经之就自然成了全校学生心目中最出众的人物了。三、经之不仅学习成绩好,而且体育也好,音乐也好。他的单、双杠规范而漂亮。所以,在体育场上,经常能见到他的身影。他对音乐也有爱好,他自己有一把胡琴。所以,每当经之拉起二胡时,周围便聚集了一大群同学。

这样,经之就成了全校同学心目中崇敬的对象。我是我们年级的活跃分子,因此,在思想上更崇拜经之,在行动上也就和他有不少交往。

然而，引起我对经之更向往之情的却还有一件更重要的事情。1948年冬，有一天，我走在校园里，听到两个高年级的同学在说悄悄话，他们的行动，引起了我的注意。我便留意了他们讲话的内容，就听其中一个说："胡经之被区政府扣押了，听说他和共产党有联系。"我心中一惊，赶忙从他们旁边匆匆走开。当时，淮海战役正在激烈进行中，国、共两党在殊死斗争，人心思共，已成趋势，我的大哥就和地下党有密切联系，因此我有一种自然的亲共感。所以，当听到经之因和共产党联系而被拘押，便由衷产生了敬佩和关切之情。从此，我思想上便留下了一个鲜明印象——经之是一个与共产党有密切关系的进步学生，而不仅是一个学习好表现好的一般优秀学生。于是，经之在我脑中的形象，霎时便高大了起来。

1949年4月，无锡解放。全校师生欢欣鼓舞，庆祝解放，欢迎解放军，一大批学生随解放军参军，参加西南服务团、华东革大、苏南公学。经之和县师的地下党、团员，这时成了各项活动的组织者，他总是出现在各项活动的中心。

不久，学校成立了学生会，经之被选为校学生会主席；又过了不久，经之又被选为无锡县学联主席，接着，又被选为无锡县人民代表（之后，又连任二、三、四届县人民代表），参加了无锡县政治协商会议。后来，他又成了苏南首届政治协商会议的委员。这时，经之的职务更多了，他成了大忙人，成了无锡县学生运动的领袖人物。

1949年年底，我参加了青年团，随后，便被选举担任学校团总支的宣传委员，经之以学生会主席身份参加团总支委员会，因为我分管部门与学生会关系密切，因此我和经之之间的接触和交流很多。1950年下半年，经之进入毕业班，为了集中精力读点书，迎接毕业，他要求辞去学生会主席职务。经过改选，由我接任了经之的学生会主席职务，之后不久，我又被选举为无锡县学联主席。这样一来，我当时所担任的那些职务，几乎都是经之原来的工作。在这些时间里，经之对我的工作进行了全方位的指导。当时，正是我国进行抗美援朝运动的高潮阶段。经之对我说：学生会的主要任务，就是在共产党的领导下，配合学校行政领导，搞好各项社会中心任务；所以，你必须倾注全力,运用学生会这个组织,充分发动全校学生,积极投入伟大的抗美援朝运动。经之还亲自动手,帮我一起进行组织和发动工作。后来,无锡县师的抗美援朝和参加军事干校运动搞得轰轰烈烈,有声有色,这和经之的帮助是分不开的。从此,我和经之成了挚友,并且在以后的整整半个世纪中,尽管是天各一方,我们之间也总是友情相牵,真诚相待。

2002年春于上海

姚汉荣 教授,上海大学中国文化研究所所长。多次获奖,其中重要的有江苏省优秀总辅导员奖,上海市哲学社会科学优秀成果奖;享受国务院特殊津贴。

文如其人——真善美

何国治

同窗好友胡经之,其为人也真善美和谐融合、浑然一体,其为文也,亦闪耀出真善美的神韵。本来,真善美为对立统一的整体,为行文方便,只好分别叙述。

他早在北大读研时,就真挚热诚地追求真理,排除万难,勇往直前,百折不挠。受恩师杨晦影响,学习态度极其严肃认真,埋头苦干,通读古今中外美学原著,掌握丰富的第一手资料。后来其中有些汇编成《中国古典美学丛编》出版。我们志趣相同,都爱好文艺,曾在青年教师宿舍中共居一室,我目睹他攻读马克思经典作品,潜心思考,孜孜不倦的情景,印象极深,至今难忘。

他写的散文、随笔,篇篇珠玑,同样闪耀光彩。在美学的广阔天地里,有所发现,有所创新。例如,他在历史地、系统地总结前人有关意境理论的基础上提出自己的崭新见解:"有限之境,无限之意,完美结合,融合无垠,这就成了意境。"指出"意与境的结合,以实写虚,虚实结合,虚实相生,达到完整统一,和谐融洽,自成一个独立自主的意象境界","正是在这意象境界里,有限之境,蕴含无穷之味,不尽之意,可以使人思而得之,玩味无穷。然后再深入地、全面地论证意与境结合的辩证关系,点明'境'可以是写景、叙事、状物、绘人。可以是各种因素的结合"。"意"的基本要素是情,"无情不能成意境",而情又应以理为基础,受理的控制。抒情、说理、议论紧密联系,和谐结合,融化于意境之中。

然后,作者再深入阐发"韵味",说明意境以实写虚,虚实相生,互通有无,在意与境的和谐统一中,产生了一种新的"东西",我国古典美学呼之为"韵味"。"韵味"存在于直接意象和间接意象的和谐统一中。诗要有韵味，必须"言有尽而意无穷"。直接意象必须鲜明生动，使人一下就能感受到，但间接意象却要使人思而得之。

最后，再论述意境的风格，阐明诗的意境，可以意与境浑，也可以以境胜，也可以以意胜，都能使意境深远。意境可隐可显，不限一端。形态多样，不拘一格。提倡"具有典型的时代精神的意境"。

他所写论意境的文章全面深刻地论证了中国古典美学中一个最奥秘的意境范畴，确实闪射出真理的光芒。需要补充一句的是，此文发表于1981年，其后在1989年出版的《文艺美学》中，专门独设一章"艺术意境——艺术本体的深层结构"，对意境范畴应用系统论、信息论、美学与诗学融合等科学方法作更为详尽周密的论述与发挥，进一步踏入真谛领域，令人信服不已。

综上所述，赞曰：上下求索，寻觅美神；言为心声，处处传真。

次言善。

经之为人尊师重道，真挚诚恳，勤奋好学，谦虚谨慎。他对老一辈学者极其尊崇敬仰，在《诲人不倦启后人》一文中，对其导师"五四"老人杨晦，流露出一种刻骨铭心的感恩哀思与无限敬佩的真挚深情，娓娓道来，感人肺腑。他学习用功，刻苦钻研，遵从晦师教导，攻读中国古典文艺思想史，一本一本地看原著，踏踏实实做札记，学问深了，厚积薄发，再写文章，才能得心应手。他确实做到了，得到恩师的真传。他谦虚好学，对美学导师朱光潜和宗白华讲授的"西方美学史"与"中国美学史"，认真听课，还常登门请教，不愧为"入室弟子"。可以说，他学贯中西，博古通今，融会统摄，百川汇海，自成一家。

他朴实无华，平易可亲，虚怀若谷，与人为善，助人为乐。回忆学生时代，我们同在北大中文系学习。1955年暑假，我回广州探亲，途经南京，他热情邀请我到他家做客，亲任导游，一起登览中山陵，携手共逛玄武湖。在壮丽的湖光山色前流连忘返，此情此景，至今历历在目，记忆犹新。60年代，我在暨南大学任教。80年代初，他曾在北大与深圳大学之间来回奔波，巡回授课。有一次，他途经广州，到寒舍造访。老同窗相逢，自然喜出望外，促膝长谈，不觉夜深。本来，他有条件住在专家招待所，为了珍惜聚会时间，遂决定与我同床共眠。他能上能下，艰苦奋斗，依旧保持早年参加学运的老布尔什维克本色，给我印象极深，难以忘怀。后来他终于下决心落户深大。有一年，暨大图书馆组织员工到深圳游览世界之窗，路过深大，我则宁愿不去参观而去探望老友，在其海涛楼投宿一夜，翌晨才自乘长途客车返穗。经之偕夫人张景贤和二女燕蒸一起送行，设宴附近酒楼话别，彼此依依不舍之情，宛如"桃花潭水深千尺"。回想当年场景，栩栩如生，至今难忘。

经之助人为乐，与人为善，有求必应，总是鼎力支持。我曾试图从美学角度分析楚辞，撰写"屈原诗歌的自然美"、"屈原诗歌的崇高美"等论文，求他指点。他立即坦诚相助，或寄有关美学资料，或亲笔修改，而且推荐给期刊发表。对此我铭记于心，由衷感激，他无论对同辈或晚辈，均谦虚谨慎，真诚相待，热情扶持。这点可从其"夕阳岁月亦风采"、"追求心灵自由"等文化评论中得到充分的证明。

简言之，赞曰：正气浩然，义薄青天；尊师重道，止于至善。

再言美。

罗丹指出："对于艺术家，自然中的一切都是美的。"同样，作为一个文艺美学家，经之具有一双敏锐的"能感受形式美的眼睛"，亦善于发现自然之美。他热爱自然中的一切优美东西，感到山水可亲可交，可近可游。在《文艺美学》中，他畅谈看到三峡枝江夕阳西下时的审美感受，用如椽大笔着力描绘了夕阳下沉那一瞬间的壮丽景色，确实就像法国印象派画家莫奈的油画《日出》那样，色彩瑰丽鲜亮，光色变幻无穷，可谓神来之笔。有趣的是，前者用文笔描写日落，后者以画笔彩绘日出，从不同角度刻画日之美，都同样给人以深刻的美感享受，可谓异曲同工。这里需要强调的是，见此枝江夕照美景，他表述："我的心灵颤动了，心潮起伏，内心激起了一股激情，无法平静，好像才第一次觉得人生是如此美好，禁不住在内心呼出：啊，人生多么美好！"唯有审美理想高尚、审美经验丰富的人才能有如此强劲而深刻的审美体验。对此，我完全体会并有同感。我无缘看到长河落日圆的美景，但每当全神倾听贝多芬合唱交响曲和小提琴大师艾尔曼

（Elman）演绎的由威尔海密（Wilhelmi）改编的舒伯特之圣母颂时，我的内心亦会剧烈颤动，并且脉搏猛跳，热血沸腾，呼吸紧促，思潮起伏，情志感奋，精神得到净化、升华，臻于纯洁空灵的境界。经之生长在江南水乡，自小与河水嬉戏。古人云，智者乐水，仁者乐山。他两者兼而有之，特别对水更情有独钟。在《流水人生》一文中，他说"爱水是天性，于水有特殊的情分"。康德说过，"合规律性然后合目的性"。自由是对必然的认识与实践。经之由于掌握水的规律，故能自由而平静地仰卧水面，长久不动，放眼蓝天，乐在其中。正如他自己的表白那样，"仰卧在茫茫大海之上，最能体验到人与大自然的和谐统一，人、天、海完全融为一体，充分享受到了大自然赐予的乐趣"，经之"对游泳这种活动也只是以审美态度对待之"，认为"是一种精神漫游，其乐无穷"。

经之对水如此，对山亦如是。他曾三上黄山，像李白那样，"五岳寻仙不辞远，一生好入名山游"，走遍祖国大好河山，饱览名胜古迹，可谓读万卷书，行万里路。《胡经之文丛》封页题照辞云"静看白帆过"，"浪迹走天涯"，道出了他热爱自然美的心声，确实是他热爱美好生活的真实写照。"海外归来急"，表明他遍游美、德、法等国，参观巴黎圣母院、凯旋门，观看荷兰风车等异域风光。"归来急"这"急"字，正是"诗眼"所在，含义无穷：伟大的祖国与多娇的江山对他有强大的吸引力，深大的教学与美学科研事业召唤他赶回去完成，他亦"乐业岭南"；培养研究生的工作敦促他快快归来从事，所谓"师生情谊"重；"未明湖畔"，"殷殷亲情"，温馨可爱的家庭正招手呼唤他迅速回来；处处号召，他怎么能不"海外归来急"呢！经之其人其生活显得如诗如画，胸中饱含文化与自然之美，下笔为文，便如行云流水，美妙非凡。收在《胡经之文丛》中的许多文章，处处闪耀出美的光彩。

此外，作为文艺美学家，经之自然热爱文艺。他"爱在优美音乐声中读书"，优美的乐曲，使他更易入读，感到其乐无穷。这的确是一种高雅的审美享受，对此，我也深有体会，经之主张"让大家学会和社会、个人建立亲切和谐、动态平衡的关系，方能在这个世界诗意地栖居"(《为了人的完善》)。他如此立论,亦如此做人,称得上是德、智、体、美全面发展的"完整的人"。

总言之,赞曰:内美修能,乐水爱山;返璞归真,回复自然。

2002年2月16日于广州

何国治 暨南大学副教授,已退休。1958~1961年任北大中文系古典文学史教研室助教。其间,借调科学院经济研究所,集体翻译南斯拉夫出版的《政治经济学》教科书。1962年在华侨大学中文系任教。1962年调暨南大学中文系古典文学史教研室任教。1991年7月退休。编著有新修订的《辞源》《唐诗探胜》《唐诗鉴赏辞典》《唐宋词鉴赏辞典》《历代绝句精华鉴赏辞典》《诗经鉴赏集》与《聊斋志异鉴赏集》,作为编辑与撰稿人之一,其中凝聚着其一份绵薄的心血。1985年,参加中国屈原学会成立大会,成为会员之一,会后发表论文《屈原诗歌的崇高美》。1991年出席首届国际屈原学术会议,会上交流论文为《屈原诗歌的悲剧美系统》。

哲人学养　诗人胸怀

柯汉琳

我与胡经之先生交往已近20年——他从北京大学南下创办深圳大学中文系不久，在一次学术会议上我开始认识胡先生。此前虽读过他的论著，但从未谋面。

初见胡先生，他给我的印象是：学者风度，慈祥长者。我非常自信这种直觉判断。近20年的交往证明，当年我的直觉判断是相当准确的。不同的是，随着时光的流逝、交往的深入，我对胡先生行身立事、学养风范的了解更具体了，而对他的敬佩之情也日益浓烈。

这些年，我总觉得大学有相当部分的学人已经愈来愈政客化，他们忙于攀附、钻营、吹牛皮、谋官衔，读书做学问全在其次。

另一些学人则完全不同，他们淡泊名利、坚守学统、潜心治学、锐意著述，虽学富五车，却始终谦虚谨慎，默默耕耘。

后一类学人是真学者。胡经之先生就是这样一位令我尊敬的真学者。

记得20世纪80年代中，曾繁仁先生因出国访问路过广州，他不知道我与胡经之先生已熟悉，特别向我推荐，嘱咐我要向胡先生请教。曾繁仁先生的一番介绍和评价，无疑使我向胡先生求学的愿望更加强烈。

1987年，我的第一本美学小册子《日常审美心理》问世，立即送胡先生指教，他很快来信热情鼓励；1995年，我的《美的形态学》出版，他又来信予以肯定。虽然我们见面不多，但共同的研究领域和心性的接近，每次见面都甚感亲切。后来胡先生担任广东美学学会会长，我担任常务副会长，学会的工作使我们之间的交往更加密切了。

胡先生对后学的爱护、提携，是众口皆碑的。他主持的学术研讨会，总是邀我参加，推我发言；他出版的著作，总是无一遗漏送我一册，嘱我"雅正"（"雅正"一词对于后学的我实不敢当）。

我相信人类有一种互相接近的天性。但当一方给人一种冷漠、傲慢、胸怀狭小、居高临下或以势凌人的印象时，另一方那种接近的愿望也就消失了。而胡先生为人坦诚热情，胸怀宽广，没有半点装饰，没有半点学阀的傲慢和倚老卖老的架势，他总是把后学当朋友，让你自然而然地感到亲切、安全，一种与之接近、交流的愿望油然而生。记得有一次我到深圳大学，那一天，我们从上午到下午，从他在文学院的办公室到他在图书馆的工作室，连续聊了五六个钟头，中午也不休息。那天我们聊得十分痛快，所谈海阔天空，有历史追忆，有学人友谊，有师生友情，有人生百态，当然，还有我们共同涉足的美学，等等。那一天，胡先生不时让我眼前浮现起他年轻时风度翩翩的英俊形象；经历了沧海横流的岁月，尽管已年将七十，他依然是那么纯真，那么乐观，那么睿智。

我总觉得，胡经之先生身上有两种特别的气质，一种是传统的"北大风范"，一种是新生的"特区精神"。前者体现为胡先生学术的严谨、精神的独立和强烈的现实关怀，后者体现为胡先生思想的解放、视野的开阔和锐意进取的精神。"北大风范"奠定了胡先生坚定、宽容、博大、高雅的人生基调，"特区精神"赋予了胡先生敏锐、灵活、竞进、奋发的时代风貌。总之，胡经之先生身上体现了传统与现代的融合，体现了中西文化的交汇。

我又觉得，胡经之先生身上有两种宝贵的学养，一种是哲人的学养，一种是诗人的学养。胡先生说，他一直喜欢哲学。我想，他走上美学研究的道路，与他钟情于哲学不无关系；正是哲学的训练使他善于深沉地思索宇宙人生，使他拥有思辨的头脑——这是从事美学研究者所必不可缺的条件。胡先生喜欢文学艺术，他于50年代中期以优异成绩毕业于北京大学中文系，毕业后又攻读杨晦先生的副博士研究生，一直从事高校文学、文艺理论的教学科研工作，对《红楼梦》有独特的研究。正是文学，使胡先生能以诗人的情怀待人待事，永葆宽容与乐观的人生态度。胡先生后来选中了"文艺美学"作为自己的研究领域,不仅是他的兴趣,也是他的知识结构的必然结果。

胡经之先生对文艺美学的研究是卓有成就的。早在50年代末,他就有一种意向,想要把文艺学与美学打通,从美学上来研究文艺;1980年,胡先生在中华美学学会成立大会上提出,高校应开设文艺美学课程;1982年,他在北京大学出版的《美学向导》中发表了《文艺美学及其他》的论文,再次提出"文艺美学"的概念;1989年,胡先生以"文艺美学"命名的专著出版,它与80年代中期周来祥先生《文学艺术的审美特征和审美规律》的出版,标志着文艺美学作为一门独立的学科在我国基本形成。此后,胡先生还先后出版了他主编或独著的一系列著作,如《西方文艺理论名著教程》《西方文艺理论名著选编》《文艺学美学方法论》《文艺美学论》《中国古典文艺学丛编》《胡经之文丛》等等。当然,关于文艺美学的学科性质问题,一直存在着不同的理解。1999年,由《文艺研究》、暨南大学和华南师范大学联合举办的"文艺美学研讨会"上,我们就文艺美学的学科性质展开了热烈的讨论,胡先生做了发言,进一步阐述了文艺美学应该是"美学与诗学融合"的观点。当时我发言的观点是:文艺美学就是艺术哲学,而现代美学就是文艺美学。因为美学在现代的发展趋势就是"美学的艺术哲学化"。我的观点不一定能被认同,但胡先生对我的思考总是予以鼓励和支持的。

《文艺美学》一书是胡先生文艺美学学科理念的集中体现。该书将"审美活动"的分析作为全书理论构架的逻辑起点,通过对艺术掌握世界方式的剖析,进而探究审美体验的特点,揭示艺术的奥秘,然后转入对艺术本体的审美构成、艺术形象、艺术意境、艺术形态和艺术阐释与接受的论述,系统地阐明了艺术的审美本质、审美特征和审美规律。全书逻辑严密,论证精辟,观点新颖,文笔洒脱,令人耳目一新。这些年我为研究生讲"文艺美学"课,就吸收了其中不少研究成果。

我一直以为,做学问是需要"孤独体验"的,但这并不意味着拒绝良师益友,没有良师益友的"孤独"只会是孤陋寡闻、孤芳自赏,其学术胸怀也将变得狭隘和固执。我常为自己有一批良师益友而感到欣慰,特别为有胡经之先生这样的良师益友而感到欣慰!

2002年5月于广州

柯汉琳 时为华南师范大学人文学院中文系教授,院长,美学与中国现当代文学硕士生导师,《东方文化》主编;中外文艺理论研究会理事,中华美学学会会员兼美育研究会理事,广东中国文学学会副会长,广东美学学会副会长,广东文艺理论研究会副会长。长期从事美学、文艺理论、当代文学批评的教学与科研工作。

编织着美的花瓣

涂 途

一

人常曰：岁月匆匆。回忆我与经之兄的交往，不知不觉已有40余年矣！1959年夏我从苏联莫斯科大学哲学系美学专业毕业回国后，就到中国科学院（现为中国社会科学院）文学研究所理论组工作。因为当时担任理论组组长的是我国老一辈美学家和文艺理论家蔡仪，他郑重地向文学所长何其芳以及哲学社会科学学部的领导提出，需要加强理论组的力量，尤其希望能调进一些大学美学专业的毕业生，充实美学研究的队伍。于是，我和同系同班杨汉池以及次年回国低我们一年级的王善忠，在留苏毕业生分配方案中，事先均定好到文学研究所理论组，在蔡仪的领导下从事美学研究工作。

按照我个人的意愿，并且得到蔡仪、何其芳等领导的同意，原本想研究西方美学思想史。我在莫斯科大学学习的5年间，先后阅读过近百部欧美美学的原著，深深地为这些作品中博大精深的内容所吸引和感染，觉得要建立马克思主义的科学美学理论体系，必须首先探讨和梳理前人的值得继承和借鉴的优秀成果，这样才会有牢固扎实的基础。遗憾的是那时我国美学界尽管进行了长达数年的美学大讨论，可绝大多数西方美学的经典原著，却尚未在国内翻译出版。因此，有些在历史上曾经多次争议并基本上得到解决的某些问题，我们仍然还在反反复复地争论不休。按照我个人年轻幼稚的想法，这似乎是无的放矢，得不偿失，还不如先将中外美学思想发展史线索理清摸透为好。然而我的工作刚刚启动不久，蔡仪就向我们透露，上面布置一项重要任务,让理论组全体研究人员都投入到编写高等院校文科教材《文学概论》中来,其他个人研究项目一律暂停。

大约从1960年年底1961年年初开始,蔡仪作为《文学概论》一书的主编,就不断地征求组内外同志的意见并召开过几次小型会议,研究编写组成员和组织结构。他是一个十分认真的学者,对人的要求也相当严格。根据上面的指示精神,这个编写组与其他文科教材编写组一样,应当从全国各地的有关科研单位和高等院校挑选和吸纳一部分人员共同组成。除理论组研究人员王燎荧、李传龙、于海洋、张国民、柳鸣九、杨汉池、张炯、王善忠和我全部参加这项工作外,又从北京大学挑选了吕德申、胡经之,还有北京师范大学卢志恒、广州中山大学楼栖、山东大学吕慧娟、东北师范大学李树谦、辽宁大学王淑秧、武汉大学何国瑞共18人组成《文学概论》编写组。在确定人选前蔡仪仔细地阅读过有关人员的论著和文章,然后提名经上级和对方单位批准同意后才最终通知本人调往北京。

我与经之兄的第一次见面,就是在中央高级党校宿舍楼的一间会议室里召开的《文学概论》编写组的全体会议上。尽管他比我长一岁,但我们几个20世纪30年代出生的小伙在组内仍属于"小字辈"。经之给我的第一印象是文质彬彬、温文尔雅、秀外慧中、英俊有为。可能是早年参加过进步的学生运动的积累,在我们这个年龄相近的群体中,他和张炯都让人感到才气横溢、老成持重、思想敏锐、有胆有识。听说我在国外学习美学,他就十分认真地让我介绍苏联20世纪50年代美学讲座的详细情况。在北京大学攻读文艺学研究生时,他便对美学产生浓厚的兴趣,认为这两门学科有许多相通相同之处,必须贯通起来。对蔡仪早年出版的《新艺术论》和《新美学》,他表示了高度的赞赏,觉得很有学术价值,将这两部著作作为学习文艺理论和美学的必读书目。那时我们每人都有一个小房间,我住的房间与他那间相隔很近,每当有什么问题想向他请教,便到他那里去坐坐。每次敲门进屋时,都见他在案前紧张地写作和阅读,直到吃饭的铃声响过还舍不得离开。晚饭后我们往往在校园中散步,边走边聊,可他总是三句离不开本行。有一次谈论起19世纪俄国革命民主主义文艺理论家和美学家别林斯基、车尔尼雪夫斯基、杜勃罗留波夫等人的思想时,兴致愈来愈高,谈锋愈来愈浓,直到夜阑人静,有的住房已关灯闭户,我们才依依不舍地回到各自房间。

二

《文学概论》的编写我只参加初期提纲的讨论,分工撰写各章节的讨论稿时已回到所内继续从事个人的科研工作。时隔不久,又被派往安徽寿县"四清"。接着,便是轰轰烈烈、翻天覆地的"文化大革命"来临。十余年间,风风雨雨,坎坎坷坷,几乎与外界中断了一切联系。直到1980年6月初,在昆明召开中华全国美学学会成立大会时,我与经之兄才重新会面。文学研究所前往参加会议的有敏泽(当时为《文学评论》编辑)和我。开会前一天我们起大早,六时余即赶到首都机场,办完手续后在等候上机。没有多久,经之兄匆匆进入直奔到我们面前,迫不及待地问道:"你们也是到昆明去开会的吧?!"我们的手紧紧握在一起,高兴得久久未松开。我连连点头说:"对呀!我们所派敏泽和我参加这次会。"他又问:"蔡仪同志最近好吗?他不去出席这次会议吗?"我回答说:"蔡仪同志的身体很好,可由于里里外外的事情太多,决定不离京前往昆明了!"经之同志露出了失望的神色连着说了好几句:"太遗憾了!太遗憾了!不然我还得利用这个机会好好向他请教呢!"接着,他告诉我们:已过八十高龄的朱光潜先生要参加这次会议,这是他离开西南后第一次回昆明,北大特别照顾朱老,要经之先去昆明安排,好让朱老在昆明多走走。果然,在昆明几天,经之一直陪着朱老,游石林、西山、滇池。我们正兴高采烈地谈论不休,汝信、齐一以及其他乘坐这次班机前往昆明出席会议的同志陆续到来,候机楼一片欢声笑语,热闹非凡。

到达昆明的当天晚上,得知朱光潜先生住在昆明军区第一招待所。一切安排就绪后,我受蔡仪委托到他住处拜访,并赠送《美学论丛》创刊号。为了照顾年迈的朱先生,胡经之和杨辛两位北京大学的老师陪同住在外间,我进门后首先向他们打招呼。得知正好无人来访，便进入内间与朱老先生单独交谈。在门口看到朱先生精神抖擞、满面春风，我握着他伸过来的手赶紧说："您老很不简单啦！80多岁了还千里迢迢赶到云南来赴会，真是宝刀未老！"他指着站在外间的杨辛、胡经之两人，有点夸耀似的对我数起了家常：有了他们的细心照料，我才敢出门，不然家人还不放心呢！他们在北大都开了美学课，听的人多得很。美学又热起来了，我们跟不上；他们这批人现在是骨干，北大的力量不够用，我只好重操旧业与他们一起硬撑着！朱先生谈到杨辛、胡经之二位老师时那种亲切温厚、甜蜜、满意的神态，至今我还历历在目。

美学会开幕式次日下午举行。会上首先播放周扬在会前的讲话录音，但大都听不清楚，效果不太理想。接着安排来自全国各地高等院校和科研单位的代表介绍和交流情况；朱光潜和杨辛在会上发言后，我在会上也简要地谈了文学研究所研究美学的近况，通报《美学论丛》近几期的主要内容。第二天上午召开全体讨论会时，继洪毅然、马奇两位美学家谈完美育、形象思维后，经之兄大步从我身旁走过登上讲坛，慢条斯理、一字一句地开始了他的专题发言。他讲的题目是《中国美学思想史的方法论问题》，看来在会前他对这个问题的考虑已经是深思熟虑、胸有成竹，基本上形成了自己的看法和主张。他通过历史和逻辑、中国与外国、古代与现代几个方面的对比，梳理、研究中国美学思想史的基本原则和方法，逻辑严密、思路清晰，给与会者留下了深刻的印象。后来在高校单独召开的文学、艺术院校的专题研讨会上，他又提出了艺术院校文学系科应单独开设文艺美学课程以区别于哲学美学。我不属高校系统，就未参加。

散会前的一天晚上，经之同志抽空专门来到我住的房间，我俩一起促膝交谈。他详细地打听曾经参加过《文学概论》编写组成员的情况，我将仍在文学所工作的每个人的遭遇一一向他叙说。同时，我们又各自谈到"文革"十年的磨难和坎坷，感叹着岁月的流逝和蹉跎，相互勉励要格外珍惜剩下的大好时光，快马加鞭，迎头赶上，尽一切可能追回和弥补浪费掉的青春年华。当我得知他的身体健康状况已不如从前，每年秋冬之际往往感到气喘不适时，心中暗暗不安和担心，劝说他要抓紧时间治疗,注意加强锻炼,有劳有逸,劳逸结合。他非常乐观开朗地说,经过了这段时间的磨炼和熏陶,已懂得和学会了如何把握驾驭自己,明白什么力所能及、什么力所不能及,了解能干什么和不能干什么,有所为和有所不为,不会再像年轻时那样只顾埋头向前冲了。我连连点头称是,觉得这位老兄长的确比我要成熟得多,还得好好向他学习。接着,我们的话题转到这次全国美学会议上,我称赞他发言的内容充实丰富,抓住了美学研究中的方法论这个问题,言之成理,持之有故,最好能在会后写成文章发表。如果愿意的话,就寄给我转蔡仪在下期《美学论丛》上刊出。他稍稍犹豫一下,答应回京后再同我联系。过了一段时间,他将写好的文章的打印稿寄给我并附信说:"武生同志:你好!听说你去延安开会了。写了一篇抽象议论的文章,不像样子,不敢给《美学论丛》;北大学报要,我就给了。寄上一份打印稿,很想听听你对这个问题的见解。"我有一次在蔡仪家中谈到这件事,蔡老马上让我转告经之,以后还有合适的论文一定要给《美学论丛》或《美学评林》,我们曾经长期在一起工作过,不是外人,不要有过多的顾虑才是!

三

1984年经之同志受深圳大学之邀,前去参与创办中文系。临行前在北京一次学术讨论会上,他告诉了我这个决定。据他说:在最近的一段时间内,还得两头兼顾,每年春夏仍回北京大学教学和从事科研;秋冬时,在北京不适应,就往深圳工作。这样,两地的气候都能适应,对他的身体很有好处。那时,深圳经济特区建立还仅仅只有4年,深圳大学创建更是刚刚开始,条件并不太好,面临的困难很多,我再三劝他不要劳累过度,最好能多找几个助手帮忙。他信心十足地表示,深圳经济特区的发展前途异常广阔,那里急需大批人才。目前的迫切任务之一就是狠抓教育,提高人的文化水平和素质,为未来的高速发展打下坚实的基础。深圳大学白手起家,既有薄弱的一面,也有好画最新最美的图画的另一面,甚至还有比内地某些院校更适合办现代化高等教育机构优越性的一面。事在人为，只要信念坚定，开拓奋进，条件就会一天比一天好起来。我被他的这种勇往直前、披荆斩棘的精神深深感动，发现在他的身上仍然充溢着浓浓的青春朝气和活力。它们如同一股热流，使我在不知不觉中受到冲击和激奋。

此后我们一南一北，相隔数千里之遥，见面的机会不多。不过，聚会的机缘还是有的，可往往阴错阳差：经常是外地召开某次会他去出席而我无法离京；而我参加的会议和活动，事前本来听说经之同志也会前往，但到达目的地后才知他无法抽身。加上我从1990年起担任了《文艺理论与批评》主编职务，次年又从中国社会科学院文学研究所正式调往中国艺术研究院任马克思主义文艺理论研究所所长，各种各样的杂务缠身，弄得筋疲力尽、焦头烂额，几乎完全顾不上定期与亲朋好友联系。那时的通讯联络手段不像如今这么发达方便，不用说谈不上通过电脑发邮件，就是电话家中也迟迟安装不了。除了从一些会议上我能打听到经之在深圳的情况，就是在报刊上也能读到他发表的文章。

1982年初由文艺美学丛书编委会编辑、北京大学出版社出版的《美学向导》一书，在我国的美学热重新掀起时，对美学的普及和推广曾经起到过不少推动作用。朱光潜、宗白华、王朝闻、蔡仪等老一辈著名美学家，都为这本书写了"寄语"。书中刊载了经之同志的一篇文章《文艺美学及其他》，对文艺美学的对象、内容以及特性等等方面，进行了认真的探索和阐释。他认为："探讨文学艺术的作品、创造和享受，亦即产品、生产和消费这三方面的审美规律，这就是文艺美学的对象和内容。"又说，"文艺美学只是文艺理论的一个门类，它不能代替文艺理论"，"文艺美学只是美学的一个门类，它不能代替美学的其他部门"。在我的印象中，这是新时期系统完整地提出和论述文艺美学作为独立学科较早的一篇有学术分量的论文。当时在报刊上发表的几篇关于《美学向导》的评介文章，有的就着重提到过这篇文章。有的评论者专门指出，这篇论文没有以论战者的姿态出现，而是从正面做忠实的介绍和讲解，真正尽到向导的职责。这与我的感受不谋而合，似乎在经之同志出版的著作和发表的文章中，多多少少都贯穿着这样的风味和风格，集中地折射出"文如其人"的名言。

随后，经之陆续发表了《论艺术形象——兼论艺术的审美本质》《论艺术掌握——兼论人对世界的审美掌握》《比较文艺学漫说》《论艺术意境》以及《艺术美略论》等等一系列论文，从不同的角度和侧面延伸和充实了艺术美学这门学科的内涵。多年孕育和培植的艺术美学之花，也就在肥沃的土壤和温煦的阳光呵护下结出了丰硕之果。他撰写的《文艺美学》专著，作为《文艺美学丛书》中的第一批著作由北京大学出版社出版。作者长期有志于熔文艺学和美学为一炉的夙愿，终于完满得偿。尽管在我国目前关于文艺美学的看法还不尽一致，甚至与美学一样也存在着多种学派，但经之同志在创立这门学科上的贡献，却是有目共睹、功不可没的。

四

1995年12月中旬，由中国作家协会、中国社会主义文艺学会、广东省作家协会、广东省文学艺术界联合会、广东现代革命作家研究学会等五个团体联合举办的"欧阳山《一代风流》典型性格座谈会"在广州的湖滨宾馆召开。我和程代熙一道代表中国艺术研究院马克思主义文艺理论研究所和《文艺理论与批评》杂志专程由北京前往赴会。会议开到第三天，工作人员通知我们晚上礼堂放映《红樱桃》和《阳光灿烂的日子》两部电影，招待客人。座谈会还有一天就结束，我们晚间无事，又正好未看过这两部影片，于是饭后慢慢朝礼堂走去。进入大厅不久，我忽然听到后面有人叫我的名字，回头一看，不禁惊喜交加、欣喜异常，站在我面前的竟是经之兄。世上巧合的事真的不少，原来他作为深圳市作家协会主席、文联副主席前来广州出席广东省文学艺术工作者第四次代表大会，正好与我们同住一个宾馆。我们高兴地坐在一起交谈，互相倾诉衷情，直到电影开映还喋喋不休。

第二天上午我们正在参加会议听大家发言，经之突然找到会议室来。我立即招呼程代熙一起向主持人请假外出，将他请到我俩住的房间内交谈。经之同志告诉我们，他到深圳以后，身体状况大有好转，看来南方的环境和气候对他比较适宜。深圳大学创办之始，虽然困难重重,可在上下左右同心协力的努力下,几年间面貌即大大改变。从某种意义上来说,在这边工作似乎还要比在北大更能施展个人的才干,有更广阔的发挥空间。我从他的面色和神态上看,的确容光焕发、精神饱满,还像年轻时那样有使不完的劲。

话题转到北京,经之很想知道最近文艺界、学术界的动态。他说,北京是首都,是全国的中心,那里的一举一动都牵连着全国各地;深圳虽说紧邻香港,可毕竟与内地隔得较远,相对说来还是闭塞,这些方面显然比不上北京。程代熙向他谈到近年来思想理论界的一些争议和流行的观点,也谈到文艺界越刮越厉害的某些不正之风和错误言论。无意之间,涉及经之同志熟识的朋友,包括曾经是他的学生在内的某些人的言行。经之听后感到有些意外,不禁有点惊愕,停了一会儿才慢吞吞地说:这些情况有的我已了解,有的还第一次听说。有些文章,我读到也觉得是信口开河、胡说八道,走得未免太远了一些。有些作品描写得太出格了,不单思想内容贫乏空虚,更谈不上什么艺术性和审美价值,纯粹是精神垃圾。这种现象很值得文艺界、美学界、理论界重视,我们要加强这方面的研究,根据形势的发展和变化,让人们增强识辨真、善、美和假、恶、丑的嗅觉,弘扬正气,消除歪风。他面对着我们诚恳地补充道:《文艺理论与批评》这本杂志我觉得很正派,过去在这方面做了不少有意义的工作,发表过许多好文章,今后希望她能坚持下去,更贴近现代生活和文艺界的实际,发挥更积极的作用!

程代熙和我立刻向他约稿,让他将新作寄给刊物。他迟疑了一会儿说他最近在重新考虑马克思提出的"美的规律"的重要论点,感到这不仅仅是抽象的理论问题,同时还是与人类社会生活息息相关的指导思想。人和人相处不能单是金钱和功利关系,还有更深刻更亲密的和谐关系。人与自然也不能仅仅是利用和被利用、索取和被索取的关系,还有融洽亲和的关系,这些都要按照"美的规律"才行。不过有些问题还没有完全考虑成熟,等过一段时间再说吧!果然,后来他几乎同时在《文艺理论与批评》和《艺术研究》上发表了《按照美的规律来创造》和《艺术:按美的规律创造》两篇论文,呼唤大家重新重视对美的规律的研究。文章提出:"人和世界的关系,不仅只是实利的关系,更应建立审美的关系。马克思主义是开放体系,应该而且能够在研究当下现实的审美现象的同时,吸取中外古今美学的有价值成果,建设和发展中国特色的马克思主义美学、文艺学。"论文刊出后,有好几位文艺界、美学界的人士向我表示受到启发,认为关于马克思的"美的规律"的讨论,早就应该跳出过去经院哲学式抽象论证的旧框框了。

五

在新旧世纪交替之际,1999年的春节前夕,我同老伴要到新西兰去看望出国已有几年的儿子、儿媳。由于那时还没有直接飞往新西兰的航班,加上亲家夫妇同行,我们只得从香港乘机。这样,又给了我一次与经之见面的机会。这次旅行不仅是在相隔近10年后的又一次出国,对我来说还增添了无数个第一次:第一次到深圳,第一次到香港,第一次去新西兰……虽然乘火车要熬两个晚上,然而沿途观赏的景色美不胜收,令我们心旷神怡、兴高采烈。第三天清晨到达深圳火车站,我们乘出租车直奔深大新村经之兄家中。在宽敞、明亮、洁净的客厅中,经之和老伴热情地迎接我俩。他们的安排和照顾十分周到,先让我们洗了一个热水澡,接着四人一道用早餐。

我们的全身从上至下都感到暖烘烘,好像全无疲乏的感觉。四人围坐在客厅的沙发上,如同一家人一样拉起了家常。这次谈的全是家务事,双方感叹着年华的飞逝,同时为儿女们的成家立业感到欣慰和高兴。当我和老伴听说经之夫妇有个女儿在深圳工作并住家不远,能够常常走动探望,连口称赞他们的福气好,可享天伦之乐。而我们的三个儿子都不在身边,相距万里远在海外,真是"三个和尚没水喝了"!他们听后哈哈大笑,不断摇头对我们说:儿女们长大了各有各的事业,目前的观念与过去不同,早已不是"父母在,不远游"、"在家千日好,出门一时难"的时代。深圳这座城市,绝大多数人口都是由外地迁入的,所以住在这里没有语言障碍,大家都讲普通话,不像广州和香港讲粤语听不懂。经之兄接着若有所思、感慨万千地讲道：如今的年轻一代真是幸福啊！不像我们白白浪费了人生中最宝贵的时光，否则一定可以干出比现在更多的业绩！"长江后浪推前浪"，新的一代一定会超过我们、比我们更优秀！

  时间在谈笑风生中不知不觉地过去，又临近中午吃饭了。经之夫妇邀请我俩到住处不远的一家上海餐馆"老大昌"共进午餐。我的老伴在上海出生和长大，对这家老字号的餐馆在深圳特区开分店自然感到好奇和亲切。一行人出门慢慢朝街上走去。这天的天气晴朗，鲜红的太阳在湛蓝的天空中向我们招手和微笑。阵阵和煦的暖风不时抚摸着脸蛋儿、轻触着四肢，带来的是无限的温馨和清爽。道路两旁耸立着高高的紫荆和盛开着五彩缤纷的鲜花，春天早早地来到了特区。坐在餐馆楼上邻靠大街的一个小间里，我们品尝着小笼包、萝卜丝饼、馄饨……每人又吃了一碗阳春面，人的食欲随着心情的愉悦会愈来愈好。经之兄那天下午要参加市内的一次重要活动，饭后马上与我们匆匆道别，他的夫人张老师沿原路陪我们回家。在路过一棵高大的紫荆树时，几片粉红的花瓣意外地飘落在我的头上。我轻轻地将它们放在手掌中观赏，一直带回再夹到日记本中。它们随着我远游到香港、新西兰，再从那里飞回北京。我记起经之兄一篇文章中写过的话：江山如此多娇，生活应更美好！美的花瓣在编织中永不枯萎褪色，友情的花瓣在编织中天长地久、源源不绝！

2002年壬午元宵节赴美前夕草于北京

  涂 途 时为中国延安文艺学会副会长，中国社会主义文艺学会副会长，中国解放区文学研究会副会长，中国人口文化促进会学术委员会副主任，中国大众文艺研究会常务理事，全国毛泽东文艺思想研究会理事，中国毛泽东诗词研究会理事，中华美学学会理事，中国作家协会会员，北京科学技术美学协会会长，中共北京市委研究室研究员。1993年起享受国务院有突出贡献专家待遇。

经之老师印象

王元骧

胡经之老师的名字在我心目中已有40多年了。大概在1958年下半年，我在《文学评论》上拜读了他的《理想与现实在文学中的辩证结合》的文章，从此就对他怀有深刻的印象。但是第一次会面却在25年之后。

那是1983年秋天出席在厦门大学召开的全国美学讨论会，大会期间，承办单位组织代表去游鼓浪屿，我在船头看到有五六位青年围着一位穿格子衬衫、脑后留着长发（这是当时的印象，现在看来，当然并不算长）的谈笑风生的中年学者在讨论问题。我当初还以为是一位海外华裔学者，向周围的同志打听，才知道这就是胡老师。

我从小就在一个封闭的环境中长大，不善于交际，所以尽管认识了胡老师，但是那一次会上彼此都不曾有什么交谈。后来怎么开始接触我已经记不清了，我总感到他是一位非常厚道、谦逊而平易可亲的人。比如在学术会议期间，大会组织大家旅游，每到一个景点，许多人都喜欢挤在一起拍照留念，而我一般都是站得远远的，若是胡老师在场，他总是热情地招呼我一起合影。这样几次下来，生疏感和距离感也就完全消失了，接触和交谈也就渐渐多了起来，我在他前面谈话也就没有什么拘束了。从交谈中，我知道他是无锡人，尽管离别家乡已有半个世纪，但至今还保持着家乡的饮食习惯和口味，特别喜欢吃罗汉豆瓣炒咸菜。有一次，他到杭州来开会，我要请他吃饭，他就问我：有没有青蚕豆吃？他交往比较广泛，知道文艺理论界的内情也多，有些情况我也首先是从他那里听到的。总之，在与胡老师的交往中，我深切感受到他对人有一种目前人际交往中所少有的真挚和坦诚，所以我不仅感到与他交谈是一种乐趣，而且也愈来愈对他产生一种尊敬的感情。

胡老师的谦逊和厚道还有一件事情很能说明：他是我国"文艺美学"的倡导者。关于文艺美学，我也看过一些著作，包括胡老师的著作，但是，对于文艺美学与美学、艺术学之间的关系，我一直搞不很清楚，去年秋天出席在山东大学召开的文艺美学讨论会，我见到胡老师时，就向他请教这个问题，本以为他会向我申述他的一番理由的，想不到他听了之后只是对我一笑，说："还是大家讨论吧！"这种超然的态度，在今天，我觉得更是一位学者所难得的雅量！

胡老师不仅为人值得我敬重，而且他对文艺问题的思考也给我很多的启示。1993年当时的国家教委令我牵头编写一部《文学概论》教材（终因编写组成员观点不一而未能编就），第一次在烟台讨论大纲，我们特地请胡老师光临指导。他提了许多很好的意见，特别强调"文学理论就是文学理论"，不是哲学、不是政治学、不是伦理学……并再三强调新教材必须要做到这一点。这思想虽然我也有，但还是等胡老师指出之后，我才真正明确起来。当然，他所说的文学理论不是形式主义、结构主义、新批评所说封闭的"文本理论"，他始终不反对反映论，但对"反映"必须作宽泛理解，认为不仅认识，而且情感、意志都是对生活的一种反映，反映的形式多种多样，不只是再现对象。我觉得他的意见都是很正确的，也从中可以看出他思考问题的深度！

胡老师在年龄上虽然并没有比我大多少，但不论在人品和学问上，我都把他当作是我的老师！并为能够认识像胡老师这样的朋友而深感荣幸！

2002年冬于杭州

王元骧 时为浙江大学中文系教授、博士生导师，兼任国家哲学社会科学基金评审组副组长，教育部《高校理论战线》编委，中外文学理论常务理事，浙江省美学学会副会长等职。长期从事文艺学、美学研究，迄今已发表学术论著180万字左右，曾16次获中宣部、中国社会科学院、教育部与单位的嘉奖。代表作有《文学原理》《审美反映与艺术创造》《探寻综合创造之路》等。

难得的师友

王臻中

经之先生是我仰之弥高的老师,也是我相见恨晚的挚友。

在很长的时间里,胡经之的大名,如雷贯耳。这当然是与经之先生对"文艺美学"的倡导以及《文艺美学》《文艺学美学方法论》《西方文艺理论名著教程》《西方二十世纪文论史》等论著紧密相连的,是与经之先生在学术界的巨大影响和突出地位分不开的。这震撼文坛的贯耳巨雷,把"胡经之"与"老师"交融为一体,也同时灌注进了我的心田。先前,我并不清楚经之先生的年龄辈分,也从没有想打听,在我的词汇库中,老师是经常不与年龄挂钩的。这或许是由两个原因造成的。其一,在高校界,同校同系高几届的学兄,如果毕业后留系任教,虽然年龄辈分与你在同一层面,却已无可改变地确立了你们的师生关系,如果再直接给你讲课或辅导,那更应是铁定的老师无疑了。然而,这样的老师,未必都能成为你心目中真正的老师,但又确实都是老师。于是,在一定的关系范围内,老师常常与年龄无关的意识便在无形之中被认可了,老师概念的二重性也就在无形中实际上形成了:心目中的老师与关系学中的老师。其二,无论是生活经验或是先圣的哲理,都令人信服地表明,"三人行必有吾师"是颠扑不破的真理。在这里,老师显然是不以年龄来划分的,而且这种老师还是绝对货真价实的心中之师。后来我知道,若论年龄辈分,经之先生虽也比我长好几岁,但依然归属同一辈,还划不进最具普泛性的中、小学生与老师那种师生概念的范畴之中。然而,这一年龄比差的明晰,一种特别的敬佩之情在我心中油然生起,因而不是弱化反而更加强化了经之先生在我心目中的老师地位。我与经之先生虽然都长期在高校工作,但并非同校同系的师兄弟,自然绝不存在关系学的师生关系;而且,即便这种关系,由关系学老师升华为心目中老师的先例,也并不鲜见。经之先生作为名牌大学的高才生,其出众的才华在刻苦的学术积累和研究中获得学界和社会的高度评价与认可,完全是合情合理合乎规律之事。他在我的心目中成为仰之弥高的老师,自然也是理所当然的了。

对经之老师的敬重,当然离不开对其《文艺美学》等论著的赞赏和钦佩。《文艺美学》是我国当代首部具有独到见解和完整体系的学术专著。这部专著,对他在长期研究中形成并首先提出的文艺美学观,进行了全面、系统和深入、细致的阐释与论述。应该看到,自20世纪80年代初经之老师率先提出文艺美学的学科建设并进行初步论证以来,随着文艺学、美学研究的深入发展,文艺美学及其研究也逐步被接受、被重视,并开始趋向深化。历经8年反复修改才慎重出版的《文艺美学》,不仅在体系构架的原创性上依然独占鳌头,在理论认识与论述的科学性、完整性和系统性上仍旧独树一帜,而且在具体学术观点的论证阐发上,其新颖独到、见地深刻,仍给人教益良多,显示出很高的学术理论价值。特别值得注意的是,该论著语言文字表达深入浅出、明白晓畅。作为一本美学专著,全然没有为显示理论的高深而刻意作秀的架势,并且力求避免由理论思辨所带来的语词构成及语意表述的难以理解性。这既体现出作者重视阅读、关爱读者,强调以人为本、雅俗共赏的群众观点,以及由此养成的良好文风,更有力地表明,经之先生对论述对象理解之深透、把握之娴熟,已达到驾驭自如的自由境地,而其思维之畅达、语言文字驾驭功力之深,业已趋于炉火纯青。

对经之先生的特别敬重、敬佩,更在于他是我国一位不断引领探寻和开拓文艺之美及美学研究的前行者。经之先生在多所高校都热情聘请他执教并赋予重任的状况下,经实地考察,认真分析,毅然决然选择了深圳大学。先生不去南京大学、浙江大学、苏州大学,以及物质待遇优厚的汕头大学,主要的考虑,是要在思想更为解放、人文环境更为自由宽松的状况下,求得对文化教育领域更多的开拓。先生师从"五四"老人杨晦学习文艺学,传统文化的底蕴十分深厚。他又跟随朱光潜、宗白华研究美学，对中西美学和艺术学也有系统的涉猎和相当的功底。特别难能可贵的是，他不但不因此故步自封、观念保守，恰恰相反，他思想解放，学术视野和心胸开阔。唯其如此，当他驻身地处改革开放前沿、生态和人文环境俱佳的深圳大学校园，便如鱼得水，学术才华得到尽情发挥。他发表的《关注现代》《面向当下》《向往超越》《博采众长》，以及《反思文艺美学》《发展文艺美学》《探索古典文艺学》《建构当代文艺学》等等，都以中西文艺学、美学的厚实传统为根基，结合当前实际和发展趋向，经过认真和深沉的思考，阐发了一系列极其深刻精辟的独到之见。关于艺术生产作为一种独立的实践活动的论述，关于文学艺术作为一种特殊的生命活动的深入阐述及由此引申提出的诸多深化文艺研究的课题，关于文艺与审美关系极富于独创性的多方面多层次的精彩阐发，关于文艺研究"他律"如何通过"自律"形成"合律"，以及如何在"自律"与"他律"相互作用的张力关系中探索艺术的特性与规律，回答艺术实践提出的时代课题，等等，凡此，对由先生在我国开创的文艺美学学科的进一步充实、深化、完善和发展，对坚持和发展马克思主义文艺的基本思想和理论，继承和发扬优秀的民族文论精华，借鉴和吸纳西方文论可取之处，总结当今现实丰富的文艺实践经验，创造性地建构有中国特色的文艺理论及其体系，无不具有重要的启示意义和推进作用。尤其令人钦佩的是，先生更能高瞻远瞩，顺应世界性的历史潮流，提出了"走向文化美学"的热切呼吁。而且不仅对其重要性和必要性作了充分有力的论证，还对文化美学的深刻内涵及其包容和相关的学术课题，发表了精辟的见解，对开辟和深化文化美学这一新兴的学术领域，对拓展文艺学、文艺美学和美学研究都具有十分重要的推进意义。

经之先生作为我当之无愧的老师，又称之为"友"，这实实在在是大不得体、大不恭、大不该的。我几经犹豫、思之再三，终于还是用上这"友"字，完全是出于对先生虚怀若谷的品格的尊重，出于对老师把学生当友人的一片诚挚真情的纯真回应。经之先生作为我的"心中之师"，是很有年头了。因为长期以来我被行政事务牵绊，经常不能参加业务研讨活动，多次失去了认识先生的机会，直到1999年在南京师大举行中外文论学会年会暨学术研讨会，才得到机缘结识先生。一位心目中处于师辈地位的权威学者，相见之下，竟是如此谦逊、随和、热情、真诚！我虽然也遇到过不少谦虚、热忱的权威，但经之先生初次见面便给予你的那种挚友般少有的亲和力，还是留给了我很深很深的印象。在我这里，不仅在学识上经之先生早已成了我崇敬的老师，我还知道，他在我们学位点的创建和发展上，作为师长和挚友，给了我们许多真诚、切实的指导和帮助。在一种崇敬与感激、感谢交融的心情支配下，终于迎来了渴望已久的相见，遇上的竟又是这么好的一位师友，我当时获得的是怎样一种幸福感，我想不加描述更能得到传神的传达。更让人兴奋的是，经之先生还当即给我签字赠送了他刚出版不久的《文艺美学》（第2版），并极度谦虚地以"兄"相称。我跟经之先生从"心中之师"到"心中师友"的关系深化，便从这首次相见开始。真是喜事逢双，仅隔数月，仍于南京举办的中国文艺理论学会换届大会相继召开，我与经之先生得以在半年之中两度相会，这实在是一难得的幸事。在这次近乎已是老友相遇的叙谈中，我对经之先生学识、为人的了解，又进一步加深，我们的情谊也随之大大进展。或许我们这种关系已有了某种外化显示，以至我最敬重的恩师徐中玉先生，也在会议期间通过经之先生来给我传递让我担任学会顾问的信息，大概是顾虑到我有自知之明，不敢应承此任，特意让经之先生含蓄委婉地给我做工作。

我跟经之先生相见恨晚的挚友关系，我确认是一种"师友"，至少是长兄与幼弟的情谊关系。我们其后又有过三次相见，分别在暨南大学、扬州大学和深圳大学。前者是召开文艺学及相关学科博士点建设经验交流会，后两次都是文艺学的研讨会。我长年以来被南京师大和江苏作协的党政事务牵制，文艺学的教学和研究工作处于兼职状态，多有荒疏，少有心得，博士生的指导工作，更是刚刚开始。因此，参加这些会，主要是去学习，并会会师友的。可在南方的两次会上，经之先生不仅热情接待，还处处给予我关爱。在研讨中，或专门安排我发言，或让我参与轮流主持会议；在参观访问活动中，则不辞辛劳，亲自陪同。经之先生作为苏州人，一种成就再大却不忘苏南、苏北的乡土情怀,令人难忘。那天在三五成群地漫步参观的人流中,经之先生硬是亲自一个一个把一长溜江苏人找到一起合影,让人感动不已!在深圳大学的会上,我因为有事要提前回宁。离别前晚,会议宴请,偏巧一位二十来年未见面的老同事已约我吃饭,我便失去了一次与经之"师友"在酒宴中话别的机会。当我抱歉地向他告假时,我们都不免感到一种难言的深深的遗憾。但在这一瞬间产生却永留记忆的惆怅中,我那种相见恨晚、"师友"难得的情怀,却感到猛然间再度提升,于是,我获得了一种永恒的满足。

2003年春于南京

王臻中 时为江苏省作家协会主席,南京师范大学校务委员会副主任,文艺学教授、博士生导师,兼任6届中国作协全国委员会委员、主席团委员,中国文艺理论学会顾问,中国中外文论学会常务理事,中国高教管理研究会理事,江苏省文联副主席,江苏省美学会常务理事,江苏高校语言学会会长等职。

1997年任江苏省作家协会党组书记,同年年底当选省作协主席。1961年留校任教,1978年任讲师,1986年破格直升为教授,1983年起连任3届南京师大中文系主任,兼任文学研究所所长,1991年任该校副校长,1992~1997年任该校党委书记。1992年以来,历任中共江苏省9届委员会候补委员、委员,8届省人大代表,8届省政协常委以及5届中国作协全国委员会委员等职。长年在高校从事文艺学、美学的教学和研究工作,为我国培养了该领域的大批高中级专业人才,曾获江苏社科优秀成果奖三项,广西社科优秀成果奖一项。1994年享受国务院特殊津贴。专著有《文学美探源》《电影文化诗学》《毛泽东诗词鉴赏》《毛泽东诗词大典》等;在《文学评论》《文艺理论研究》《文艺报》《江海学刊》《南京师大学报》等报刊发表论文50余万字。

人生难得此相知

邹贤敏

一

那是20世纪70年代初,我去哈尔滨参加由辽宁大学发起的马列文论研讨会,与会者好像全是高校的文艺理论教师。当时"文革"已进行得如火如荼,大家对北京大学特别关注,有的代表打听北大来了什么人,其中提到了胡经之。我对这个名字已有印象,读过他的不少文章,记忆最深的是一本评论长篇小说《野火春风斗古城》的小册子,因为我对那部小说比较喜欢,后来又看过同名电影,王心刚、王晓棠的表演曾使我迷醉过。听说他也来了,当然想见识一下。奇怪的是,会上没听到他发言,以至会开完了,我还没弄清谁是胡经之。会议结束后有人提议:我们出来一趟不容易,应该再到东北几所高校去学习教育革命的经验,取取经。此议一出,应者大概有10个人。就是在这个十来人的"临时组合"里,我认识了经之先生,他被大家公推为"党代表"。暂时离开了弥漫着阶级斗争"火药味"的学校,长年绷紧的神经得以放松。我们一行像放飞的笼中鸟在经之的带领下到几所高校学习考察后,又去了长春电影制片厂、沈阳故宫、大连海滩……好不逍遥自在!经之游兴很浓,但我也注意到,有时出行,大家说说笑笑,他却一个人低着宽大的前额走在边上想自己的心思;有时坐下休息,他两眼望着远处若有所思,显得郁闷、迷茫、目标游移。我当然无从知道他在想什么,但感觉得到他内心有沟壑,有波涛。在从大连到天津的海轮上,我和西北大学的毛黎春老师与经之聊天,才开始触摸到他的内心世界。热情直率的毛老师似乎是经之的老熟人,她提出一个又一个问题,都是关于北大、中文系、经之本人的，我带着好奇心间或也插进去问问聂元梓之类的动态。经之在运动后期受过冲击，当时的处境也不怎么好，但他没有回避什么，一一据实相告，言谈话语之中明显流露出对"文革"的不理解，对自己前途的惶惑，对周围人事变幻莫测的无奈。他谈的一些内容和宣泄的情绪在那个时候是犯忌的，可他还是当着我——一个刚刚结识而且年龄比他小的同行的面讲了。这种坦然、信任一下子缩短了我和他之间的距离，我从内心里认定他是一个可交的人。

二

再见到经之先生，已是20世纪80年代之后，在长沙的一次毛泽东文艺思想研讨会上。我们的国家和民族刚刚经历了惊涛骇浪，正处在解放思想、拨乱反正的热潮中。他还是那样敦厚谦和，精神风貌大变，明亮眼睛中的那一缕忧思消失了。学术和人生的春天，使我们一同走进了《西方文艺理论名著教程》编写组，并成为要好的朋友。

他被公推为主编，不仅仅是因为他的学术水平和学术地位，还由于他自身的人格魅力。他是一个肯干实事的人。从长沙会议确定编写原则和分工，到青岛的讨论会，再到舟山的审稿会，从分上下卷的增补工作到全书的修改工作，从选题、约稿到编定，他都亲自主持，在学术上精心策划，慎重把关；连教材的立项、出版这些麻烦多多的事务，也全赖他亲力亲为，具体落实。他还是一个有凝聚力的人。他没有名人的架子，不以权威自居，宽容大度，尊重他人。每逢讨论，他都静静地坐在那里认真倾听，从不打断别人的发言；轮到他做小结，不长篇大论，不自我炫耀，不强加于人，而是善于集中大家的智慧形成共识，消除分歧，以利下一步工作。对一些具体问题的处理，他也注意发扬民主，不独断专行。爱玩会玩爱和大家一起玩，也使他具备了不少名人所欠缺的亲和力。他的实干精神和凝聚力赢得了大家的尊重，编写组内气氛非常活跃，团结合作，尽职尽责，心情舒畅，既有主编的权威，又有全体成员的积极性，从而保证了教材编写的质量。我见过、听说过不少名人当主编的事，往往是书编完了，主编的形象也塌了，怨声四起，最后不欢而散。经之当主编完全不是这样。《教程》编完了,参与者学术上得到提高,精神上充实许多,他的"人气指数"也直线上升。忆起参加编写《教程》那些日日夜夜,我们至今还感到温馨,充满留恋之情。

因为编《教程》,我与经之有了较多的机会在一起谈天说地,纵论人生、学术、生活、朋友、学生、家庭……无所不及。不久,我的学生张首映成了他的硕士研究生,我们之间又多了一条心之交流的纽带。(前年,我的硕士生田春又成了他的博士生)在同辈人中,经之的经历是比较丰富独特的:少年时代便积极参加进步学生运动,刚刚解放就投身于家乡热火朝天的社会活动;20岁跨进京城,把一生最美好的年华奉献给了我国最古老的高等学府;入"知天命"之年又毅然奔赴岭南海滨,为开拓深圳的学术文化不辞辛劳。半个多世纪以来我们国家政治上的坎坎坷坷、学术上的风风雨雨,他都是历史的见证人。有一次,他向我说起他在"文革"中的一段遭遇,那不是倾诉,因为说得很简单,省略了过程的细节;也不是表白,因为说得很客观,没有一丁点儿掩饰。一个历史片断,严格地说是一个历史中的插曲,一段在我以前看来有点神秘的史实,从他那理性、平和、反思的叙说中显示出本来面貌。凭直觉我肯定他的讲述比我在一些书刊上读到的要真实得多。在经之的"学术生涯"中,有价值的历史插曲是很多的,比如他与一些学术大师、文化名人的交往。他既和陆定一、周扬、何其芳、张光年等打过交道,又和王朝闻、蔡仪、朱光潜、宗白华、伍蠡甫等老一辈美学家有很深的交情,就是和红学家吴世昌、周汝昌、吴恩裕、蒋和森等都相识。这笔宝贵的精神财富是他独有的,如果他都能够以理性、平和、反思的心态把它们记录整理出来,一定会给我国当代文化学术史增添有意味有色彩的内容。

正是这些独特的经历铸就了经之的人生态度。知识关怀与社会关怀两难的冲突,是中国知识分子普遍的心态。在与经之的接触中,通过读其书听其言观其行,我强烈地感到他追求的是一种"无弃无执"的人生境界,既要保持心灵的自由与精神上的独立,又不逃避社会现实的制约,既要积极参与,不远离现实,又要努力超越,不随波逐流,尽力把二者统一起来。他把这确切地概括为"从心所欲而不逾矩",并自觉认识到欲达此境"非经长期磨炼而不能至"。他是这样想的说的,也是这样实践的。在学术研究上,他既主张走自己的路,以独创为贵,又强调关注现实,面向当下,把美学、文艺学研究与社会生活、文学艺术的实际紧密结合。他创建的"文艺美学"这一边缘、交叉学科即是典型的例子。在教书育人上,他既教学生如何治学,又教学生如何做人,把时代精神与时代需求融入传道、授业、解惑之中,为国家和社会培养出了一批又一批高素质的人才,其中不少人已经成为各个领域的佼佼者、学术带头人。据我所知,在众多的硕导、博导中,经之所带研究生的"成活率"、"拔尖率"之高是有目共睹、广受钦佩的。更可贵的是,他到深圳以后,奋力拼搏,老而弥坚,在高尚的人生境界的追求上达到了一个新的高度。一方面,当学术界一些人被市场经济的浪潮冲昏头脑之时,他清醒地看到了"官本位和钱本位已在侵蚀学术界",并以"不想当官,也无能发财"的自由心态抵制诱惑,坚持精神独立,潜心治学,完成了大量的学术著述,建树颇多;另一方面,他扎根深圳,面向深圳,十分关注深圳的文化艺术和教育事业的发展,不仅写了大量的文艺、文化方面的评论,呼吁提升人文精神,重视人文教育,着意文化建构,产生了广泛的社会影响,而且办了很多实事,如把深大中文系改建成国际文化系(这在国内是创举),为深圳培养国际文化交流人才,还办起特区文化研究生班,直接参与深圳文化发展战略的研究与实施。有人称经之为深圳文化领域的"拓荒牛",我觉得这正是对他人生追求的真实写照,可谓实至名归。

三

经之潜心学术,却又不是那种"皓首穷经"的书呆子型的学者,而是一个有活力有情趣重亲情重友情的人。在我的记忆中,他好像从未开口要我帮他做什么,倒是我不断地给他添麻烦,而他总是有求必应,极尽朋友之谊。1986年夏,他已定居深圳,组织了一次小型的高校西方文论教学研讨会。当时在内地人的眼里,深圳还是一块神秘之地,我爱人也想去看看。他知道了,连忙热情地发出邀请,还写来几封信,告诉行走路线、深圳的气候状况等等,连带什么衣服这样的细节都提醒我们注意。那次深圳之行给我们夫妻俩留下了美好难忘的印象。前年我退休后,就与家人酝酿在深圳购房,为安度晚年做点准备,可又一直犹豫不决。我打算征询经之的意见,正好广州有个会,他和我都参加了。当我一说出自己的意向,一向出言谨慎的他脱口连说"好!好!"为打消我和家人的顾虑,他讲了不少,说深圳的气候很适合老年人,说深圳人在家里开伙所需花销和内地差不多,说还有几个朋友也在深圳有房,每年都来,可以相聚,说深圳文艺界的活动也可以参加,不会寂寞的。最后又向我介绍深圳房地产的情况,建议我在哪些地段看房,他俨然是个地地道道的深圳人,那种对深圳的家园之感,对朋友的关切之情深深地感染了我,打动了我。可以说,我家的购房决策他投了很关键的一票。去年年底,我和爱人带着小孙子离开武汉,入住深圳"万科四季花城",他和夫人特意来看望我们,听到我们对住地"非常满意"的评语,两老高兴得直点头。按常理,那天应该是请他们在我家吃饭,但两老执意不肯,经之说:我请你们到外面去吃,地方早想好了,就在上海宾馆后面,叫"湘鄂情",有地道的湖北菜。他夫人更是反客为主,热情地劝道:在深圳,我们是主人,你们刚来是客人,当然是主人请客人了!盛情难却,我和爱人只得高高兴兴地去吃了一顿友情融着乡情的美味,初到深圳的陌生感似乎也消除了不少。

不过经之并非感情至上主义者,他对朋友是讲原则的,凡有不同的看法不藏着掖着,而是以他特有的方式向你提出,别指望他对你的所言所行一味地附和、迁就。有两件事我记得比较清楚,大概是他应邀来武汉参加比较美学研讨会,有一次我们俩在一起聊天,谈到各自的近况,我向他讲了自己有申报正高的想法。以前申报副高时,他曾给我的一篇论文写过学术鉴定,做了实事求是的肯定。我当然希望这一次也得到他的支持。可是他沉吟了一下,用商量的口吻说:"这事不要急,慢慢来吧?"显然,他是认为我的学术水平还不够。我回家后冷静一想,觉得他说得有道理,自己的想法本来是带有碰运气的成分,确实是急了一点,撇开学术水平还欠火候不说,起码评副高还不满五年嘛。1992年夏,我去深圳办事,因时间紧没去看他,就打了个电话问候。当他问起我的近况时,我向他诉说某某"不够朋友",说的时候情绪有点激动,用语很硬很直。待我大门大嗓发泄完,电话那端却没送过来一个字。短暂的沉默后,我立即意识到他有保留,要么是不同意我的看法,要么是认为我不值得生这么大的气,要么是不明事情真相难以表态,要么是对这事没兴趣,于是调转话头谈起别的事情。放下听筒,我感到自己太冒失:那样的事情电话里怎么说得清?不是让朋友为难吗?不管是出于什么原因,对他而言沉默是最佳的选择。这两件事说明经之对朋友非常真诚,他是真心爱护你,而且他讲究对话的方式方法,让你冷静下来反思自己的言行,考虑他的意见的合理性。

与人为善是经之的交友之道,但这不等于说他在处理人际关系时没有好恶是非。在他看来,人缘再好也不可能人人都是你的朋友,问题在于你怎么认识和对待。在谈到我和他都熟识的人时,有些他颇有好感,有的则明显表示不喜欢,而判断的标准是人品如何。我与有些人相识但不相知,他知道我的弱点,有时就提醒我:某某人品不错,某某在学术界口碑不大好。他识人的眼力我是相信的。他最讨厌打击别人抬高自己的不学无术者,还有过河拆桥者,在他的生活中就有与这种人相处的经历。有时我向他问起这方面的情况,他的语气、心态都非常平和,看得很开,全无势不两立、睚眦必报的意念。他说:有时间多做点学问,犯不着为这种人花费心思,惹不起躲得起,敬而远之就行了。这种涵养、肚量很令我佩服。经之虽然只年长我五岁,但他不仅在学术上值得我学习,在为人处世方面的确也比我成熟许多。

在我的眼里,经之先生就是这样一个人:既有江南人的聪颖,又不乏北方人的豁达;既认认真真治学,又踏踏实实做人;既献身学术,造福社会,又热爱自然,享受人生;既有传统文人的君子之风,又具现代知识分子的活力。当然,在他70年的流水人生中也遇到过回流、退潮,但他始终不言放弃,朝着"一生淡泊,无愧人生"的目标搏击,创造,前进……

2002年5月于武汉沙湖之畔

邹贤敏 时为湖北大学人文学院教授,中国作家协会会员,湖北省美学学会副会长,《中学语文》杂志总策划。

一贯致力于美学和文艺理论的教学与研究。1959年开始在《文艺报》发表文章。1986年出版学术论文集《真实性——美学的范畴》(长江文艺出版社)。蒋孔阳先生评价此书"善于在前人'已发'、'已见'的基础上,去探幽发微,得出所见,发为新义,从而呈现出新的面貌"。同年参编《西方文艺理论名著教程》(北京大学出版社)。1989年主编的《西方现代艺术辞典》出版(四川文艺出版社)。郑克鲁先生认为,这部辞典对西方现代艺术"进行总体的研究和介绍,在国内还是首次,因此具有开创性意义"。

深圳"菩萨"

郁龙余

"江山代有才人出",说明时空与人才的关系密切。所谓"物华天宝,人杰地灵",所谓"时代出英雄",讲的也都是这同一个道理。当今中国学术界,说到北京人们就想起季羡林,说到香港人们就想起饶宗颐。那么,说到深圳呢?人们就想起了胡经之。有人说,季羡林是岱宗鲁殿,饶宗颐是红香炉顶,胡经之则可称是深圳第一学人。在我心中,经之先生应是深圳的一尊"菩萨"。

首先,经之先生是一尊学问菩萨。他不是一般的教授,而是开宗立派的一代名家。这有点像佛家的慧能。当年,印度达摩踏苇东来,禅宗渐开,传至六祖,则别开生面,由渐悟至顿悟,创立南宗,标志着佛教由印度佛教走向了中国佛教。

20世纪中叶,苏联专家来北大讲文艺学,对中国学子传播他们的文艺学说。他们怎么也没想到,苏联的文艺学在中国怎么就发展成了文艺美学。在欧美的专业目录里,是找不到文艺学的,只有美学、文学理论等。而这个从苏联舶来的学科,在中国虽还在用"文艺学"之名,却已中国化了。中国的文艺学发展得很快,文艺学在各高校所设硕士点、博士点之热,其教师、学生人数之多,简直令人不可思议。近年来,欧美一些顶级的大师也频频在中国召开的文艺学国际学术会议亮相。西方美学家也没有想到,西方的美学传到中国,会和文艺学结合起来,又融合了中国传统文化,生长出一个文艺美学来。教育部在全国设立的100个重点文科研究基地中,除了北师大的文艺学研究中心,还有山东大学的一个文艺美学研究中心。就是说,外来的文艺学在中国扎下了根,而由中国人自己开创的文艺美学也站住了脚。

文艺学、美学和文艺美学的关系,恰如印度禅宗之于中国禅宗。前者为后者之本，后者为前者之荣。几乎每一门外来的人文学科，都会不同程度地中国化。文艺学、美学的中国化这么快、这么好，堪称典范。其中，作为文艺美学的倡导者，经之先生功不可没。如果说，20世纪50年代初，苏联专家在北大讲课时，经之先生还是一名学问僧，后来经过几十年的修行，到他的《文艺美学》《文艺美学论》等相继问世，标志着他已修成正果，由学问僧修成了学问菩萨。学问僧和学问菩萨之间的区别，不在著作多少，而在是否创立学派。学问僧也可以著作等身，只要没有自树其帜，就永远是学问僧，顶多是个学问罗汉，而不能称为学问菩萨。著书立说不在多，重在创新，重在开启先河，成一代宗师。经之先生的菩萨道行，简而言之，就是开创了文艺美学这门充满生命力的新学科，成为这一学科最早、最重要的奠基人。

其次，经之先生是一尊笑面菩萨。作为学问菩萨，他是严谨的、思索的、苛刻的。倘若不唯精唯一、朝乾夕惕，又岂能肯堂构室，开一脉基业！然而，这不是经之先生的全部，他还有笑对人生、笑对社会的一面。经之先生出生于江南诗书之家，20世纪50年代初考入北京大学后，就在燕园学习、教书30多年，年逾五十来深圳大学，至今亦已有近20年。从反右、四清、"文革"到改革开放，在岁月的风雨中，他对民族、国家、世界及自我的认知，不断深化。这种不断深化的认知的外在表现，便是他的笑。

青年时代，经之先生一头浓密的黑发，高傲的额头，皮夹克一穿，颇有一点歌德的气韵。岁月如梭，如今黑发早已失踪，光秃的额头闪闪发亮，倘若蓄起那白亮的络腮胡子，活生生的一位南极仙翁。逢人便笑，笑得那样随和、儒雅和深沉。一见熟人，不管资历、学识，不论出身、辈分，他总是首先伸出手来，一边握手，一边问寒问暖，满面笑容。中国学人的那种以5000年文化积淀为根基的特有的修养，在他身上存活得如此茁壮、如此富于活力，让人叹为观止。学者常有，学者的笑容不常有。或许是学者之路太苦，苦惯了就不易笑。所以许多学者都是苦脸，难得一笑也是带着矜持和苦涩。像经之先生这样，笑得如此经常和灿烂的，在我的印象中，只有北大的宗白华先生。

经之先生的笑,是当代中国学术界的一道风景,中国学人心中的一种意象。他之所以笑得好,笑得美,笑得大家开心,一方面因为他是大学问家,在学术上钻坚仰高,与时俱新,大家对他钦佩,另一方面他乐于助人。在学术界,经之先生达人有千人缘。曹丕说,文人相轻,自古而然。这种风气,至今不能说已经根除。门户之见,代沟之隔,往往造成同行冤家。然而,在中国学术界公认的一个事实是:经之先生和老中青三代都保持着极良好的关系。老一辈的学者,像杨晦、朱光潜、宗白华、蔡仪、王朝闻、伍蠡甫等都肯定他、提携他,中年同辈学者如钱中文、曾繁仁、陆贵山、张少康、王臻中、杜书瀛、李衍柱等都推许他,青年学者如王岳川、王一川、陈伟、冯宪光、陶水平、肖鹰、姚文放等也都佩服他。这是非常难得的,可谓真正做到《礼记》上说的"敬业乐群"了。许多年轻学人得到经之先生的帮助,有认识的,也有不认识的。有的请他作序,有的请他修改文章,有的请他推荐上学、出书,等等。在我的印象中,经之先生好像总是来者不拒,尽最大努力给人以帮助。为此,他付了巨大的精力和时间。然而,他乐此不疲,乐在其中。他这个笑面菩萨,真是慈悲为怀,以达人、度人为乐事。

创新和笑容,是经之先生为我们创造的两大精神财富。有了创新精神,可以筚路蓝缕,以启山林,开创事业的新天地;有了达人之笑,便可在人生路上,善待别人,善待自己,潇洒快活。这两者,对于正在为中华民族全面复兴而辛劳的人们来说,不都是极其需要和宝贵的吗?

2002年教师节于深圳

郁龙余 深圳大学教授。时任深圳大学留学生教学部主任,中国中外关系史学会副会长,中国比较文学学会理事,广东省比较文学学会副会长。著有《中国印度文学比较》(2001)、《中外文学发展比较史》(2003)等。

学者风范处处在

吴俊忠

我从北师大研究生院毕业,1987年到深圳大学工作,与胡经之教授共事相处已有16年。16年来,胡先生严谨治学、提携后学的学者风范,时刻激励着我前进。特别是他那海纳百川的胸怀和助人为乐的精神,使我感触尤深。

知 遇

1986年我研究生毕业前夕,到深圳大学中文系求职,时任中文系主任的胡经之教授接待了我。虽然早闻胡先生大名,仰慕已久,但有幸晤面却是第一次。胡先生对一个从未谋面的后学前来求职,既没有半点敷衍,也没有大学者的架子,而是和蔼可亲地给我倒了一杯水,详细地介绍深大的情况,认真地倾听我的叙述。刹那间,我原有的担心、顾虑,乃至局促不安,全都消失殆尽,顿时轻松起来。因为,那天我已经先后到过8个单位求职,但由于种种原因,均未能落实,而且接待者大多比较冷漠。经过一番交谈,胡先生明确表示,根据我的情况,可以考虑接收,但需要和有关方面协商,待一个月后再与我联系。说实在话,对这一承诺,当时我也是半信半疑,但有感于胡先生的热情接待,也就没有再说什么。

回到北师大后,我就忙于硕士论文的写作。不到一个月,就收到胡先生的亲笔信,正式通知同意接收我到深大中文系任教,并随信寄来了录用登记表。收信之时,我喜出望外,深深地被胡先生善待后学的真诚所感动。直至我到深大工作后才知道,胡先生所以同意接收我,一方面是我的所学专业和外语语种正好适合深大比较文学研究所的需要，另一方面也是给我这个年近四十的老研究生一个在广东就业的机会（我太太在广州工作，分居已有数年）。为此，胡先生和有关方面多次协商，做了许多工作。这一知遇之恩，我至今铭记不忘。

提　携

到深大工作后，我发现中文系的教师大部分来自北大、人大、复旦等国内名校，来自北师大的就我一人，而胡先生也是来自北大。因此我心里暗暗琢磨，虽然到了深大，但要在这里有大发展，恐怕比较难。事实证明，我的顾虑是多余的。一年后，胡先生根据我读研究生前就有几年工作经验，具有一定的组织能力的实际情况，安排我当系主任助理。两年后，系领导班子调整充实时，又提议由我担任系党总支负责人。胡先生这种唯才是举、不画小圈圈的博大胸怀，不仅促进了我个人的发展，更重要的是在中文系乃至后来的文学院形成了搞五湖四海，不以校以人画线的良好传统。

胡先生对我这个后学的提携，不仅体现在政治上，而且更多的是体现在学术上。1998年，我结合研究生课程教学，撰写了《文学鉴赏论》一书。由于我长期从事俄苏文学的教学和研究，对文艺理论研究较少，书写出来后，心里不是很有底，就请胡先生在理论体系上帮我把把关。令我十分感动的是，胡先生不但认真细致地通读了我的书稿，指出问题和不足，而且热情洋溢地写了一篇序言，充分肯定该书的理论价值和创新意义，并且把序言推荐给《中华读书报》发表，以扩大该书的学术影响。一个享誉学界的学术前辈，为提携后学如此尽心尽力，使我受到了很大的震动，当时的心情已不是"感谢"两个字足以表达的，它转化成不负所望、勤奋治学的动力，推动着我不断前进。

激　励

我这个新中国的同龄人，长身体时遇到了"三年困难时期"，吃不饱肚子，发育不良；该读书时，碰上了"文化大革命"，读书断断续续，先天不足；有幸上了大学，又是个工农兵学员，名声不佳；好不容易考上研究生，获得了硕士学位，又赶上博士热，风光不再。所有这一切，都在一定程度上影响了我的进取精神，一度曾有一种得过且过的想法。胡先生察觉了我的这种心态，及时地鼓励我，激励我不断前进。他开导我说，治学没有先后，学问大小也不体现在某些符号上，关键是要有"板凳甘坐十年冷，文章不写半句空"的奋斗精神和严谨态度。与此同时，胡先生还鼓励我发挥观察问题比较敏锐的长处，研究深圳的社会文化，为深圳经济社会发展做出应有的贡献。在胡先生的开导和鼓励下，近几年，我拓宽了研究领域，除俄苏文学研究外，还致力于文学接受理论和深圳特区文化研究，先后出版专著和论文集各一本，发表论文数十篇，并且于1999年晋升为教授。如今回想起来，若无胡先生的激励和帮助，我就很难有今天这样的成就，也许还在彷徨、困惑的道路上徘徊。

人们常说：治学是可求不可遇，当官是可遇不可求。意思是说，做学问主要是靠自己努力，一分耕耘一分收获；当官则要靠有人提拔，不是自己努力就可得到的。而我则认为，治学不但要有求，也要有"遇"，能遇上一个好老师，一个好学长，将是一个学者一生的幸运。我庆幸自己遇上了胡先生这样的好学长，我更希望胡先生这种严谨治学、提携后学的学者风范能在学者群体中发扬光大，蔚然成风。

2003年2月草于"偷闲居"

吴俊忠 时为深圳大学教授，深圳大学社会科学处处长。兼任国际比较文学学会会员，全国高校外国文学教学研究会理事，广东省比较文学学会理事，深圳市作家协会理事等。

深圳精神的守望者

陈继会

一

许多年后,当我追忆起自己"中年变法"、南迁深圳的生活时,我想,肯定会有许多师长、朋友在我深情的铭记中。胡经之先生便是需要特别提及的。是他最先在"精神"上引领我认识深圳,走入深圳,并最终投身深圳的文化建设。

2001年的岁尾,我从中原腹地黄河岸边的郑州大学,迁徙南国滨海的深圳大学,并有缘与胡先生同室办公。这是我的幸运,因为,得此方便,可以随时地、不断地向他请教。

众所周知,胡经之先生是以其在文艺学、文艺美学方面的学术建树,驰名于学界的。对此,学界已有并将继续有文论及于此。但是,在我同胡先生深入的交往,并不断听到他的谈论、阅读他的论著之后,我意识到,在文艺学、文艺美学方面的学术建树、学术影响,诚然是胡先生的"意义"与"价值"的重要构成方面,但却不是他"形象"的全部,构成胡经之先生"形象"与"意义"的另一重要方面,同时也是他南迁深圳近20年孜孜以求的,便是对于深圳(对于"城市")真诚的、执着的、深情的精神守望,积极投身精神家园的营造。

这并不是一种缺乏事实依凭的臆断。大凡了解深圳文学、艺术、文化发展历史,熟悉胡先生治学追求的人,都清楚这一点。在我同他的交往中,是强烈地感受到这一点。平日,我同胡先生的谈话,主要集中于两个话题:一是深圳大学的学科发展,一是深圳的城市文化、城市精神建设。

以我有限的了解和理解，近20年来，胡经之先生对深圳这座城市的精神守望，主要集中于两个方面：一是对深圳文学艺术热情的关注和扶持；一是在广阔的文化历史背景下，参与深圳城市文化、城市精神建设的创意、建议，表达他对深圳的呵护与守望。

胡先生做过深圳市的作协名誉主席、深圳市文联副主席、深圳市文艺评论家协会主席，对于深圳市文化艺术事业的关注，既缘于他的社会身份，更由于他理性的自觉的选择。大凡深圳主要的文艺活动，无一没有他的身影、声音，我们至今仍可读到他为"特区文艺20年"、为"特区10周年文学征文"、为"深圳第二届大鹏文艺奖"等而写下的要言不烦的文章。他是深圳市"文化艺术基金"艺术评审委员会主任，他以他的眼光，以他对于这座城市文化艺术发展的责任，同其他评委一道，判断、选择着好的文艺课题。深圳近20年来富于潜质的作家，优秀的或具备了可能向着优秀发展的文艺作品，几乎没有不在他的视野之中，不被他所评介、点拨的。许多年来，经他评点的作家、评论家、艺术家有20余位：郁秀、田升、林祖基、张俊彪、钟永华、杨黎光、王向同、彭名燕、吴启泰、黎珍宇、张黎明、祁念曾、宫瑞华、杨宏海、倪鹤琴，以及王子武、陈士修、周凯等。——我们不厌其详地录下这些名字，意在让我们记住胡经之先生的劳作。每每读到这些文字，我的心中总会涌起一种感慨和敬意：感慨于先生在繁忙的治学中为深圳文艺所付出的心血，敬意于先生对深圳文艺发展的那份真诚和热情。

二

在人类社会的发展历史上，从乡村到城市的社会形态的转化，是带有划时代意义的——它标志着人类发展的不同文明阶段，这是一种质的飞跃。也正是在这一意义上，西方一些社会学家将世界史看作人类的城市时代史。因为，第一代优秀的人类，是农业文明的创造者；而第二代优秀的人类，则是擅长建造城市的动物，"人类所有的伟大文化都是由城市产生的……国家、政府、政治、宗教等等，无不是从人类生存的这一基本形态——城市——中发展起来并附着其上的"(施本格勒：《西方的没落》)。马克思主义经典作家曾这样表述过城市文化与乡村文化的异质、对立："物质劳动和精神劳动的最大一次分工，就是城市和乡村的分离。城乡之间的对立是随着野蛮向文明的过渡、部落制度向国家的过渡、地方局限性向民族的过渡而开始时。它贯穿着全部文明的历史并一直延续到今天。"(马克思、恩格斯：《费尔巴哈》)中外城市的发展，共同地证明着城市在人类历史进程中的价值和意义。

但是，如同一枚硬币的两面，城市在人类历史进程中的正面意义，始终同其负面意义相伴。城市，尤其是近现代的城市，它的"反自然"的特性，它的冒险、浅表性，它所塑造的病态的城市灵魂，始终成为有识之士忧思和攻击的鹄的。如同对于城市的称许同城市诞生一同出现，对城市的忧思和抨击，也同城市的存在相伴随。作为一种文化传统，中外依然。

深圳作为一座新兴的社会主义现代化城市，既有其独特的个性和优势，又不可能游离于一般意义上的城市传统。胡经之先生对于深圳的精神守望也正是基于这样一种文化背景，其核心思想是呼唤并大力彰显城市的人文精神。胡先生对深圳城市文化、城市精神的关注，主要是从以下三个层面展开的。

第一，是在"物质化"的背景下，呼唤倡导人文精神。深圳经济的高度发展，必然会伴随"物质化"的倾向，享乐主义、拜金主义、奢靡之风，等等。胡先生关注并呼吁："经济发展、科技进步，本身不是目的，而是服务于社会发展的全面进步。"这种"全面进步"表现为"不仅要有发达的物质文明，更要有高度的精神文明；不仅要发展工具理性，更要发展价值理性；不仅要弘扬科学精神，更要呼唤人文精神"，"科学精神和人文精神，相互补足，相互促进，只有比翼双飞，大鹏才能展翅高飞，凌空而上"(《提升人文精神》)。为此，他呼吁市民多读书、好读书、读好书。因为，好读书的人员的多少，是一个城市精神文明水平的"重要标志"。如果一个城市的市民好读书蔚然成风，"那是这个城市的骄傲"。仍是出于上述目的，胡先生也特别关注家庭建设，呼吁"文明治家"。因为，"家庭的文明程度如何，综合地反映了社会的文明程度","现代家庭,精神的、人文的因素日益更见重要"。胡先生还从对中国文化传统的阐释中,弘扬"文明治家"。修、齐、治、平("修身齐家治国平天下")是中国的文化传统,在理论与实践上,这一传统都是有生命力的。"家庭是个人安身立命的最直接场所"。文明治家,即意味着为市民个人的人格修炼、完美夯实基础,营造一个心灵的港湾。胡先生以一著名的学者,热诚关注此类在一些人看来也许"太不值得"的事情,其中的真诚与执着,不能不令人感动。

第二,以"人文"的尺度,关注、守望深圳的城市生态。胡经之先生对于深圳城市生态的关注,既是处于一个生活于这一城市的市民对于自己"家园"的关注,同时,又远远超越这最低起点,以一位忧患世情的人文科学工作者的襟怀,以美学家的审美眼光在注目城市生态问题。他曾以《珍重自然》为题,为海天出版社的《人与自然丛书》作序,表达他对全球、对中国、对深圳的生态关注。因为,在他看来,"如何处理好人与自然的关系,不仅决定着我们的经济能否得到持续的发展,而且直接关系到人类能否持续生存、发展和完善"。我至今依然清楚地记得,数月前,当我们一同谈到深圳的生态和发展问题时,胡先生如数家珍地说到深圳的自然生态优势:西部有即将入海的珠江,北部有连绵的山林,南部还有和香港接连的深圳河……以及说到市政府要使深圳"天更蓝、水更清、地更绿、花更多、城更美、风更正、气更顺、命更长"时,胡先生的那种陶醉,眼神中流溢着孩童式的深情的、纯真的期待,那时我也被他的述说深深地吸引和感动。

在我的直觉中,胡经之先生在其心灵深处,似乎有一种"水"的情结。他在文章和谈话中,不时地都会流露出对水的神往。他说到巴黎,必然提到塞纳河;言及德国,肯定不忘莱茵河。即使说到荷兰、比利时边境的一个小城,也不曾忽略了"水","城南一条长长的小河,水清见底"。他感慨这种只有小时在江南老家才能见到的小河,想不到在这工业化高度发展的现代化城市中还能碰到!

我猜想,胡先生对水之神往,一方面可能源于儿时江南水乡生活的情绪记忆。他多处写到记忆中的故乡苏州,鱼塘连绵,塘柳成荫,水光树影,无穷美感。成年后的他,时时在"精神还乡"。另一方面,"智者乐水"。水的流动、活泼、新生的美感,暗合他美学家的眼光、情趣。第三个方面,自然仍是出于对城市生态的关注。水是城市的生命,水是城市的眼睛。城市因水而灵动妩媚,诱人神往。也正是在这一意义上,胡先生设想:南部的深圳河可否继续拓宽,并打通后海湾,接连沙头角、盐田港?不知道有多少人注意到他的这一设想,也不知有多少人以为此方案可行,但我是深深地品味到其中的意义了。

最后,我想特别提到的是胡经之先生的生态观。他认为:"人和自然的关系,应是以人为本,动态平衡。既不是人类中心主义,又不走向自然中心主义,而是寻求有利于人类发展、完善的动态平衡。"(《珍重自然》)我以为,这一观念是值得重视的。

第三,关注大学在深圳城市发展、城市精神建设中的作用。在我同胡先生平时的交谈中,大学发展问题似乎是一个"重中之重"——我们谈得最多,忧思最重,期望也最大。胡先生在他的部分文章中,也曾不断地表达过对深圳高等教育发展相对于深圳城市发展滞后性的隐忧。他将其称为"深圳发展的一个瓶颈"。他疾呼:"高等教育的滞后,已和深圳发展极不平衡,反过来必然会影响深圳的全面进展。"(《重视人文教育》)在同香港、新加坡等城市大学教育的比照中,他从办学规模(办学总量)、办学效益(办学水平、学术影响)、人才模式(人才体制、政策)诸方面,分别进行了讨论。

显然,重视大学在城市发展中的意义,呼吁加强大学发展,并非因为呼吁者身在大学,乃为一己之私利;恰恰相反,立论是出以最大的公心,完全是因为大学在一个城市发展中的结构功能所决定的。中外大学发展的历史或有所差别,但其功能是相通的:传播知识,彰显文明。

稽考大学的发展历史,我们发现,大学的出现同城市文明的诞生相伴随。在知识黑暗的时代,人类成为三重身份的奴隶:匍匐于自然暴君的淫威之下;供奉于神灵的祭坛之上;苟活于专制暴政的乱世。然而,历史不可违拗。腐极生新,暗夜朗照。欧洲黑暗的中世纪,却孕育出了大学这一文明的圣婴。大学的第一声哭啼,划破了知识暗夜的天幕,文明的太阳从大学朗照四方。

一个城市优秀的人才,常常主要积聚于大学。他们执各学科之牛耳,引领风骚;其人才优势,又转化为科技、人文优势。大学聚合人才、孵化科技、传播人文的功能,自然使大学成为引领城市精神的重镇。我将其称之为"城市智慧的心脏"。

　　依据深圳高等教育的现状,胡经之先生强调了在"虚拟大学"和"本地大学"二者之间,同等重视而应尤重视后者的思想,因为,这是衡估城市品位的稳固标准。与此相关的是人才流动的方针、体制问题。从长远看,深圳的高等学校,尤其是深圳大学必须"养人",而不能仅仅满足于"雁过留声"(某某学者曾在此工作过),但最终"归属无名"(并无定居、并不归属于深圳的大学)。深圳大学必须有一大批在全国乃至海外享有盛誉的大师硕儒,虎踞龙盘,方有大家气象!

　　在大学孵化科技、传播人文的功能方面,胡经之先生着重强调了重视、加强大学人文传播的功能。这一立论是源于大学孵化科技的功能及价值较易为社会所认同,但大学传播人文的功能及价值,则不易为社会所承认。在传统的、世俗的观念中,"百无一用是书生",人文的东西"可有可无","于事无补"。胡经之先生着意强调这一点,意在吁请、警示社会各界,关注这一现状,认清其间利害。

　　其实,人文精神之于一个社会的意义,以及大学在传播人文精神中的作用,早已为中外大学的实践所证明。西方的大学因此赢得"国家人才、思想之库"、"社会良心"的美称。在中国,"天下为公,苍生是念"——热爱祖国、顾念民生的理念与襟怀,使得中国的知识者们把关注国家、民族、人类的健全发展,视为自己唯一而又永恒的追求。如果我们放开去看,自孔子授徒讲学实践即开启了中国"大学"传扬人文精神的先河。一代又一代的知识者,以"书院"或非书院的方式,高扬儒家理想主义的精神,"家事、国事、天下事,事事关心"。以天下为己任,忧患系于民族。积极入世,身体力行,守道持重,精诚执着,流风余韵,感召后来。

　　近、现代以来的中国历史,在传播人文精神上,大学更是扮演了重要的角色。20世纪初,以北京大学、清华大学为中坚的大学师生所倡导的"五四"新文化运动,放眼异域,勇敢"拿来",针砭旧说,别立新宗。以进步于中国封建思想、道德的西方人文精神,感召中国人民久被蒙昧的灵魂;以马克思主义的理性之光,照彻中国封建专制的漫漫暗夜,引领华夏古国,走向新生。"五四"新文化运动对百年中国的文化转型、文明进程已经并将继续产生影响。以晚近论之,新时期之初,从大学开始的关于真理标准的讨论,对于20世纪乃至新世纪中国思想文化的影响,其意义昭彰可见。

20世纪90年代以来,中国社会处在快速的文化转型中,物质的丰富所引发的世人精神的震荡,日益为人们所关注。城市的流动、开放同时伴生着浅表和冒险,城市"上帝"与"魔鬼"的双重影像同时显现。大众文化的即时的、感性的、躁动的、沉迷的倾向,亟须精英文化以其理性品格,对文化现状进行引领、提升。在普遍的喧哗和躁动中,大学有责任、也有能力赋予人类驳杂的知识和扰攘精神以秩序,让人文精神的清风,以理性的形态和方式,拂临人间大地、温润世人心灵。大学在建构城市精神、提升城市品格方面的意义,已经并将继续被昭示出来。

正是基于对大学在传播人文精神中的历史意义与价值的上述认定,胡经之先生呼吁,深圳的高等学校,尤其是深圳大学,"应该更加重视人文教育,在人文社会科学领域,抓住一些重点专业,大力发展,及早为深圳培养高质量的人文专业人才"。胡先生的殷殷呼唤,表达了他对深圳这座新生城市的深情呵护和守望。

三

胡经之先生关于深圳城市文化的思考与实践,让我们看到了一个融传统与现代于一身的中国知识分子的赤诚追求。言其"传统",是因为我们从胡先生身上,看到了自孔子开始的一代又一代知识分子所高扬的理想主义的精神——忧患民族,魂系民瘼;积极入世,勇于承担;守道持重,精诚执着。"士志于道"(《论语·里仁》),"士不可以不弘毅,任重而道远"(《论语·泰伯》),胡先生深得儒学上述精义,以现代的方式实践着。他将自己的学术,实践于民族(深圳)的文化建设中。从20世纪80年代中期致力于国际文化交流,到创办特区文化研究所,担任所长,开展研究,再到创办特区文化研究生班,为深圳培养急需的高级文化艺术人才,直至后来十几年中我们上述论到的他的精神追求,胡经之先生从未停止过自己求索、献身的步伐。

作为一位一直关注并全力去介绍国外进步文艺思潮、文化理论的学者,胡经之先生又表现了与其年龄多少"差异"的开放性、现代性。他身居大学,而无"贵族气"、"经院味",他主动地"关注现实","面向当下"。只要看看他对城市大众文化的关注便清清楚楚。他思考中国城市(深圳)的文化建设,其背景、眼光所及,多有异域的经验、实践,但又不是某些年轻研究者常常表现的激情横扫、凌空高蹈。胡经之先生对问题的感悟、理解、判断,是以活泼的火热的现实为基础,并融入个人丰富的感性经验,再借重长期理论研究所积累的理性思维。唯此,他的思考与建议,才显得从容务实;他的文化实践才更具启示意义。

胡经之先生静静地坐在书桌前,澄明而又雍容。每当这种时候,我总是尽力地去保持办公室内的安静。注视着他,自己也被深深地感动、陶醉。

我从心底深处,深深地祝福他!

2002年7月于桃源村

陈继会 深圳大学文学院教授、博士生导师。享受国务院特殊津贴专家、省优秀专家。中国作协会员。同时兼任教育部中文学科教学指导委员会委员,深圳大学研究生部主任,特区文化研究所所长,中国现代文学研究会理事。

徜徉美的文化

刘洪一

美是一种精致的文化,也是一种博大精深的文化。我国著名美学家胡经之先生教学生涯50年,在美的文化中徜徉、耕耘,实践并呈现了一种美的文化。

20世纪80年代前期,胡经之先生在国内首先倡导文艺美学,对我国的美学研究及高等学校的文艺美学教学都产生了深远的影响。那时,我是通过拜读胡先生的文章和书籍认识胡先生的。真正和胡经之先生相识并成忘年交,还是我调来深圳大学以后。记得是1996年暑假,我去胡先生家拜访他,并带去了南京大学包忠文等先生对胡先生的问候。胡先生在深大新村11幢他的寓所里接待了我。从文艺美学到文化研究,从北京、南京到广州、深圳,从学术到生活,无所不谈,不知不觉中度过了一个下午。从那以后,我和胡先生就开始了比较多的交往,并从胡先生身上学习到很多东西。

我调来深圳大学先是在中文教育系工作,当时深大的教授不像现在这么多,只有四十来位。我因较年轻,不久被推任为中文教育系系主任,由于学科建设等方面的工作关系,像胡先生这样德高望重的学术权威更是我要经常拜访请教的。当时他就是深圳大学学术委员会副主任、人文社科委员会主任,受到大家的敬重。这期间,多次伴随胡先生赴省城广州,参加各种会议和有关学术交流活动。后来我被评为跨世纪优秀学术人才培养对象,胡经之先生就成了我的指导老师,学校发了一张表,还郑重其事地签了约。在学校里,我和胡先生有时忙里偷闲,或在他的办公室,或在我的办公室,畅谈学术,交流学术信息,完全抛却了缠身的俗务,回归到清静的学术境界。2002年我在北京大学出版社出版了一本专著《走向文化诗学》,胡先生热情洋溢地为拙著撰写了序文，颇多鞭策。他还推荐我担任深圳市外国文学学会的领导职务，等等。和胡先生相识多年，感受到胡先生为人平和、热心，很平易近人。

我和胡先生相处，交流最多的自然是学术方面的问题。给我印象最深的是胡先生对学术前沿论题的深刻把握以及他屡屡提出的独到见解。20世纪80年代在学术界胡先生提出文艺美学的理念，试图将文艺学与美学有机整合，开辟和拓展了一条文艺学和美学研究的新路径，后来在学术界产生了很大的影响。20世纪90年代后期至进入21世纪以来，胡先生的学术兴奋点有了明显的发展，这就是逐渐从文艺学、美学或文艺美学向文化问题转移，即使是研究审美问题，也更多地具有了审美文化的视野，这时，他又率先提出了一个重要的理论命题——文化美学。

翻看一下胡先生近年来写下了《走向文化美学》《文化融合的结晶》《深圳艺术之路》《文化尤待着意栽》《促成文化合力》《提升人文精神》《重视人文教育》等等，篇幅虽非鸿篇巨制，但不乏精辟论述，体现了思想的睿智。

把审美的问题纳入文化研究的视野，或者说从文化通观的高度审视审美问题，是胡先生近年学术思想的一个突出特点。早在1988年秋，胡先生为《文心雕龙》国际研讨会作了一篇短文《文化融合的结晶》，该文突破了传统的研究范式，从文化的整体观上认知《文心雕龙》，认为《文心雕龙》是一种文化的创造，生活在齐梁时代的刘勰，是在吸收了儒、佛、道等多种文化的营养之后，融合而成了《文心雕龙》这一文化的结晶，在对《文心雕龙》有关"文"、"道"、"自然"、"圣"等概念的论述中，胡先生深入浅出地论说了《文心雕龙》的文化意蕴。2000年秋，胡经之先生为深圳大学《文化美学丛书》作了一篇序文《走向文化美学》，该文更为自觉、明确地倡导出一种"文化美学"的理念。胡先生认为，文化可以分为物质文化和精神文化，但任何文化都是处于一定人文关系中的人的活动的结果、人化的产物。对于人们生活于其中的文化世界，人们可以从不同的角度去对待，但胡先生则认为他更希望走向文化美学。尤其值得注意的是，胡先生认为"人,更应成为文化美学关注的中心"。2001年春节后,胡先生还专门写了一篇题为《提升人文精神》的文章,提出"按人类本性安排世界"。可以说,对人和人的普遍问题的审美化关注,不仅是胡先生近年来学术思想的一个焦点问题,也是与他所倡导的文化美学的理念内在性地贯通一致的。

胡先生近年学术活动的另一特点在于,无论是美学问题还是文化问题,他都更加关注现时性的实际生活,尤其是关注深圳这座新兴移民城市的文化现象和文化走向。深圳作为一个移民城市,一个毗邻港澳、面向世界的开放窗口,各种不同的地域文化、亚文化、传统文化与现代文化、中国文化与外来文化等等在此会聚、冲突、融合,呈现出一种动态的文化结构,并生发出具有样本意义的文化现象和文化事实,这为学人提供了一个鲜活的研究范本。文化研究摆脱形而上的演绎而根植于现实的土壤,是一个有现实感、责任心的学者努力追求的。胡经之先生异常关心深圳的文化建设,认为来自不同地域的移民给深圳带来了不同地域的人文,在碰撞、交流、融会中,终究提升为一种新的人文精神,凝聚移民的心灵,把深圳这个"别人的城市"转变为"自己的城市"。(《提升人文精神》)他一再呼吁,深圳要向现代化国际性城市迈进,就需特别关注文化的发展,否则"现代化"就是一句空话。(《文化尤待着意栽》)

作为大学教授,胡经之先生近年来十分热心关注深圳教育尤其是高等教育事业的发展,就高等教育及其在文化事业中的重要性、发展方略等问题发表了一系列肺腑之言和真知灼见。他认为,高等教育仍然是深圳发展的一个瓶颈,"我们的近邻香港,600多万人口却有8所综合大学,其中像香港科技大学比深圳大学晚了好几年才开办,但不到10年,已经发展成国际著名大学。为什么深圳不能下决心把自己的大学也办成和自己城市相称的出色名校呢?这应是深圳是否实现社会发展的全面进步、社会主义现代化水平的一个重要标志"。(《提升人文精神》)2001年春,胡经之先生又撰写《重视人文教育》,比较详细地论说了发展高等教育的迫切性,同时特别强调了发展和重视人文教育的紧迫性。

胡经之先生学术生涯已有50年，半个世纪以来，他努力追求美，徜徉于美的文化之中。值此之际，我人虽在香港，但寄上此文，谨向胡先生献以美好的祝愿。

2003年3月12日于香港，太古，康兰居

刘洪一 时为深圳大学教授，长期从事犹太文学——文化研究、比较文化及文艺学研究。出版《犹太精神》、《美国犹太文学的文化研究》、《审美文化新论》（合著）、《走向文化诗学》、《犹太文化要义》等专著多部；在《外国文学评论》《文学评论丛刊》《文艺理论研究》《国外文学》《当代外国文学》《文艺理论与批评》等刊发表学术论文60余篇；主编《犹太名人传》《大学素质教育的理念与实践》等；出版《婚礼的华盖》（以色列小说）等译著数十万字。有关论著多被《新华文摘》《文化研究》《民族研究》《世界史》《北京大学学报》《高等学校文科学报文摘》《外国文学研究》以及 *ISRAEL MAGAZINE* 等转载介绍。

苏州老乡

庄锡华

我认识经之先生是在1986年秋天,距今已经有10多个年头了,然而最初的印象却依然十分深刻。那时我正在苏州大学学习,学校中文系与中国社会科学院文学所联合召开文学观念学术讨论会,请来了许多学界的精英。经之先生出席此次会议,我因参加会议服务,有幸一睹这位当时已经颇有名气的原北大教授的风采。

记得那是一次规模较大的会议,到会人数众多,且都是当时活跃于文学论坛的知名学者,真是群贤毕至,高朋满座。其时先生正值盛年,一头不驯服的长发中只有少许银丝,纷披于他那充满睿智的脑后,气质很像是一位孤傲的、只配被人追捧的艺术家。但那只是远观的印象,走近经之先生,就会发现,他那大大的眼睛里泛着缕缕笑意,这是一种亲和的乐意与人交接的神情。这神情在经之先生身上,则是一种有道然而谦逊的长者的风范(后来与经之先生相熟后愈加认识到这一印象是准确的)。会议组织参观虎丘,我同胡先生有过一些简单的交谈,但现在已经记不得说了些什么,大概都是一些平常的寒暄吧。我看得出,先生对此地风物十分地熟稔,默默地观赏着,仿佛在思考着什么。我虽然很想利用这个难得的机会向这位知名的学者请教些什么,但看着胡先生凝神沉思、含着依恋的样子,便有了几分不忍,轻轻地移步于他的身后。后来才知道,先生出生无锡,少年时又曾在苏州求学,深爱着这片曾经哺育过他的土地。壮年返里,故土物象一定牵动了这位长期远游的学人的乡情。

这次开会的尾声是到太湖东山游览,当地主人在雕花大楼宴请与会者,餐桌上居然遇到了久违的太湖莼菜。古史中曾有张翰"莼鲈之思"的记载,太湖莼菜遂得誉满江南。但"文革"中围湖造田,莼菜早已绝迹,在年轻些的江南人那里也都感觉陌生,更何况席上的那些北方汉子,他们的注意力全都被当时还十分难得的鳜鱼、大虾吸引去了,不大看得上那盆色泽微黑的羹汤。然而这被冷落了的莼羹却独独引起了胡先生的注意,胡先生朝我会意地一笑,忙忙地操起勺子向那汤盆里打捞着……那时改革开放未久,太湖莼菜的养殖还十分难得,汤盆里只是漂着那么几片莼菜,胡先生虽然下手得早大概也是难得尽兴的。

中国的饮食往往与文化有密切的联系,我相信,胡先生的食谱一定漫延着对家乡的眷念。

2001年春,经之先生去扬州开会路经南京,事先告诉了我,我有幸陪他在南京待了一天,因此又有两次同席。

一次是南京大学赵宪章老师待客。在我眼里,胡先生是很挑食的,似乎没有什么是他喜欢吃的。经之先生后来告诉我,这些年走南闯北,吃过不少各地的名菜,如今年岁大了,对这些吃食已经没有多大的兴趣了,平时总以素食为主。因此,这个挑食者又是最不需要主人费心的客人。饭桌上的他仍然乐呵呵的,有一句没一句地与人应酬着,却很少动筷,丰盛的菜蔬全都勾不起他的胃口。主人虽是山东汉子,但还是感觉到宴席的主宾反倒成了陪客,因问胡先生想吃什么。其时正是五月,胡先生与主人相知,知道主人十分诚意,便说:现在已是暮春,应该有蚕豆了吧?蚕豆是春天江南的时鲜。才上市的蚕豆用咸菜、小葱一炒,鲜美无比。我常想,现在水质变坏,鲈鱼早已变味、沦为俗物,当代人的乡思,恐怕要以蚕豆相替了。而蚕豆好吃的关键就是不能太老,能连豆带壳地吃下去,味道才能既香又糯,这感觉仿佛吃下去的是江南一春的精华。赵老师忙将服务小姐叫来,果然说有,不一会儿真的端出一盘。但一品尝原来只是客豆,从别的什么地方运来的,老得不行。赵老师是山东人,自然不会发现胡老师脸上那一缕稍纵即逝的懊丧,但这表情却逃不过我这个小老乡的眼睛。这一次胡先生真的没有口福,先生走后第二天家里就买到了新鲜的地产的蚕豆,吃着这美味的蚕豆,想着与蚕豆失之交臂的经之先生,觉得人生或许就是由许多机缘组成的。但没有缘分也不必太过遗憾,系念着、期待着,不也是一种富有诗情的感觉? 一年后我调来深圳,胡先生便常跟我绘声绘色地讲起家乡的特产,向往之情使先生的面容变得十分生动,漾满了浓浓的童趣。

还有一次便是与先生同游玄武湖后就餐于珠江路上的姑苏食府。南京是胡先生青年时常游的故地,对古都旧时风物大约并不十分陌生。这次他在南京逗留的时间不长,单挑了一个玄武湖,说是到湖中去吸点新鲜空气。人到湖中,并没有四处游观,只在湖边挑了个清静的地方坐下,深情地凝望着远山近水。坐了好久后,胡先生默默起立,嘴里嘟囔着:好了,走吧,我们吃饭去。我征询先生想吃什么。先生看看我,说,弄碗面条就成。面条各地方都有,苏州的面条却有自己的特点,面条不宜煮烂,吃在嘴里很有韧性,伴有浓汤,洒上蒜泥后香气扑鼻。这也是我心仪的吃食。我知道珠江路上有一家专门经营苏式吃食的饭店,因将先生领至其地,要了面条,再要了一份素炒面筋,胡先生吃得有滋有味,让我这个做东道主的好不开心:客人满意,所费却不多。

胡先生眷念家乡但似乎并不特别看重叶落归根,20世纪80年代初,当先生有机会离开北国南游江南时,他选择了南粤的深圳。从教之余积极投身于经济特区的文化事业,出谋划策,扶持新人,推荐新作。我揣测,胡先生也许是要将江南深厚的文化因子引入经济特区,由此来表达他对家乡的纪念?

2002年冬于桃源村

庄锡华 时为深圳大学文学院教授,全国马列文论研究会理事。主持过国家、省多项社会科学基金项目的研究,著有《美育新思维》(获江苏省哲学社会科学优秀成果二等奖)、《人类对世界的艺术掌握》(获江苏省哲学社会科学优秀成果三等奖)、《二十世纪的中国文艺理论》、《文艺理论的世纪风标》、《斜阳旧影》(文化随笔)、《艺术掌握论》等,并在《文学评论》等刊物上发表学术论文百余篇。在深圳大学文学院开设20世纪中国文艺理论、马克思主义与现代美学问题等课程。

交友深圳

刘楚材

我与胡经之先生相识交往，始于1984年。而事实上早在20世纪六七十年代，我在北京时就已开始注意这位活跃于文坛的学者，读过他不少研究文学、文艺理论方面的文章，还认真看过他与他人合撰之《红楼梦——封建社会没落史》以及偶见于报端的短文。可谓"神交"久矣！

1984年，我离开北京奔赴深圳，又有缘同他在一起，共同在新创立的深圳大学中文系任教。他作为系的创办者之一，开始把他的智慧和学识贡献给建设深大中文系的工作。

那是一个改革风暴暗潮涌动的年代，深圳早已跑在潮头的前面了。深圳大学以超前的眼光改革教育。我来深大，就缘于当时深大最早参与创办中文系的封祖盛教授（后任该系副系主任）想在中文系开设"中国艺术简史"一类课程。祖盛兄对我说："欧美一些大学的文科博士研究生，要通过修'艺术史'方可取得学位，我们今后也想在这方面做点尝试，老兄久居艺术圈内，又长期热衷于此，有兴趣来深大否？"我出于对艺术的挚爱，觉得他所言甚有见地。欧美姑且不说，文学和艺术源本一体，经之先生称之为"人类灵魂之光"，乃生活母体孕育之孪生姐妹，搞文学的人不懂艺术，或者连艺术感觉都很缺乏，文学又如何搞？况且我国至今还没有一部综合性的像样的《中国艺术史》（直到近年才由中国艺术研究院组织专家开始编写《中国艺术史》）。犹豫再三之后，我终于欣然应允，也许因为我长期在北京和中央的一些艺术院校任教，在这方面有过一些积累和研究，更重要的是兴趣使然吧，但深感这个综合的艺术历史研究课题，是个大工程，要具备多门艺术史论方面的学识方可，自知学力不够，积累又浅，非个人才智所能为也！

来到深大之后不久，便听说胡经之先生即将从北京大学南下，参与深大中文系的创办，心境豁然开朗。胡经之先生是研究文艺美学的，也就是说，是从美学上来研究文学艺术、揭示文学艺术的特殊审美规律的。而对艺术做历史研究，除了研究历史上对各种作品发生作用的历史环境外，还要对各种艺术作品做审美的评价。胡先生在这方面造诣深厚，涉猎甚广，此后如果再多有几位在文学艺术领域卓有建树的学者来深大共事，研究切磋、学习共勉，形成一种浓厚的学术氛围，艺术史一类课程，是可以搞得好的。

不久，胡经之先生果然同北大教授乐黛云、汤一介先生一起来到深圳大学。初见胡先生，便感到他是那样亲和谦逊，交谈之后，更感到他是那样平易实朴，言语之间，往往使人想起罗丹的《思想者》那沉醉于思考的神态，他仿佛一刻也没有停止思考，或许总是在力图摆脱心中的围城？他并不善于言辞，所谓"谈锋锐利"不是他的风格。高谈阔论起来，更不像某些孤芳自赏者那样"我如何如何……"或自恃高深故作惊人之语，他总是娓娓道来，于平淡之中透出几分真知，于漫不经心中突显他的性情和学养。总之，他不善于人为地张扬，只是惯于"自然地流露"……

作为人文学者，他为什么能突破陈规从北京南下深圳这尚待开垦的处女地？为什么"孔雀东南飞"的行伍中，也有一批中国名牌大学的教授和学子？是20世纪70年代末的思想启蒙推动了求新求变的浪潮，还是由于深圳特区这块热土的吸引力？改革开放首先要改变的是旧的思维模式，我不是也被这浪潮裹挟着南下了吗？我常常思考着董仲舒"天不变道亦不变"的思想方法，或许在思考美学问题的哲人们看来，不啻是一种窒息真、善、美的方法吧？

那时，他正一头扑在文艺美学的研究中，据说除了负责主编《文艺美学论丛》外，还根据他1980年开始授课的《文艺美学》讲稿，整理、改写了专著《文艺美学》，该书准备交北京大学出版社，计划收入《文艺美学丛书》出版。这将是他提出建立文艺美学学科后的第一本专著。此事还是我先从封祖盛教授口中得知的，胡先生本人未向我提及，当我后来主动讨教时，他才顺便谈及此事，并一再说思想脉络还要理一理，还要修改，"宁可晚一些，但要好一些"。我听到这个想法，除了赞赏胡先生严谨的治学态度之外，更重要的是感到关于建立文艺美学学科的设想，无疑是一个突破，是具有开创意义的事情。

1980年前后，当胡先生在北大开设"文艺美学"课程的时候，我国各类艺术院校的艺术理论工作者，也已开始从"文革"艺术泛政治化模式的研究中突围出来，激发起空前的美学热潮。音乐美学、戏剧美学、绘画美学、舞蹈美学，乃至装饰美学、音响美学等等，引起了艺术理论界的广泛兴趣和研究热情。我那时也开始从讲"艺术概论"转而涉足音乐美学的研究，并担任了70年代末中国音协音乐美学学会成立之初的理事，是因为当时深感艺术院校的"艺术概论"同普通高校的"文艺理论"课程其基本框架大同小异，不注重研究文学艺术本身，而过多地进行外部研究和阐发其政治文化功能，这不利于完整地揭示和探索艺术创造及艺术欣赏的内在规律，许多人都希望这种研究能回到学术的轨道上来。恰恰是在这个时候，胡经之先生率先提出了建立文艺美学学科的设想，并最早在高校开设"文艺美学"课程。作为一种探索，这对当时所有其他的探索者而言，其先导性本身，已经具有启迪创造性思维的意义。

遗憾的是，一年之后，在改革浪潮的裹挟下，我又离开了深大，离开了纯粹的教学和学术研究，从"形而上"走向"形而下"，自然也离开了我敬重的胡经之先生。但此后我们并没有中断联系，还经常在各种会议和活动中见面叙谈，也偶尔趋胡府说书论道，或相约登莲花山谈古论今，知道他仍然在潜心教学和学术研究，甚至连有关部门动员他出来担任深圳市文学艺术界联合会主席他也婉言谢绝了。他始终钟情于文艺美学的研究，这是他长期积累和思考后选择的学术方向。"矢志学术，心无旁骛"，这正是他长期在我国高校文艺学教学领域高举文艺美学这面大旗的原因。

直到1990年年初，我出任深圳图书馆馆长3年之后，才读到他正式出版的《文艺美学》一书。再过了10年，也就是1999年，该书几经修订、增补后，又由北京大学出版社作为10种"文艺美学精选丛书"之一，予以再版，真可谓"披阅十载，增删五次"始成此书也。当胡经之先生亲自送书给我的时候,我再一次感叹:这是具有开创意义的学术贡献。中国学者的创新思维潜力一旦迸发出来,是完全有能力创建我们自己的独立学科和新的美学形态的。中国人文历史的深厚积淀,以及重新清理之后形成的与时俱进理念为这类创新提供了土壤。

胡经之《文艺美学》的主要贡献,不只是在一定阶段某种新学科的提出和创建方面,更值得注意的是它的崭新的理论体系。以关注人的生命存在、价值实现为出发点,从艺术实践入手,通过审美活动这条主线,来探讨艺术的奥秘、揭示文学艺术的特征和特殊的审美规律,从而使文艺美学获得了一个更贴近现实人生的新的学术视野。从抽象的哲学思辨引入对具体艺术和艺术审美的科学把握,尽管这方面还有待完善和出新,但这种探索本身,至少开启和预示了当代美学发展的某种趋势。

胡经之教授教学生涯已将50周年了。他把半个世纪的生命都献给了教育事业,我除了祝贺他五十年如一日,为我国教育事业和学术历史留下了丰硕成果和做出了重要贡献之外,还要对他这种献身精神和敬业精神表示由衷的敬佩。并预祝他在文艺美学研究方面,继续探幽发微进而取得更丰硕的成果!随着当今审美文化的不断发展和艺术创造的趋时演变,对当代艺术实践和文艺美学面对的一些深层面问题做出回应,对新学科本身的发展趋势加以科学把握,又将是经之兄殚精竭虑深入思考的一个问题。

经之兄一刻也没有停止过思考、停止过探求。他的求真、务实精神,他对待学术的严谨态度,是我学习的榜样,也应该是我辈学人和青年学人共同学习的榜样。

2002年秋于莲花山畔

刘楚材 1961年毕业于中山大学中国语言文学系。先后任教于北京中国音乐学院、中央音乐学院等高校。1984年应邀赴深圳大学,1987年应聘任深圳图书馆馆长。教授、深圳市二届政协委员、特区文化研究中心特邀研究员。

生命不息　开拓不止

汤志祥

在我的问学闻道生涯中,有两位姓"胡"的导师是令我感激不尽的,他们是胡经之和胡裕树。这两位教授专长不同,却有一个共同的闪光点:谆谆长者,巍巍栋梁,高风亮节,学者楷模。胡裕树教授是我在复旦大学求学时的恩师,因为他,我才走上了追求学问之路;胡经之教授则是我在深圳大学工作时的老系主任,也正因为他的身教言传,才使我在学术的道路上不断地有所探索,有所成就。

有幸结识胡经之教授是在1985年。就在我从复旦大学来到深大的第二个年头,胡教授从著名的北京大学来到了深大,和乐黛云轮流当中文系主任,来往于北京、深圳之间。后来,乐黛云回到北大,胡经之就留了下来,继续当系主任。从见第一面开始他就给我留下了深刻的印象:博学、儒雅、谦虚、和蔼。随着时间的推移,我真切地体会到,胡教授的言行充分体现出我国老一代学人的高尚风范:忠于学术理想,终生追求学问,生命不息,笔耕不辍,开拓不止。我庆幸,深圳大学中文系有了一位真正的栋梁级学术领头人。我欣喜,我的身边有一位值得终生追随的学者楷模。

"道德文章"历来是我国文化知识界所高度推崇的。众所周知,胡教授的"文章"成就极大,尤其是他在美学上的造诣是如此的崇高:凡是学习文艺美学的人,无不奉他的著作为圭臬,无不把他视为这门学问的"开山鼻祖"。就连我这个做语言学教学和研究的,也同样崇敬他的美学思想。

然而我心里更多的是钦佩他"治学"的态度。胡经之教授平易近人,友善可亲。工作之余有时会跟我谈谈为学之道。作为一名"后闻道者"，我在洗耳恭听之后，常常觉得得益匪浅。在所有的教导中，我最为赞赏的是胡教授关于"学者"的阐述。他认为，学者就要"以学为本"，不能"以官为本"。这个一字之差，充分显示出老一代学人的高贵之处：对学问的追求应该是学者的第一要义，除此以外本应无他。我觉得这句话非常值得我们下一代学人经常深思。因为时下在学术界的确弥漫着一种可以称之为"功利主义"的"做学问"空气。有些年轻人把学问当作是"当官"、"成名"的敲门砖。因此目的明确，急功近利，讲究"短平快"，追求"政治效应"。而一旦"功成名就"也就从此"刀枪入库"、"马放南山"，渐渐显得"江郎才尽"起来；也有的做文章、写书，注重"时效"和"得益"。出书、出文章是为了报职称，得奖励，因此往往心情浮躁，粗制滥造，以量为质，滥竽充数。而一旦"大功告成"，也就慢慢地"油尽灯枯"、"抱残守缺"起来。因此，现在看来呼吁做学问应当"回归"到"以学为本"是非常有现实意义，非常有时代意义的。

　　胡教授"治学"方面值得称道之处还在于他走过的"学术之路"。他的教学生涯已将50年，从他所走过的历程来看，我们不难发现：他青年求学，中年成才，壮年立业，近年立言。他不断在坚定地实践着一代学人的"立功、立言、立德"的事业。最值得一提的是，时至今日，虽然胡教授已经是著作等身，蜚声海外，但这几年，他还在探索学术研究的方法论，立志使得文艺美学成为一套完整的有实践、有理论、有方法的学说。这一切的一切太值得我们这一代学人去效仿，去学习。我们应该下定决心，下大力气，改变对自己的"学业"三心二意、浅尝辄止、随波逐流、见异思迁等陋习，沿着胡教授的成长轨迹，坚定执着地追求达到自己的学术境界，也应该同样地在将来，给后人留下优良的学术传统。

　　大凡有学问、有建树的前辈无不是"淡泊名利，宁静致远"的，无不是"坚定执着，博大精深"的。因此今天，在深圳大学庆祝建校20周年之际，我们应当高度赞扬胡教授在学术上不断探索、不断开拓、不断创新的精神，应当大力提倡他那种终身奉献、矢志不移、立功立言的人生态度，为不断攀登科学研究的新高峰，为促进文化教育的新发展,为建立本专业、本学科的新功业,生命不息,笔耕不辍,开拓不止。

2002年7月12日于滨河新村

汤志祥 时为深圳大学中文系汉语言文学副教授、博士。兼任香港中文大学普通话教育研究及发展中心学术顾问、香港普通话研习社学术顾问。

从1982年起参加过50多个国际或国内有关汉语语言学、方言学、对外汉语教学等学术会议,并在国内外发表了学术专论50多篇。著有专著《当代汉语词汇的共时差异及其嬗变》(复旦大学版),并已经出版《今日汉语》(复旦大学版)、《国内政府公文的研习》(香港政府版)、《香港公文和内地公文的异同》(香港政府版)、《普通话》(香港版)、《实用上海话》(上海教育版)、《基础上海话》、《上海话生活通》、《上海话商务通》(香港中华书局)等书。著作总字数超过260万字。

1994年至2000年还参与研制和开发香港理工大学《中国大陆、台湾、香港汉语词库》。该语料库容量达600万字,是目前唯一已经完成的涵盖整个汉语区域的大型当代汉语语料库。

领悟诗性智慧

张首映

胡经之老师快70岁了,乍一听,不敢相信。去年去深圳看他的时候,他的精气神色,他的音容笑貌,他的言行举止,与我近20年前见到他时,完全一模一样。我心中的胡老师,还是50多岁的胡老师。

1983年一个秋高气爽的下午,夕阳在蔚蓝的大海上开始履行它的义务,海鸥在一个锈迹斑斑的海滨码头周边飘飞,显示不出任何现代气象的轮船无比地眷恋着它的"大地",像一个饱经风霜的中年女人极不情愿再嫁那样缓缓地走向码头。也许是自然或技术需要,它打了一个转,依靠钢缆和粗绳才能在这里停泊或归宿。

码头上,我举着一个临时用报纸做底、白纸做面,写着"欢迎胡经之老师"的牌子,高兴地甚至是兴奋地在熙熙攘攘的人群中"欢迎"到了胡老师。我们从这个比较典型的旧上海码头离开,向复旦大学招待所方向前行。胡老师说,他此行,为的是与伍蠡甫先生商议编撰《西方文论名著教程》及相关资料的事,并看望蒋孔阳先生。我告诉他,我在复旦进修,蒋孔阳先生要我接他的。此时,回首望去,大海依然湛蓝,海鸥扑扑真乃欢呼雀跃,夕阳璀璨,光芒万丈;那个中年女子今夜似乎有了归宿,在这种背景中显得神采奕奕。

上海《文艺论丛》长廊中,有一幅大气磅礴、高远细密的画卷,名曰"论艺术形象",给我少有的深刻印象。现在,我见到了它的主人,自然"别有一番滋味在心头"。我属于傻乎乎、大大咧咧的那种人,因为有这种"滋味"在"心头",倒异常谨慎、细致地观察起我热烈欢迎的这位胡老师。

胡老师前额发亮闪光,眼眶很大,眼珠发亮闪光,这是天赋智者的;个子不高,行走的姿势谈不上气宇轩昂,却总是踏踏实实的、一步一步的、斯文的、低着头的,那低着的头活像罗丹的"思想者"。他是研究诗学的,调皮的我,当时给他起了一个绰号或者雅号,名曰"诗性智慧者",简称"诗学智者"。

过了一年半载,1985年夏天,冒着从武汉到北京的滚滚热浪,举着一个大西瓜,我敲开了胡老师的家门,忝列进了胡老师的门墙,从他学习"文艺美学"。因为来得早,学校尚未开学,没有住处,胡老师、胡夫人张老师、他们的大女儿胡苏薇为我找到一间教师单身宿舍,将我安顿下来。我在北大作息因此有了一个良好开端。

20世纪80年代的胡老师,很像一个市长,深爱基本建设。他当时在文艺学和文艺美学行当里所做的资料工作,可能是全国之冠。国学方面,他主编了《中国古典美学丛编》《中国古典文艺学丛编》《中国现代美学丛编》,浩浩荡荡,约300万言,思路明晰,结构合理,剪裁得当,经久耐用;西学那边,他与伍蠡甫先生联合主编《西方文艺理论名著选编》、主编《西方二十世纪文论选》四卷本,也有近300万字,开风气之先,凿新流于后。听说,他还曾为一出版社编选过300万言的中外现代作家论创作的资料,未及出版,被出版社丢失了。真是可惜。我们在北大读研时,私下送给他一个雅号,称他为"胡丛编"。北大那个美学文艺学群体中,朱光潜先生为翻译冠军,胡老师则可为"丛编"冠军。

甫入北大,胡老师令我搞资料,收集翻译西方20世纪文论文献。他当"市长",我当"民工"。我虽傻乎乎,干这种苦活还是合适的;又大大咧咧,非常不情愿也干不好这种重活、细活。于是,请教师兄。他们说,这是胡老师看得起你,基本材料熟悉了,对将来搞研究有好处,好好干吧。我硬着头皮,沉下心来,按照胡老师要求,去图书馆、西语系资料室,向熟知当代西方文论的老师请教,收集这方面的图书文献。我对西方古典哲学、美学、文论一直保持着浓厚兴趣,在复旦从蒋孔阳、朱立元先生那里接触过一点当代西方美学和文论,写过有关符号学的介绍文章,但从未想过专门研究西方20世纪文论。现在,"市长"既已下令,我这个"民工"只好好好打工。我过去接触到的那么一点"星星之火",要在胡老师这里形成"燎原之势"。

胡老师的家,原在清华旁边的中关园寓所,1985年搬到了北大西门对面的畅春园,有了一间15平方米左右的书房,南墙有窗户、书桌和阳台,东面和北面环绕着的是高大的紫色书柜,西面是咖啡色的三人沙发,总是整洁雅致的。也是一个多功能场所,兼胡老师办公室、会客室、我们的教室等多种用途,是我们常去、现在还想"常回家看看"的地方。

　　在这里,我接触到胡老师复印的资料,西方文论图书约30种,港台翻译和介绍的有十几册,也有内地极少数学者如张隆溪先生写的介绍文字。胡老师立于其间,非常快活,甚至表露出孩子式的兴奋及"漫卷诗书喜若狂"的神情。他手头上没有复印的图书和论文,就告诉我,哪儿可能有,谁手上可能有,我按图索骥,分别查询,一般十拿九稳。社科院外文所有人刚从美国回来,他告诉我,他可能带回了什么书。我去查询时,对方说,是带回来了,来不及看,先拿出复印吧。他有时真是挖空心思,甚至"挖地三尺"地寻觅西方文论原著。受胡老师的这种耳提面命、耳濡目染,我跟着他亦步亦趋地干起了这样"蜘蛛结网"、"蚂蚁造屋"、"雀鸟筑巢"的事,逐步形成了组织翻译、编辑《西方二十世纪文论选》四卷本的基础。"胡丛编"之所以名副其实,大概与这种"蜘蛛结网"、"蚂蚁造屋"、"雀鸟筑巢"的精神和行为息息相关,休戚与共的。

　　史料如汪洋大海,胡老师更多关注的还是他心中的灯塔。那时,他的理论重心仍然在文艺美学,收集整理的中外美学和文艺学资料,重点基本放在文艺美学方面。西方20世纪文论,比这之前西方文论所有文献多出几十倍,胡老师摘取的,仍然是他的"心香一瓣",情有独钟的,仍然是他的文艺美学。未名湖畔,垂柳浓荫以及他家的那个多功能厅中,他多次告诫我,这本《西方二十世纪文论史》,虽是教材,面上要注意到,但不能面面俱到,要按照文艺构成四要素——作者、作品、读者、社会文化,以及其中的文艺美学思想进行建构。多用中国人熟悉的例子说明问题,通俗易懂、深入浅出,才能显示出学术价值的重要。他在中文系开设的"西方当代文论"课,按照这个思路和办法讲授,效果很好,深得中文系本科生、还有部分研究生、外系学生和进修生的好评。他去深圳了，我代为讲解，台上台下反映，基本令人满意。他亲自播种、培土、浇水而形成的花蕊，在诸多莘莘学子脸上绽放了。

我们那一届，胡老师带了六个研究生，他根据每人的情况，做了分工，如岳川主攻文艺美学，王坤主攻批评理论，我做西方当代文论。胡老师在文艺美学方面的成就，岳川谈，自然比我地道，他仍在北大，时有惊人之论，著述等身，谈起来也深入得多。胡老师在当代文学评论以及"红学"方面的成就，王坤分析比我通透精深得多。读胡老师的论著和论文，我的体会，主要是五个词：深厚，独创，大气，中国化，纯美。

胡老师非常幸运，虽出自杨晦先生门下，却有机会和条件"转移多师为吾师"。朱光潜、宗白华、周扬、蔡仪、杨晦、何其芳、王朝闻等，他全有接触，与他们有师生之交，师生之谊，有时来往相当密切。一个受过如此之多大师亲自指导和指点的人，又是一个极其聪慧的江南才子，出手的货色，自然淘汰掉了许多仍然在黑暗中摸索、或在大街上闲逛之士所认为的"有"，留下的就是他心目中最干净的"诗性智慧"，以及由此产生的厚重之作。

或傍晚散步，或灯下倾谈，胡老师教导我们最多的，就是创新、创造、超越。他作文的路线大概有这么五部曲——文艺评论、文艺学、文艺美学、比较诗学、文化美学，他统觉的范围主要在后四个方面。如今年近七旬，大概不会另求"新欢"。有这四足问鼎，就相当了不起了。四者之中，以文艺美学为轴心。其他的，多是衬托这朵红花的绿叶。这是他的旗帜，是他学术生命的象征，是他对世界美学界、文艺学界贡献的标志，也是他的学生们的图腾。台湾学者王梦鸥，曾以"文艺美学"之名，写过一本文学研究小书，但作为一个学科来倡导，却是胡老师毕生的追求。至于"文艺美学"古代源于谁手，庄子可乎？刘勰可乎？需要考古。20世纪五六十年代，美学界诸公摩拳擦掌，各执刀枪，使出解数，厮打得昏天黑地，其战斗景象，不亚于金庸笔下的《天龙八部》。胡老师"斯人独憔悴"，"独上高楼"，数着满天的星斗，在牛郎星和织女星之间幻想着修筑一座彩桥，让这对长期相爱的情人组合成一个幸福美满的家庭，生出儿女千千万，成就一件"天人合一"的美事。他将哲学范围内的美学比作牛郎，将自己酷爱的文艺学比作织女，形成了将它们组合成为一个叫作"文艺美学"家庭的构想。七八十年代奋力书写着他年轻时的这种梦幻。他的《文艺美学》，洋洋30多万言，已经修订再版，他的"独创"再次开花结果。"桃李无言，下自成蹊"，人间天籁啦！

有一次，回武汉看望张志扬先生，他在写有关加达默尔文艺思想的文章。他说，这是北大胡经之先生约的稿，如果不是他约，我现在不会写它。张先生是哲人，有"高傲的头颅"，把文字看得很精贵，为文艺学家主持的教材写稿，不知道他还有没有"另次"。哲学是很贵族的，文艺总是平民的，哲学家为文艺学家写稿，好像贵族降临平民，为数极少，一般的文艺学家更是请不动他们的。胡老师当时只是一名副教授，因为举起了文艺美学这面"义旗"，形成了影响力和号召力。北大出版社的编辑们更是闻风而动，迅速组织了一套响当当的《文艺美学丛书》，"艳压群芳"，鼓号鸣响，极一时之盛。历时20多年矣，世纪都已"换届"，这家出版社的这套王牌丛书因为继续举着"文艺美学"，青春常在。20世纪80年代，真是一个"批评的时代"，文艺学丛书居然"爆棚"，现在，继续出版、持续有生命力的，唯《文艺美学丛书》一花而独秀。

胡老师厌恶在细小问题上兜圈子，做事、论证讲究精细，做人著文却非常大气。善于从宏观和战略方面看问题，异常清楚已经和正在出现的问题，什么时候将要出现什么样的新问题，什么时候该做什么，怎样做好什么。他曾对我说，假如王力只写《诗词格律》那样的东西，即使写它100本，也成就不了王力。大学者，要有大思路、大问题、大东西，小东西可以搞，不能多搞，立大端、举大旗、伸要义的东西，"少"可胜"多"，"一"可顶"万"。他太关心文艺学的学科建设了，在指导和建设方面花去了太多时间，影响了《文艺美学》的写作进度，外面有些议论，希望见到"庐山真面目"，而不是只听到"楼梯响"。他却说，学科建设是"造林"，而不只是"植树"；是"换代"，而不只是"更新"；是"向后看"，而不只是"作如是观"。他认定的，断难改变。他全神贯注，双目时而睁大，时而关闭，时而眯成一条线，不时踱着方步，来回转悠，低头沉思，搜集储蓄在脑际里的"诗性智慧"，整理他的思绪，厘清他以前的思考，规划文章的结构。他思考的题目，诸如艺术特性、艺术形象、艺术形态、艺术境界、艺术理想之类，宁少毋滥，大而得当，大而得体。他提出的许多观点，争议最少，被引用的却很多，站得稳，立得住，风吹不倒，雨淋不垮，经得起历史的"存封"和"风化"。

胡老师年轻时接周扬来北大讲课，周扬讲的马克思主义中国化问题，给他留下了极为深刻的印象。他总是希望着，把马克思主义中国化的这件事，弄出一个模样来。他的科学追求，包括文艺美学，只是树干和枝叶，建立走向世界的中国文艺学，才是他的"根"。他的基本建设，他的学科建设，他的文艺美学及其他理论建树，都是从这"根"上生长和生发出来的。他的想法和做法很像惠能，要把道信、弘忍初议的禅宗发扬光大，把佛学的中国化发扬光大，他的"坛经"就是《文艺美学》《文艺美学论》以及以后可能整出来的"语类"、"丛编"。他1952年进北大中文系，长年在中文系执教，中国文艺基础深厚，有诗人气质，写一手好散文，感悟力强；他在人大马列班待过，抽象、思辨成为职业和专业。浮现在他脑海里的艺术，虽有西方成分，主要是中国的甚至是比较古雅的艺术精神和创作。他对《红楼梦》《野火春风斗古城》等小说的评论，曾产生广泛影响，美国图书馆还有收藏。他的性情更接近于传统诗人，屈原、陶渊明、李白、杜甫、袁枚、郑板桥、桐城派那样的诗人。他的代表作《论艺术形象》，呈现出来的就是这种艺术底蕴和意象。他的"中体西用"，就是用中国文艺作对象，以中国艺术精神塑造文艺理论，以建立中国化的现代文艺学为目的，用西方的逻辑和方法进行演绎，组建自己的理论方阵。他说，中国的文艺学，只有真正是"中国"的，才能走向世界，才是"世界"的。他的《论艺术形象》那样的作品，是中国化的，完全能够走向世界。

听说做气功的人，要做到开"天目"，才算到火候。胡老师不会做气功，但是，到了开"天目"的时候，他才去写作。这样流溢出来的东西，当然杜绝了"水货"，拧干了急先锋的"泡沫"。他写文章，一句就是一句，干净利落，出手就清洗掉了哲学和逻辑学中的关联词、副词、哼哼哈哈的语气助词；转换段落时，手起刀落，铲除了八股文的起承转合；上手的材料，不能形成分析的不要，把那些不能说明观点的名言警句过滤掉,对于那些作品举例之类的铺张扬厉的批评家言,统统"环保"掉;结尾更是干净,绝不拖泥带水,为结尾而结尾。剩下的,就是一派的端庄稳重,清丽隽永,雍容华贵,大气磅礴,就是自己干练、干脆而有韵律的文体。干练来自自信。他作文极为自信,将大脑熔炉中冶炼出来的判断赋予文章以斩钉截铁,使文章显示出一种强大犀利、清明刚毅、灵动幽远的精神境界,令它展现出"力之美"。

因为喜爱大海,海的环境和空气可以祛除他的顽疾,因为喜欢拓荒,开拓能够使他高兴,胡老师从北京到了深圳,胡家从北大畅春园寓所搬到了深圳海湾。

海涛楼上,他仍然操着旧业,"戏路子"却是开阔多了。近年出版的《胡经之文丛》,比之《文艺美学》及《文艺美学论》,多了新的天地、新的景观。读《三松堂自述》《三真之境》等北大宿老的散文,精神和审美上获得极大享受,但题材方面,觉得他们总是在未名湖、清华园转来转去,多是些老的"校园文化"。胡老师从燕园到海滨,大海、海风、海文化给他新的"诗性智慧",这本《胡经之文丛》,仍属"校园文化",却洋溢着不可遏止的"海味"、"海鲜味",昭示着破土而出、蒸蒸日上的新兴文化的那种昂扬奋起的生命力。胡老师到了深圳,全然一副"深圳人"面貌,以深圳市而不只是以校园或书斋为他的"精神家园",有那么一种高屋建瓴、指点全局的"师爷"情怀。在这充满感性的城市里,他的感性天质、潜能得到了倾泻,审美人生中的那种鉴赏姿态和文学风采得到了表现。他的所作所为,使他的旧友新知确信,他来深圳的选择是完全正确的,在这里可以大有作为,而且收获颇丰。作为文艺美学家,他这一生,在北京更多的是理性的,在深圳可以表现一定的感性,算是画了一个圆。

最令我感同身受的,是胡老师的教育品德和方法。这真是令人刻骨铭心、永篆终身,企盼传之后人的。

胡老师是新中国第一代师范生,对教育怀有特殊情感,喜欢"育人",带生如子。我有时读书或游泳误了晚饭,食堂关门了,就跑到胡老师家里要饭吃。组织翻译、翻弄资料糊涂了,就跑到胡老师书房里问个明白。我有一次把复印件搞丢了,胡老师不发火,叹口气,说以后加倍注意就是了，似乎总有成竹在胸。在北大念书时，胡老师一去深圳，我们就数着日子，像少儿盼着远征的父亲复归，企盼着胡老师早日回到北大，指导我们的学业，修改我们的作文，议定我们下一步修养治学的方向。那时，商品经济已经开始普及，但是，它丝毫没有影响这种学术和师生感情的"纯粹"和"纯洁"，师生间用心用力地在建造一种"如父如兄，亦师亦友"的师生文化。或北京，或深圳，只要到胡家，好像回到了父母家，无拘无束，"原形毕露"。我26岁从胡老师为学，28岁毕业，40多岁去深圳看胡老师、张老师时，因为"原形毕露"，他们还批评我"还是老样子，在外面可不能这样"。我自信，下次到胡老师家，肯定"还是老样子"。

胡老师不显山不露水，从不训斥我们，教育上有一种"无言之美"。像我这样傻乎乎、大大咧咧的人，经过他两年操练，自认为有了点出息。为了培育我，为了他心目中的学科建设，他把我捎上，出了四卷本的《西方二十世纪文论选》，在自己接手的教育部指定教材《西方二十世纪文论史》上署了我的名字，让我这个"民工"与他这个"市长"平起平坐，将所有稿费给了我，使我一下子"暴富"，还了人家的债务。我真是三生有幸，当初遇到了胡老师，一个西瓜换了五本书，一万多块钱，两个文明双丰收。后又推荐我去中国社会科学院研究生院攻读博士学位，他把自己亲自编订的那本教材，10年后交由我改编并让我个人署名再版，使我再次得了一万多块钱，有钱购买"二十五史"和"十通"。像胡老师这样教书育人，铁树也会开花，石头缝里也会崩出个孙行者，荒漠也会绿化。

想起学术界、教育界那么多的"敷衍了事"，那么多因为名利而使师生间闹得如同仇敌或势如水火的故事，我更是深切地感受到胡老师的博大胸怀和循循善诱，才真正理解胡老师的高风亮节和何谓为人师表，更是完完全全地对他感恩戴德。在胡老师教导的诸位学生中，我是比较没有本事和出息的。如果把他指导的博士生、硕士生等，组成一个研究中心或者一个研究所，哪怕只是一个教研室，那绝对是中国和亚洲同业中一流的。在中国文艺学界和文艺美学界，他是能够称为导师的那种人。导者，导夫先路也，智者也，师者，孵化器也，二三十年内必定人才辈出也。这两条,胡老师是完全做到了的,同业中少有。古人说的"指穷于为薪,火传也,不知其尽也",大概指的就是这种绵延不断的师生渊源和"江山代有才人出"的情况。

修到了"诗性智慧"这个层次的人,如同练气功练到了开"天目"的人,一切凡俗、一切庸俗便远离了。胡老师的这种"诗性智慧"并非仅仅源于"诗",亦非只是源于哲学家们讲的那种狭义的"智慧",而是源于"诗学智慧",却远远高于"诗学智慧"。因此,他能用这种"诗性智慧"哺育、教导他的学生,帮助、资助他的学生。

在那本著名的《文艺美学》序言中,胡老师这样写道:

> 在我心中经常回旋着罗曼·罗兰的一句话:"要有光!太阳的光明是不够的,人,必须有心灵的光明。"是的,人只有外在的光是不够的,心灵也应该闪光。心灵闪光!这是孜孜不倦地追求真、善、美的有志者共同希冀达到的境界。

深大新村旁,添了一片新绿。10年前,胡老师家从海边搬到了这片新绿边。大海,是他喜欢的;新绿,怡人的,符合他性情的。朱光潜先生70多岁时,有了"第二次学术生命",著述精深,"文章老更成"。胡老师才70岁,身体一如十几年前,诗性智慧之光一定能够不断闪亮,越来越鲜亮。冯友兰先生有"何止于米,相期以茶"之说。以胡老师的身体和精神,真可谓老当益壮。听说最近他又搬到靠近海滩的红树林畔,可以散步、游泳。我们衷心祝愿胡老师健康再健康,精神更精神,光明更光明,愿健康、精神和光明永远伴随着他。苍天有眼,定能成就胡经之这样品学兼优、德艺双馨、一心向学、著述可传之天下的老师"相期以茶"的。拜托!

2002年12月31日夜,北京

张首映 时任人民日报新闻研究院副院长。著有《审美形态理论》《西方二十世纪文论史》等。

经历未名湖

王 坤

自1988年7月离开北大至今，转眼间10多年过去了。对母校、对老师的怀念，随着年龄的增长，也日益加深。好在导师胡经之先生后来定居深圳、任教于深圳大学，与我所在的中山大学近在咫尺，除了通过电话联系外，我还能常常与先生见面。其他同学和先生见面就没有我方便了。

我1985年考入北大中文系，跟胡经之老师读文艺美学专业。胡老师在国内率先开创这一新学科，在北大设立文艺美学硕士专业方向，并于1981年招收全国首届该专业研究生，即王一川、陈伟、丁涛他们3个。我们是第二届，有王岳川、张首映、荣伟、谢欣、柳杰和我共6人。1985年以后，全国设有文艺美学专业的高校就越来越多了。

1985年胡老师的家刚从东门那边的中关园搬到西门这边的畅春园，住房的规格也由两室一厅扩展为三室一厅。在那个时候，北京人还少有住上这种房子的。因为有两个孩子，他家的客厅与饭厅还不能分开，尚未达到今天的水平。在胡老师家的客厅里，师母张老师高超的烹饪水平给我们留下了深刻的印象。不过当时我们几个到胡老师家去，最羡慕的还是他的那间书房。以我们当时的状况，书房离我们的距离还是相当遥远的，要超过北大与考生之间的距离。学校可以考进去，书房却不是凭考分得来的。

对于学子来说，北大应是一个绚丽多彩的圣地，意味着永恒的辉煌。1988年5月，即毕业前夕，正好是90周年校庆，北大出版社为此出版了一本文集——《精神的魅力》，中文系给每个研究生发了一本。当时我只注重读书中的那些文章，对书名没怎么在意。事后越琢磨，越觉得书名起得好。现在如果要我用几个字来形容北大的吸引力的话，那我一时实在想不出比"精神的魅力"更确切的词语来。至于"精神的魅力"到底是指哪些内涵，那就一时半会说不清了。我的本科是在北师大读的；尽管她也是全国著名的高等学府，但在聊天时，很多同学们仍然流露出对北大的由衷向往和敬佩。我第一次去北大，记不准了，大概是去看老乡。在进南大门之前，说不清楚地犹豫了一下。总有一种东西让你心动，当实实在在地面对着它，却又未成为它的时候，你会不会有点脸红、心跳？会不会有点局促、惭愧？会不会有点不坦然？你追求它的决心会不会由此更坚定些？当然，那时的反应，只是一种直觉，根本就没有想到那么多。

待到能够坦然地走进南大门报到注册的时候，心情反而就像未名湖的湖水。未名湖的景色，是怎么形容都可以、怎么形容又都难以到位的那种。记得有一天早上锻炼，从西门那边朝着未名湖跑过去，太阳刚刚高过博雅塔，映进未名湖里的影像，不是圆圆的，而是长长的，恰似一根火红的大柱子，在粼粼波光中轻轻地晃动。面对如此景象，我一时呆住了。仅此一次，以后见到的，都是圆圆的红饼子在湖面上起伏。当时最惬意的感觉，就是倚在未名湖边的长椅上读小说。只是读着读着，就发现有点不对劲了。

我上大学前，因各种客观条件所限，自己没有什么专业概念；如今执教的文学理论，当时离我不知有多少个十万八千里。上大学后，我属于遵守纪律、听老师话的那一类学生。当时各门课的老师都开列了大量的课外阅读书目，主要是文学作品。我除了上课外，就是读那些书。一是听老师话，二是我本性就酷爱读文学作品，至今未改。只要有闲暇，一本小说可以让我熬夜的。只可惜再也没有当学生时的那么多时间来读作品了。很多同学跟我不一样，入学前的生存环境还可以，老师指定的阅读书目有很多他们在入学前就读过，所以比我潇洒多了。但通过观察，我也感觉到有些同学不一定读过那些书，同样很潇洒。日后为了证实我当时的感觉，我曾在课堂上要求我的学生：通读过中国古典文学四大名著的请举手。果然举手率不高。是否读过作品，听课时的感觉是大不一样的。我在听课时就常常觉得和老师有同感。但问题在于，如果让我来说的话，我又不能说得像他（她）说得那么好。看一些文章也是如此,觉得跟我的感觉、想法差不多,但让我来写的话,我又不能写得像他(她)写得那么好。特别是在上文学理论课的时候,老师所引用的一些大师们的论述,令我佩服得不得了:怎么才能达到那种地步呢?我能达到那种地步吗?这个过程,是一个"憋"得人十分难受的过程。我在做作业的时候,无论怎么"憋",可"憋"出来的东西怎么看都不像那么回事。要想说得、写得都像那么回事,恐怕得在某些方面下大功夫。这就是读本科期间我对文学理论发生兴趣的原因。那时刚开始进行课程设置改革,从大三起,可以选课。记得好像有年级限制,听说78级开有中国古典美学的课,我是79级的,就没能去听。供79级选择的课程中,理论课有马列文论和中国古代文论,学年课,我都从头到尾,一节不落地听下来了。目的就是希望自己有那么一天也能说得、写得都像那么回事。

在未名湖畔读小说时,令我不安的东西就是这个:那一天会在三年研究生期间到来吗?

1985年前后,正值学界热气腾腾之际,北大尤甚。置身于那种环境之中,人的潜能会在各种思想火花的碰撞中被不断地激发出来,难免不产生一些想法。但要想把这些想法变成像那么回事的文章,即要想把感性认识变成理论形态,靠读小说行吗?我读理论书籍的兴趣远不如读作品的积极性,有时候读理论书籍还犯困。怎么办?要不干脆以读作品为主、搞评论算了。有一次我还真对胡老师说了这个念头。胡老师平常对我都是以鼓励居多,而且十分平和。唯独这次,听了我的话之后,没有丝毫的迟疑,他非常严肃地回答我:作品不能丢,但必须读理论书!

导师的话对学生的影响是非常大的,甚至可以说:没有学生不"怕"导师的。从那以后,我开始了与理论书籍"硬顶"的历程。看黑格尔的《美学》、康德的《判断力批判》……更多的时候是似懂非懂,还大量摘抄认为用得着的片段。后来蒋孔阳先生问我读过黑格尔的《美学》没有,我不敢说读了:怕问到具体问题,我的理解与黑格尔的原意相差太远,出洋相。但就是在这种与理论书籍似懂非懂的"硬顶"过程之中,我慢慢地体会到学会思考和表达与学习知识这两者之间的关系,逐渐意识到思想观点是探索、追求的结果,而探索、追求的过程,就是思维过程。要想能够说得、写得像那么回事,思想观点与思维过程缺一不可,应得到同等程度的重视。看人家是怎么思考问题的,看人家的思维过程是怎样展开的,从这个角度来读理论书籍,就不再犯困了,兴趣也越来越高了。对理论书籍的兴趣提高以后,慢慢地,在动手写的时候,"憋"出来的东西看上去也要比以前顺眼些,于是自信心便随着理论兴趣的提高而提高。到毕业的时候,还大着胆子将硕士学位论文投给了著名的学术杂志《文学评论》,竟然就被登出来了!

那一天也真的来了! 多么宝贵的三年,多么难得的机遇!

经常听人说起:北大又提出了某某新观点。对新观点的向往、追求,应是"精神的魅力"之一。但我觉得,最可贵的,还不是你知道了、拥有了多少新观点,而是经过严格的理论思维训练之后,你能够从经验层次上升到理论层次,具有较高的理论思维能力,即具有"生产"新观点的能力。这种能力的获得,其价值是无法估量的。"精神的魅力"的精髓,在于她的熔炉功能,在于她的淬火过程。

导师的作用是什么? 导师就是淬火过程的操作者。导师能在你犹豫徘徊、原地踏步、没有信心的时候,以他的权威,"逼"着你走上绝对应该走,但你又认为以自己的能力难以去走的那条路。事过境迁之后,你会为自己走上了这条路而万分庆幸。如果不是胡老师那时"逼"我一下,我就会以搞评论为主了。但是,如果理论不好,理论思维能力不强,评论怎么能搞下去、搞长久? 学术界每年都有新人冒出来,引人注目,但相当一部分不久就沉寂了。原因之一,应是理论功夫不足,缺乏后劲。回想起我当初的念头,实在有点汗颜。

经历未名湖,亲身体会到"精神的魅力";在导师胡经之先生的督促下,培养起对理论的兴趣,走上了理论之路。虽然至今无甚建树,感到愧对母校、愧对导师,但我心依旧,且常常暗自念叨:就学术生命而言,理论之树常青。那"精神的魅力"之中,一定包含着理论之路的动力;只要走上了这条路,无论怎样的诱惑都不能令你放弃它。1995年我从复旦读博毕业时,拥有令一些同学羡慕的自主择业的权利,但我仍然不假思索地拒绝改行。本来经过胡老师的介绍,深圳大学中文系准备接收我的;但因接收函迟迟未到,我便联系了另外一所大学并很快拿到了接收函。等到深圳大学的手续过来的时候,就不好反悔了。后来,因一些其他非理论之路的原因,我又调到了中山大学中文系。虽然未能与胡老师在一起,却也做了胡老师的邻居。

人在不同的时期会面临不同的困惑。我现在也在指导研究生,我可以告诉他(她)们我的体会、经验,但我能像胡老师对我那样,引导他们走上令他们感到庆幸的道路吗?我只有努力做到"取法其上",尽量让他们多接受一些理论思维的训练,尽可能地不愧对他们。

总记得毕业之前,胡老师要带我们去全聚德吃烤鸭。胡老师当时已在深圳大学兼职,为了我们的毕业,常常两头跑,忙得很。去前门太远,太费时间;刚好全聚德在北大南门外也开了一家,跟前门的没有区别,真香!

2001年11月于美国田纳西州南方大学

王　坤　时为中山大学中文系副教授、文艺学专业硕士导师、中文系副主任,并任广东省文学理论研究会副会长。

主要著作有《转折时代的美学与批评》(中国文联出版社2000年版)、《符号学与戏剧理论》[译著,骆驼出版社(台湾),1998年]。在《文学评论》、《文艺研究》、《二十一世纪》(香港)等刊物上发表论文数十篇。参加编写的教材有《文艺学专题研究》[华中工学院(现为华中科技大学)出版社,1986年]、《文艺学原理》(武汉大学出版社,1998年)。

想念老师

王列生

在秋风轻轻触摸北京众多校园的时候,老师们又迎来与新学年一起到来的教师节。而我却倍加想念我的老师,想起深大校园里时时缓步独行的胡经之先生。

最早知道胡先生的大名是在1980年,那时我大学三年级。有一天在资料室里阅读报刊,读到国内美学、文艺学发展趋势的分析,北大正在开拓文艺美学,其中提到胡先生将在北京大学率先招收"文艺美学"专业方向的硕士生。我对文艺美学这一专业方向很感兴趣。虽然后来我考到了南京大学,但时时读到胡先生的文章和著作。我在南京,也隐约听到一些胡先生的近况消息,只是尚未谋面而已。

1993年的某一天,我刚刚当了副教授不久,忽然萌生出考博的念头,就打电话给正在广州暨南大学读硕的学生项仙君。他在电话里兴奋地告诉我,说胡经之教授和饶芃子教授马上就要联合招收文艺学专业的博士生。我当即决定报考。这样,在1994年春节之后,我就来到了胡先生的身边。

第一次与胡先生见面,记得是由我原安徽大学的老师刘哲静教授带我敲开了胡先生的门。让座,沏茶,问我吸不吸烟,仿佛来了久别的朋友一般。这一切,一下子就驱除了我一路的疲劳困乏,以及拜师时的怯懦和拘谨。刘老师因事先走,我们立刻就谈起了学问,先生当即对我的学术路数做了些点拨。

于是,我们之间的师生关系就这样平凡而又融洽地开始了。时常读到别人写的拜师记,渲染得热烈而又崇高,可是对于胡先生和我来说,一切都显得十分平常。那时我在广州的暨南大学和深圳大学各有一间房，两边走动，深大的那间宿舍就在靠海边的一幢单身教工楼上。每当云开月朗之际，我就站在楼顶，隔海遥望香港那边的街灯闪烁，不时生发出许多的神秘感和梦幻感。有时候先生怕我孤独，就从深大新村赶过来谈说学问、人生，每每询问我在特区的经济承受力，还几次让师妹倪鹤琴小姐解我袋中羞涩之危。想起那些虽细微却让人感动的情节，便觉得人生平添了许多生活意蕴。这些简单却深刻的人生道理，我在先生那里真可谓受益匪浅。

老实说，我在年轻的时候非常恃才自傲而且冲动。自从1986年与余秋雨君并获中国首届田汉戏剧奖理论奖之后，便益发少年得志，常现猖狂与轻浮。所以我在安徽大学校园里，因此而与别人有小结怨，也就是情理之中的事情。但是来到先生身边，这些毛病的的确确是改了个透。日常交流中我逐渐了解到，先生少时便有佳绩，青年盛期在北大学习文艺学有成，很早就与周扬、陆定一以及北京那些著名美学家、文艺学家常有交往，《人民日报》《光明日报》及《文艺报》等，时有先生探幽发微的鸿篇大作。但即便如此，竟从不见张扬，更不见自负，默默地在北大校园里教书，也默默地到深圳海边传道、授业、解惑。人生化冷清为轰轰烈烈并不难，难的是化轰轰烈烈为冷清，做到宠辱皆忘，真正能够不为名所累，甘于寂寞，那才是至难境界。每当落霞拥抱深大，见先生一人轻步于小山之畔，凝注其背影，真有闲云野鹤缥缈俊逸之感，于是就越发生出敬佩之意，并倍感自己幼稚。

在读博期间，我有机缘在先生家里数次彻夜长谈，有时直至天明。那个不眠的夜晚，谈着谈着就绕开了那些生活中的细枝末节，从孔子"一日克己复礼，天下归仁焉"一直谈到鲁迅先生的"走自己的路，让别人去说罢"，学问夹着思想，思想携着学问，真可谓一夜深谈胜十年。我知道先生话里时有批评，也在鼓励，殷切之情，尽在言中。润物无声中使我更加明白大道之所，那就是所失之际，所有所无之间，从此我就坚信得一道足矣。

我毕业走后，师弟张瑞德博士身患癌症，这对先生打击很大。先生一向器重瑞德，不在学问，更在人生修养。瑞德与我20世纪80年代初就在南京大学一道攻硕，忠厚善良有谦谦君子之风，那时我就戏说,什么"周礼尽在鲁",明明是"尽在瑞德",足见其人生修养之不凡。所以他的患病,以及后来的不幸逝世,给先生带来精神上的打击。不过先生几乎从来没有说起过,只是悄悄多了一些白发而已,所有的痛苦和感伤,只是深深地掩埋在胸中。自从我到北京做博士后研究工作,后被分配到中央党校工作,一晃就是五六年了。在这段时间里,我们曾两次见面,均是在学者云集的场合,竟未及深谈。但是却时时在电话中听到先生的嘱咐叮咛:慎思、慎言、慎行,切忌从个人爱好出发,切勿意气用事。呜呼,如此者往,我将立何功、何言、何德,才能报答这位博学老者的关怀?

绵绵秋雨之后,北京是真的彻底地凉爽了,万寿山下昆明湖旁,已有不知名的叶儿微微泛红。伫立其间,遥望南国,念情似乎要使两眼潮湿,不禁深心默念:老师,好吗?

2000年9月于中央党校

王列生 文学博士后,教授,时任职于中共中央党校。主要学术著作有《寸心集》《文学母题论》《世界文学背景下的民族文学道路》《中国人的精神家园》《中国日常问题》《马克思主义文艺学当代发展论稿》,在《中国社会科学》《文学评论》等国家核心期刊发表论文100多篇,先后三次主持国家社科基金项目,曾获中国首届田汉戏剧奖理论奖和北京师范大学首届人文社会科学研究奖二等奖。

学术路上提携人

祝东力

一

20世纪80年代前期,我在北大中文系读本科。那时的中文系,77、78级以老三届、红卫兵、知青为主体,年龄偏大,经历复杂,组织活动能力很强,有较深厚的社会人文关怀,思想上则明显倾向于新启蒙主义立场。79级已有相当多的应届高中生,但他们笼罩在两届前辈学长的影子下,模仿痕迹颇重。到我们这一级,已基本都是应届生,年龄与77、78级相差10岁上下,整整隔着一个时代。这一届大多出生在1962~1963年,自我意识和社会意识萌生的时期恰好在1971年"九一三"事件之后,那正是"文革"叙述解体、理想主义滑坡的年代。后来被称作"新生代"的这帮人,早年在怀疑主义和虚无主义的氛围中成长,身上带有明显的调侃、玩世、颠覆的代际特征,与前面77、78两级的社会关怀倾向迥异其趣。当然,由此,许多人求知的空气也较淡薄。正值青春,却没什么理想,也缺乏激情和想象力,一点巧智代替了思想。

我不幸愚钝而好学,在80年代初校园里五光十色的国内外思潮中茫然失措,无可奈何之中,只得一味向各种书刊中寻找,渐渐地对理论兴趣日浓,乃至偏颇地以为:世界上所有问题的答案都深藏在哲学之中。由此,我与周围环境也日益格格不入,以至自觉地与许多人不相往来。我那时是宿舍—食堂—自习教室,三点连成一封闭的环线,除读书冥想听音乐外,别无其他活动,也几乎没有朋友。在极其孤寂的青春年代,曾极大地扶助过我的是胡经之先生。

二

第一次见到胡先生是在1982年的文艺美学课上。那时,文艺美学是人文科学中的一大显学,依托文艺和哲学,旁涉心理学、历史学、人类学等多种学科,是众多知识和理论话语的交汇点。因为听课的人多,教室只好设在化学楼的一个阶梯大教室里,胡先生操着带苏州味的普通话淡淡地讲授着那些深奥莫测的理论问题。记得,当时连过道上都坐着慕名而来的外语、俄语、东语和哲学等系的学生,还有不少从北师大、人大等校赶来旁听的。所以,当时无从和他搭上话,更无从交谈了。

真正和胡先生有所交往已是1984年春写毕业论文的时候。我是本届毕业生中极少数自不量力、选择理论题目的人之一,自定的标题是"论艺术作品的层次"。大意是艺术作品有三个层次:第一是感性直观的色彩、音响、形象等等,第二是作为表层内容的喜怒哀乐或人物情节环境,第三是埋藏在作品深层的非概念可以把握的深远浩茫的人生感(个体)或历史感(整体)。论文征引较多,从大量古典诗词到柏拉图、康德、黑格尔,以及刚刚接触到的现代西方文论。学士论文需要自选导师,我仿佛不假思考地选了胡先生。文章写毕、誊抄后,我骑辆破自行车赶到中关园一公寓,按照门牌号,摁响了胡先生家的门铃。

胡先生的家在一座旧二层楼的楼上,以前是苏联专家的公寓。已经模糊的印象中,记得客厅兼书房里立着几排书架,一人来高的书架上端摆放着几盆兰花。胡先生五十刚出头,儒雅脱俗,话不多,似乎保持着一种礼貌的距离。第一次到胡先生家是送论文,我拘谨木讷地坐在胡先生对面,没说几句话便慌忙告辞了。

隔几天再去胡先生家听指导意见,应声来开门的是胡先生的小女儿,好像正在北大附中上初中。我那时对自己的论文颇自得,自认为有见解有文采,必会得到胡先生的当面夸赞。不想胡先生还是那样淡淡的,没说什么,只让我在适当的地方增添些辩论色彩。我有些失望,悻悻而归。这样,胡先生当时留给我的就像他本人那样,竟是一个淡淡的印象。

三

临毕业前,我报考了北大另一个系读研究生,因为极用功,也因为运气好,成绩很不错。复试的时候,我因为轻狂惯了,在几位复试老师面前有问必答,臧否国内各派理论,脸不变色心不跳。二十出头的年纪,"少年飞辩东华时",很有点"搂"不住的意思。复试结束时,即使像我这样不谙世故的家伙,也看出主持复试的老师面色略显黯淡,讪讪地告诉我:是否录取,需等通知。

我心里慌了一下。因为我知道是等额复试,不存在竞争淘汰问题,而且自己成绩不俗(后来知道是总分第一),怎么录取还是个未知数?后来,慢慢听说:主持复试的老师认为我太狂,主张不录取我。但再后来,我竟又收到了录取通知书。

临毕业的一天,我在图书馆碰到研究中国古典文论的班主任卢永麟老师。他在走廊里叫住我,说了一些情况。原来,我的录取的确遇到了麻烦。但是,胡先生听说此事后,竟专门到我报考的那个系,找到有关老师,以他的学术地位、影响和信誉为我仗义执言,后经该系主任亲自拍板,我才过了这一关。卢老师说,胡先生对我很欣赏,我的论文他也准备拿出去发表,还对我的个人生活十分关心……

我非常感动。几年来在黑暗中摸索,由于毫无参照,既无师也无友,在阅读和苦思中孤独地漂流,常常茫然若失。胡先生的知遇,使我瞬间有眺望到学术思想的"岸"的感觉。胡先生原来是外表冷静、内心炽热,对刚刚有一点"苗头"而并无深交的晚辈学生,竟如此关照提携,而当面却毫无表露。在孑然一身、孤独寂寞的青春年代,遇到这种真正的关怀和鼓励,其感激之情是发自肺腑的。何况,在我真的险些跌倒的关口,胡先生仗义地伸出了援救之手。我的内心,慰藉和温暖之感油然而生。由此,也坚定了我选择学术道路的信心。但是,由于一贯孤僻的性格,我竟没有勇气再到胡先生家拜访。而不久,胡先生便举家南下深大了。

读研后的一天,内蒙古大学中文系的白贵师兄到我们25楼宿舍,带来几本胡先生主编的刚出版的《文艺美学》丛刊创刊号,送给我和同宿舍的王鲁湘师兄。创刊号上,竟有我的学士论文《论艺术作品的层次》,赫然同胡先生论文艺美学的文章和他的几位著名的硕士弟子王一川、张首映、陈伟等的毕业论文排列在一起。这是我第一次发表文章。

以后多年,我一直没有机会见到胡先生。直到1993年,我到农业部招待所看望一位来京开会的朋友,忽然看见了胡先生,他坐在大厅里。我很激动,上前同他握手打招呼,遗憾的是没来得及坐下细谈。其实,我理智上也清楚,从胡先生那方面讲,他是不会太在意自己当年做的那些"小事"的。

又过了好几年,2001年冬,我到深圳开会,在深圳大学的国际会议厅,四川大学的冯宪光先生因不知情,特意把我"引荐"给胡先生。胡先生已近七旬,精神矍铄,可在我看来,竟老了许多——因为就连我也已近中年了。他当然认不出我来,但等我恭恭敬敬递上名片,向这位恩师提起往事,胡先生突然记起来了,脸上放出光辉,显出很兴奋的样子!

2002年2月于北京

祝东力 时为中国艺术研究院马克思主义文艺理论研究所副所长。

北大红学小组的热心顾问

吴德安

1978年我考入北京大学中文系学习。因为与77届只差半年,所以很多课都是两届在一起上,这样,我就认识了许多77届文学专业的人。一天,77届的梁左和李彤来找我。梁左说:听说你对《红楼梦》很有研究,我们俩对《红楼梦》研究也有兴趣,咱们成立个《红楼梦》研究小组吧?于是,我们又找了80级的马新艳,四个人成立了一个《红楼梦》研究小组。

此前只听说梁左是著名作家谌容的儿子,马新艳是著作剧作家马少波的女儿,但都没有个人交往。我们第一次聚会就发现梁左很幽默,常常逗得大家哈哈大笑。小马和李彤都很文静,却极聪明。小马年龄最小,15岁就已发表了研究《红楼梦》的文章,是中文系的小才女。由于我和吴组缃教授认识,他们便公推我去找他做小组顾问。吴组缃先生当时年事已高,虽同意做我们的小组顾问,却说明不能常常参加我们的活动。他特别推荐我去找胡经之先生,让他做小组的经常顾问。于是,我便去胡经之先生家拜访他。

那时大学刚刚恢复高考,一派新气象。许多中老年教授们把自己在"文革"期间积累起来的研究开成专题课。当时有吴组缃先生的"现代小说",林庚先生的"楚辞研究",周祖谟先生的"音韵学",谢冕先生的"当代诗歌",袁行霈先生的"古典诗歌艺术"等,胡经之先生则开设了"文艺美学"。这些都是学生们选修的热门课,这些教授们也就成为学生们崇拜的对象。我也选修过胡经之先生的"文艺美学",但课下没有什么接触。我登堂入室到他家里找他,这是头一次跟他面对面谈话,感到他还很年轻,思维敏捷,思想开放。思想的开放性当时是最受年轻学生们推崇的,所以我感到我们找到了一位好顾问。胡先生平易近人，待学生很热情，一听我们的请求就痛快地答应了。胡先生当时在红学界很有名气，多处发表文章，竭力提倡要用美学观点评《红楼梦》，和吴恩裕、吴世昌、周汝昌、何其芳、蒋和森等红学家都很熟。他问我怎么对研究《红楼梦》有兴趣的，我说是因为上大学前在香山一带摄影，认识了吴恩裕先生。那时在香山正白旗发现了所谓曹雪芹旧居，轰动一时。吴恩裕先生常常来香山，曾请我帮他在香山一带调查关于曹雪芹的传说。能为一位著名红学家做些工作，我感到很荣幸，所以认认真真地在香山一带到处搜集关于曹雪芹的传说，也真的搜集到关于曹雪芹的莲花落等，还在香山公园内发现了一块刻有"一拳石"的大石，并由此对红学产生了兴趣。一次从香山回城路过北大，吴恩裕先生带我去拜访了吴组缃先生。他也曾介绍我认识了周汝昌先生，后来我也是周先生家的常客。80年代中期我在美国普林斯顿大学读博士时，还曾向普大推荐邀请了周汝昌先生做演讲，那是我最后一次见到周先生。

第一次《红楼梦》小组开会，梁左就给我们讲了个笑话，我至今记忆犹新。他说有位领导讲稿都是秘书写的，在大会上念稿前也不先看一遍，念到"人的正确思想是从哪里来的？是从天上掉下来的"停顿一下儿，翻过页去才念"吗？"我们开怀大笑。我说：你应该去当笑星，没想到他后来真以此出名，成了相声作家。胡经之先生一点儿架子也没有，也跟着我们一起说笑，因而《红楼梦》小组的活动常常是愉快的聚会。但一说起学术研究，他就很严肃认真，教我们如何研究《红楼梦》，可以从不同的角度，用不同的方法切入，说起来头头是道，娓娓动听。所以，我们对《红楼梦》真的是"入乎其内"，认认真真地做研究，大家比着发表文章。胡先生百忙中总是抽时间审阅我们的文章，提出有价值的修改意见。因而我们四人在大学期间都曾在《红楼梦学刊》《红楼梦研究集刊》和《北京大学学报》等学术刊物上发表过一些关于《红楼梦》的文章。1981年，胡经之先生还带领我们四个人去山东济南，参加了全国《红楼梦》学会的研讨会。在会上，他除了对如何提高红学水平发表意见，还特别向大家介绍了我们这个小组。我们公推小马作为小组代表在会上发了言，介绍北大的学生如何开展《红楼梦》评论，引起了红学界的关注。

1982年大学毕业后我去美国留学，也就与其他人失去了联系。1983年在芝加哥大学读硕士时，梁左的母亲谌容曾随中国作家代表团来访，从她那里得知梁左已成家，在语言学院教书，李彤去了加拿大，没有小马的消息。不久乐黛云老师来芝加哥，得知吴组缃教授已去世。胡经之先生去了深圳大学参与创办那里的中文系。后来，我有机会到深圳，于是，有缘又见到了胡先生。

1989年深圳市政府找到我，要求我为深圳市的中小学招聘外教。这个项目当时是深圳市政府的一项教育改革计划，其战略目标是，为了使深圳市尽快走向世界，培养能应付国际事务、从事国际交流的未来一代接班人。这是全国首次有外国教师走上中小学的讲台（以前只有大学，甚至是指定的大学及特有专业才聘用外教）。深圳市政府的这一英明决策在全市以至全国都引起反响。我现在所任教的美国孟菲斯大学（University of Memphis）很荣幸能参与这一项目。从1997年1月开始，我们已为深圳市招收了六批美国英语教师，培训了271名外教。在2000年6月召开的全国教育工作代表大会上表扬了深圳的这一创举。为了提高外教的教学水平，我们要为这些外教开设中文课。于是我找到了胡经之老师，请他帮忙联系请深大的汉语教师来为我们的外教上汉语课。这样，16年后我又再一次见到胡经之先生，他也再一次热忱地给我帮助，介绍我和深圳大学文学院合作，使外教的汉语教学很快开展起来。胡经之教授一直热心于国际文化交流。在北大时就和杨周翰、张隆溪一道，和叶维廉、刘若愚、李达三等有学术交往。到深圳大学后，他更把中文系改建成国际文化系，参与举办国际美学会议、世界华文文学会议等，和国内外学术界有着广泛的联系。现在他虽定居深圳，在国内学术界已是有名望的前辈学者，但他仍然是我的和蔼可亲、平易近人的老师。

2002年9月于美国孟菲斯大学

吴德安 北京大学中文系1978届毕业生。1982年去美国留学,获美国芝加哥大学硕士、普林斯顿大学博士。在美国和加拿大多所大学教过书,时任教于美国孟菲斯大学(University of Memphis)。积极从事国际文化交流,出版过《舒婷诗文集》(中译英,附有论文及访谈录,中国文学出版社,1995年)、《狼人之恋》(美国著名作家艾丽斯·霍夫曼名作,英译中,附有论文及访谈录,中国文学出版社,1997年)、《希尼诗文集》(1995年诺贝尔文学奖得主、爱尔兰诗人希尼诗文选集,英译中,附有论文及访谈录,作家出版社,2000年)、《外国人实用生活汉语》(上下册,北京大学出版社,2002年)。此外,还发表过20多篇学术论文。

在美好的境界中跳跃

黎珍宇

1988年中,带着许多创作上的问题,我开始寻找回归寻根的路。自发疗治精神创伤的愿望促使了文学的回归,寻根文学的出现不是一种偶然。我不知道别人是怎样想的,而我,的确是在"惊鸿一瞥"式的回眸中,发现了中国传统文化精华部分的大智慧。所以我在自己被迫放缓创作进度的低潮时期,想跑去读研究生了。这一点,我是深得鲁迅先生真传:躲进小楼成一统,管它春夏与秋冬。

这段得以进修再读的过程,缘于《再见,船长》。当时在深圳大学任教的钟嘉陵老师因为偶然的机会,读到了我的这本在北京作家出版社出版的书。他正担任深圳大学学生心理行为指导中心的负责人,觉得这样的文学作品有利于大学生建立理性的爱情行为准则,于是就征求我的同意,在《心理行为指导》报上连载了《再见,船长》的节选。后来他向当时的深大国际文化系主任、来自北京大学的著名教授胡经之推荐我,鼓励我考胡老师的研究生。

记得当年和胡老师初次见面,是在他深大海涛楼的家中。那时他是从北大来深圳的文化名人之一,在文化学术界享有很高的声誉。作为中国文艺美学的倡导者和文艺学的学科带头人,他的学术成果和朴实厚重的治学风格,在学林中早已是众口皆碑了。面对鼎鼎大名的他,当过记者见过些世面的我,是有点持"保留态度"的。因为在我的采访经历中,有些名人言行可恶,充其量也不过是些欺世盗名之流……

而胡老师是个什么样的人呢?在他家常便服相迎,清茶一杯相待,望得见海面蓝天的客厅里,瞩目地放了张巨大的餐桌,上面密密地堆满了书籍资料和电话机,看来胡老师的工作室就设在此了。他随和而朴实的言谈，温和敦厚的面容，加上没有任何矫揉造作的家居陈设，使我感到了一种熟悉的书香扑面而来。他那温和清平的目光，轻轻地打动了我，使我深深地信任了他，心甘情愿地拜他为师，做他的弟子。

当年和我一起去考胡老师研究生的还有好几个人，在特区文学工作过的、从广州军区创作组转业来的女作家林小玎也考。我们考了"昏天黑地"的三天，中午就在电教中心的办公桌上休息，用小玎的话来说，就是"让血回流到脑子"。考前三个月，胡老师指导我恶补了中外文艺美学的理论和文学艺术史，读了70多本理论名著，把上考场的"弹药"装得满满的。结果我考得不错，专业两门都得到胡老师批的高分（90分以上），虽然外语成绩稍微差些，也得以过关。

进入大学研究生楼，对于我这个爱读书而被史无前例的"文化大革命"害得与正常升大学渠道无缘的人来说，意义重大呢。如同那条跳龙门的小鲤鱼，我激动满怀地在好的领航人的导向下，游向了更广阔的水域。

胡经之教授是位对学生非常好的高明导师，他因人施教，教有成效。我那一届跟随他学习的研究生有三位：一位是来自香港的童先生，修读宗教艺术史的；另一位是任教多年的教师于卉，和我一起读文艺美学。

对于我的情况，胡老师给予了很大的自学空间，他给我开了一个专门研究课题——创作本体论，主要研究作家的创作行为的主观世界的发现和把握的本质和过程。这是胡老师积极倡导的文艺美学的一个子系统。文艺美学研究的是整个文艺活动系统，它包括文艺创作、文艺作品、文艺鉴赏三个方面，而文艺美学是围绕这三个方面展开的，也就是文艺创作美学、文艺作品美学、文艺鉴赏美学。而我的重点研究方向是文艺创作美学。因为在这方面我有着其他非作家研究生的特长——我有自己的创作实践作为深入研究的学术基础，而我的研究也将大大提高自身的理论水平，并具有很强的针对性和对文学创作的指导意义。这种针对性很强的学习提高，同时会使老师的文艺美学研究和教学带来来自"泥土"的气息。他开了几十本指定我研读的书目，重要的有中外美学史、古今的美学理论、文艺心理学、文艺史学等等。每一个学期修完特定的书目后，要作一个联系本人写作情况的读书报告。而这些思考和研究，正是为我的毕业论文做准备，打基础。

读研的这三年（1988~1991），我的理论水平、鉴赏水平都在实实在在地提高着。学术方面的充电，直接影响着我的创作实践活动，我的中篇小说创作出现一个高峰期，进入一个丰收的季节。因为大量新知识的运用实践，我有了很好的创作探索表现形式和寻找最佳语境的新"本事"，我把这些运用到自己能力的极致。

例如在文坛赢得较多称誉的中篇小说《你我相逢在香港》和《高楼净土》《独行女人》《再生禁忌》《恕我不陪你洒脱》等，就是在这一时期发表在国内大型文学期刊上的中篇小说。其中发表在《中国作家》上的《高楼净土》，被在全国最有影响的《中篇小说选刊》转载，有评论人认为那篇东西是我的一个艺术高峰呢！

《高楼净土》写的是老深圳人古老的故事。与当时沸沸扬扬的寻根文学潮流不谋而合，与北方作家遥相呼应。可以说，《高楼净土》的完成和发表，是我的一次文学审美层次上的超越。读了研究生课程，使我对自己的创作有了更清楚的客观评价：《再见，船长》和《生命的湖》是我憋足了劲"闯过黄河"的作品，如果从文艺美学的角度来评判的话，就是激情的味道很冲很过瘾，但有点张扬了；而《高楼净土》的创作，是我对以往创作方法和心态的一种校正。从奔涌澎湃、一泻无余的潮水到幽美隽永、波浪不兴的古井深潭，这种美学意义上的超越和回归，是我在自觉和不自觉的创作实践过程中完成的。它得到了中国文化审美主流的接受和认可。

有一段评语是这样的："《高楼净土》在风格上的变化值得注意，求实留空的笔法，淡而隽永的语言，焦点则移向往昔，沉入人们的记忆……作家的笔在这里如此地温柔而再准确不过地拨动人性最深处的隐痛……作家以简练淳朴的叙述打动了每一颗不失善良的心。"[①]

[①]《深圳特区报》，1993年7月10日。

我很高兴文艺评论家们关注着我并发现了我的美学层面上的转折。更感谢的是深圳给予了我的创作天分一个成长发展的良好空间：如果不是因为有了文艺创作室这一个"庙"，如果不是有了深圳经济特区政府对专业文艺创作的政策上的支持和鼓励，如果不是有了重进大学读研究生、在导师胡经之教授的具体指导下得以文学素养全面提高的机会，我这么一个小地方深圳出品的小作者，是走不出深圳这个小圈子的。

写到此，我对老师、对学术长辈的感激之情汹涌澎湃，我真的希望深圳经济特区的这种良好的有远见的培养本土作家的文化计划和传统，能够得以延续。我真的感谢那些伯乐们能够一代又一代地产生……

有一篇文章写得好——

> 文学只有写出具有本土色彩的生活和情感，才能使文学更加具有世界性。每一个作家都有他熟悉的生活，其经历过、感受过的生活都带着独有的本土性，独有的地域风光，独特的人情风俗，独具的心理性格等，都使创作呈现出特殊的本土性，向人们展示了世界一隅的独特生活，而引起读者对这一隅生活的了解与关注，这也就使作品具有了世界性的价值了。①

我同意这一论点。而历史的事实也深刻地证明了，在我们经济特区的文艺创作主流中坚持扶植本土创作的大方向，是正确的。在经济特区建设初期，到外地"搬马借粮"移植文学创作力量的做法是临时的应急行为，而到了经济特区成长了20年的时候，再出现这样的事情，那就是一种悲哀了！这也被我们这些本土作家视为无能呢！

在支持本土作家成长的园丁先锋队伍中，我有幸地又看到了胡经之老师的坚定身影。

1997年，我的长篇小说《界河儿女》出版之后，在一个作品讨论会上，胡老师发表了他的看法。他说："黎珍宇的作品，大多我都看过

---

① 《文艺报》，2001年1月2日。

了,这次读了《界河儿女》,觉得相对她以往的创作有了较大的提高。过去她给我的印象是热情洋溢,浪漫主义的追求多一些,现在这部作品有了冷静的、深层次的思考,此书情节不复杂,但是它写了人物的人生道路;与此同时,作者也在追问人生的意义、人生的价值。这就是所谓的人文考究。"

我很感谢胡老师的中肯评价。这对于我从事严肃文学的创作和探索,无疑是最好的鼓励和声援。在流行的世俗"文化快餐"类的速食精神产品冲击面前,具有思想性和艺术性的文学创作,已经成为"高处不胜寒"的濒危物种了。哪怕是一点点声援,对于我们这些创作人来说,也是巨大的温暖的动力呢。

在跨入新世纪的2000年初,胡经之老师继续为我们这些"濒危物种"施以援手。他在《文艺报》上撰文提到:"深圳文学艺术逐步走出了自己的路","从活生生的现实中产生了一种崭新的文化。在深圳成长起来的一些作家、艺术家,如黎珍宇、张黎明等,也曾写过沙头角、西乡、老街的故事,一些童年的回忆弥漫着岭南文化的气息。随着生活的变迁,本土作家、艺术家的追求也在变化,逐渐在面向当下现实,关注人的命运。当他们走向更大的世界,足迹不仅遍及我国台、港、澳地区和东南亚,而且还见识了美、欧、澳洲,艺术视野更为广阔,写出的新著尽管还有着岭南气息,但已远非岭南文化所能笼括。"

我觉得,这是胡老师给我批的最高分数。

因为超越,是我们创作人的激情目标,也是我们人生中最高的审美境界——超越自己,迈向自由的广阔的艺术王国。

而在我不断超越自己的前进道路上,有胡老师举起的一盏灯。它的温暖和光明,多少年来,一直在我的眼前、我的心中,从来没有熄灭过。

在胡经之老师将近"七十古来稀"的年华中,我祝愿他那颗伟大而睿智的心灵,健康依然地在美丽的境界中和我们一起跳跃着,直到永远!

2001年于深圳

黎珍宇 中国作家协会会员,时在深圳市文艺创作室当专业作家。著有长篇小说《再见,船长》《生命的湖》《无土流浪》《界河儿女》《富男富女》《走出婚嫁》,中篇小说《你我相逢在香港》《女子公寓》《高楼净土》《这里没有红灯区》等,还有诗集《女性的发现》、长篇纪实《种金花》等共400万字。

大半人生何所求

朱 竞

认识胡经之教授是在南京大学召开的一次会议上。胡教授坐在主席台上,看上去非常和善而慈祥,说话慢声慢语的。他的头发有些自然的波浪,可以想象出来,他年轻时一定很帅气。那一次我们没多聊,但给我的印象是胡老师是位非常好的人。

后来,我们又几次在会议上见面,也就更加熟悉起来。

前不久在长沙的一次会议上,我们聊了很多话题,关于教育,关于文学,关于人生等等。当我问到胡经之教授一些他个人的感受时,他很感慨,于是就有了下面这篇真诚坦率的对话,袒露了他的心声。

朱　竞:胡老师,非常感谢您能接受我的采访。认识您的朋友们都说,您的一生都献给了教育事业,直到现在,您快70岁的人了,仍然活跃在讲台上,是国内几位没退下来的博士生导师之一。能问问您从事教育有多久了? 为什么您选择了教师这个职业?

胡经之:我这一辈子都在教育岗位上,教过小学、中学,但时间不长,大多是在大学当教师。2003年,我到70岁,教学生涯50年了,我仍在带文艺学博士生,做文化研究,可能是深圳教育界在岗年岁最大的教师了,但我仍然觉得做教师的乐趣无穷。我之所以会走上教师的道路,一是父亲的影响,二是老师的熏陶,三是我自己的喜好。我父亲胡定一,从青年时代走向社会时就当小学教师,辗转在太湖之滨,来往于苏州无锡之间。那时,教师和作家、艺术家一样,都是自由职业,到处受聘,居无定所,所以父亲在苏州、无锡都住过。我出生在无锡梅村,这是像周庄、同里、南浔那样的一个小镇,当时说是江南第一古镇,吴文化发源地。商周之交,泰伯为了把王位让给他的小弟,就和二弟仲雍一起隐居到南方荆蛮之地，在这梅村停留下来，带来了文化，所以这里就开化了。我父亲还说，《金匮县志》里还记着呐。前年我还特地回到梅村去看看我的母校和儿时亲友，这江南第一古镇已是面目全非，成了沪宁高速公路的中间休息站，再也没有儿时的那种宁静和闲适了。

朱　竞：阔别几十年后，再回到您儿时的住地，心中一定会有一番感慨。虽然儿时玩耍的地方已经变成今日沪宁高速公路的休息站，但一下子还是勾起了您对过去的很多回忆吧。您能具体讲讲您儿时的记忆吗？

胡经之：我4岁那年，日寇入侵，母亲就因病去世。我父亲在苏州教书，只能把我和比我小一岁多的弟弟纬之托付给祖父母抚养。但在次年，我祖父也因病去世，于是，我便又由外祖父母抚养。6岁时，父亲把我送入私塾，受启蒙教育。那私塾老师比较开明，不仅教我们百家姓、三字经、千字文，而且还教唱歌，唱他编的"三月三，清明到，去游山"。教我们写的第一篇作文，就叫《清明游山》。私塾只念了半年多，父亲就把我带到了苏州城里。先是跟他学识字、背唐诗、临字帖。后来又把我送到一所教会学校——晟成中学的附小。学习之外，还进了唱诗班，去做礼拜，为教堂唱诗。在整个小学阶段，我跟着父亲在苏州、无锡之间的好几个小镇去就读过，在钱穆的老家鸿声里，阳澄湖边的荡口、后宅（钱穆也在这里教过书，和我父亲相识）、坊前、安镇等，我都随父亲呆过。我父亲教的是语文、历史、作文和音乐。他拉二胡、吹笛箫、弹风琴，语文讲得有声有色。教历史时，还结合故事《水浒传》《三国演义》《西游记》等，用他自己的语言，改为故事讲出来。他感情最投入的是讲《说岳全传》，把岳飞的故事演绎得生动逼真、绘声绘色。寒假，父亲和继母带我们去苏州城里过，雇了一叶小舟，把学生家长作为学费送的柴火、麦米、鸡羊等运到城里，热热闹闹过春节。暑假，就到梅村乡下住。那里凉快，门前就是清澈的伯渎江，光着屁股往河里跳，自由自在地游水、捕虾。晚上就躺在稻场的木板条凳上，仰天数星星，或者听民间艺人的说唱，或者听着父亲拉起二胡，演奏江南丝竹乐曲、广东乐曲。在家里，父亲每到年终，都要到苏州玄妙观买几副对联和年画，厅上挂的是太湖山水画。有一阵，在教学之余,父亲还曾为画店临摹过木炭肖像画。我少年时代受到父亲的影响,从小就喜欢上了文学、音乐和美术。

朱　竞:那个时候教师是很受人尊敬的是吧?

胡经之:是的。30年代,教师很受人尊敬。放暑假,父亲在这小镇上住,镇上人见他,都主动打招呼,点头问好。一个小学教师,在那个时代的镇上人心目中,已经是大知识分子了,而且,待遇也不差,每个月可有拾元银圆。我父亲常说,教师有寒暑假,比较自由,收入不高,但比较稳定。那时,一元银圆,可买一斗米拾斤肉,所谓"斗米拾肉"。一年下来,就有壹佰多元银圆,够不上富有,但生活不用发愁,吃点小荤,韭菜炒肉丝,可以算是过上小康生活了。所以他希望我们能继承他的教师生活,一辈子当个教师,也就满足了。

我初中在梅村上的中华中学,语文教师何阡陌是武汉大学中文系来的。他熟悉"五四"以来的文学,语文教得特别好,我为他的讲课深深吸引。他觉得我的语文功课好,字也写得端正,愿意课外给我加班辅导。于是,我们几个爱好文学的学生,组织了一个课外阅读小组。在何阡陌的鼓励下,我开始给《开明少年》《中学生》投稿,写散文。也是他的指点,我开始看朱光潜的《给青年的十二封信》《谈美》等小册子,以及艾芜编的《文学手册》等。

朱　竞:那时您就显示出了写作的才能,您父亲是希望您当作家还是当教师呢?

胡经之:我父亲希望我将来当教师。我上高中,真的考进了无锡师范学校。我的班主任、语文老师叫陈友梅,是钱穆的好友,和我父亲也熟。他的国学底子很深,能用文言撰文,讲堂上朗诵起古诗来,抑扬顿挫,铿锵有力,他自己都陶醉了,我也被他感染了。我的作文写得很顺手,常被他作为课堂评点,向大家推荐。受他熏陶,我读古文、古诗的兴趣浓了起来。这个师范学校还有一些有修养的画家、作曲家,因有进步倾向,不能在城市里留,就跑到小镇上来躲一躲,这却使我们这些小镇学生受益匪浅。我也学了几样乐器,吹口琴、拉二胡、弹风琴,参加学校大合唱。我爱上了音乐。每当寒假回苏州家里,我在我的家里看书,就听收音机播放音乐,江南丝竹、广东音乐、中国民歌，也听西方音乐，亦爱苏州评弹、锡剧曲调。从此我染上了看书时听音乐的习惯。

朱　竞： 当时，您自己的意愿最想做什么呢？

胡经之： 从我的志趣出发，我还是选择了当教师。先是到陈墅小学，后又来严家桥初中班，既教语文、作文，又教音乐、历史。1952年全国高等学校进行院系调整，鼓励青年报考大学。解放前后，我本投身学生运动，但我较早就意识到，虽说枪杆子里出政权，但要振兴中华，还得靠文化、科学。所以，我当即决定，去苏州报名投考。本来，我遵循父亲的意向，不离开江南，填写的志愿，都是太湖周围的师范院校，华东师大、江苏师院、南京师院、浙江师院等等。但当正式填写时，受名校名声的诱惑，想报一个北京大学，试一试自己有多少差距。结果，被北京大学中文系录取了。父亲虽然有点伤心，怕我远去，但亦无可奈何。我立即写了两封信，一封给何阡陌，一封给陈友梅，向我的两位语文老师报告这消息。我去北大报到之前，还特地去无锡看望了他们两位。陈友梅谆谆叮嘱，到北京后，一定要去看两个人。一个是钱俊瑞，当时是文化部副部长，他们是同乡、熟人。一个是严慰冰，陆定一夫人，是他教中学时的学生。

可是，我到北京后，就一心扑在读书上，顾不上去看望这些前辈老乡。我从没有去找过钱俊瑞，因而一辈子都未见着他。到北大的最初两年，我也没有去找过严慰冰，只知道陆定一住在中南海，不知道怎么找。但到1954年，我的一个表弟也从无锡考到北大法律系，是他告诉我：严慰冰正在北大教书，给他们上中国革命史。我这才和严慰冰见了面，从此就相识了。她虽然在教中国革命史，但喜爱文学，常写诗和散文。她写过一本长篇叙事诗《于立鹤》，抒写她父亲严朴在无锡进行地下斗争的革命事迹，给我看过初稿征求意见，后来在作家出版社出版了。她告诉我，父亲英勇就义后，她妈妈就一直跟着她，现住在中南海，很盼望有老乡到她那里做客，用家乡话说说家乡事。这样，我就常去中南海西门内的增福堂。她妈妈做家乡饭，边吃边聊家乡事。陆定一在政治局办公，吃完饭才回来，见了好几次，也是一口无锡话一起聊天。三年困难时，严慰冰特地请政治系的赵宝煦、钟哲明和我到中南海做客，打一打牙祭，和陆定一起聊一聊。1955年底，高教部要我提前毕业，到中国人民大学马列主义研究班当研究生，说是今后国内要加强政治思想工作。我虽然服从组织安排，但还想当教师，教教文学，不想从事政治思想工作。最后，我还是请严慰冰帮忙，让高教部放我回北京大学，跟随杨晦攻读副博士研究生。

就这样，我就在1956年暑假又回到北大，师从杨晦学文艺学，又向朱光潜、宗白华学美学，萌生了想把文艺学和美学熔为一炉的念头。1960年年底我研究生毕业，留在北大任教，从此就一直坚持在教育岗位上。在这中间，高教部杨秀峰曾向北大中文系要一个人当秘书，系里曾征求过我的意见，我表示我还是适合当教师。陆定一有一次问起，研究生毕业后愿不愿到中央宣传系统工作，我也表示，我自己觉得还是当教师合适。1984年，我到深圳大学参与创办中文系。后来，市里动员我去文联当主席，但必须离开学校，任专职。我还是婉言拒绝了，说我已习惯于当教书匠，在校园生活，自由惯了，管不了行政。有熟人说我犯傻，但我始终没有懊悔，对我说来，还是当教师最为合适。

朱　竞：您钟情教育事业的这种精神，是值得现在年轻人好好学习的。您已到了古稀之年，风风雨雨地走了半个世纪之多，亲历了中国20世纪发生的一件又一件的事情，自己肯定也有很多痛苦和遗憾。请问什么是您感到最痛苦而抱憾最深的？能讲一件苦恼的事吗？

胡经之：那是我眼看着父亲抱病痛苦，却束手无策。我还没有来得及报养育之恩，他还没有来得及退休就离我们而去。父亲是给我最早启蒙教育的人，是他引我走向教师之路。我本想就在家乡一带从事教育事业也可就近照顾父母。但我受到要到外面世界走一走的诱惑，还是离开了家乡。我到北京读书后，心头常常泛出丝丝悔意，懊悔我不该未经深思熟虑，就跑到北京，离父母那么远。每年暑假都要回老家看望父母。先是回苏州，后来，父母调到南京电力专科学校，我就回到南京看望。南京的大学很多，父亲多次表示：你研究生分配，能不能争取到南京大学来？我觉得这想法很好。我跟南京大学的罗根泽教授也很熟，常到他家里做客，他也欢迎我去，参与他的中国古典文艺理论的研究工作（当时他正在主编大型中国古典文艺理论批评丛书）。

1960年初，高教部征求我们这届研究生的毕业去向，我就把第一志愿填了南京大学。但是，在我的毕业论文答辩之后，导师杨晦就告诉我，系里已研究了，要把我留在北大。作为系主任，杨晦老师知道我想去南京，好好照顾父母。但他劝我，如果研究学问，当然还是留在北京。他开始想要我研究中国文艺思想史，后来，他知道我的志愿在美学，所以，他说："你不是想研究美学吗？朱光潜、宗白华二位先生都在北大，当然选择北大。"我是晦师的第一届副博士研究生，虽然后来把"副博士"当修正主义反掉了，但终究当了四年研究生，刚进入学术的大门，不能就此而离开北大和晦师。我和父亲商量，父亲很体谅我，对我说："为了事业发展，你还是留在北京罢。"

但这一留，我就身不由己了，很难再去南京。我教学、编书忙不说，家庭的事也多起来，碰上三年困难，偏偏我的大女儿苏薇要出生。没办法，只好让我爱人到南京去生，靠我父母照料。我们哪有能力抚养孩子？只好把苏薇留在南京，由我父母抚养。父母的养育之恩还没有来得及报答，却又给他们增加新的负担。

就在1965年秋，继母给我们来信，告诉我们：父亲得了癌症。为了不让我们分心，开始不让我们知道，直到在医院住了一阵以后，才让妈妈告诉我们。这消息就像晴天霹雳，我真有些不知所措。我立即请了假赶到南京，并且竭力说服我父亲，让我带他到北京看病。开始，我父亲不同意，主要是怕影响我们的工作，增添我们的麻烦。我则坚决要他去，无论如何要到北京几所大医院去请名医诊治。最后他勉强答允，但说好，不能在我们这长住，等医院有个说法，就立刻回南京医治。我知道，就是患上重病，他想的仍然是不要拖累子女。

我终于把父母连同3岁多的苏薇一同带到了北京。于是，在北京，我第一次严正直面了现实人生。我在北京，读了4年大学，又读了4年研究生，留校又工作3年，还不算中小学，在北京读书也已超过十年寒窗了。可是，我和爱人只有一间12平方米的住房，还是因为我已有了孩子才给的。现在我父母来了，连同孩子，五口人，怎么住？那就只好再向学校借一张床，一个房里安了两张床，父母挤一张，我爱人和孩子挤一张，我则只好打游击，跑到中文系教师集体宿舍，看哪有空床，就住一晚。第二天赶回家,陪着父母乘公交汽车到市里看病。一连好几天,我们去了首都医院(协和医院)、友谊医院、肿瘤医院、中医院,都确诊为癌症,已是晚期。哪个医院都不肯收留住院,因为我父亲的医疗关系不在北京,而要留下,级别又不够。我在北大,只是一个年轻的小教员,人微言轻,求不了人,也没有想过要走什么关系。这样折腾了个把月,我父亲看我那劳累的样子,叫我到他床边,轻轻地对我说:"北京好大,但居也不易,我想想,还是快回南京,那里熟人多,有个帮衬。不能把你们拖垮了。你们好好照顾苏薇,不要老牵挂我们。"我心里难过极了,忍不住流下眼泪。我感受到在大城市里的一种孤立无援,也深深地体会到知识分子的一种无奈和悲哀。我只能默默地把父母送回南京。半年之后,我父亲就去世了。我赶回南京奔丧,看到父亲遗体已是骨瘦如柴,从消瘦的面容上,我感受到他内心的痛苦。

他是一个善良的文人,对生活很易知足,从不奢求什么荣华富贵,也不追寻功名利禄,一辈子就以教书为业。他教书向来勤勤恳恳,从不懈怠,他只盼望,60岁退休后能和我们住在一起,再到祖国大地走一走,见识一下名山大川,也就满意了,从无非分之想。可没有想到,他多年劳累成疾,还只55岁,就永远离开了这个世界。

他一生都在从事着平凡的劳动。他完全靠着自己的诚实劳动而生活。我祖父是苏州城里从事丝织的高级技师,没有留下什么财富。父亲一辈子以教书为生,解放前就当小学教师,解放后就在中学任教。父亲一向甘于寂寞,安贫乐道,生活要求并不高。但有一点使人心烦,那就是政治运动不断。我父亲既不是国民党,又不是共产党,无党无派,两边都有些朋友。平时没有什么,但一来政治运动,就要交代这个,说清那个,不能安宁。反右之后,又是"大跃进",向自然开战。结果就是在无锡老家乡下,树木都砍光,竹林也遭殃,池塘干涸了,河水污浊了。三年困难时期来临。我的祖母,就是因营养不足,体衰而逝。我的外祖父,身体强壮,但不堪饥饿,竟跳进了村前鱼塘,自尽而亡。为此种种,父亲的心情一直不痛快,郁郁寡欢,结果,自己也在三年困难时期的最后,得了癌症。而我,远离他乡,无从照顾,我内心一直有着深深的内疚,同时也有文人的一股无可奈何的悲哀。

上一辈文人,可能很多人都遭到了这种无奈。但一些人,或者个性坚强,扛过来了。有的,则个性洒脱,看得开。我父亲既不那么坚强,又不那么洒脱,内心解脱不开,那就只能自我痛苦,结果是病魔缠身。父亲死后,我心里一直沉重,曾经动过脑筋,想回苏州老家,但一直未找到机会。但不久,容不得我多动脑筋,"社会主义教育运动"又来了,接着又是"文化大革命",我就再也休想脱身。要到改革开放之后,我的人生才有了另一次转折。回顾大半生,从江南稚子,到北京学子,然后,成了海滨游子。但我时常想起我的儿时老家。我一生最大的悲哀,是我没有能对我父亲有任何照顾,报答一下父亲的养育之恩,这将使我抱憾终生。

朱　竞：您的父亲是令人崇敬的。与优秀的人生活在一起,您会感到生活的美好,会产生向善的冲动;相反,与一群人格卑下的人生活在一起,您会产生一种沮丧的感觉,甚至会产生否定人生、逃离现实的想法。父亲对您的影响是一生的,您今天所取得的成绩都与他老人家有关系。能讲讲您为什么走上研究文学艺术这条路吗?您追求什么样的人生?

胡经之：我之所以要研究文学艺术,起因于对文学艺术感兴趣。我已说过,从小受父亲、老师的影响,逐渐对文学艺术感兴趣,即使我在解放之初投身各种社会活动的时候,也要分出精力,为《苏南日报》写通讯、报道。但我没有走上文学创作之路,而是在阅读文学、欣赏艺术之中感受审美的乐趣,进而想思考文学艺术之所以会吸引人的奥秘,从而对美学、文艺学有了兴趣。

我之所以考进北大中文系,目的是很明确的,就是想研究文学艺术的理论。那年正是全国进行院系调整,北大、清华、燕京的中文系合并在一起,迁入燕园。学生一入校,先不分专业,学一样的课程。中文系出来,将来做什么,同学大多还没有考虑。但有极少数人,一入校,目标就很明确。比如同班郭超人,入校时就是为了将来当新闻记者,所以很早就在练写新闻。崔道怡一入学,就明确自己将来要从事文学创作,写小说、散文。刘学锴一进来,就钻进古典文学书堆,准备将来从事唐诗研究。我则一开始就选择了研究文学艺术理论,所以在阅读中外文学名著之外,我净找文学理论、音乐理论、美术理论、电影理论的书籍来读。

朱　竞：我知道您对音乐和美术理论也比较喜欢,这对提高欣赏文学作品的水平也有帮助的。能谈谈这方面的感受吗?

胡经之：我的理论兴趣并不只在研究文学。在大学期间,我曾对绘画心理学发生过浓烈的兴趣。对俄罗斯风景画家列维坦、历史画家苏里科夫、人物画家列宾的一些名画,我曾有过特别的关注,对他们的创作过程有较多的思考。所以,我对以研究美术见长的美学家王朝闻特别感到亲切,看过他的不少著作。60年代在中央党校编书我们相识,真是一见如故,论道谈艺,有说不完的话,成了忘年交。

但我最感兴趣的还是音乐。在未入大学前,接触的多是我们自己的民族音乐,对江南丝竹乐、广东音乐、各地的民歌、三四十年代的一些优秀歌曲,我都有过浓烈的兴趣。但进北大之后,我才对西方音乐发生兴趣。我清楚地记得,在1952年秋的一个傍晚,晚饭后我在棉花地的一个小山坡上散步,校广播台报过新闻后,就放送了一首乐曲,如行云流水,徐缓而来。我却一下就被深深吸引了,心里久久不能平静。我并不知道这首乐曲是谁作的,叫什么,但我却想起了我在无锡城里街上听到的瞎子阿炳行乞所奏的行歌,一种苦难心灵的倾诉。

这吸引我开始阅读音乐理论著作,我才知道,原来这就是柴可夫斯基的那首脍炙人口的"如歌行板"(弦乐四重奏中的一段),被托尔斯泰赞之为俄罗斯哭泣的灵魂。由此,我对西方音乐逐渐产生了兴趣,并开始思考音乐和其他艺术不同的特殊的魅力。真正美好的音乐,确实能使人体味无穷,"三月不知肉味"。有一次,我住在华盛顿附近靠湖边的一风景优美的旅店,在餐厅用膳,所放的带有西部风味的乐曲使我深深着了迷,全身心都被那乐曲所吸引。我都不记得究竟吃了什么,但那听音乐的感受却至今使我难以忘怀。这种音乐,既非传统的西方古典音乐,又不是新潮的流行音乐,却令人陶醉。我回到深圳后,一直念念不忘,曾经到处询问想买这种乐曲的CD,也曾打听深圳有无这种可以享受优美音乐的餐馆,但始终没有能实现这个愿望。

朱　竞：倾心于艺术的审美功能，对艺术之一的文学也是同样有帮助的。但文学是所有艺术中最能体现作家思想的一个部类。您如何看待这一问题？

胡经之：有些文学作品，其政治教化、道德教育的功能可能会超过审美教育的功能。所以，文学确也可能成为"经国之大业"。中国的传统文人，"达则兼济天下，穷则独善其身"。处境顺利时，参与"治国平天下"；处境不顺时，就退而"修身养性"。而文学，既可作治国平天下之大器，也可成为抒发个人心灵、完善自我的小技，就看作者自己如何处理，酌而用之。但文学不管是用来"兼济天下"，还是用作"独善其身"，若要能感动人，还是要力求具有审美功能。依我看来，人类之所以需要审美，就是因为人类的理想和现实始终存在着矛盾，生活事实上如何和生活应该如何并不都能统一。审美是为了在精神世界中追求理想与现实的统一，使人和环境（自然的、人文的）能达到动态平衡。

朱　竞：曹雪芹一生潦倒，通过《红楼梦》抒发自己的不平，在不平中寻求精神上的动态平衡。作为一个文化人，怎么样才能做到"兼济天下"？

胡经之：一个文化人，要能"兼济天下"，实在不大容易，这不仅自己要乐于投入，而且还要懂得治国方略。一个人要在世界上生存，一定要为社会做贡献。而对社会之所献一定要大于对社会之所取，不然，就对不起社会。但究竟向社会贡献什么，这却要依各人不同的潜能而定。我有自知之明，一介文人，不可能"治国平天下"，只想研究文学艺术，寻找寻找艺术发展规律，供"治国平天下"作个参考，自己也可以得到审美的乐趣。解放之初，我的基本观念是：武装斗争是为了夺取政权，让人民当家做主；但夺取政权之后，建设国家就要依靠文化科学。科学不只是自然科学，还有人文社会科学，它对国家也有重大作用。校长马寅初的控制人口论，就为我国控制人口的基本国策提供了理论基础。我想，要发展文化艺术，就必须研究文学艺术的发展规律。所以，在五六十年代，我也曾把文学看成"经国之大业"，"文化大革命"却把这幻想粉碎了。在政治暴力面前，文学艺术是无能为力的，无法有所作为。但文学艺术可能使自我得以完善，有助于

"修身养性"、"独善其身",发展自由个性。这样,学者生涯,审美人生,就自觉或不自觉地成了我大半生的追求。即使是在卷进政治斗争旋涡之中,我也仍然带着书生气息,抱着美好的愿望,做着遵命文章,以为自己参与演出的是正剧,却不料,到头来参与的竟是闹剧、笑剧。就是在逆境之中,有的学者郁郁寡欢,闷闷不乐。我却天天和老师林庚在一起,谈天说地,谈笑风生,畅谈唐诗之美、音乐之妙。寻求精神的自我解脱、平衡,人就需要发展审美。自然审美、文化审美、艺术审美都是想要超越现实中的人和环境的不平衡,在精神上达到动态上的平衡。在中国古典作家中,我最喜爱的是苏东坡、郑板桥、曹雪芹。苏东坡和郑板桥,无论是在顺境中"兼济天下",还是在逆境下"独善其身",都能不废审美,使个人和环境达到动态中也能获得审美享受。不仅对文学艺术,而且对其他文化现象,我之所以发生兴趣,不只是为了好奇,想探求其奥秘,寻求真理,我更是为了获得审美享受。因此,越到后来,我越倾向于从文艺美学走向文化美学。其实,做学问虽艰苦,但也能获得审美享受。

朱 竞:我知道您是最早从古老的首都走向改革开放前沿的文化人中的一个,这其中您得到了很多的同时也失去了一些东西。在深圳这些年,您感受最深的是什么?

胡经之:我在1984年从古老的首都走向改革开放前沿的深圳,当时没有几个文化人来,祝希娟刚来,王子武还没有来,黄宗英来不久又回去了。我从中心走向边缘,好多朋友劝我切勿轻举妄动,贸然行事。但我来到这海滨的边陲小镇,一下就喜欢上了。我感受、体验到了这里的生机勃发,清新自由。但当资本原始积累的粗暴商潮袭来,文化垃圾源源而来之时,我就时常想逃出樊笼,宁愿走向大自然。我的足迹,遍及九寨沟、青海湖、张家界、天山、黄山、苍山、洱海、漓江……我越来越向往人迹稀少的原始森林,未开垦的处女地,荒凉的河岸。我想,随着人类不停地开发,最天然的将越来越成为最珍贵的。

朱 竞:听朋友们说,您一见到水,心情立即就好起来。您在水上静卧时,时常思索着大自然的美究竟在哪里。于是您就写了很多关于水的思考的文章。

胡经之： 我对水有特殊的喜爱，一见到水，心扉就敞开，心灵就活跃起来。但我游泳不只是为了健身，更主要的是为了审美。别人游泳求速度，要和人比赛，追求快。我却宁愿落人之后，求清静，追求慢。我时而蝶游，时而蛙游，时而侧游，更喜静卧水面，仰视蓝天白云，念千古之悠悠。我几乎是见水就下，从松花江、北戴河、青岛、烟台、普陀山、鼓浪屿、小梅沙一直到海南的天涯海角，我都游过。就是在境外，我也从不放过机会，马来西亚、泰国的海，洛杉矶、华盛顿、拉斯维加斯、圣荷西的酒店泳池，我都领教过。当我躺在酒店顶层露天泳池的水面上时，在异国他乡，我突然感到，这里是不是离天更近了？有时我自己也感到奇怪，正是在我静卧水上、仰视天空时，常常会引发一些平时未有的思绪来。有感而发，我的一些文章就从水面上得来的。一次，我和《春天的故事》《走进新时代》的词作者蒋开儒闲聊，他告诉我，他也爱游泳，一些好词也正是在游泳时从心底自然涌出的。这下，我算有了知音了。

人是大自然的一部分，人在大自然中只是沧海一粟。但我还是以为，我们不能放弃"以人为本"的思想。在这个世界上，人还是主体，而人周围的环境是客体。这环境，既包括社会，又包括自然。人自身要生存、发展、完善，但只有在和环境的交往中才有可能。在主客体的相互作用中，主客体达到动态平衡：这里既有客体间的动态平衡、主体间的动态平衡，更重要的是主体和客体间的动态平衡。人和环境的关系，不应是"人类中心主义"，也不应是"自然中心主义"，而应是：以人为本、动态平衡。这也正是古人所说的"和谐"。这正是我的人生哲学，追求和谐的哲学。

2002年于长春

朱　竞　时为《文艺争鸣》杂志编审。出版有对中国教育提出质疑的《拒绝北大》等多部书籍。

胡经之与他的《文艺美学》

李小甘

艺术和美,是人类灵魂之光。艺术需要美,美是艺术必不可少的特性。那么,美学与文艺学是什么关系?审美与文艺的同异何在?

20世纪50年代,在北京大学的未名湖畔,一名年轻的研究生便开始思索这些命题。时隔30多个春秋,这位昔日的翩翩江南才子捧出凝聚自己多年心血的专著《文艺美学》时,已是银丝染鬓的慈颜长者,他就是现在任深圳大学国际文化系主任、特区文化研究所所长、深圳市作家协会主席的胡经之教授。

胡经之,笔名吴蓝,祖籍苏州,生于无锡。他自幼随当教师的父亲吟诗颂词。40年代后期在中华中学、无锡县师范学校读书时,便投身进步的学生运动,并写小说、评论,编文艺刊物,办文艺社团。50年代在北京大学中文系毕业,攻读副博士研究生,其间曾师承杨晦、朱光潜和宗白华等著名学者,曾为周扬的"马克思主义文艺理论"课程任助教。60年代初研究生毕业后,他留在北大中文系,从此开始了漫长的"粉笔生涯"。在大学任教30多年间,他先后为研究生、本科生开设了文学概论、文艺学方法论、文艺美学、西方文论等多门课程,在《北京大学学报》《文学评论》和《文艺报》等报刊上发表文艺论文和评论。1984年起应邀来深圳大学参加创办中文系,并逐步把中文系改建为国际文化系。一分耕耘,一分收获,胡老师走的是中国知识分子刻苦勤勉的进取道路,如今他拥有卷帙浩繁的著述,包括《文艺美学》《西方文艺理论名著教程》《中国古典美学丛编》《西方二十世纪文论史》等等,逾数百万字。胡经之的名字被载入《中国当代文化名人辞典》《中国社会科学名人辞典》中。今年初秋,胡老师将一本有他亲笔签名的《文艺美学》(北京大学出版社,1989年)赠予我,我花了一个多月的时间,读完这部堪称胡老师代表作的专著,脑子里晃现出他精心建构的文艺美学体系的轮廓……

早在1980年,胡老师在昆明召开的全国美学会议上提出,高校的文学、艺术学科的美学教学,不能仅停留在讲授哲学美学原理,而应开拓和发展文艺美学。他率先在北京大学作了尝试,建议研究生院在文艺学专业中设立区别于哲学美学的文艺美学这一方向的硕士学位,并招收了文艺美学的首届硕士研究生。为发展这一新的学科,胡老师着手撰写了《文艺美学》一书,作为文艺美学硕士生的教材。这便是他创作该书的直接契机。

文艺美学方面的教科书,以往一般都以艺术作品作为出发点,引出艺术的内容、形式、构成、形态等等,然后再转入创作活动和欣赏活动,这是从静态分析走向动态考察的路程。但胡老师有感于"与其面面俱到,四平八稳,还不如有感即发,无感不发,有话则长,无话则短"。他几经思考,决心独辟蹊径,从分析审美活动着手,剖析艺术掌握世界的方式,进而探究审美体验的特点,寻找艺术的奥秘,然后才转入艺术美、艺术意境等的论述,这是从动态分析向静态考察的探索。《文艺美学》便是沿着这条脉络展开思路的。全书30多万字,分12章,熔美学、诗学于一炉,通过审美体验论、艺术价值论、艺术本体论、艺术意境论、艺术形态论、艺术阐述接受论、艺术审美教育论等,全面探讨了艺术的意义与价值、艺术的审美本质和艺术本性与人的存在本性的关系,揭示出艺术审美必然以寻求艺术的本真生命意义和人的感性审美生成的奥秘为根本旨归的真谛。《文艺美学》既有哲理的精辟、学术的精确,又有教材的翔实、史论的深博,且文笔洒脱明丽。作者在论述审美体验时,描述乘船出三峡入枝江观夕阳落山的情景,几乎可以当作一篇隽美的散文来读。

胡经之老师很喜爱罗曼·罗兰的一句名言:"要有光!太阳的光明是不够的,人,必须有心灵的光明!"他认为:"心灵的闪光——这是孜孜不倦地追求真、善、美的有志者共同希冀达到的境界。"当胡经之矢志不渝地继续向他的理想境界迈进时，我们不是也可以看到一颗心灵的闪光吗？

（原载《深圳特区报》，1990年12月19日）

走向美学与诗学的融合

王岳川

北京大学出版社推出了《文艺美学丛书》。作为丛书具有综论性质的胡经之先生的《文艺美学》，是一部有相当学术价值的力作。

这部30万言的专著，集作者8年之功，熔美学、诗学为一炉。它以审美活动为其体系的逻辑起点，以审美体验为审美中介，最终在本体论上将艺术本体同人的生成联系起来。全书通过审美活动论、审美体验论、艺术本体论、艺术价值论、艺术形态论、艺术阐释论、艺术美育论所建构起来的完整体系，全面探讨了艺术意义与价值、艺术与人的关系，揭示出艺术审美必然以寻求艺术本真意义和人的感性审美生成的奥秘为旨归。

纵观全书，体系严谨，立论稳健，不因陈说，在广泛吸取当代美学和文艺理论精华的同时，独辟蹊径，走出了一条将美学与诗学融合的新路。总括起来，本书在学术深度和理论特色方面具有以下几个特点：

首先，力臻诗与哲学的融合。作者认为："文艺美学绝非是美学和诗学的简单相加，也不是仅仅以文学艺术作为自己研究的对象，相反，文艺美学就其本源而言同人的现实处境和灵魂归宿息息相关。"作者将这一意蕴贯穿全书，使全篇文字既具有诗的激情和灵性，又具有哲学的人生终极价值关怀，从而使艺术和美学意义的追问直接成为人生意义的追问。

其次，重视人生的艺术审美生成。这部专著不同于一般"美学教程"或"文学概论"之处在于，它始终将目光凝定在"新人"的审美生成上。因此，作者力求通过艺术美的阐扬，去丰富当代人的心灵层次，调动其审美的潜能；以新的精神文明风貌涤荡人日常感性中的萎靡，否定现实生活中的丑恶现象，获得健康的审美趣味和新的感受方式；从人格襟抱上努力创造具有真情怀、真血性的新人。

再次，在对艺术审美特性的把握中透出现代意识。文艺美学研究艺术部类（文学、音乐、舞蹈、建筑、电影等），有一个视界和角度问题。我以为，胡先生在这一领域有所创新。作者运用当代艺术形态学成果，在广泛掌握古今中外丰富资料的情况下，对门类艺术本体加以清理，它不仅对每一艺术的沿革、本体论论争有相当清晰的交代，而且对各种复杂的论争提出了自己的回答，进而通过艺术整体序列的展示，标划出艺术的形态学脉动。

（原载《光明日报》，1991年3月9日）

踏实的美学开拓
——胡经之先生随访录

张首映

胡先生最初给我留下印象的,不是他的文章,而是他走路的模样。那时我在上海复旦大学求学,胡先生来复旦与伍蠡甫先生商定编撰《西方文艺理论名著教程》《西方文艺理论名著选编》的事。事后,他来看望蒋孔阳先生,蒋先生叫我送他去招待所,我们同走在复旦园内。他个子不高,走路没有气宇傲岸的北大教授派头,而是把宽大的前额低下,两眼若有所思地看着前面的路段,两脚一步一步地踏着实地落在他看好的路面上,显得稳健、着实、有力,有目的感,又有书生气。几年过去了,胡先生的这种步态还在我记忆中保持着。后来不断读到像《论艺术形象》一类扎实、严密、具有思辨力与节奏感、漂亮而又洒脱的美学论文,不仅没有因此而冲淡对他走路动作的印象,而且还把这种步态与文章联系起来,仿佛看到他的笔如他的腿,在稿纸的格子上自如地行走,使文章不说空话,不发空论,不落俗套,既高屋建瓴,又细密求证,既有针对性,又入情入理,认真考究。有一次,我建议把他近几年写的30多万字的论文收一个集子,找家出版社印出来。他是那样宽厚而又果断地说:"暂时没有这个必要吧!与其编本自己的论文集,不如把中西方一些有代表性的美学、文艺学的名篇佳作编在一起,供人使用。"的确,他这几年主持编辑了十多卷达数百万字的这方面的资料集,如将在中华书局出版的《中国古典美学丛编》,北大出版社出版的《西方文艺理论名著选编》,中国社会科学出版社出版的《现代西方文论名著选编》。现在美学、文艺学发展了,不少同行对编资料之类的事不屑一顾,但是,当他们在写文章的时候,总不能像玄学家那样凭空来个几十万字吧，总得要用资料。而在中西美学、文艺学中胡先生编的这十多本资料，我们这一辈人就经常查看。听说香港中文大学的文艺学者，案头也常有这些资料。胡先生正是这样，他的双脚踏踏实实地走在古今中外的美学家、文艺学家们开辟并延伸的道路上，不急功近利，不随声附和，不参与一哄而起的表态式的论战，也不随意否定他人以虚张自己的名声。胡先生也总是这样要求研究生：老老实实做学问，集中时间博览群书，注意收集第一手资料，充分而又深入地掌握已有知识，以便在已知的基础上对未知的领域与命题探源求证。古人常说，文如其人。真是这样，胡先生的行为方式与他的治学方式一样，是踏实、沉着的，有目的性与节奏感。

　　胡先生还有一双大而明亮的眼睛。他到深圳大学兼任中文系主任后，他的借书证有一段时间放在我的抽屉里。借书证上的照片还是他50年代跟杨晦先生作副博士研究生时的照片。照片上年轻的他，典型的苏州人的内秀，一双大而透明、聪颖的眼睛凝视着远方。我们几个学生有时凑在一起，拿他的这张照片欣赏。他今年53岁了，这双眼睛并没有因岁月的蹉跎而损其光泽，反而变得更加深沉、明亮了。有的同学开玩笑说，他那双眼睛嵌在那宽阔而又有较深的皱纹的前额底下，有爱因斯坦一样的神情。胡先生静坐在书房时，这双眼睛总是抬起而望着窗外，既炯炯有神，又深切迷离。我们总可以透过这双眼睛，想着他的脑组织系统正在有条不紊地工作，思索着美学、文艺学中的一些带有根本性而又富有建设性的问题。

　　胡先生常对我说："少写些论战性的文字，多作些建设性的思考；少写些人云亦云的文章，多作些开创性的研究；少重复已有的领域的研究工作，多干些在国内尚少有人涉足的开拓性的工作。"他自己确实在这方面为我们做出了表率。80年代初，当美学界的各派仍争论不休，打文字仗的时候，当文艺学的重新建设还没有提到议事日程上来的时候，他在北大中文系率先开设文艺美学课程。当时，不仅北大中、西、俄等好几个系的学生来听，人大、师大和一些艺术院校的学生也从大老远跑来听。后来，又招了文艺美学研究生，与研究生们一道研究文艺美学中的问题，着手写作《文艺美学》一书，并在北大这个全国美学基础最深厚的学校发起、组织了文艺美学研究会。大家选他当了会长。他和叶朗等发起编辑了一套文艺美学丛书,亲自主编了《文艺美学论丛》。随着开放政策的深入,美学、文艺学界吹来了徐徐春风,胡先生立即找最新的苏联文艺学、美学书籍,新出版的当代西方美学、文艺学名著,认认真真地读起来。他发现:在当代世界学术层次上,我们的美学、文学落伍了。但是,他不甘于落伍,而是把已交到出版社的书稿取回来,全部修改,重新撰写,争取有更扎实的建树和更大的突破。直到现在,他一有机会,便修改这本书。当然,像胡先生这一辈的文艺理论家,要想在文艺美学的整体上有全新的创造,是很不容易的。但是他知难而上,至少要达到他现在研究的最高水平。就这样,读者急切盼望的《文艺美学》一书,迟至今日方准备交出版社付梓。《文艺学美学方法论》也是这样。这本书早已列入国家教育委员会博士点科研规划。他组织了一批研究生,反反复复地讨论。从体例到资料,从论证到选例,从抽象到具体,从宏观到微观,他都要提出一些切实具体的方案,才放心让大家分头执笔去写。他不满意已拟好的方案,不满足于已在北大中文系的讲稿,希望有更符合时代学术需要的全新的考虑。

这一次,我与胡先生合写《西方二十世纪文论史》,在这方面的感受尤深。说实话,我认为我们这个年纪正是积累期、创造期。我希望在这个脑子特别活跃的年龄多写些对理论本身反思的文章,这种介绍性的书,让西语系的人去写可能会更合乎实际一些。但是,胡先生说,不能说写介绍性的书就不重要,也不能说讨论西方文论就叫介绍,我们可以从中总结出一些发展规律,透过文论的表层了解其中深层的文化结构特征。经过研究,才逐渐清楚地看到,西方当代文论有一条内在的逻辑线索:世纪初侧重作者研究,如表现主义、象征主义、心理分析学派;继而偏于作品分析,如新批评、结构主义等;接下来是读者研究,如接受美学、阐释学。这样,哪怕是最早有系统地介绍当代西方文论的书,也不乏研究的色彩。从中我领悟到:同样一个研究对象,在不同的研究者的眼睛中会透出不同的光,所谓史家眼光、理论家的见识,恐怕正是指这种情况吧。胡先生的眼力总是这样穿透表层进入深层。

　　写到这里，我又不知怎么拿出了胡先生青年时代照的那张照片，打趣地看着，深深感到这双理性化了的眼睛，总在捕捉表层下内在的东西，总在寻找规律，总在不断地向新的学科搜寻。胡先生现在已迁入畅春园新居，有一间可观的书房和一房足可观的书籍，但他好像并不满足于此，而是从那漆得很深的木椅上，两眼横空窗外，向未知的无限的空间深深地寻去。

（原载《文论报》，1986年8月21日）

学者风范审美人生
——著名文艺美学家、博士生导师胡经之教授

张木荣

风景秀丽的深圳湾畔，矗立着一座现代化校园，这就是由江泽民题写校名的深圳大学。深大校史不长，只有12年，但注重吸引著名学者。胡经之教授就是从北京大学请来参与创建深大中文系的著名文艺美学家，堪称深大拓荒期的元老。他来深大已11年，一直致力于文艺美学这一新学科的建设和发展。国务院学位委员会因其卓越的学术成就，评议通过他为深圳大学第一位博士生导师，成为国内文艺美学的学科带头人。目前，内地和港澳都有人正在跟随他攻读博士学位。

在酷夏一个难得荫凉的日子，我特地访问了胡经之教授。

在宽敞、高雅的客厅里，各种书籍、杂志散乱地放在茶几、沙发上。他抱歉地说："随手翻阅，来不及整理，请勿见怪。"我瞥见那本《文艺学美学方法论》，就拿起来翻看。他马上从书房里取出一本新的来，在扉页上签上名，对我说："这是几年前我和王岳川合作主编的国家教委文科博士点科研课题，去年由北京大学出版社出版。没有想到，读者不少，几千册一下销光，还没有来得及给你。今年重印，我刚从北京带回来些，送你一本，请指正。"我接过书，敬佩之情，油然而生。先生早年投身学生运动，在40年代读中学时，就是太湖之滨无锡县的学运领袖。全国解放不久，百废待兴，先生考入最高学府，从此久居京城，在燕园住了30余年。1984年，先生来到深圳。他数十年如一日，辛勤耕耘，在教学工作以外，坚持学术研究，为建设文艺美学这一学科而不懈努力，著述甚丰，在国内外学术界都有影响。他的《文

艺美学》专著，就是这一学科的奠基之作。他和张首映合撰的《西方二十世纪文论史》是国内第一次全面评述西方20世纪文艺理论的开创之作。他主编的《西方文艺理论名著教程》，是国家教委向全国高校推荐采用的优秀文科教材。他主编的《中国古典美学丛编》《中国现代美学丛编》等，都在文艺界、美学界产生了广泛的影响。数年前，国务院鉴于他在学科建设上的杰出贡献，向他颁发"国家突出贡献证书"。1995年7月，以中国社会科学院文学研究所为首成立了全国中外文艺理论学会，胡经之教授被文艺学界推选为这一学会的副会长。他还是另一个全国性学会——中国文艺理论学会的副会长。

  先生年过花甲，按照深圳这一年轻城市的通例，早应退休在家修身养性，颐养天年。但深圳大学经市政府特批，请他继续执教。我看他神采奕奕，风采依旧，一讲起学术问题来，仍然谈笑风生。当我问起他今后还要做什么时，先生告诉我，这次全国中外文艺理论学会的成立，激发了他更高的热情，为了发展文艺美学，他说"要干的事还很多，不能放松"。

  全国中外文艺理论学会于去年8月在济南举办了一次中外文艺理论国际学术研讨会，有中、美、德、法、印度，中国香港、澳门的众多著名学者参加。胡先生在闭幕式上致闭幕词，作了题为《走向21世纪的当代文艺学》的总结性发言。他大声疾呼："文艺学、美学应该走出殿堂和课堂，面向社会、深入现实，研究商品经济发展以后，在国际交流频繁的新的历史条件下，文学艺术的本性、使命究竟是什么？艺术生产和商品生产究竟有什么不同的规律？文艺学和美学如果不结合实际，不面向社会，搜集新材料，研究新问题，就很难有新的发展。"先生还说："深圳的学者在文艺学、美学的领域大有用武之地。特区的物质文化在国内有较大发展，商品经济比内地发达，精神文明发展较快，国际文化交流也频繁，在商品经济条件下，文学艺术如何发展？深圳应比内地先行一步……"

  胡先生以为，正因为深圳是个新兴的现代化城市，起点较高，从文艺到社会各个领域都会遇到美学问题。人与环境、个人与社会如何相处，都有是否按照美的规律的问题。所以，美学、文艺学在特区定会有长足的发展。此外，深圳的目标是要建成国际性城市、文化名城，这就要扩大国际文化交流。引进国外优秀文艺，弘扬中华优秀文艺，如何在这里融合、创造出富有特色的新文艺，这就需要重视中外文艺的比较研究，发展一门新学科——比较文艺学。在一些国际学术会议上，担任广东省比较文学学会会长的他，多次提出了这一主张，受到国内外不少学者的重视。

胡先生至今仍坚持研究和写作，他正在修改《文艺美学》。此书在1989年初版。1992年北京大学出版社又重印，香港、台湾、澳门均有好评。台湾出版界看好，先生决定再作修订，台湾准备用繁体字发排出版。

胡先生深情地说："我一个人精力有限，需要有更多的年青学者投入学科建设。"为此，他很重视文艺学博士的培养，为国家输送更多的高级人才。以前，只有北京、上海等地才有培养文艺学博士的基地。先生南来后，数次向国家教委建议在华南设立新点，面向我国华南、港澳地区及东南亚，吸收高层学子。这个愿望终于在前年实现。经国务院学位委员会批准，他和饶芃子教授合作，已在暨南大学增设了一个新的文艺学博士点，现已接连招了几批博士生，有10多人，大都为内地的副教授，还有香港、澳门来的研究音乐、文学的高级文化人才。先生希望快出、多出文艺学科的接班人。

胡先生是最早进入特区的著名学者之一。深圳市成立杰出专家联谊会，他被大家推举为首届副会长。他对深圳一往情深："我这大半辈子，20岁前在江南水乡，20岁到50岁长住北大，知天命之年来到深圳，这是人生的最后一站了。"不断有人请他北去，浙江大学、苏州大学、南京大学都曾劝他回去任教，但都被他婉言谢绝。他在纪念特区10周年的一篇文章中写道："安家何必非故乡，乐业亦可在天涯。"他来深圳11年，始终关注着特区的发展，积极参与特区的文化活动。他是深圳市美学学会会长。1985年起就为普及美学而努力。他被推选为深圳市作家协会名誉主席、文联副主席，为发展特区文化尽心尽力。他在不同场合呼吁："深圳要第二次创业，再造辉煌，必须特别重视弘扬人文精神。深圳当然要发展高科技，高扬科学精神，但切不可忽视人文精神。在特区发展历程中,今后应更重视人文科学,给予更多的人文关怀。"大前年,深圳大学师生为他从教40周年举行了隆重的庆祝盛会,电视台、报纸都作了报道。先生对此深表感谢,但他更希望深圳在发展人文科学方面有更为具体的措施。他表示,"终老海滨须勤奋,唱晚岭南应无悔",愿尽最大努力,为发展特区的人文科学不懈奋斗。

(原载《深圳教育》,1996年第1期)

美的探索与美的人生
——读《美的追寻——胡经之学术生涯》

庄锡华

在中国的传统文化中,人品与学问一向是评价人文知识分子最重要的两个维度,《美的追寻——胡经之学术生涯》(北京大学出版社2003年5月版)告诉我们,活跃于当代文学论坛的胡经之先生正是在人生的这两个支点上可为世人垂范并因此得到国内众多学者的赞许。正如书中曾繁仁所说:"胡经之教授是我国美学界真正将所研与所行做到统一的学者。他毕生从事美学研究,同时又毕生努力按照美学的精神去生活,审美地对待人生。"这样的人格仰之弥高,令人钦敬。

在这本主要是品评胡先生学术历程的纪念文集中,钱中文对胡先生建立文艺学与美学相互沟通的"文艺美学"学科的"首创"之功给予了充分的肯定,特别强调了他为建立这个学科所做的大量工作。钱先生指出,有的新学科的构想很好,但几年之后新学科并没有真正建立起来,不少学术著作不是厚积薄发,而是随机随发,无积而发。而胡先生不是这样。学科建设的设想提出后,他带领一帮助手广泛收集古今中外的文论资料,"在全面把握了中国文论的范畴与精神和西方文论的最新成果,分辨了各自特征,并在相互通约的基础上,再来撰写他的文艺美学",正是因为前期准备充分、思虑精深,文艺美学的学科建设一开始就能在"高屋建瓴、左右逢源、中西融合"的高层次上起步。

王元骧的《经之老师印象》则对胡先生的学术人格做了充满情感的描述,他说胡先生是"一位非常厚道、谦逊而平易可亲的人",称赞胡先生对人有一种目前人际交往中所少有的真挚和坦诚。

我是20世纪80年代中期认识胡经之先生的,我从他身上看到的分明是积淀着深厚的文化传统的道德人品。胡先生温文尔雅,为人宽容,不喜张扬,锲而不舍地从事自己认定的事业。在学术研究中,他虽然一样有极强的是非感,但他并不愿意咄咄逼人地与人争夺话语权、强与道不同者说道,而是坚持以自己卓尔不群的研究成果使人折服,从而影响、导引文学学术走上一条正确并能有所创获的道路。改革开放之后,人们普遍认识到旧有的文学研究模式已经走到了它的尽头,但在新的研究方向的开拓上却人言言殊,众说纷纭。80年代方法论的争论,观念变革的论辩热闹非凡,在这些表面的学术亢奋中其实也包含了学术人士对前途的某种困惑。胡先生是冷静的,他没有在这些争论中留下惊世骇俗的文字,但文艺美学学科方向的提出包含了先生对长期以来学术政治化恶劣趋向的不满和对文艺学未来发展既有见地的探索。正如王一川所说,80年代胡先生首先提出"文艺美学"学科的构想其实是针对这方面充斥着的"左"的倾向,其时谈论文学必须都整合为政治服务,胡老师为了使文学理论尽快挣脱出这种"左"的错误陷阱,想到了美学。在我看来,文艺学与美学的结合既是研究对象的扩展也是研究深度的掘进,它拓展了文艺学研究的视野,并且因为引入了美学研究的思辨方法而使研究得到了深化。陈伟的文章也注意到胡先生进行学科建设的良苦用心。他说:在中国社会拨乱反正的70年代后期,学术界已在考虑怎样使中国的文艺研究真正回到学术的轨道上来,最好的方法是从学科的界限入手摈弃文艺研究成为一种政治性文化的倾向。率先在这方面进行探索的学者中间,就有胡经之先生。如今文艺美学的学科建设已经取得了积极的进展,教育部还专门建立了文艺美学研究基地,作为这一新兴学科的奠基者,胡经之先生得到人们的尊重是理所当然的。

书中不少学者称道先生的人格魅力,对此我是感同身受。胡先生虽然学富五车,遐迩闻名,但在他身上却看不到恃才傲物、盛气凌人的名人习气。他与人交谈时那一双大大的眼睛总是和蔼的,他喜欢用商量的征询的口吻表达他的意见,他坚持原则却绝不以势压人。张首映特别指出了胡先生身上有着浓郁的诗人气质,很能引起我的同感。

胡先生对人宽厚,不拘小节,我和他虽然有师生之分,从心底里敬重他,但在他面前毫无拘束之感,还常常与他开一些谑而不虐的玩笑,和他一起的时候总是感到十分放松、非常愉快。但更让我体会深刻的是这位艺术型的、粗线条的学人在某些方面又显得十分细心,他关心人,往往在你最需要帮助的时候能够向你伸来有力的援手。我到深大以后经先生和一些朋友的推荐到学报任职,因为缺乏管理经验每每有力不从心的感觉,每当我遇到困难不能排解的时候,经之先生的身影总会出现,他的来访、他的充满关心的电话总是那么及时,使人倍觉温暖。

胡先生虽然年逾古稀,但身体健康、性格开朗,在当今文学学术的论坛上我们依然能够看到他活跃的身影,我们期待着为他庆贺从教60周年、70周年、80周年,相信他的学术生涯还会出现更多美好的景致。

2003年夏

《美的追寻》[①]编后记

吴予敏

编辑出版《美的追寻——胡经之学术生涯》一书,是深圳大学20周年校庆的一件大事,也是我们文学院同仁们所共同欣赏的盛事。这本书的编辑设想是前任郁龙余院长倡议并启动的,由我和庄锡华教授继续完成。锡华兄为此精心构想,列出三大栏目。"钟情文艺美学",汇集了国内文艺学界不少学者对胡经之教授学术成就的评说;"寻求审美人生"从各个角度展示了胡先生的为学与为人;"追踪心路历程"精选了胡先生从年轻时代到近年的10篇最能够代表他理论发展阶段,以及袒露他精神寄托的文字。我们用这本书,作为胡经之先生七十诞辰、教学生涯五十年的献礼,以此表达对他的由衷的敬意和感谢!

胡经之教授是新中国成立以后由我们党培养起来的第一代优秀学者。这一代学者曾经在年幼的时代里饱经民族危难和战乱之苦,因此他们用赤诚的年轻的心,拥抱伟大的新时代的到来。他们是共和国理想的献身者,是虔诚的马克思主义的信奉者,是新中国各项文化事业的开拓者。这是生于忧患、历经坎坷的一代,更是矢志不移、无怨无悔、执着奋斗的一代。编辑这本书,使我们得以透过这位杰出学者的心路历程,承接这一代人的宝贵的精神财富。

我在胡先生的文章里,以及在和他的交谈中,时时感到他对自己老师辈的深切怀念、钦佩和敬重。由于各种机缘,他得以和朱光潜、宗白华、杨晦、蔡仪、王朝闻、冯至、何其芳、伍蠡甫、徐中玉、蒋孔

[①] 深圳大学文学院编:《美的追寻——胡经之学术生涯》,北京大学出版社,北京,2003年。

阳等一代大师们从学、交往，这就使得从五四运动经过延安文艺再到新中国文艺的薪火相传，学统相承，这是多么幸运而令人神往的事情。同样是胡先生这一代人，在他们才华横溢的年代，却被种种政治风暴所驱遣和摧折，又是多么令人惋惜的事情。不过，在我们国家结束了政治动乱以后，正是这第一代新中国的优秀学子，毅然决然地承担起承续优秀文化传统、开创新时期文化建设的历史使命。他们的全部忠诚和智慧，都凝聚在最近的20多年中，得到集中的绽放。这真是令人悲喜交集的知识殿堂的"桑榆晚景"。听他谈起他相识的一些治美学、文学的同辈学者，如汝信、钱中文、敏泽、李泽厚、袁行霈、金开诚、严家炎、傅璇琮、章培恒、郭豫适、陈鸣树、刘纲纪、张少康、童庆炳、叶朗、王元骧、陆贵山、曾繁仁、饶芃子、李衍柱等，他们对于学术的执着和专精的治学精神，他甚为敬佩。在和胡经之先生的交往中，我深切体会到，他对茫茫人生，也能入乎其内，洞悉世态；但胸有美学之情，能自我控制，调适身心，超然物外。胡先生所崇尚的"流水人生"，自有那渊深的源流，持久的脉动，以及它的宽广和力度。

我本人在1986年到1989年间随蔡仪先生学习美学，获得博士学位以后就到深圳大学工作。从那时起和胡经之先生一同工作了14年。胡经之先生对我的鼓励和支持是多方面的，特别是在发展文艺学和美学事业上的期待，令我永远不能忘怀。还记得，我在1998年完成了自己到特区工作后的第一本美学著作，拿去请胡先生批评审定，胡先生那发自肺腑的欣慰和肯定溢于言表。在很短的时间里，他洋洋洒洒地写了一篇将近6000字的序言，阐述了他对文化美学、生态美学等学科前沿的新的见解。在这篇序言中，他对我也寄予了殷切的希望。据我所知，这是他所写的各种书评和序言中最长的和最具理论性的。胡经之先生的老师杨晦先生和我的老师蔡仪先生，是"五四"新文化社团沉钟社的同仁，也是未名湖畔的人生知己。这样一种特殊的师生情缘，使我对胡先生越发感到亲近。在我之前很多年，胡经之先生就得到了两位大师的真传，而且，他秉持了"转益多师"的古训，融会了更多的智慧和思想，并经过他本人的创造，在文艺美学上卓然成为大家。这是胡先生学问的成功，人生的成功，最值得我们晚辈人景仰和学习。我还非常清楚地记得，我们一同到黄山开会，联床夜话，几至天明。我当时就感到，在胡经之先生的内心里，有一幅巨大的中国现代文艺学的活地图。他和那些只从书本上梳理的学者不一样，而是亲历了新中国成立以来的许多活生生的文艺事件，新中国的文艺学流程，他都亲身经历过了，一切理论、一切事件、一切人，都色彩斑斓地融成一片。他对文学艺术有自己深切的体验，和那些只在书本上讨生活的学者不一样，所以对文艺学的看法，也有自己的真知灼见。我盼望胡先生能用他那流畅的文笔继续写下他思想中和记忆中的一切。

和胡经之先生交往过的朋友都说，胡先生真的到达了圣人所说的"从心所欲而不逾矩"的境界了。用西哲康德的话来说，就是达到了"合规律性与合目的性的统一"。胡先生矍铄的神情，坦荡的心态，透露着这位美学家的智慧和慈祥。我想，这是他的福气，也是我们深圳大学文学院的幸运。

在策划此书之初，胡先生的博士生邵宏教授（华南师大）、李健教授（北师大文艺学博士后）曾参与了一些早期工作。深圳大学文学院胡莹老师，正在病中，但她仍精心设计了封面装帧、图像编排；林华女士不辞劳苦，把30多万字输入电脑。北京大学出版社编审乔征胜先生更为此书及早出版而花费了很多心血。在百忙中，谢维信校长特为此书作序，姜忠书记也特为老师写了文章，并再三说明，她是谈个人感受，不要以此为序。我谨代表文学院向以上各位表示衷心感谢。

2003年3月

吴予敏　时为深圳大学文学院院长

第三辑

晚霞余晖犹存

外柔内刚的诗性美学家
——我眼中的胡经之先生

王一川

回到北大工作两年多来,每次乘车从家里往返学校时,都要路过中关园,我总会特别留意地看一眼从车窗外一闪而过的中关园一公寓。那排如今已显得低矮而又不起眼的黄漆颜色的陈旧小楼,是胡经之先生当年的旧居。我当然知道他早就搬离那里了,但那座旧楼却给我留下了永远的美好回忆。

一、中关园上课

先生给我们上的文艺美学专题选修课,不是在教学楼,也不是在中文系所在的五院,而是在中关园一公寓他家里。我们文艺学专业文艺美学方向总共三个同学:学姐丁涛是北京人,"老三届"大姐,来自河北师范大学中文系;学兄陈伟是上海人,略长于我,来自上海师范大学中文系;而我是四川人,来自四川大学中文系。我们三人可谓来自天南海北。我们到先生家里,总会有绿茶一杯,有时还有师母做的美味。先生侃侃而谈,就文艺美学的前沿问题提出他的见解。好学而敏捷的陈伟会常常提问,善于思考的丁涛会讲述她的独到体会,先生总是循循善诱,及时作答,中间还穿插他多年来的治学体会。先生在这种"小班研讨课"上留给我的东西是永难忘怀的:一是说搞文艺理论、文艺美学的人,要始终保持一种开放的、容纳的心态,不能封闭和保守(而那时保守势力还很顽固)。二是艺术不是现实生活的一般反映的产物,而是审美体验的结晶(这种观点那时曾引起保守势力的压制)。三是搞理论的要懂艺术特性,更要善于举例。例子好不好,关系到你的理论能否站得住脚。不能举出恰当例子,说明你的理论本身有问题。这些都成为我后来治学的座右铭。

这样上课给人真正的登堂入室的感觉。下课后回到宿舍谈起时,同屋的其他专业的研究生同学都羡慕不已。等到多年后我自己带研究生时,每个专业招生人数逐渐增加,导师也多了起来,这种上课方式就从来也没实行过。因此,这种特殊的北大上课感觉,自然就成了我心中永远的回忆了。

二、潇洒登黄山

上研究生二年级时,我们三名硕士生跟随先生到南方实习,先生亲自给取的题目就是"艺术美与自然美的比较研究"。多年后想起来,也仍然觉得这个题目堪称妙绝:既游山玩水,又符合学科专业培养需要!记得先生带我们去的第一站就是登黄山。我们先坐车到后山,从云谷寺上山。先生穿着一双夹指拖鞋,在山道弯弯中潇洒自在地行走,宛若魏晋风度再现。这样的情景在我的脑海里永久地定格下来。

三、开放式育人

先生的育人方式,是开放式的和启发式的,就是不断给你一些启示,更多地让你自己去领会、摸索和思考。关键是看你自己能否时时做到又学又问。现在想来,那时愚钝的我问得太少了,真是惭愧和后悔,想必远不如后来的学弟学妹们得的真传多。

四、不停的开拓者

先生治学,给我的突出印象是开拓。进入新时期以来,他青春焕发,昂扬进取,不停顿地在开拓、开拓,几乎没有停留的时候。我想在至少这四个学术领域,他都曾先后成为全国学界的开路先锋和引领者:一是当我们初次接触美学时,他创建了文艺美学,被誉为中国大陆文艺美学学科的"教父";二是当我们刚刚试图跟上他的文艺美学脚步时,他已经在着手西方文论教材的拓荒行动了;三是随后他又毅然离开北大南下深圳,在新兴的比较文学中倡导比较诗学研究,将比较文艺学引领到理论反思的高度;四是再后来,他倡导文化美学研究,一方面是让美学从高雅文化拓展到大众文化,另一方面是把商业性和消费性愈来愈浓的当代审美文化潮流提升到美学理论高度去把握。一个学者一生能做的事情实在有限,能有一项开拓之功属于自己,已很了得,更何况这么多呢!

五、外柔内刚的诗性美学家

先生既是典型的学者,但又是诗人,同时还担任过系主任、学会会长。在他身上,既有江南人的敏感、柔婉和细腻,还有诗人的浪漫和诗情,也有北大学者的耿介、正直。可以说,先生是外柔而又内刚的人,或是柔婉而又刚硬的人。说到柔婉,我没有见过先生激动地大声斥责任何人,甚至连语气重的话也没听到过,当然就绝对听不到骂人的话了。他总是那么文质彬彬,那么温和谦让。但同时,我又见到,当先生毅然选择南下时,又是那么果断,那么义无反顾。在他的身上,我见证了一位敏感、柔婉而耿直的浪漫诗人,或者更准确点说,一位外柔内刚的诗人美学家。

六、多元学缘与耿介之气

先生的这种特殊的学术禀赋,我想是同他的个人气质和多元学缘氛围有关的。他在青年和成年时期,受到中国现代革命的浪漫诗情与跨学校和多学缘的相互激荡和持续涵濡。1952年院系调整时,来自北京大学的游国恩教授，清华大学的俞平伯教授、季镇淮教授和王瑶教授，燕京大学的林庚教授和吴组缃教授，中山大学的王力教授，以及社会经历甚多的杨晦教授等等，一时间，国内中文领域顶尖人才悉数荟萃燕园。先生就是在这样的多元学缘氛围中进入北大求学并随后留校执教的。那时的北大中文系教师中，回荡着一种多元学缘激荡下及开放时代环境中知识分子的耿介之气。每遇不平之事，总会直率表达，甚至会选择潇洒地离开。富有才华的裘锡圭先生、黄修己先生，以及其他系的知名教师，都先后以这样的名士风度留在了北大人的记忆里。

七、南下传递人

先生南下，看起来似乎只是他个人的人生选择。这样理解当然没有任何问题。但在我看来，这种个人选择的深层，应该隐伏着历史老人的老谋深算和先生个人的自觉信奉及践行。1952年院系调整时，国家曾以行政抽取和集聚手段，将首都地区高校的全部乃至全国高校的部分文科精华荟萃于北大一校之中，造成北大文科的过于垄断的学科权力格局，也就形成了北大文科在其时全国的"巨无霸"地位，和超强的学科权力垄断。而后来，当历史进入改革开放时代，为了纠正这种学术不公平的错误，给全国高校以同样的发展机遇，历史老人又着手把荟萃于北大的文科精华，部分地重新还给全国学界，或者更准确地说，是以北大文科精华反过来重新回馈给全国。先生正是适时地和自觉地成为这笔历史宿债的偿还者，或者说，成为改革开放时代全国学术前沿精华的南下传递人。原来，先生在30年前选择南下，说到底，是在自觉地和实际地履行一名北大人的天职：把未名湖畔的"思想自由，兼容并包"的学术火种播撒到南国最边缘的深圳湾。当时地处全国改革开放前哨深圳的新兴大学深圳大学，确实充满宏大的改革理想，被视为全国高校改革的最前沿，凝聚着全国高教界的改革愿景。而怀揣如此神圣使命南下深圳大学的，除先生之外，还有北大和清华的不少知名学者及校领导，如北大的汤一介教授和乐黛云教授夫妇，清华的副校长张维教授和副书记罗征启教授等，以及那时正充满学术抱负的应届毕业硕士生、青年美学家刘小枫，还有后来接替先生出任深圳大学中文系主任并一直做到校长的、我的硕士同级学兄章必功等。如今,深圳湾早已不再是文化的边缘地带,而是学术开放和文化变革的前沿阵地了。此时,涨潮之年仍坚持在碧波中挥臂击水的胡经之先生,该舒心地笑了吧?

谨以此文恭贺胡经之先生八十华诞并祝愿先生健康、长寿!

2013年5月30日于北京
(原载《光明日报》,2013年7月4日)

王一川 北京大学艺术学院院长,博士生导师,教育部长江学者。

妙德吉祥　智慧威猛
——我心中的胡经之先生

郁龙余

2013年6月2日，胡经之先生的弟子、故旧汇聚青青世界，举行"胡经之八十寿诞暨学术生涯六十周年恳谈会"。从北京、上海、广州及深圳本地，一共来了30多人。

恳谈会由教授吴俊忠和博士黄玉蓉主持，基调是"序长不序爵"。会上，李凤亮副校长首先致辞，代表学校向胡经之先生表达贺忱。然后，景海峰、吴予敏代表传播学院、文学院致辞。接着，由王岳川、王列生、王一川、张首映、陈伟、王坤、邵宏等先后发言。北大校友祁念曾发言之后轮到了我。我给先生送了一幅字——"学界文殊"，是请书法家黄子良先生写的。我说："胡先生70岁时，我写了一篇文章《深圳菩萨》。今天，是胡先生八十寿诞，这个菩萨要具体定位，是哪一位菩萨？是地藏菩萨、普贤菩萨，还是观音菩萨？应该是文殊菩萨。"

经之先生出生于"江南第一古镇"——无锡梅村。梅村古称"梅里"，是泰伯南来开拓最初的定居之处，是吴文化的发祥地。

青年时代，因不满当局的腐败无能，胡经之积极投身学生运动，反内战，反征兵。解放后，18岁的他成了苏南地区最年轻的政协委员。无锡县长又是他父亲的好友，只要他愿走仕途，飞黄腾达未可限量。可是，他选择了读书。1952年，他考入北京大学中文系。系主任杨晦，在五四运动中，是火烧赵家楼的积极分子。胡经之成了他的文学理论课的课代表。杨晦上完"文学概论"之后，苏联专家毕达可夫来北大讲授"文艺学引论"，专门办了一个研究班。杨晦亲自担任班主任，几十名学员中包括蒋孔阳、霍松林等学界精英。杨晦特许胡经之听课，并告诫他"不要照搬"。

1955年，22岁的胡经之提前毕业，被高教部调到中国人民大学马列主义研究班当研究生。1956年，杨晦开始招收四年制副博士研究生，胡经之非常想再投杨师门下。可是，必须得到高教部同意。在尝试各种努力都无效之后，他请同乡大姐严慰冰帮忙。不久，高教部通知，同意胡经之的申请。杨晦要他先做文艺理论教研室助教，然后再转为副博士研究生。杨晦告诫道，做学问如登泰山，要直奔峰顶，不要被途中的花花草草所迷住。胡经之牢记教导，埋头书斋，一心向学。

1958年，周扬率何其芳、邵荃麟、光未然等人，来北大开设"建设马克思主义美学"讲座。杨晦要胡经之担任助教，负责沟通上下，组织听课。

1960年，胡经之以毕业论文《为何古典作品至今还有艺术魅力》结束四年的学习生活。此时，胡经之到了成家立业的年龄，面临回江南还是去未婚妻景贤老师所在地沈阳的抉择。杨晦告诉他，不要去南京大学，也不要去辽宁大学，留在北大做学问。1961年"五四"校庆，已走上讲台的他被高教部借调到中央高级党校，参加周扬组织的全国高校教材《文学概论》的编写。在交往中，《美学概论》主编王朝闻非常欣赏胡经之，希望他调入自己的编写组。胡经之十分尊重《文学概论》的主编蔡仪，就婉拒了王朝闻的美意，但答应参加一些《美学概论》的活动。两部教材相继于1963年出版，"文革"之后在全国广泛使用。

胡经之天时、地利、人和三者兼得，青年时即风云际会，结识了众多大师名家。他为人勤勉聪慧，在20世纪五六十年代，就在中国学界崭露头角。"人虽才高，不务学问不能致圣"，胡经之最难能可贵之处，是他永远不满足于已有成绩，不断开拓精进。他认为：《文学概论》太政治化，《美学概论》太哲学抽象化，都不是从艺术活动和审美活动本身出发。于是，他决心将文艺学和美学融为一炉，探索"文艺美学"的新科学。

1980年，胡经之开始撰写《文艺美学》讲稿，翌年秋，在北大招收文艺美学专业方向研究生，并在北大出版社和叶朗等组建《文艺美学丛书》编委会。1984年,和乐黛云、汤一介一同南下深圳大学,创建中文系,开始了他学术人生的又一春。1985年起,作为北京大学文艺美学研究会会长,主编出版《文艺美学》论丛。1989年,专著《文艺美学》由北京大学出版社出版。由此,胡经之登上了自己的学术巅峰,被誉为"文艺美学教父"。文艺学和美学在中国互相拥抱,文艺美学列为文艺学的一个学科方向。

60年学术生涯,胡经之笔耕不辍,著述宏富。除了《文艺美学》之外,尚有《文艺美学论》和《胡经之文丛》,主编或与人合著的有《文艺美学方法论》、《西方二十世纪文论史》、《西方文艺理论名著教程》(上下卷)、《中国古典美学丛编》(三卷)、《中国现代美学丛编》、《西方文艺理论名著选编》(三卷)、《中国古典文艺学丛编》(三卷)、《论艺术创造》、《中国古典文艺学》、《西方二十世纪文论选编》、《美的追求——胡经之学术生涯》、《深圳文艺20年》等等。《胡经之文集》的编辑出版工作,正在紧锣密鼓地进行之中。令人叹服的是,他还在以每年10万字的速度在进行写作。

胡经之出生、成长在战乱年代。解放后遇到了国家发展的黄金期,到"文革"又处于动乱之中。因为老乡严慰冰的关系,他认识了陆定一。为此,在"文革"中他被打成"五一六"分子。林彪出逃后,幸免于难的他,因写评论《红楼梦》文章出名,和魏建功、冯友兰、林庚、周一良以及汤一介、田余庆等一起,被北大党委调选进了"北京大学、清华大学大批判组",专写《红楼梦》研究文章。他一心一意钻研《红楼梦》,不写任何其他与《红楼梦》无关的文章。为了弄清毛主席为什么说《红楼梦》是中国古典小说中最好的,他竟把北大图书馆中所藏的晚清线装小说都浏览了一遍。一到改革开放,他立即在《光明日报》上发表了《美学与红学》,倡导要从美学上来研究《红楼梦》,令红学界眼前一亮。

在中国,尤其在北大,做一个书生是难的。胡经之的学术人生,让人唏嘘不已。然而,胡经之告诉人们:为人要心诚身正,任何悲观失望和自暴自弃都不可取。他庄敬自强,处变不惊;穷搜百代,爬梳剔抉;遍访名师,胸怀中西;神思飞动,奋笔疾书,终于在中国现代学术天地中，开出了一片属于自己的文艺美学园地。人生在世，对人对己，对天地万物，以诚为本。古人说："夫诚者实有者也。前有所始，后有所终也。实有者，天下之公有也，有目所共见，有耳所共闻也。"（《尚书引义》）经之先生的学术生涯，生动地体现和证实了王夫之的这段名言。

功德圆成、桃李满园的经之先生，不是一位当代的活生生的文殊菩萨吗？！妙德吉祥，智慧威猛。这八个字是对"文殊师利"（manjusri）尊号的意译，很是符合经之先生的品行特征——品德高尚，遇难呈祥，智慧锐利，胆识威猛。佛经上讲，文殊菩萨常骑狮子，顶结五髻，手持宝剑；生活中的经之先生，则喜爱卧波游泳和击键弹琴。关于经之先生的形象，有人说他——文质彬彬、温文尔雅、秀外慧中、英俊有为，有人说像普希金的一幅画像——自由、潇洒、坚定、自信，一双炯炯发光的眼睛，仿佛要穿透所面对的一切。

说经之先生是当代学界的文殊菩萨，不是形似，而是神似。那么，佛是谁呢？我们从经之先生正信正觉、修得菩萨行的历史背景中，看到了一幅群佛图。图中有杨晦、朱光潜、宗白华、魏建功、冯友兰、林庚、周一良、季羡林、游国恩、蔡仪、王朝闻、李赋宁、杨周翰、张世英，以及几位欧美学人；群佛背后站着的，是老子、孔子、孟子、屈原、陶渊明、刘勰、李白、杜甫、白居易、孟浩然、王维、苏轼、陆游、柳永、王实甫、吴承恩、施耐庵、郑板桥、曹雪芹等等。他说他最敬仰的是苏轼、郑板桥、曹雪芹。

2013年6月18日于深圳大学

郁龙余　深圳大学教授，印度文化研究中心主任。

吾爱吾师
——写在胡经之先生八十寿诞

王列生

去年隆冬的某一天傍晚，接到《传记文学》杂志社指令性命题作文，为恩师胡经之先生八十寿诞撰写专题文章。

那个傍晚的京城，裹挟着郊野，甚至裹挟着河北，习以为常地沉浸在厚重的雾霾之中。心情照例有些烦躁，所以虽然应了召唤，作了承诺，却迟迟没有动笔，很担忧那些据说携毒的所谓PM2.5微粒，在渗入肉身之后还会渗入灵魂，脏了记忆中的美丽，或者干脆烂了本来应该纯洁坚守的古今一以贯之的"师—生"关系结构。

尔后是漫长的春节长假。无论热闹的乡间社戏，还是不乏崇高的坟头祭祖，都没有将我从应召的题目中扯开，几乎纠缠我整个假期。父亲坟头的茅草，冷风中瑟瑟作响，仿佛老人家端重地越阴阳边界进行道德训诫，既不能忘祖，亦不可欺师，师生关系在东方社会具有和血缘关系同样神圣的价值地位。抬眼望去，匡庐在目，隔江尽展奋然之姿，有智者陈寅恪先生墓飘然其间。其情其境，似有豁然开朗的轻松和觉悟，决心尽快写下承诺的文字，而且决心以我自己的叙事方式来完成这样的书写。

恰好年后教科司有会，于是就在朝阳区地界的丽湾国际酒店，窥视了两眼子时京城夜空中仍然没有倦意的霓虹街灯，写下如下的文字。

一

由于毕生烦于经营人际关系,所以虽然是经之先生的博士生开门弟子,但在伏学老人家身边的三年里,基本上很少直接抑或间接询问斯人斯事,只知道他是故籍无锡的一位江南才子,只知道他是新中国成立后招收的第一批副博士研究生,只知道他求学于北京大学并且在这所中国一流大学里长期任教。

21世纪初,深圳大学隆重举行纪念胡经之先生七十寿辰学术研讨会,会后出了一本纪念文集。其中有先生自己的自述文字,也有对他较为熟悉的同时代人的介绍文章。浏览之后,才知道他在学生时期就从事地下革命活动,才知道他完全有机会选择做官的人生道路,才知道他与他所经历的当代中国文艺理论史有着那么丰富的人际和世态体验。

在深圳的那些日子里,虽然外面的世界商情激荡,财富神话让一些早期进入特区的人们几乎无不欲望如涎,但先生却时时告诫我要处变不惊,临危不诡,居澜不乱。我的一位好友时已高居城建集团的老总,我们一起喝早茶他都开着豪华版大奔,我或许可以在他的提携下做挥金如土的亿万富翁,至少可以带着嗲气的"小秘",逗尽风流才子的人生亲证。但是,先生让我抛弃了一切其他选择,与这些故纸做没完没了的纠缠,究竟是福,是祸,先生有先生的理解,我有我的理解,世人有世人的理解,每一种理解都会拓展一片恍惚或者迷茫的生存星空,唯坚毅者有可能作无悔的选择坚守。至少先生在坚守,而我也在这坚守的影响下,坚守着未必能永远坚守下去的坚守努力。

多少个清晨和傍晚,我曾亲见先生微偻的身躯,在校园里的海边林荫小道,踽踽而行,悠然自得。闲适状态中,不知是做他当代文艺审美与生活审美关系的猜测和幻想,还是在尽情体验开放世界中的人格独立与精神逍遥,这实在是应了惠子那句"子非鱼,安知鱼之乐"。不过从我所深度凝视到的某些生活细节里,或许能印证先生心迹之一二。记得20年前的某一天,我和先生无意间议及文艺理论界的地缘版图,议及某些人热衷于"活动"、"山头",以及利益共同体,热衷于当大师、学术领袖抑或一方学术诸侯,但先生似乎对这一话题毫无兴趣,只轻淡地回应了一句"那又怎么样呢?"就将话题打断。由此我想,大抵先生对学术抑或人生,总体上不取利益主义至上的人生姿态,唯此才有可能淡定、超脱,以及求取些许的本真与自在,所以也就无论外部世界多么忙忙碌碌或热热闹闹,他都可以放得下,坚持每天游泳两次,而且还能在八十高龄,做出静漂水面多时不动的高难度仰泳动作。闲人自有闲人的精神快感,亦如忙人总以为只有忙人们虚荣场面中的快感才是快感。

入夜的深圳,华灯高照,灯红酒绿。温润的椰风,吹过我在深大校园临海那间宿舍的窗幔,吹向隔海咫尺相望的香港,折射回来的,是凝望中挥之不去的神秘与诱惑。那些日子,我在先生身边,恬静地阅读着对岸的神秘与诱惑,阅读着激情澎湃的经济特区,阅读着知识地图,阅读着先生,也阅读着我自己。

为了那些幸福的阅读,我将终身感恩先生。

二

虽然我对先生终身感恩,但对《传记文学》的文章邀约,动笔之际的情绪和姿态,迟疑中不乏滞涩,说明潜意识中一定有某种隐存的不快。

不快什么呢?动笔之后,我才知道这不快不是针对先生,而是针对近些年来各种形式的谢师书写方式,以及这些书写方式中深藏着的中国学术生态危机,或者说"师—生"关系结构扭曲变形后的符号淫乐,必将给中国思想文化和学术知识带来致命伤害。从层级不同学位论文的末尾致谢,到规模不等师诞纪念或其学术思想研讨会,到处都充满着自吹、他吹、互吹、群吹的欢娱,为师者在这样的欢娱中极尽人生得意,为弟子者则在这样的欢娱中极尽谄媚之态,一切都在"吾爱吾师"的尊师幌子下失去合法性限度,而且还浓重地涂抹着似是而非的所谓东方人文情怀的暧昧色彩。

近些年来,我像华威先生一样至少参加了各类大学和研究机构千场以上硕士、博士论文和博士后出站报告的答辩。几乎所有的弟子，都在致谢辞令里，陈述着诸如"我的导师，道德文章，堪称风范楷模，将令我受用终生"。不乏明理的大师向我解释，声称不过应酬之语而已，何必非要较真深究，就仿佛鲁迅笔下婴儿出生时贺者言说的辞令得体与否的情节。此类延伸事态则是，有各种师诞纪念活动及相关的学术讨论会，言必称"某某门"、"某某学派"、"某某学术思想体系"、"某某杰出思想文化成果"，遍地宗师，划圈自霸，逐渐从非自觉状态演绎为自觉经营状态。前者有案如，某学生为自己的导师写了三年枪手文章，毕业论文还得写上"我的导师，道德文章……"；后者则有案如，某教授毕其终生未见发表十篇万字以上规范论文于核心学术期刊，仍然会在七十寿诞之际由学生撰写并结集出版其学术思想体系研究。哎呀呀，我们如今都怎么啦，非得在这种反讽里苟且么？

问题不在于非要对应酬方式或应酬辞令较真，而是要较真和追究，在这些方式和辞令的后面，深藏着学术工具主义和学术策略主义的存在本质，并遮掩着"师—生"关系结构转换为利益合谋与利益结盟的事态真相，而当代中国学术界的利益共同体转型，这一存在本质和事态真相起了不小的助推作用。一个民族，如果其学术版图沦陷于利益结盟，而且其重要价值载体的"师—生"关系结构堕落为庸俗的"潜规则"游戏圈，那么精神家园将何处寻求，日常生活秩序谁来维护和坚守，而一个没有精神家园和日常生活秩序的民族，将只能在流浪、放逐和混乱中成为蝇营狗苟之欲望化王国。

其实，人非草木，孰能无情？师而有恩，焉能不谢？关键在于，得是真情，得有真诚，得言真实。我不写我不想写的文字，不等于我不在想写的时候写出我不得不写的心声。记得20世纪90年代末，一个仲秋的中午，我坐在中央党校办公楼三层的一间办公室，掩卷教案，推窗眺望，颐和园万寿山落叶纷纷，梧桐更兼细雨的秋的寂寞，使我不期而然地深陷孤独和彷徨，刹那间强烈地思念久违的南方海滨，还有林荫小道踽踽而行的先生的身影。于是，我一气呵成地倾吐出一个孤独弟子对他恩师的种种依恋情绪，并题名为《想念老师》。我把这篇小散文寄给了《深圳特区报》的副刊编辑，承蒙不嫌，一星期后见诸报端,先生由此得以目睹,并在来信中鼓励我在生活和事业中要作坦然面对,则孤独和彷徨不复存矣。

我就想写这样的文字,我就想有这样的师生关系,我就想在这样的情绪下感恩自己的老师,自然且真诚着。我害怕自己关于先生的写作,成为师生利益合谋关系写作现场的又一次极为庸俗的随机案例。

三

究竟何种师生关系的身份叙事或感恩书写才在合法性限度内,无疑是一个看似简单实则很复杂的问题。

事态的澄明和去蔽,首先在于如何理解师生关系结构的真实状态和理想形态。在我看来,健康而又充满活力的真实师生关系,应该是条件关系而不是无条件关系,应该体现为知识活动中压迫力量与倒逼力量的持续互动,应该体现为人生结缘中道德呵护与伦理感恩的大爱无言。

不无遗憾的是,现实状态往往与此相去殊远,且相去的起点,就在于师之何以为师。这一追问,直接决定着师生关系的健康与真实程度。倘若为师者,真的能在言传身教中彰显韩愈《师说》所谓"所以传道授业解惑也",则弟子自当躬学于前而感恩于后;倘若为师者德不显道、艺不及业或者只是以其昏昏使人昭昭,则弟子又如何有潜心习学的机会,以及叩拜感恩的理由。更有甚者,就是坊间流传的,所谓"某高校教授老板带领其硕士雇工,夜以继日地为外企IT企业进行技术服务,实验室成为老板教授赚钱的廉价加工车间",又所谓"某教授对他的女弟子们大谈箴言,声称不想代替师姐成为师母的师妹,绝不是有出息的学生",还有所谓"中央编译局的局长,与他的女博士后在某宾馆开房上床凡数十次,先收学生6万元择业费,后被逼赔偿精神肉体损失费竟达百万元之巨",如果诸如此类的坊间流传版本真的属实的话,则师的符号指称下又如何承载得了"传道授业解惑"的身份崇高?

因此,我们就有必要建构起真实客观的师生关系,并且努力使这种具有互动激活功能的身份结构,成为所在社会健康人际关系的参照坐标。那么,什么样的真实客观师生关系具有互动激活功能呢?我想起了苏格拉底和他的学生们,想起了苏格拉底的启智万古而雅典仍然会正义地"审判苏格拉底"。苏格拉底当然是伟大的智者,而且当然是伟大的老师,这只要知道他的学生群体中包括柏拉图、色诺芬以及安提西尼斯,甚至包括三十僭主短暂崛起时期的克里底亚斯和阿尔西比亚德斯,后者在民主政体对苏格拉底终极审判之前就已经启动过他们的有限审判程序,就足以知道他的老师地位已经远远超过春秋战国之际孔子与七十子乃至弟子三千的师生关系格局。就像把美德和知识进行价值叠合,曾经建构起希腊城邦的智性高度一样,苏格拉底为古希腊文明辉煌和人类知识进展,做出了他那个时代并且超越了那个时代的全面贡献与不懈努力,但是,当他作为中产阶级的一员,立场却站到贵族的一边反对穷人和中产阶级自身,反对民主政体,反对雅典公民社会,以一种古希腊式的"克己复礼"姿态呼唤复古取向的"王政",雅典的绝大多数人就在尊其苏格拉底之所当尊的同时,审判其不能不被审判的思想行为,包括精神审判和肉体审判,包括他的诸多嫡系弟子,以及间接性知识受惠过的雅典公民。即使有意为他辩护的审判在场弟子柏拉图,抑或审判不在场弟子色诺芬,也都在辩护之际不愿面对苏格拉底对雅典民主政体的蔑视这一正面遭遇,在此之际,作辩护的弟子似乎也潜在地表达着对雅典公民普遍意见的某些认同。

苏格拉底悲壮地倒下,倒在热爱民主反对专制的雅典公民面前,也倒在曾经受其教诲而今天参与审判的那些弟子们十分矛盾和犹豫的目光中。这种审判,维护了雅典民主社会的共同利益,同时也丝毫不影响苏格拉底作为伟大智者的人类精神意识史地位,亦如并不影响那些参与审判的弟子永远被历史肯定其弟子身份的合法性,甚至在延伸至今的渐开时间轨迹上,历史叙事者同样未曾对这些弟子作"不孝"的道德谴责。对精神意识史而言,由此才可能有理性、批判精神、存在客观价值、社会理想与进步以及最大限度规避减值态师生关系无条件庸俗生成的可能发生。倒下的老师和参与审判的弟子们,同样崇高而且悲壮地扛起古希腊文明进展的支撑大鼎。

处在轴心时代之维的中国世态,却表现出另外一种东方血缘式温情。孔子与七十子,乃至三千徒众,共同践行其以师的无条件性为前提的师生关系,并由此把这种关系转化为历数千年而确证无疑的关系原型。尽管有所谓"儒分为八",但是,八的总和小于一,七十子的总和小于一,三千徒众的总和小于一,甚至后世术儒的一切精神意识的总和仍然被动地小于一。于是作为老师的孔丘就一步步成为道德的万世至尊、知识的终极模本,以及凌驾于一切师生关系之上的至圣先师。无论子贡、子路、子张还是七十子、三千众,居然就没有一个质问他们的老师,既然作"邦有道则见,邦无道则隐"的处事论断,为何自己在周游列国的政治乞求道路上,明知是无道之邦却仍然不隐而见?居然就没有一个质疑他们的老师,既然"民可使由之,不可使知之",那么何来"有教无类"的现实可能?居然就没有一个质斥他们的老师,既然愤怒于"唯女子与小人难养也",是否也就意味着你的母亲和你的姐妹从此就该遭受歧视和凌辱?(而其后的历史也的确使数千年中国妇女在"吃人"的"礼教"桎梏下流尽她们最后一滴辛酸的泪。)

不无趣味的是,苏格拉底的朋友喜剧家阿里斯托芬,在多少次倾心交往后以辛酸的笔触在其作品《云》中嘲笑苏格拉底,而孔子的朋友晏婴,同样在盛情款待孔子后劝告齐景公仲尼不可用,原因在于"今孔丘盛声乐以侈世,饰弦歌鼓舞以聚徒,繁登降之礼,趋翔之节以观众,博学不可以仪世,劳思不可以补民,兼寿不能殚其数,当年不能究其礼,积财不能赡其乐,繁饰邪术以营世君,盛为声乐以淫其民也"。所不同的延伸后果在于,苏格拉底的弟子们在老师朋友那里获得了某种启谛,而仲尼的弟子们在老师朋友那里所得到的是对老师朋友的怀疑。如果说这样的情节具有某种隐喻意味的话,那么处在21世纪位置的我们,又能从这些隐喻意味中悟出什么样的道理来呢?

四

　　好在经之先生是一位富有现代精神气质的宽厚长者，不然像我这样的另类化弟子，或者这些伪道学须臾不可容忍的奇思怪想，早就在从学的当日便已经被扼杀殆尽。

　　这一感恩叙事的理由，是因为曾经发生过一起在别的老师看来极为严重的"大不敬"事件。那年在广州召开首届全国文艺学博士点联席会议，文艺学专业的博导大佬如数赴会，其中不乏自恃学富五车者，高谈阔论后怒骂如今的博士生潜质之差、水平之差、科研能力之差，大有挽颓势于既倒的责任担当风范。作为博士生代表，不知何种力量使然，我跃然而起并且慷慨陈词："我认为今天的博士生问题不少，但今天的博士生导师更加问题多多。试问导师们，你们连规范的学士学位论文都没撰写过，那么又如何判断一篇合格乃至优秀博士论文以客观尺度呢？况且在一浪高过一浪的政治运动中，你们是如何抱着对学术负责的态度填充其阅读时间表、路线图和知识谱系框架的呢？"

　　"砰！"炸了锅，炸了油锅。会议骚乱之后，那些大佬们纷纷去找恩师经之先生，这还了得，太狂，哪有一丁点尊师守道的学生素质，将来必然会祸及其师……说什么的都有，总之是必欲置之死地而后快。一年半之后，在我的博士论文将要答辩之前，还有一位文艺学大师给先生写信，建议我的博士学位论文不予通过。我不知道先生当日如何收拾残局，我也不知道先生在收拾残局过程中为我承受了多少压力和委屈，我只知道先生没有开除我，风平浪静，和蔼如前，仅在某日共进晚餐之际，意味深长地对我说："列生啊，这个教训表明，即使你拥有正确的想法，也要用合适的方式进行表述，否则就在方法的混乱中陪同真理一道殉葬！"

　　至今我仍然认为，先生除了修身入境的宽厚之外，一定对我的判断有某种认同，因为我在言辞激烈之下包含着一个学术青年对学术负责的赤子之心。这一判断，后来我在习作《文艺人类学》一书的出版后记中冷静地陈述为：

我们这个时代的人厌其学而乐其学术。所谓厌其学，就是除了中小学生为了抵挡应试教育而不得不起早贪黑地背诵各种教辅资料外，整个社会的重学之风早已烟消云散，我们实际上离学习型社会已愈来愈远。所谓乐其学术，是指挤进知识体制的男女老少，因为评博导、教授、讲师或申请博士、硕士之类的学位，差不多全体学人都在豪情满怀地"作"，豪情满怀地申报和承担"科研课题"，豪情满怀地从事"学术"活动以及撰写学术著作或学术论文，包括人群中的我本人，以及这本所谓《文艺人类学》。我们实际上已无法开出足够的书目和阅读时间表。当然，我们的老师们那一辈较之我们可能情况还要糟，因为他们的黄金读书时间一方面更多地卷入各种政治运动，另一方面在极端意识形态背景下甚至那些古代经典和西方经典他们见得也不多，更何况知识的时间表和谱系图。打倒"四人帮"之后，老师们的老师们纷纷谢世，于是老师们便开始抢占各种学会的会长、副会长，抢占硕士点、博士点，抢占硕士导师、博士导师的头衔，于是我们就在我们的老师们指导下先后成为硕士、博士或者博士后，他们的不容易处在于，他们是在连规范性的学士论文都没有做过的情况下超水平发挥地把我们培养成高学历者。后来，他们又渐渐老了，渐渐开始搞各种名目的学术纪念活动，出版各种文集，总结各种闪光的学术思想，称谓各种师门或学派，趁这时机，我们就开始乘势而上，开始新一轮的抢占，于是各种学术岗位和知识宝座的角色，不经意间就换成了我们。在这整个抢占事件的浮躁年代，最具有共性的符号，就是大家都热烈地谈论其学术进行时而机智地抛弃"傻学"，在学术界都在神圣而且表情严肃地学术着的时代，毕生于学简直就是"白痴"，而且"白痴"们一定不知道学术杂志被评定为世界级、国家级以及省部级，一定不知道不在"述"前就那么"作"也就意味着连饭碗都保不住……

先生，再一次请您宽恕我吧。虽然我没有把学问做好，但在对待当代中国学术真相问题上，我愿永远做不够成熟然而却坚决道明皇帝新衣的赤裸儿童,我为我的赤裸感到自信甚至骄傲,哪怕是一种赤裸的自恋。

五

从跨进幼儿园,到博士后出站,在求学的不同梯级上,直接教导过我的老师超以百计,而孔夫子"三人行,必有我师"意义上的广义老师,则必然超以千计。在所有这些老师中,若以感恩叙事的排序名单论,经之先生无疑是排在最前列的那一位。

所有教导过我的老师都是我的老师,所有我的老师我都应该而且愿意跪以三拜。然而,亦有师之不师之人,不管活着还是死去,抑或不管我活着还是死去,我在三拜之后会起身扬长而去,连甩下一句抱怨的兴趣都没有,让离去的路上只有渺小的尘埃与死一般的寂静。至此,则这样的老师将只能为其曾经的言行自觉羞耻抑或恬不知耻。师之为师,师如其师,则敬之以师。师生关系是条件性关系,不是无条件性关系,更不是暧昧链接的利益合谋关系。

现代性背景下的学生,知识接受之际同步性地保持着对老师的凝视,这种凝视逆向性地成为老师存在性程度和合法性限度的一种镜像。从这个意义上说,我曾经凝视且毕生不断凝视的经之先生,是一位温文尔雅、风度翩翩、态度和善、文思机敏的江南才子,是一位怡然自乐、洁身自好、与世无争、唯务于学的南海隐者。唯其才子身份,先生才能于20世纪50年代别出机杼地写出《为何古典作品至今还有艺术魅力》,而又于80年代塞外新声地出版《文艺美学》,才子气勃勃生机于字里行间。唯其隐者姿态,先生才能有境界自成高格,淡定和飘逸中默默坚守着俗人不可望其项背的自得其所。

但才子只能止于才子,不能抵达更高境界的智者,这对于古今中国文人而言,几乎是不可逃离的文化宿命,而且这一命运的缰绳也紧紧绑缚着先生。才子与智者之间,并无智力差异,只是智力条件之上人生取向的迥然不同。

如果才子是人生的江河常挟蜀江春水之势,那么智者就是社会的大海总有鲲鹏惊天之飞；如果才子因才情优先而有日常生存的浓郁写意，那么智者则因苦思不得其解而在终极焦虑中饮恨终身；如果才子追求知其然效果的个体自我解放，那么智者则追求知其然并且知其所以然答案的人类生存去蔽；如果才子以快乐的人生面貌在一切现场事态中尽得入世的潇洒，那么智者则以痛苦的普适体验在现场缺席遭遇中静守其出世的孤独；如果才子对于芸芸众生堪称机会难得的奇花、异草和珍玩，那么智者对于芸芸众生则无疑为黑夜行走中指点迷津的烛光、灯塔甚至太阳。

虽然才子长于言而智者精于思，但才子亦有神思亦如智者之有警言，二者不乏身份定位的意义叠合或评价互文之处。然而叠合与互文极其有限，所以从根本上说来，智者首先一定是才子并且矢志不渝地以去才子化自律，而才子只会出现极偶然的智者思想境界并且因为难以承受济世苦难而放弃此岸向彼岸泅渡的煎熬之旅。因此，就视觉景观而言，才子的热情，总在凝视自己，以及自己身边的人或事，而智者的兴趣，更愿意忘我而且漠视涉身情境地向天空作玄想和张望，后者那种呆滞且幼稚几近于痴的面部表情和身体动作，常常让我等凡夫俗子之辈失望、厌倦乃至根本不愿理会，亦如才子的倜傥总使我们的世俗期待感到激动、满足以至于怦然心动。虽然我不是才子，当然更无从望智者身影于恍惚，之所以还敢于对先生的文化身份或者知识地位妄加品评，是因为我惧怕感恩叙事或者仪礼叙事中那些夸饰之语或者艺增之词，会隐在地伤害先生的身份本真，害怕先生也在别人的阿谀中，落入学术江湖那一幕幕搞笑的轻佻闹剧。

吾恩师胡氏经之先生，一介书生，江南才子而已！

吾爱吾师，吾更爱真理。谨以这不乏撒娇情调的格言，幻化为春天的使者，飞向遥远的南国边陲，飞到深大校园临海曲径小道上踽踽而行的先生身边，作为我恭祝恩师八十寿诞的另类贺礼。

（原载《传记文学》，2013年4月）

王列生 中国艺术研究院公共文化政策研究中心主任，博士生导师

我眼中的胡经之先生

祁 艳

一

第一次见到胡经之先生,是2004年在广州中山大学中文系博士入学考试面试的会议室里。

之前,"胡经之"三个字,对于文艺美学专业的年轻学子而言,是前辈又前辈的名字。《文艺美学》《西方二十世纪文论史》《西方文艺理论名著教程》《中国古典美学丛编》这些文艺学专业的必读书和参考书,都早已让后辈心生对前辈的仰慕之意。在我的想象中,胡先生一定是一位威严而又有几分苛刻的老头,不然,他的那些弟子如何能成长为新一代的专业领头人呢?

所以,在报考博士导师的选项上,填上先生的名字时,我始终带着几分忐忑:如果先生能收下我,那真是十分幸运的事情。

面试那天,是第一次与先生谋面。尽管紧张,我还是带着后生的好奇,特意留意了先生。在一排老师中间,先生穿着很洁净的白衬衫,头发白而稀疏,竟然没有戴眼镜,既不威严,也不散漫。面试时要陈述已有的研究内容,并回答一些问题。面对这么一排威严的老师,我略有紧张。先生的问题很开放:"你将来的研究计划是什么?你读过哪些文学作品,比较欣赏谁?"这几个问题让我的紧张略微缓解,就按照自己思路侃侃说了下去。

面试完的某一日,接到硕士老师的电话,说胡先生想跟我谈谈,看看我的一些论文。先生那时和我并不相识,辗转了好几位老师才联系上硕导了解我的情况。按照现在的惯例,考博前如果不登门拜访导师,几乎是没有考上的可能。而那时,居然是先生几番周转主动来找的我!

又是几分忐忑,我带着以前写的一些论文,拜访了先生。先生很热情,我们在他朴实而又充满文化氛围的居室里,畅聊了一个下午。关于我的研究兴趣,关于他的研究,关于在专业领域里可能开展的研究选题,关于治学与读书。那时,我还不是先生的学生,而他的言谈里,充满着对后辈学人的鼓励和温暖——全然不顾自己70岁的高龄。临走的时候,先生专门走到书房,取了他的两本集子赠予我,并在扉页上写了一些勉励的话。我带着论文进门,带着一个下午的长谈和两本书离开,收获了一位老学人对后辈的诚恳与关切。

彼时,传统文艺学和文学理论注重文本研究的路子,正遭遇着与新兴的文学、艺术、大众文化等诸多文化现象对接解释的困境,如何在文艺学的传统研究领域里,在传统与现代的交叉中拓展出新的研究视野,在新旧文化、文学交替中持续着深刻、冷静的观察与思考,是先生一直重视的问题。而我硕士研究生阶段对于日常生活美学的研究课题,引起了先生的关注。于是,幸运的,我成了70多岁先生的弟子;更幸运的是,我是先生最后一位,也是最年轻的弟子。许多同仁笑说,我的辈分很高!

入得先生门下,或许是先生觉得学术之路崎岖,或许是早已超脱一定要得到个什么结果的世俗之念,先生并没有走严师的路子,而是因材施教、让学生自由发展。先生完全不是传说中的读博就是给老板打工的做派,甚至,连最简单的码字活都是自己亲力亲为,不让我们帮忙。他觉得那是学生的读书时间,不能随便占用。于是在那三年里,我们有大把时间徜徉书海,自由阅读。甚至,先生也不会限定每个学生的研究范围,更不会因为他的兴趣而左右学生的研究方向。先生的方法是,如果你有明确的研究方向,就按照你的思路自己去发现问题、解决问题;如果你的选题方向并不明确,他就跟你交谈,了解你的知识积淀和思维特质,在火花碰撞中让你脑中的那团迷雾逐渐清晰起来,发现自己最感兴趣的研究点。

当然,最初,我对先生这种只点拨不引导不包办的指导方式并不适应。学术海洋博大精深，要在浩瀚的知识体系里选择一个自己有兴趣而且能够驾驭并能持续深入研究的问题并不是一件容易的事情。"导师指定选题"就显得简单且更易操作。每一次将问题集中一点点，其实就是再一次大浪淘沙的过程。每一次疑惑，先生都会给予茅塞顿开的点拨，但他从来不会直接告诉或者强加一个结论给我，而是一定要我按照自己的思路去寻找。而我也是过了几年才明白，这种自己发现、自己解答的独立精神，在学术之路上是多么的重要和可贵！后来我想，先生在对学生的培养上，一定是深谙"世界上没有两片完全相同的树叶"的哲学之道。

也许，先生深刻明了"自由之思想、独立之精神"的学术之路在现时代的崎岖，对于有志于从事研究之路的后辈，先生也是极尽鼓励。对我任何一次自我否定、任何一次对于学术研究的游移，先生都给予鼓励；而任何思想上的小小收获，以及进步，先生都是给予肯定。这让我对思想探索有了几分自信，对艰辛的学术之路有了几分坚持。更重要的是，先生早早地向我们明确：治学需要的是勤勉与诚恳，其换不来功名与利禄，但收获的是精神的自足！

先生对学生的关爱，不仅体现在人生大道的指点上，在生活细节上也不时表达出来。有时候，他会收到和购买一些书籍，根据不同的研究方向，分别赠予同门阅读。有些书他仔细读过，重要的地方用红笔勾勒出来，可以看出先生对这一问题的某些思考。有时候，在新年的时候，他会意外地给我们准备一袋子零食当礼物，就像通常长辈对晚辈做的那样。

去年，在我从先生身边毕业五年以后，在我对新课题的研究探索焦虑不堪之时，收到了来自先生平静却十分有力的鼓励："稳扎稳打，争取最后胜利！"非常简短的言语，却足以让一个晚辈在思想的迷雾中坚定下来，并且努力地走下去。

2012年夏，先生坐了三个半小时的飞机来北京参加我的博士后出站答辩。不，应该是近八个小时，因为航班临时取消与延误等原因，先生两次奔赴机场，并经历了在机场近四个小时的等待。他可以选择取消航班，但他没有——只因答应了参加我第二天的答辩。在首都机场

T2航站楼的接机口,看着年近80岁的先生,从上午折腾到深夜,独自拎着一个简朴的、有些沉的、80年代模样的行李布袋子从机场里面颤巍巍地走出来时,你全然想不到这是一位享受着国务院特殊津贴的老教授。他神采奕奕,一脸温和。

那一刻,除了感动和景仰,我还能说什么呢?

二

跟先生聊天,除了谈学问,我们最常聊的,是他的青年求学时代,那些关于老北大、老北京的回忆。对于求学的晚辈而言,那既是一段思想四溅的历史,亦是一段让人向往的宁静时光。

先生少年的教育是在私塾完成的,他的父亲却是新学堂的教书先生,那是他最早的启蒙。"私塾先生是很严格的,背不出文章是要打板子的。"先生笑说。在旧学堂奠定了初步启蒙教育,先生后来上了新式的师范学校。先生的父辈也是普通百姓,我对于他为什么不会因为经济困难而中断求学感到很好奇。先生告诉我,这是因为他的父亲是教书先生。当时的教书先生相当于今天的中学教师,在那个年代,教书先生享有很高的社会地位,薪水也很丰裕,教书先生的薪水是当时工人的四五倍,比政府工作人员也高出许多,即使是县长见到教书先生,也是毕恭毕敬。父亲教书的薪水可以供养先生一家人,还包括让先生在幼年、少年、青年时代享受到良好的教育。

"大学教授的收入就更好。"先生说。因为生存没有后顾之忧,教授能够潜心、独立地从事研究工作,不附庸任何利益团体,努力地寻找真理,并无所顾忌地讲出来。给先生颁发北京大学毕业证书的是马寅初先生——解放后北大的第一任校长。毕业证书上是马校长小楷的签名,这张毕业证书被先生珍藏至今。先生感慨自己的幸运,那是北大最安静的几年,没有战乱、没有运动、没有风波,也能吃饱肚子。教授可以全身心治学,学生们可以如饥似渴地读书。在招聘讲师、助教、研究生方面,教授有很大的权力,甚至往往就是他们一句话的事。

先生的哲学课,是冯友兰上的。古代文学的老师是林庚、游国恩,何其芳也给他们讲过一段。现当代文学老师是王瑶,外国文学老师是冯至、季羡林、杨周翰,教古代汉语的是王力。先生后来在杨晦先生门下研习美学,亦跟随过朱光潜先生南下游历考察,宗白华先生当时也在北大。简直是辉煌的阵容!这一个个对于中文系学生如雷贯耳的老学者,从先生的嘴里讲出来,就不再是书本上的符号,而是一个个鲜活的、有性情的人物。我不由得对先生羡慕起来,能与这些学养深厚的前辈交谈,向他们提问,得到他们的点拨,在他们的指导下走上治学的正路,是一件多么幸福和幸运的事情!半个多世纪过去,这些专业的开拓者们一一作古,当年求学的青年,如今成为青年的前辈。先生还保留着当年的听课笔记,辗转多城,也一直珍藏。先生说:"有些字迹,应该已经晕开了,不过大致应该还可辨认。"当时我就给先生建议,若能把这些听课笔记整理出来,是非常有意义的事。

解放初期的北京城,还保留着"北平"时代各种遗留。街上还有穿褂子的,到处都还显现着北方的开阔。北大算是在遥远的郊外,圆明园一带当时还是一片庄稼地,进一趟城并不容易。路途遥远,周围清静,难怪可以一心向学了。对于文艺青年而言,周遭也不是没有玩耍之地,颐和园就成了近水楼台唾手可得的天堂。散散步、谈谈天,在刚刚离去的并不遥远的历史里,在新时代与旧传统的碰撞中,包括先生在内的年轻学子面临着百废待兴,意气风发!

也正是在那段自由宁静的时光里,先生有机会进行广泛的阅读,在传统文学、文化的浸淫中,他发现了"审美"与人生、与心性的息息相关。

三

与后来的中文系的学生不同,先生那一代,是深受传统文化熏陶过的知识人,他们很深厚地承继了旧学里的哲学观、道德观,会将对学问的探索与个人精神世界的塑造紧密关联起来。这与西学偏重对知识体系的梳理和逻辑的训练是有很大区别的。

以前学习时读先生的书,没有一般理论上费解的感觉,而是有种豁然开朗的流畅感。没有过多的对概念、理论的赘述，而是针对问题和现象直接的思考、分析和评述。先生一直强调研究中抓住问题、直面问题。他自己是这样做的，也是这样要求我们的。

先生的书房，我没有仔细参观过，只是经过时瞄到好几个大书柜。每回去先生家拜访，他客厅的桌子上，都堆着一些专业领域的著作，有的还是新出版的，有的是编辑部寄来的新杂志，还有报纸。先生读得很认真，有的地方还画满红道道。退休以后，先生也没有放弃读书、研究的状态，对领域里的新问题还保持兴趣和关注。有时候，我拿一些新出的书和一些新的概念跟他探讨，他居然早已读过其中的一些。生态美学和生活美学是他一直保持关注的美学问题，不仅继续在读相关的书籍，还会撰写相关的学术论文，参与学术会议的讨论。好像于先生而言，退休以后反而是一种更为自由的研究状态。

2010年夏，世界美学大会在北京召开，先生受邀前往。在没有会议主持的时间段里，先生自己，这位年近八十的老教授，跟年轻的学子一样，拎着资料袋，独自悄声地钻进各个分会场里，旁听自己感兴趣的议题，还拿着小本本仔细地做着笔记。若不是被讲台上眼尖的青年学者发现，表达下敬意，过来过去的美学专业后生，一定不知道这位坐在台下的、朴实的、不起眼的老先生，会是专业里这么靠前的前辈!

先生这一辈的学者，一直保持着用笔写作的习惯，那么多的资料，那么多的修改和撰写，不知道先生是如何坚持着完成的。即使到现在，先生仍然坚持着每天读一些，每天写一些。也许，正是这样的状态，让先生依然保持着思路清晰敏捷吧？有时候把我新写的论文给他看，即使有的方面已经和我以前的研究方向有了很大的跨界，先生依然能够犀利地指出我的问题和应该修改的方向。

先生对于文艺美学的思考和研究，不仅仅表现在理论的阅读和研究方面，而是像那一代的学者一样，将审美精神内化成自己的人生态度和行为方式，时刻体现出一种超然、豁达的风骨。在生活方式上，先生也选择健康、积极的方式，践履着自己对审美人生的理解和追求。

四

先生如今年近八十,耳不聋眼不花,走起路来有时候年轻人都赶不上。这种健康,既得益于他对锻炼的坚持,更得益于他豁达淡泊的心态。先生觉得,我们搞审美研究的人,若都不能践行审美人生的精神追求,那何谈对审美精神的倡导和传播呢?

一年暑假刚过,我去拜访先生,入得厅堂,见他穿着人字拖坐在沙发上,皮肤晒得黝黑,掩盖了所有的皱纹,只有白发昭示着年纪。原来先生游了一个假期的泳,每天两次,自然赶国际潮流弄成了小麦色。游泳几乎成了先生每天生活的重要部分,每天两次,除了最冷的1月和偶尔的出差开会,其他11个月都坚持着。这样坚持了七八年。记得在先生赠我的书中,他特别描绘了对水的热爱,对于生于无锡这样多水的地方的先生而言,水是给予他灵感和让心灵安静的地方。先生说:"我游泳不似你们年轻人,唰唰两下赶时间就游完了,我多数时候是在水上慢慢漂浮。这是我心灵最沉静的时候,而我很多的思想和写作的灵感,就来自于水上漂浮的时刻。"游泳的启发,来自于先生的一位在北大任教的美国温德教授。他从60岁开始,坚持了近20年。某回下暴雨,我陪先生办事,生怕雨天地滑,要去扶他,被他拒绝。他自己撑着伞,趿着人字拖,在暴雨里健步如飞,我在后面跟着还觉得有些气喘。

保持身体健康是先生对生命的另一种乐观,他也留意一些关于饮食健康的书籍,对此也颇有心得。他常说病从口入,特别自律严守。从75岁以后,他就坚持晚餐只喝粥,吃点青菜豆腐,拒绝大鱼大肉。他笑称:"我们老啦,这些富贵品,我们的身体已经消耗不了了!"不过对于早餐和午餐,先生的胃口还是很好,尤其注重味道和健康的结合。有一回我陪他吃午餐,他很兴致勃勃点了图片上十分诱人的鸡,他说:"我天天看着这图,很想吃这鸡,可是一个人吃不完浪费,两个人吃就不会浪费啦!"那种老小孩的率真,甚至是一些可爱,以及节俭,还真是只有在老一辈的学人身上可以看见。

先生的客厅里有一架钢琴,我起初以为那是买给晚辈的,后来才知道那是先生用来怡情自乐的。他告诉我,弹琴,是青年时代在师范学校里学会的,这么多年一直没扔下,看书累了,来这里小坐一弹,既能保持心情的愉悦,还能保持头脑的清醒和手指的灵敏。有几次去先生家,他的电视都停留在音乐频道,有一回他感慨,现在的电视节目没有什么耐人寻味的了,只有音乐台,还能常常有些惊喜。我没有与先生深入探讨过他对音乐的感悟,只是有一回,他从俄罗斯旅行回来,跟我眉飞色舞地讲到欣赏同去的李光曦唱歌剧的情景,那种对音乐的共鸣,那种建立在精神共通基础上的友谊,那种老知识分子对艺术的喜爱,晚辈只能心驰神往。有时候,我也会猜测,先生多少回,在自己的琴音里屏蔽着世俗的喧闹和纷争?那种小小的片刻的宁静里,他一定体验着审美升华的极致吧!

先生的夫人张师母,也年过75岁,却一直保持着老一辈知识女性的风范、贤淑、知书、识人。他们持续着中华传统里的相濡以沫、相敬如宾。更重要的是,保持着老人的独立和尊严。两老身子骨硬朗,不仅各种生活琐事自己解决,而且还保持着学习状态。张师母退休后学习国画,在宣纸上随意挥洒,居然是清新、娟秀、隽永。红袖添香老来伴,他们平平淡淡地相伴生活,在今天浮躁的社会愈发显得弥足珍贵。

旧式的文人,总会有一两样在生活里把玩的物什,先生生活简朴,唯独对茶还保留着自己的品位。一个明亮的下午,先生和我聊起他的饮茶的故事。先生喜绿茶,他告诉我,要选新茶,要第一年的,要用80℃左右的开水泡。对茶道生疏的我,第一回有了点稍微专业的认知。面对我的一脸愕然,先生起身去烧水,拿出他随身携带的碧螺春让我辨别,并教我闻茶香。他亲自帮我泡了一杯碧螺春,示意我观察茶叶在水里婀娜的站姿。头一回,我沉静下来,欣赏到茶叶立在水中时是那么的轻盈美妙。第一道茶喝完,我准备劝先生去吃饭,他却不紧不慢地告诉我,第二道和第三道茶,有另一番独特滋味。他特意站起来,缓慢地为我续上水,急切地等待着我对第二道茶的评价。看到我对茶香的陶醉,他脸上露出孩童般喜滋滋的满足感。我想,一定是喜爱极了,才会有那种与众乐乐的表情吧!

先生也喝点红酒，先生说是跟着朱光潜先生品出来的。民国时代的大师，在先生的嘴里说出来一切就像发生在昨天。先生说，他跟着朱先生去云南开会，一次在昆明的宾馆里，朱先生告诉年轻的他，睡前应该品点红酒，在晕晕乎乎间，不仅可以有个好睡眠，还可以活化筋骨。于是这个习惯从那时就延续了下来。"一点点就好，不能喝太多，多了就醉了。"先生说。享而不殇，品而不醉，似乎在先生的生活美学里，一直坚守"节制"这一传统美学关于日常行为的准则。也许并不是那么有意识的遵守，只是早已内化为自己的价值准则和行为方式。或许，这是老知识人和今天的知识分子特别不同的地方。

先生也不是没有对琐事的烦恼。即使是离开江湖的边缘化的身份，也会偶尔传来江湖的打斗声。可是，先生并不那么在乎江湖名利与评价，可能，客厅里那幅"宁静致远"的题字，早已成为先生对人生境界的追求。也是，从民国到新中国，再经过历次起伏，从苏州辗转到北京再到深圳，泰然无我是先生对俗世的修炼。审美人生，在欣赏艺术、陶冶情操之外，更重要的是先生保持的这种具有境界的生活态度吧！这也许是先生对我们弟子最耳濡目染、言传身教的地方。

有时候也会感慨，像先生这样老一辈学者身上的朴素、谦逊、宽厚，以及对青年后辈的关爱和鼓励，在今天的时代里是极其稀缺的美德。他们对学问的尊重、执着、严谨、客观，亦是今天学人治学的典范。常常会想，我从先生那里学到的，不仅仅是治学的知识和方法，他的豁达、超然，他的处世哲学与审美生活的方式，他对精神世界的求索，才是先生给予我受益一生的财富。

每回失落的时候，我不由自主地会回望下先生，念想——灯，还在！

（原载《传记文学》，2013年4月）

祁　艳　中国艺术研究院博士后

坚守在深圳文艺评论现场

周思明

胡经之作为大学中文系教授、文艺美学博士生导师,以其《文艺美学》《文艺美学论》等具有开山性质的学术专著和成就,广为学界所知,但作为文艺评论家,则少为人们所论及。尤其是在深圳这三十年来,作为曾经的深圳文艺评论家协会主席,也许并没有特别的闪光之处,没有专门的文艺评论著作,但他能在繁忙的教学和学术研究之余,经常出现在深圳文艺评论现场,并积极热忱地为深圳的文艺发展做出认真的、独特的、富于艺术见解与价值评判的评论,这正是胡老师作为一位文学评论家的独到贡献。

胡经之多年从事教学科研工作,1958年开始发表文艺评论,如《评〈野火春风斗古城〉》等,被《文艺报》聘为特约评论员,后又参加中国作家协会。从北京大学南迁到深圳以后,按照胡经之自己的话说,他开始"融入了特区文化生活,写文艺评论,作文化研究,被选为作家协会主席,后又筹建了文艺评论家协会,在深圳鼓吹,文艺也要两手抓:一手抓创作,一手抓评论"。在深圳经济特区设立20周年之际,他主编了《深圳文艺20年》一书,在《文艺报》发表了《深圳艺术之路》。作家出版社还将他20年来所写的文化评论、美学随笔、散文等40多万字,题名《胡经之文丛》出版。

胡经之的文艺评论,紧密结合文艺创作实践,没有当下不少评论家那种不看作品,放马乱弹的毛病。我想,这与他几十年如一日的教学科研所养成的严谨治学态度有关。组创深圳文艺评论家协会并出任评协主席以后,胡经之的身旁便凝聚了一大群立志文学创作和文艺批评的中青年作者。但他从不居高倨傲,颐指气使,随意褒贬作家作品,既不为了讨好作者而无原则地"捧杀",也不为了显示个人的锋利和卓异而"棒杀"。他关注到在这批作者当中,有的人并没有真正认识何为文学、何为评论。于是,在繁忙的教学科研工作的同时,他投入精力放在深圳文艺创作与文艺批评队伍的培育组织上,组织大家开展文艺批评和理论研讨活动,助推深圳文艺评论丛书的编撰出版。自始至终,他强调的是不但要关注全国的文学理论思潮,更要注重深圳文艺的发展。胡经之就是这样做的,每当深圳文学界有新人新作出现时,他的身影便会出现在研讨会的现场,他的评论也会出现在本土主流报刊上面,他中肯热诚地发表自己的看法,从而扶持了一大批新人新作。

作为一位文艺评论家,胡经之先生很注意个人的"德性"修养。曾经,一位中年画家筹备赴京画展。为了把画展场面撑大,也借机扩大自己的影响,他托人请北京一位在圈内颇有名气的批评家写篇"评论",表示愿奉上酬金若干。不料,那评论家听了酬金数目,对联系人说:这已是几年前的行情了……再找知情者打听,原来此君写捧场文章的酬金已从千字数千元涨到数万元,跟如今成名画家的作品价码差不多了。对照之下,胡经之先生从未有这样的"绯闻",他对有求于他写序、写评论的作者,从不搞文钱交易。即便如此,他也从不敷衍了事,随意溢美或酷评,总是与人为善,客观公正并略有宽容。

胡经之始终坚守这样的观念:文艺评论是一个审美评价过程,是一门学术,是一种鉴赏艺术,在本质上是非功利的,应该有独立的品格、自由的空间,应该得到尊重。但有些作者被利益所困,也有意无意地试图让评论为其利益服务,把评论功利化,比如借助评论扩大作家作品的影响,提升销量,又比如借知名评论家的赞美,制作有分量的申报材料,去竞争各种奖项。在这样的背景下,评什么不评什么,评论的时候说什么不说什么,以怎样的角度和怎样的"针对性"来说,就成为一种较难掌控的"艺术"。胡经之对此成竹在胸,他是一位修身到家的智者,既不抬高,也不贬低,而是尽量掌握分寸,把持有度,语调平实,说法公允,让受评者心悦诚服。他一直以来对文学批评嬗变为商业炒作,给文学创作帮倒忙,给商业帮大忙的做法,不仅深恶痛绝,而且带头抵制。

光阴荏苒,如箭如梭。已至耄耋的胡经之先生,虽然早已退居辞教,但他结合深圳的特色与优势,提出科技与文化相结合的创新模式。他提出:"深圳应该利用自身优势,通过科技将国内文化向外传递,同时将外国先进文化引进来。"早在25年前他毅然将自己亲手创办的深圳大学中文系更名为国际文化系,这曾让余秋雨等文化学者感到诧异。他说,这样做的目的,就是为深圳培养视野更加开阔的国际人才。胡经之坚持认为,在包容性极强的国际都市深圳,应该允许各种文艺"各美其美,美各相容,美美与共,和而不同"。他衷心希望深圳的文艺评论同样拥有这样的气派,并在当代文坛产生日益强大的影响。

(原载《深圳特区报》,2013年5月20日)

周思明　著名文艺评论家,深圳市文艺评论家协会副主席。

老当益壮仍从容

祁念曾

一

1994年初，我刚来深圳不久，就去深大新村采访胡经之老师。

胡老师是我20多年前在北大中文系上学时的老师。他教文艺理论，课讲得很精彩，颇受同学们欢迎。他是新中国培养的第一代青年学者，50年代就在北京大学师从杨晦、朱光潜等著名学者研究美学和文艺学。30多年来，他苦心耕耘，孜孜不倦，编写出版了300多万字的著述，并多次获奖。其代表作《文艺美学》和《西方二十世纪文论史》在国内外学术界享有盛誉。他被国务院评为有突出贡献的专家，英国剑桥大学授予他"20世纪卓越成就奖"，并被美、英等国选入《世界名人录》。80年代初，他告别了工作30年的北大校园，来到刚刚开始建设的深圳大学，成了深圳特区文化教育事业的"拓荒牛"，他先后担任深圳大学学术委员会副主任、社会科学委员会主任、中文系主任、文化研究所所长，并于1993年被国务院学位委员会批准为深圳大学的第一位博士生导师。

坐在他的客厅里，谈起当年北大的师生之谊，显得格外亲切。他虽已年过花甲，两鬓斑白，却仍然神采奕奕，谈笑风生。

"我来深大已经10年，刚来时这里还是一片荒野，如今已高楼林立，绿树成荫。"他望了一眼窗外，侃侃而谈，"有人说，深圳是文化沙漠，这话太片面。深圳本来就有不少文化人，改革开放以后，又从内地来了大批的文化人。深圳是改革开放的窗口，领全国风气之先，有优越宽松的学术环境，可以自由地研究学术，从事艺术创造。特区优厚的待遇使我们生活安定，心情舒畅，能够安居乐业，埋头治学。我的很多著作都是在深圳完成的。我在深圳落地生根，我的老伴、女儿也都相继来到深圳。我们大家应该齐心协力，把深圳建设成文化绿洲。"

胡老师除了担任博士生导师外，还担任全国文艺理论学会副会长、广东省美学学会会长、深圳市作家协会名誉主席等职。繁忙的社会工作使他老当益壮，青春焕发。临别时，他给我题写了两句诗："终老深圳须勤奋，唱晚岭南应无悔"。后来，我就以他后一句诗为题，写了篇专访，登在《深圳晚报》一版"今晚嘉宾"专栏上。

二

1997年夏天，深圳沉浸在热烈的喜庆气氛中，香港回归的欢庆锣鼓激荡着人们的心。北京京华出版社计划出版我的散文集《艺术家的脚步》，西安美术学院院长、著名画家刘文西教授欣然题写了书名。这是我来深圳五年出的第一本书，总该请人写个序言吧。请谁写呢？深圳市文联主席张俊彪给我出了个主意："请胡老师写吧！只有他最有资格。"

我怀着忐忑不安的心情敲响了胡老师的家门。当我向他说明了来意，并送上我的书稿时，他笑着指了指茶几上堆满的文章和稿纸，说："最近北大为迎接百年校庆，要重新出版我的《文艺美学》，我正在抓紧时间修改。"看着他忙碌的样子，真不好意思打扰。但胡老师还是亲切地说："你把稿子放下吧，我抽空看看再说。"

过了十多天，胡老师打来电话，说序言已经写好了，让我去取。这真是天大的喜讯！真没想到，胡老师竟然放下自己的书稿，首先为我这个学生写了篇2000多字的序言。胡老师是用钢笔写的，蝇头小楷，清晰工整，一丝不苟，和胡老师的为人一样。

我接过序言，激动得不知说什么才好。胡老师给我倒上一杯茶，微笑着说："你来深圳时间不长，写了这么多位文学家、艺术家，真不容易啊。咱们北大人，要为深圳的文化建设多做点贡献。"这就是他在序言中写的："深圳人来自四面八方，各自带来了过去所受的文化熏陶。只是埋怨深圳的文化积累不深不广，这无补于事，不如面向实际，为文化发展做些实事。念曾写出了那么多的散文通讯,把《艺术家的脚步》留在了深圳,供我们回味,引发我们反思,激励我们前进,这不正是对深圳文化的一份贡献么!"

这篇序言先后被《深圳特区报》《深圳晚报》《新闻出版报》《社科通讯》等报刊转载,既体现了胡老师对晚生后辈的关心爱护,更表达了他对深圳文化建设的热切期盼。拳拳之心,岂是几张稿纸所能承载的呢?

三

1998年4月30日,为了庆祝北京大学百年校庆,北大深圳校友会组织了800多名校友,集体包乘一列"北京大学百年校庆专列",向着祖国的首都北京奔去。江泽民书记视察北大的讲话,李子彬市长送行时的嘱托,极大地鼓舞了车上的北大学子。一路上大家敞开胸怀,谈笑风生,回顾北大百年来的风雨历程,交流在深圳开拓创业的经验体会,讨论科教兴国的伟大战略意义。列车成了弘扬爱国主义精神的大课堂。

在欢腾的列车上,我又见到了胡经之老师。他和同学们一起坐在卧铺车厢里,说得津津有味:"当年我们到北大上学,就是坐火车去的。如今又坐火车参加北大百年校庆,意义格外深远。"说起深圳大学的发展变化,胡老师语重心长,"深圳大学文学院就是在北大的帮助下建设起来的。10多年来,北大派了许多老师来深大工作,如今都是学院的顶梁柱。如果说,学院这几年取得了一些成绩,那是因为站在北大这个巨人的肩上。"

一路上,列车的广播里不停地举办着"我与北大"的演讲比赛,校友们争先恐后,当年在校的每一件小事都让人回味无穷。有人讲得眉飞色舞,有人讲得热泪盈眶,还有人情不自禁地唱起了当年的校园歌曲……

胡老师坐在车上静静地听着大家的演讲。我问道:"北大精神为什么有这么大的凝聚力?"胡老师略加思索:"北大的历史就是中华民族追求自由解放的历史。北大百年形成的爱国、进步、民主、科学的传统,核心就是爱国主义。一代又一代的北大学子总是站在时代的最前列，与祖国人民同呼吸、共命运。我想，这就是北大精神的核心，也是北大凝聚力之所在。"他讲得一字一板，十分沉稳庄重，仿佛在宣讲一个神圣的真理。望着他肃穆的神情，我举起了相机，为他留住永恒。

四

2001年1月，我们深圳商报社为了进一步提高报纸质量，专门聘请了八位专家学者担任特约审读员，胡经之老师名列其中。

2月7日下午，胡老师来到报社参加座谈会。王茂亮总编辑做了热情洋溢的讲话，欢迎各位审读员对《深圳商报》和《深圳晚报》多提宝贵意见。胡老师不紧不慢地说："读者满意才是最好的报纸。'文化广场'专版办得颇有特色。深圳有个特点，很多文化人不在文化岗位上，如何贴近、吸引、满足这一读者群，《深圳商报》做过很好的尝试，应继续发扬。城市规划、建筑设计、生活环境等方方面面都是文化的大范畴，这是广大读者都关注的话题，报社就是要把这方面的报道做得贴近读者。希望《深圳商报》能在这方面做更多的探索，吸引更多的深圳人来共同关心属于我们深圳的问题。"

胡老师言简意赅，充分显示出他的人文情怀。前些时间，我送去作家出版社新出版的我的诗集《站立的河流》，胡老师又在百忙中写了篇2200多字的评论，发在《新闻出版报》和《新闻知识》杂志上，真让人感动不已。2007年，他又为我的《祁念曾诗文集》写下了5000字的序言，情真意切，感人肺腑。今年是胡老师的八十大寿，衷心祝福他健康长寿！感谢北大和深圳这片热土，让我有幸认识了胡老师这样优秀的专家学者，他的人品文品，永远是我学习的榜样。我望着他匆匆行走的背影，他给我勇气，又给我力量，鼓励我在人生的道路上奋力攀登。

2013年春

祁念曾　深圳市前景国学研究院院长

人文学科第一人

杨 青

6月2日是胡经之先生八十寿辰,作为深圳大学中文系的创建人,也是"深圳学派"的代表人物,无论按辈分、学术成就来说,他都算得上是深圳人文学术界的第一人。作为国内的"文艺美学教父",胡经之桃李满天下,门生弟子无数。他的学生不少都是当今文艺学、艺术学和美学的博士生导师。昨日,记者来到胡经之家中,对他进行了独家专访。

一、学问要奔泰山顶

胡经之说他1952年考入北大中文系时正赶上了黄金时代。当时清华、燕京和北大三校的文科老师汇聚北大,名师云集:冯友兰讲哲学,林庚和游国恩讲古代文学,王瑶讲现代文学,季羡林、冯至、杨周翰讲外国文学,王力讲古代汉语,杨晦讲文学理论。他是杨晦的课代表,后来又随杨晦读副博士,曾随朱光潜先生南下游历。

胡经之回忆,北大的办学方针就是鼓励教授们"炒名牌菜",除了规定的课程外,选修课你什么拿手就讲什么。像杨晦讲中国文艺思想史,王瑶开鲁迅研究,何其芳、吴组缃开的都是《红楼梦》研究,各抒己见,有点打擂台的架势。

胡经之现在回忆起来还有几分激动,他说,选修课讲什么?自己的文章、著作和研究成果。北大为什么好?因为有好多搞学术研究的,成果不断。如果一个学校没有研究成果,学术水平怎么提高?后来胡经之在北大开设文艺美学的新课,力图把文艺学和美学融在一起,开创新的学科,可以说是校风使然,也是老师们熏陶的结果。回忆当时跟杨晦读研究生时，去老师家，杨晦经常是冲30元一斤的碧螺春招待他们，当时一级教授一个月工资也就300多元，老师拿十分之一的钱买茶招待学生，后来胡经之也同样用好茶招待他的学生。

当时杨晦告诉他们做学问永远记住两条：一是搞学问要静下心来，不要左顾右盼；二是搞学问的目的要到泰山顶上，不要被中途的花花草草迷惑。这点胡经之做到了，他跟着杨晦老师搞古典文学研究，一坐两年的冷板凳也坐下来了，一生中有许多诱惑放弃学术从政当官，但胡经之一直坚守在学术的领域，没有旁顾。

二、只向文坛走半步

1958年，马寅初聘周扬为北大兼职教授，周扬要来北大开讲座，学校决定讲座向中文、西语、俄语、东语四个系开放，加上哲学历史系的老师和外校报刊记者，大约800人的规模。正跟杨晦研究古典文艺学的胡经之被派为周扬讲座的助教，负责上通下达。

当时美学被贬为资产阶级学术，研究美学的朱光潜成了资产阶级学术权威，没有人敢讲美学。结果周扬第一讲就讲"如何建设中国的马克思主义美学"，本来是禁区的美学，因为周扬的这一提倡，一下子得到解放。北大哲学系1960年就成立了全国第一个美学教研室，本来偃旗息鼓的美学又开始露出生机。胡经之当时只有25岁，正在寻找自己的学术方向，周扬的讲话对他是个契机，从此他从古典转向关注当下。

胡经之被《文艺报》聘为特约评论员，写了不少评论。1959年为《读书运动辅导丛书》写了评论《野火春风斗古城》的小册子，10天写就，得了1000元的稿费。要知道当时副博士每月才有52元助学金，这笔稿费接近两年的助学金，可谓阔绰了一把，而胡经之的豪举就是跑到当时的东安市场买了一车的旧书。

胡经之把这段经历称为"走向文坛半步"。接下来就跟着蔡仪去编美学教材，仍是退回学术圈。

三、既开风气又为师

1955年底,全国招一批学生提前半年毕业,到人民大学马列主义哲学研究班学习,胡经之被选中,去后发现只有中国革命史和马列主义哲学两门课。他觉得跟自己的兴趣不合,就跟老师杨晦回北大念文艺学副博士研究生。说实话,如果在那个研究班里待着,等于半条腿迈进官场,他却转回了学界。

20世纪80年代初期,北大出版社刚成立,想调胡经之去当总编辑,那时他评上副教授不久,一门心思要当教授,要搞学问,谢绝了,但忙还是照帮。他参与编组的《文艺美学丛书》为北大出版社打出一张漂亮的出场牌,一下子在学术圈打响了。

20世纪80年代初期,胡经之迎来了自己的第二个黄金时代,老师杨晦已经老了,恢复高考后只招了一届研究生,第二届就转到他们这些弟子辈手里了。胡经之不愿讲文艺理论。他想另开一个方向,结合美学,讲文艺美学。老师杨晦同意了,从此中国开创了一个新的学科"文艺美学"。1981年他只招两个研究生,结果有98人报考,最后又多申请了一个名额,收了3个弟子。

当时王鲁湘也报考他的研究生,专业好,但外语稍差,没有过。胡经之建议他先到北大来进修,第二年再考。王鲁湘听了他的话,到北京租了民房住,跟胡老师进修,没想到第二年胡经之因为前一年加了名额,学校没有给他招生指标。正好北大哲学系的美学研究生名额多,他推荐王鲁湘到哲学系,一举中的。

胡经之对弟子知人善用,他来深圳大学时,北大中文系主任严家炎挽留说:"你的文艺美学新课刚开,研究生也招了,你走了怎么办?"

胡经之举荐当时在北大的弟子王岳川,说此人不仅学问好,音乐、书法样样精通,堪当大任。果然王岳川被严家炎留在北大,顺利接任。

1981年,与他半师半友的凌继尧作为朱光潜的最后一个研究生,当时跟从导师翻译人文资料觉得兴趣不大,有点苦恼。胡经之建议他确立自己的学术方向,说他的俄语好,可以关注苏联的美学转向。鼓励他跟苏联专家直接通信,要求翻译他们的作品,结果凌继尧成了苏联美学研究的第一把手,凌继尧至今感谢他的点拨之功。

北大艺术学院是叶朗创建的,他退任时挑选了胡经之的弟子王一川接任。当时王一川在北师大,胡经之问叶朗,你学生也不少,为什么挑了一川?叶朗说,他重视的是学问和能力。说到这里,能听出胡经之先生满腔的欣慰,自己的学生能得到同辈学者的厚爱,更加欣慰。

四、深圳创新天地宽

胡经之、汤一介和乐黛云来深圳,介绍人是国学大师钱穆的儿子钱逊。清华大学的副校长张维创建深圳大学,想请北大的学者来办中文系和外文系,钱逊就推荐了他们三个。

晚辈学者朱志荣在自己的博客里提到胡经之时曾用惋惜的语气说道:南下固然对深圳大学和深圳的发展有功,但留在北大,对中国美学界的发展有更大助益。现在尘埃落定,记者问胡老,对自己当年的选择,现在回头看,又如何评判?胡经之说,开创之初,机制灵活,来去自由。半年在北大,半年在深圳。试了3年他爱上深圳,决定留下。一是框框少,创新多,效率高,系主任在学科建设方面权力很大,可以自定系名,确定学科专业方向,系主任签字请人学校就照办。中文系结合深圳的特色发展为国际文化系,而且还与东亚大学合作办学开设了对外汉语班。一切欣欣向荣,很有成就感。

1988年,胡经之又创办了特区文化研究所,1993年和暨南大学副校长合作开辟了华南第一个文艺学博士点,先后培养了10多位博士生。胡经之说,离开北大来深圳,学术照样搞,美学研究跟科技不一样,不到50岁,人生经历没有达到,真正的个人体验没有结果,讲来讲去都是讲别人的,人文学科学者50岁时才会成熟。

胡经之的教书生涯虽然结束了,学术生涯才刚刚开始。一直坚持用笔写作的胡经之去年写了10万字,今年仍打算写10万字。当年他走新路,要开文艺美学,前年他回北大去参加第十八届世界美学大会,叶朗让他主持艺术美论坛,他说他要主持自然美论坛。参加太湖论坛,他一写就是一万字的论文。他不从众,不对付,只是认真做人做事做学问。虽然南居深圳,但全国文艺美学界的发展与一举一动,他从未缺席,一直在场。现在作为新提出的"深圳学派"的核心人物,胡经之这样解释:"深圳学派"就是要有国际视野,但要解决深圳的实际问题,有全国意义。

从北大教授到"深圳学人",从文艺美学教父到深圳学术界宗师,胡经之的人生画出的是一道由自己主宰、从未脱轨的漂亮弧线,只不过这个转折仍在继续,远未完成。

(原载《深圳商报·文化广场》,2013年5月31日)

杨　青　《深圳商报·文化广场》记者

从燕园到荔园

黄 萍

一、海的呼唤

"采菊东篱下,悠然见南山。"每次去蛇口、游南山,路过深大校门,总会隔窗眺望那片绿树参天的校园。30年前,这里还是一片荒无人烟、乱石嶙峋的海渚沙滩,寂寞地与孤零零的南头中学(当年的宝安"高等中学")遥遥相望。真是弹指一挥间,沧桑巨变。

忆往昔峥嵘岁月稠。经济特区初创,市领导班子冲破禁锢,解放思想,提出"特区建设,文化先行"。尽管当时深圳一穷二白,却发誓"卖掉裤子,也要兴建八大文化设施,我们需要教育,培养各种专业人才"。深圳大学就是其中的重点项目。

接着,市领导班子八仙过海,各显神通,四处筹集资金,选址建校,招聘教师,招生,得到时任主管特区工作的国务院副总理谷牧同志的大力支持,从全国高校文科精华的"巨无霸"——北大招聘教师。一语犹如石破天惊,招来各种非议:"小渔村建大学,自不量力……文化沙漠建海市蜃楼,天方夜谭……"的确,困难重重。尽管市委、市政府大胆做出了"凡调入深圳的专业技术人员,优先分配住房,解决家属入户、农转非、子女入学、就业"的承诺,但响应者不多。我所在二线建设指挥部,1983年,就有位北京调来的高工,干了3个月,就把住房的钥匙甩给我(当时我们机关大小干部都住招待所),怒气冲冲地说:"你这不是人待的地方,马上给我到人事局办手续,回北京。"

然而,历史的演变是奇特意外的。忽如一夜春风来,千树万树梨花开。昔日冷寂的深圳湾畔热闹起来,一幢幢现代化的校舍,如雨后春笋,拔地而起,荔枝树发出拔节的声响,花蕾含苞待放。因为春天来了,所有的梦都会落地开花……

深圳市传来喜讯:时在北大中文系任教的、中国文艺美学的"教父"胡经之教授,还有汤一介教授、乐黛云教授伉俪,以及满怀学术抱负的应届硕士生、青年美学家刘小枫等,怀揣振兴中华的梦想,肩负高校改革的神圣使命,组成了一支师资力量雄厚的"先遣部队"挥师南下,从燕园到春潮激荡的荔园,参与创办深圳大学中文系。

胡经之先生,自觉地履行了一个北大人的天职——把未名湖畔的"思想自由,兼容并包"学术思想的种子,播撒到充满宏大理想、思想解放,凝聚了全国高校改革愿望的这块未开垦的处女地上,生根发芽,开花结果。

二、江南稚子

一方水土养一方人。胡经之先生1933年出生在苏州一户书香门第,父亲一生都在书斋里,当教师、做学问,是他最初的启蒙。先生谈起小时候授课情景笑道:"若是背不出文章来,可是要挨手板子的呦,哪像现在的孩子自由。"

自古江南多才俊。大学问家钱穆和他的兄长钱挚(钱伟长之父)以及钱穆师弟陈友梅等,在无锡、苏州是家喻户晓。因此,先生自幼耳濡目染,深受人文环境的影响,立志做学问,不畏艰难,往返于无锡、苏州之间求学。

先生在为我的拙作——长篇报告文学《风景这边独好》作序时,就这样记录了少小离家求学的情景——"我少时在无锡梅村读书。每当寒暑假,都要乘着乌篷船,从伯渎江驶向苏州老家,中间要穿过阳澄湖,南侧的渔池笼,渔池笼就是连片的鱼塘,有垂柳和小路把鱼塘连成一大片,深不可测,让我感到神秘……"

每每读到这段文字,脑海里就会浮现一个充满稚气,圆圆的笑脸,明亮智慧的大眼,身着短装,脚穿布鞋,背着书包,站在船头,神情专注眺望远方的少年的身影,令人浮想联翩。

胡家才子初长成。风华正茂的先生,学生时代,就和所有的热血青年一样，满怀报国之心。信仰坚定，十分痛恨国民党的腐败，积极参加地下党组织发动的学生运动，17岁就成了无锡的学联主席。解放后，是当时苏南地区最年轻的人民代表。但他却无心从政，立志做学问。

三、北大才子

1952年，才华横溢的先生，以同等学力的优异成绩考上北大，正赶上北大、清华、燕京三所名校文科合并，文科名师汇集北大的黄金时代。冯友兰、林庚、游国恩、王瑶、杨周翰、王力、杨晦……能聆听这些如雷贯耳的大师们讲哲学、古典文学、现代文学、文学理论、古代汉语，三生有幸。深受这种浓厚的学术氛围的感染，先生师从杨晦，成为北大第一批副博士生，曾随朱光潜南下考察、游历。1958年，周扬到北大讲美学，他被挑选去当讲座助教。在北大认识了鲁迅的儿子周海婴，陆定一的夫人严慰冰因是无锡老乡，常有来往。后来又认识了时任中宣部部长、国务院副总理的陆定一。他们对先生的才华十分欣赏。

北大回荡着一种多元学缘，互相激荡。知识分子有耿介之气，每遇不平之事，总是直率表达，甚至选择潇洒地离开。这种名士风度，对既是典型学者，又富有浪漫主义诗情的先生，产生了深刻影响，形成了他外柔内刚的诗性美学家的气质特征，留在北大人的记忆中。

他牢记恩师杨晦"做学问，一是要静下心来，不要左顾右盼；二是要到泰山顶上，不要被途中的花花草草迷惑"的谆谆教导，放弃了许多诱惑和选择仕途做官的机会。1955年，被人大研究班选中，去后发现只有中国革命史和马列主义哲学两门课，与自己的兴趣不合，就回到北大，坐了两年的冷板凳，研究古典文艺学。

1980年，北大成立出版社，请他去当总编。那时，他已是副教授，一心想做学问、当教授，便谢绝了。这大概是秉承了他父亲当教师的遗传基因。但忙还是照帮：为出版社策划了一套大型丛书《文艺美学丛书》，产生了很大影响，为北大出版社在学术界打出了一张漂亮的出场牌。

先生在北大求学执教期间，北大学风开放，鼓励教授们"炒名牌菜"，除了规定的课程外，什么拿手就选什么，发挥强项。因此，先生踌躇满怀，首次把文艺学和美学融为一体，开创了文艺美学这门新学科。1958年，年仅25岁的先生，将学术方向由古典转向当下，被《文艺报》聘为特约评论员，写了不少评论。但他在评论了《野火春风斗古城》后，就又回到书斋。他说："这只是我走向文坛的半步。"

四、传道授业

先生在北大开创的文艺美学，1981年招收了两名研究生，而报考的有98人，最后又多申请了一个指标，收了来自四川的王一川、上海的陈伟、北京的丁涛。他平易近人，常在家中给三位弟子"开小灶"。先是沏一壶他喜欢的绿茶，一边品着佳茗，一边启发式地讲学，循循善诱，引导弟子要以开放式、包容的心态，从事文艺美学理论的研究；强调艺术不是现实生活模拟的产物，而是审美体验的结晶；要懂得艺术的特性，更要善于举例，例子是否恰当，关系到理论的正确与否。先生的这些教诲，后来成为弟子们治学的座右铭。每每学术讨论过后，学子们还会品尝到师母张景贤教授亲自下厨烹饪的美味佳肴。

他知人善任，唯才是举。南下时，时任北大中文系主任的严家炎极力挽留。"你的文艺美学刚开课，这一走怎么办？"先生早有安排，回答道："北大的研究生王岳川，不仅学问好，还通晓音乐、书法，堪当大任。"于是王岳川毕业后就留在北大，顺利接班。

五、桃李天下

十年树木，百年树人。这句话对从事人文科学研究的人来说，是再确切不过了。

当年，听过先生在家里开授"小班研究课"的弟子王一川，在学术研究上颇有造诣，著作等身，如今已成为北京大学艺术学院创始人叶朗的接班人。当王一川还在北师大任教时，先生就问叶朗："为什么挑了王一川？"叶朗回答："王一川是长江学者，我重视的是学问和能力。"说到这里，我们可以想象到：当时的先生有多开心，自己教出的学生，能得到同辈学者的厚爱和青睐，该是多么欣慰和满足。

先生对学生的关爱，不仅体现在人生大道上的指点鼓励，在生活细节上也关怀备至。他常常将收集到的书籍、杂志，根据弟子们不同的学术研究方向，分给他们阅读、作参考。逢年过节，还备一小袋零食当礼物，就像长辈那样细微。弟子们就这样享受着先生父爱般的温馨。

六、南下开拓

先生对学科的研究，充满青春活力，激情燃烧，开拓不停。在北大就开设新的"文艺美学"、"西方文论教程"。然后离开北大，南下深圳，来到改革开放的前沿。在新兴的比较文艺学中，又倡导诗学的研究，将日渐具有商业性和消费特点的当代审美文化潮流，提升到美学高度去把握。

他参与创办深圳大学中文系，使燕园人文学科之风在荔园激荡。由于深圳大学的教学理念开放、机制灵活，他来去自由，可以半年在北大、半年在深圳，从而感受到从未有过的宽松、舒畅。试了三年，先生爱上了深圳，成为真正意义上的深圳人，很庆幸当年作出了留在深大的决定。

他直言不讳道："深圳的条条框框少，很有包容性，创新多，办事效率高。系主任在学科建设方面自主权很大，可以自定系名，确定学科专业方向，学术研究发展空间广阔，形成了前所未有的激励机制，在全国高校改革中成为先导。"在这样一个思想自由、精神独立的环境里，他结合深大的特色，将中文系发展成国际文化系，目的就是为深圳培养更多视野开阔的国际型人才。同时，和澳门大学的前身东亚大学合作，开设对外汉语班，促进国际文化交流。

他总是不停地开拓。1988年，创办了特区文化研究所，还开设了特区文化研究生班，办了两届，培养了数十名特区文化干部。深圳市委宣传部的副部长、市文化局局长、市文联主席等都是这个研究生班的学生。1993年，和暨大饶芃子教授合作，开辟了华南第一个文艺博士点，先后培养了数十名博士。

众望所归的先生,在任深圳市作协主席时,开深港文学交流之先河。为迎接1997香港回归,积极支持深圳格律诗学会会长、诗人胡建雄,以及陈浩、谈耘,与香港作联主席张诗剑发起征文,编辑深港百名诗人的三百诗文颂回归——《合浦还珠》一书,由湖南文艺出版社出版。

先生热心培养人才,2008年为深圳作家王丛飚的长篇小说《走出大山》,作了题为"走出大山更精彩"的序言,在首发式上,称赞王丛飚是一位很有创作潜力的作家。2011年,他和市委老领导刘波,出席了由深圳作家胡建雄、陈浩,香港作家张诗剑、蔡丽双为纪念辛亥革命100周年编著的粤、港、澳、台四地百名作家百首诗文——由北京科技与文艺出版社出版的《辛亥颂歌》一书的首发式,鼓励民间社团多开展各项文学活动,繁荣深港文学事业。

2014年,端午节,先生冒雨出席了由《香港华文诗报》在东湖举行的第二届世界华文诗歌征文颁奖大会。他在讲话中,寄望华文作家以海纳百川的胸襟,扩展东西方文学交流空间,以文载道,和而不同,令与会的广东省作协副主席、著名诗人丘树宏,德国诗人彭吉蒂,埃及诗人赛义德,《葡萄园》诗刊主编台客,以及中国香港诗人孙重贵,深圳诗人陈浩、黄萍、唐成茂、张奕元、陈晓云等感动至极,报以热烈的掌声,齐赞先生不愧为中国文艺美学的泰斗、"深圳学派"的领军代表。会上,他还为香港著名女诗人题词:"博古通今,清丽双臻,熔古铸今,梦圆复兴","老夫喜作黄昏颂,满目青山夕照明"。先生在近20年里,先后出版了《文艺美学》《文艺美学论》《西方二十世纪文论史》《西方文艺理论名著教程》《中国古典文艺学》《胡经之文丛》等作品,主编了《深圳市文艺理论批评丛书》、《深圳文艺20年》等。为继续弘扬国学,先生在《深圳特区报》上发表了题为《既不固步自封,也不妄自菲薄》《国学复兴为创新》《普及国学需深入浅出》的文章,阐述对弘扬国学独特的见解。他至今还会背诵那篇渗透浓烈的智、仁、勇人文精神的《聪明的司马光》一文:"花园里,假山旁,许多孩子捉迷藏。忽然间,不提防,一个跃进大水缸。跳不起,爬不上,大家顿时惊得慌。逃的逃,嚷的嚷,一点没有办法想。好孩子,司马光,人又聪明胆又壮。只见他,急忙忙,搬起石头就敲缸。一阵敲,一阵响,水缸敲破开小窗。满缸水,窗外放,救出朋友没受伤。"

七、伉俪学者

1988年金秋,市委宣传部在刚落成的深圳湾大酒店召开由延安时代老作家、文学大师柯蓝倡导的中国散文诗创作会议。作为一名作者,我有幸认识了先生,而后常有来往,聆听他的教诲。在我眼中,他总是那么温文尔雅、风度翩翩、和蔼可亲,从不大声说话,为人随和。2005年,他应邀参加柯蓝大师在仙湖植物园的散文诗长廊落成典礼。那天,天空飘着毛毛细雨,他穿着洁净的白衬衣,既不戴帽也不打伞,山风吹拂他一头银发,潇洒地走在长廊上,宛若魏晋风度再现,让人遐想无限……

每次拜访先生,事先电话征询。他住在深圳河边益田村一栋公寓最高处,站在阳台上,可以望见香港的山峦,米埔的红树林,西部跨海大桥。他把自己的书房称作"望海书斋",可以直眺后海湾。客厅里挂着"宁静致远"的题词,一帧大红巨幅"寿"字,是去年他八十华诞,学生们赠送的寿礼。茶几上堆放着一摞摞专业领域的著作,我顺便瞄了一眼他的书斋,几个大书架几乎占据了"半壁江山",桌上、凳子上,甚至地板上都是书,剩下只能容纳一个人走动的空间。

我想,这是怎样一个书香弥漫,美丽得像鲜花盛开的原野,江河奔腾的精神世界啊!真让人羡慕。就在这宁静的空间,先生快乐地保持着用笔写作的习惯,书写出那么多鸿篇巨制,令电脑写作者们惊叹、汗颜。

音乐是天使的语言,心灵的倾诉。客厅里有一架钢琴,摆放着乐谱。先生说:"我学生时代爱好音乐,会弹钢琴,一直保持到现在。读书、写作累了,打开琴盖,坐下来,随意翻开乐谱,手指拂过洁白的琴键,那种感觉真好,既愉悦了身心,又能保持头脑清醒、肢体的灵敏。"我想,先生多少回,沉浸在自娱的琴声里,屏蔽着外面世俗的喧嚣和纷争,从跳荡的音符、诗意的旋律里体验审美升华的极致。这种泰然无我的生活境界,是他人生的修炼。

先生自幼生长在如诗如画的江南水乡，对水有特殊的情感。他住的楼下就有个游泳池，游泳成了他每天生活的必修课，一年四季，除了外出，下午三点准时入场。他说："我游泳不是年轻人那种'中流击水'，而是将整个身体漂浮在水面上，让心灵安静，我很多思想和写作灵感，都来自于水面漂浮的时刻，这个习惯从60岁开始坚持至今。"

年过八旬的先生，耳不聋、眼不花。这种健康，除得益于游泳散步的锻炼外，对饮食调理也颇有心得，他说："从75岁起，每天晚上只喝一碗白粥，病从口入，要严于律己。"去年，我们欲设宴为他祝贺米寿，他只答应到马路对面的一家江南餐厅饮早茶，简简单单跟大家聊聊天。

特别是先生不为当今物欲横流、攀比、晒富所诱惑，始终保持豁达、宁静、淡泊、纯粹的健康心态，是多么难能可贵令人敬佩。这是所有践行审美人生精神追求，倡导和传播审美精神，从事美学研究学者的典范。

先生的夫人张景贤，已年过75岁，曾是清华大学教师。正如她的名字，温柔、贤惠、知书达理，具有中国知识女性的风范。他们相濡以沫，相敬如宾，保持着个人独立的尊严，二老身体健康，家务琐事都能自行打理，而且保持着良好的学习状态。张老师退休后开始习国画，主攻牡丹，在宣纸上随意挥洒抒怀。

2011年春节，我们给二老拜年，客厅里挂着一幅幅清新隽永盛开的牡丹画作，张老师笑道："这是我的习作，用来消遣。"她见我神情专注的样子，问道："喜欢吗？"我随口而出："非常喜欢。""喜欢，我送你一幅，随便挑。"我很意外，又浏览一遍，毫不客气地挑了一幅花蕊非常别致的牡丹。这时，先生对夫人说："她很有眼力，这幅牡丹花蕊的确与众不同。"我红着脸说："不好意思，谢谢张老的墨宝。"张老和先生一样，热心公益文化事业，经常到老年书法院指导，亲自布展，可谓"老骥伏枥，志在千里"。

今年春节，我和陈浩给他们拜年。一进门，张老就把我领到她的画室："看看，我这几年画的牡丹，有没有长进？"顿时，我惊呆了。满室形态各异的牡丹，争芳斗艳，真是让人心旷神怡。我说："张老，我要醉倒在您的牡丹王国里了。""你那么喜欢牡丹,我再精心给你画一幅,你是要横的还是竖的?"张老如此慷慨,让我惊喜又不安。在充斥着铜臭的当下,张老的馈赠,彰显出弥足珍贵的人格魅力。

这对伉俪学者,关爱晚辈,宽厚待人,热情朴素,谦逊,严谨治学的作风,对精神生活的高贵追求,在今天的时代里,是极其稀缺的美德,就像一盏明亮的灯,照亮晚辈的精神世界,激励晚辈在人生的道路上前行。

2014年夏

黄　萍　中国作家协会会员,著有诗歌集《山清海韵》,报告文学集《风景这边独好》,散文《浅水湾畔吊萧红》,报告文学《创业歌》;合著有散文诗集《特区晨曲》,短篇小说集《窗上星辰》,诗歌集《鹏程万里》,散文集《荔枝园抒情》。

生平要略

胡经之编年事略

1933
阴历闰五月初八出生于无锡梅村。梅村地处苏州、无锡之间的伯渎江边，离阳澄湖不远，史称"江南第一古镇"，建有泰伯庙。盖在商周之交，泰伯与仲雍兄弟二人为让位于小弟季历，隐居于这江南荆蛮之地，带来了北方文化，成为吴文化的发源地。

1934
幼体质较弱，赖三位姑妈轮流照顾，悉心调养。母亲朱蓉珍奶水不足，姑妈以米粉、米汤喂养。祖父胡锦堂乃苏州丝织厂技师，父亲胡定一在苏、锡一带的小学任教，很少在家。

1935
被外祖父带到梅村北三里地的鱼池村暂住。只因弟弟纬之出生，母亲照顾不过来。外祖父家周边也有竹林、小河、鱼池，风景优美，跟着表兄朱寿根去田野，放风筝、打鱼、捕鸟是童年的莫大乐趣。以后，即使在上学之后，寒暑假也常到外祖父家过。

1936
仍回梅村，由母亲照看。幼时最早接触的文化娱乐是民间说唱。春节一过，以江南民间曲调来唱春的民间艺人就纷至沓来。到了夏天，家家在门前空地乘凉，就会招来不少说书人。孩童洗过澡，躺在木条凳上，面对夜空数星星，听着说唱，或听父亲奏二胡。每到过年，父亲必去苏州玄妙观买来春联和年画挂在家里。幼时就在这文化氛围中成长。
冬，小姑出嫁到上海，随父亲去上海，首次见识了这个大都市，留下淡淡的印象。

1937

梅村的传统文化活动颇多：春天到泰伯庙参拜泰伯，夏天到净土庵参拜观音，秋天则到张巡殿观看迎神赛会。那几年，国泰民安，风调雨顺，这些宗教文化活动年年均有，是真正的民间狂欢。

但就在下半年，日寇入侵了，文化活动归于沉寂，以后再也感受不到这种民间狂欢。

1938

这是灾难深重的一年。日寇入侵梅村之初，居民纷纷逃难。孩童们由父亲、叔父、姑父用大竹筐挑着，在树丛、竹林、山冈间躲藏，夜晚就睡在山洞中。在国无宁日、兵荒马乱之中，母亲先离世而去。接着，只有两岁的小妹亦随之而去。最后，慈祥的祖父也撒手人间。一连失去了三个亲人，在幼小的心灵上留下了丝丝伤痕，开始感受到人间的苦难。

1939

在外祖父的照看下，和表兄朱寿根一起进了私塾做蒙童，开始读《三字经》《百家姓》《千字文》。私塾塾师已较开通，教他自编自唱的歌："三月三，清明到，去游山。"学写的第一篇作文就叫《清明游山》。

1940

由父亲接到苏州，和父亲、继母一起居住在蒋庙前巷，有三年多时光，就近入美国教会学校晟成中学附小读书。这是有生以来首次到苏州，离家很近的拙政园、狮子林、北寺塔等成为常去的地方。苏州园林在少年心灵中留下了极深刻的印象。

1941

随父亲先去阳澄湖畔的荡口镇参观，后又随父亲去鸿声里（离苏州不远）休假。见识了以大闸蟹出名的阳澄湖，首次感受到了大湖的浩荡。在晟成中学附小开始学英文。

1942

继续在苏州城内读书。星期日进唱诗班，做礼拜有感，曾写短诗《做礼拜》，在班上朗诵。所学《我的家乡真可爱》等歌曲，深入我心，至今不忘。

1943
初夏,随父亲去荡口小学短期就读,读完初小。

初小毕业,需入高小,父亲和老友陈友梅相商,决定入梅村高小读书。暑假后,离开苏州,回到梅村老家,和祖母一起居住,由她照顾生活,入读梅村高小。

1944
在梅村高小就读两年,受班主任、语文老师陈友梅的影响最大。他博古通今,循循善诱,古文尤讲得好,激起了读古文的兴趣和对文学的爱好。

1945
梅村高小毕业,就在梅村进了中华中学读书。抗日战争的胜利,激发了读书报国的热忱,静心坐下来认真读书,古诗词之外更多接触现代文学。开始接触音乐和美术。

1946
学校组织远足,第一次去了太湖,感受了太湖风光;第一次进无锡城,观看电影《一江春水向东流》。

在中华中学读书期间,受语文老师何阡陌影响最深,对"五四"以来新文学产生兴趣,开始学写散文。在学生自治会中任学习部长,参与文艺刊物的编辑工作。

是年,在梅园遇见当时的行政院长孙科(孙中山之子),在梅村见到专程朝拜泰伯庙的上海市市长吴国桢,这是抗日战争胜利后仅见到的两位"党国要人"。

1947
受班长韩克和表兄朱寿根(两位均为地下共产党员)的影响,参加他们组织的秘密读书会,大量接触苏联文艺和解放区文艺。

1948
中华中学毕业后,就近又在梅村的无锡县师范学校读书,入住泰伯庙后院。从此离开祖母家,开始独立生活,但周日还回老家看望,寒暑假则和弟弟胡纬之一起回苏州和父母团聚。

受班主任、语文老师陈友梅熏陶,爱舞文弄墨;又对弹琴发生了兴趣。

1949
入学不久,时局剧变,解放大军即将渡江南下。严冬刚过,在共产党地下组织的引导下,开始组织本班进步学生巡夜,从事护校活动。加入新民主主义青年团,不久,全校成立学生会,被推为第一届学生会主席。
秋,参加无锡县首届政治协商会议。

1950
被选为无锡县学生联合会主席,先后任无锡县一、二、三、四届人民代表。参加苏南首届政治协商会议,任政协委员。在会上,见到了穿着长袍马褂的荣德生(荣毅仁之父),同议国事,陈丕显主持。
积极参加社会活动,走出梅村,先后去过苏州、常州、扬州、江阴、镇江等地。

1951
春,为慰问参军学生,和学校领导俞坚平、邹燕琴一起第一次去了南京,瞻仰中山陵,参观总统府。
夏,下决心准备考大学,告别学生运动,转向教学岗位。先到陈墅小学教语文、历史,后赴严家桥中学教语文、音乐,腾出时间读书以应考。

1952
春,辞去教职,离开无锡,回到苏州家里,全力投入应考准备。白天去市图书馆,晚上在家挑灯夜读。
盛夏,在江苏师范学院(原东吴大学,现苏州大学)参加全国高校的统一招生考试。
秋,全国高校在各地报纸发榜,被北京大学录取。随即,考入北大的苏州考生约20人,结伴乘火车一起赴京报到,由此,在燕园开始大学生活。最早学的课程是杨晦的"文学概论"、王瑶的"中国新文学史"。年底,去校医院北侧佟府老宅专访朱光潜,从此和这位美学老人相识。

1953
听中国文学史课程,游国恩讲先秦两汉文学,林庚讲唐诗,浦江清讲宋词、元曲，吴组缃讲明清小说。后又听吴组缃讲《红楼梦》专题课。渐对苏东坡、郑板桥、曹雪芹三作家产生浓烈兴趣。范成大笔下的江南乡情，唤起了少时美好回忆，印象深刻。

上课学习之外，接受中文系安排的社会工作，担任《北大校刊》的记者，陆续访问何其芳、冯至、曹靖华、蔡仪、朱光潜等校内学者，做专访报道。是年，北京大学文学研究所成立，由何其芳任常务副所长。因认识牟决鸣而常出入何其芳家。秋，蔡仪也入住燕东园31号，亦有了交往。关注美术理论，开始对王朝闻的美术评论产生浓厚兴趣。

1954

听外国文学史课程，曹靖华讲俄国文学，冯至讲德国文学，季羡林讲印度文学，闻家驷、杨周翰、李赋宁等讲英、法、美文学。对巴尔扎克、托尔斯泰、莫泊桑的作品关注最多。

深受吴组缃"现代文学作品选读"一课影响，开始学写文艺评论，分析魏巍《谁是最可爱的人》、孙犁《荷花淀》等。又受章廷谦（川岛）所授"文学写作"课的熏陶，也尝试学写短篇小说、散文。

1955

自1954年春开始，经杨晦特许，参加苏联专家毕达可夫的文艺理论研究班，听"文艺学引论"课，和蒋孔阳、张文勋、蔡厚示等相识。毕达可夫归国后，听杨晦"中国文艺思想史"课程。

冬，加入中国共产党。奉高等教育部之命，提前于年底毕业。

1956

由高等教育部调派，入中国人民大学马克思主义研究班当研究生，研究马克思主义哲学，听胡华、何干之讲授中国革命史。

半年后，国务院公告在国内试行副博士学位制，北京大学决定招收首届副博士研究生。暑假后，从中国人民大学返回北京大学，在文艺理论教研室任助教，从杨晦研究中国文艺思想史，为学生上"文学概论"辅导课，并准备攻读文艺学副博士课程。

1957

春，北大首届文艺学副博士研究生入学，和严家炎、王世德一起听杨晦、钱学熙分别开设的文艺理论、外国文论等副博士学位课程。

继续研习中国文艺思想史，从孔子、庄子等古籍读起，积累学术资料。协助南京大学罗根泽去北大图书馆核校《中国古典文学理论批评专著选辑》资料，沉湎于古典书籍之中。但同时密切关注着当时正开始的美学讨论。

1958

周扬带领何其芳、林默涵、邵荃麟、张光年等，主动到北京大学开设"马克思主义文艺理论"讲座。受中文系主任杨晦之命，担任此讲座的助教。除了和主讲人周扬等联系外，还广泛和西语、东语、俄语、哲学等系学生接触，整理讲稿，并为《北京大学学报》撰写学术综述。

下半年，连续参加中国文联、作协、《文艺报》的关于革命现实主义与革命浪漫主义相结合的讨论，作了《关于现实主义和浪漫主义相结合》的发言，《文艺报》1958年11期予以刊载。

是年，被《文艺报》聘为特约评论员，由此进入文艺界，和李希凡、李泽厚、谢永旺、阎纲等有了交往。后又和王春元、缪俊杰、李基凯、蒋荫安、陆贵山、谭霈生、郑国铨、陈传才等相识。

1959

文艺界推出一批文艺作品，在全国开展读书运动。应约撰写《理论与现实在文学中的辩证结合》一文，在《文学评论》1959年第一期发表。应上海文艺出版社之约，配合全民读书运动，撰写了一本评论小札《谈谈〈野火春风斗古城〉》，一次印了10万册。

对美学的兴趣越来越浓，一直关注着当时的美学讨论。当时宗白华在研究西方美学史，不时去宗白华家请教，拜读过他的西方美学史论纲和论及文艺复兴美学思想、英国经验主义心理分析美学、德国唯理主义美学等论文手稿。

1960

上半年写过几篇文艺评论，评介过王愿坚的《七根火柴》，发表过《王愿坚的短篇小说》，有的曾在中央广播电台播放，后又收入北京出版社的

《阅读与欣赏》一书。

后半年则集中精力攻读美学书籍,听朱光潜的美学讲座。此年,北大哲学系成立美学教研室,朱光潜从西语系调入,主讲西方美学史,而宗白华则主治中国美学史。为准备副博士毕业论文,不时向杨晦、朱光潜、宗白华请教。是年秋,完成论文《为何古典作品至今还有艺术魅力》,冬,通过答辩、评审,后在1961年《北京大学学报》上发表。

年底,结束了长达四年的副博士研究生生涯,留北大任教。但到毕业时,在"反修"声中,曾热闹一时的"副博士学位"制,就无声无息地消失了。

1961

初春,开始在北大中文系讲授文学概论,并准备中文系的美学课程。

刚过"五一"即被高教部调入中央高级党校,参与蔡仪主编的《文学概论》编写,得以暂居此地两年多,闭门读书,潜心编书。在此期间,不仅接受蔡仪指导,而且和王朝闻有了深交,常漫步于昆明湖畔、颐和园中,谈笑风生,自由论学,以至30多年后,王朝闻在来信中,还常怀念此段生活:"这样的自在日子,以后再也没有了。"

为编书,集中阅读了不少西方文艺理论,并对音乐美学产生了特殊兴趣。

1962

受蔡仪之命,负责撰写《文学概论》之第一章,论述文学和生活之关系。

周扬亲自过问《文学概论》和《美学概论》的编写,参与讨论和审读。

编书期间,因暑假回南京探双亲之便,还特地去苏州、上海,向郭绍虞、伍蠡甫、蒋孔阳、叶以群等请教,以求集思广益。是年,朱光潜到中央高级党校讲授西方美学史,有缘得便就去听课。10月《文学概论》初稿完成,周扬、朱光潜等参加了初稿讨论会。

1963

经反复修改,夏季完成《文学概论》编撰,结束中央党校的编书生活。

秋季回北大,为俄语、西语、东语等系学生讲授"文学概论",为中文系开设文艺理论专题课程,开始突出文艺的审美特性、审美教育作用。参加宗白华为中文、哲学系高年级所开的"中国美学史"讲座,并不时讨教。此时朱光潜《西方美学史》上卷出版,得作者赠书后立即拜读,先睹为快。

对电影美学、摄影美学产生浓厚兴趣。

1964
由北京市政府借调一年多，和康式昭等参加北京"四史丛书"的编撰。平日在楼里闭门编书，但常要到北京郊区调查研究，得以有机会去通县、平谷、顺义、门头沟等京郊边缘地区接触农民，了解京郊民情。

1965
继续编撰"四史丛书"，偶尔参加全国戏剧观摩，写些评论。

秋，惊悉父亲得癌症，立即赴南京，说服父亲，把父母和女儿苏薇一起接来清华园四公寓居住。陪父亲到北京各大医院求治，均遭婉拒，无门可入。居京十余载，方深切体验到，在此居大不易，人微言轻，无人管理。父亲体谅为子的困难，坚决要回南京，不愿久住京城。

1966
春，父亲病故南京，急赴奔丧，埋土南山，悲凉之情，长久徘徊心头。回京之后，潜心教书，少有社交，更多关注美学，和宗白华、王朝闻的交往多了起来。

不久，"文化大革命"潮起，北大处漩涡中心，个人身不由己，卷入浪潮。先是聂元梓等大字报出场，接着中央派出工作组进驻北大。被组长张承先从中文系调入"灰楼"，专写简报，向中央、市委报送。不久，工作组被赶出北大，成立了"文化革命委员会"。此时副校长周培源负责日常行政，由他调配，受命参与外事活动，接待来访外宾、使馆来客之外，还曾接待过费彝民、夏梦带领的香港文化考察团。又曾代表北大参加过德、法、蒙、朝等国的使馆招待会。

此后，红卫兵山头林立，派系斗争纷起，系主任杨晦已靠边。为避免更大冲击，作为他的学生，被系里安排到老师杨晦楼下居住。于是从清华园迁入燕东园37号杨晦的客厅。

1967
和郭罗基等受周培源之命，继续为西哈努克亲王的儿子那拉·迪波授课。盖因1966年夏王子刚从北大附中毕业，爱好文学艺术，要求入北大学习，但北大早已停课，周恩来总理特批，要北大派专人负责王子教学。这样，每周有两天可住入友谊宾馆为王子授课，得以躲开喧闹的校园。晚间，尚可上楼，到杨晦居室促膝谈心，偶逢停电，则秉烛夜谈，深切感受到师生的情谊。杨晦乃"五四"老人，每逢"五四"，必有电台、报刊来访。此时杨晦患有白内障，已无法执笔，因而不时为之代笔。

1968
好景不长，红卫兵派系斗争升级，家被抄了，楼上杨晦也不能幸免。此时小女儿燕蓁即将出生，楼下客厅只有一间已住不下，只好迁入前燕京大学校长陆志韦的原住所燕东园27号，住朱光潜楼下，和杨人楩在一层，各有两间。此时朱光潜已获自由，于是和他见面机会多了。他每天都下楼打拳散步，不时有缘交谈。

是年，西哈努克回柬埔寨，那拉·迪波亦离开中国。在北大就学的近两年中，陪他考察了故宫、美术馆、革命博物馆、北京图书馆，拜会了许广平、周海婴、浩然等，观摩了京剧、芭蕾舞、民族音乐等。这在"文化大革命"的高潮声中，实属难得。

1969
受杨晦启发，潜心读马克思恩格斯的全集，特别关注后期所作的哲学、人类学、剩余价值学说的笔记、手稿，开始对马克思主义有了另一种理解。

受中文系委托，为及早落实王瑶的政策，多次去蒋家胡同9号访问王瑶、杜琇夫妇，具体商量如何了结旧事（红卫兵把他打成叛徒），为他平反。最后商定迁入镜春园居住。

1970
一声令下，备战备荒，知识分子被遣上山下乡。清华、北大的教师被遣送到鄱阳湖鲤鱼洲围垦造地，种菜育稻。白天，在烈日下以原始的耕作方式劳动；晚间，还要斗私批修，好让大家安心落户。

秋收季节，因"双抢"，劳累过度，半夜起床，晕倒在地，幸而大草棚内居数十人，邻床同事符淮青闻声而起，急呼医生孙宗鲁抢救，当晚送南昌医院，幸免一死。

1971

脑震荡尚未治愈，就不断受政治冲击。先是，因和陆定一、严慰冰夫妇在五六十年代有交往，而陆、严被林彪陷害投入秦城监狱，于是，不时来人调查，要"交代"所谓的"攻击林副主席"材料，政治压力极大，精神不堪重负。接着，又被打成"五一六"反革命，轮番受逼供、批斗，身心俱裂。幸林彪一伙倒台，方渐缓过气来，冬天放回北京。

1972

为中、西、东、俄等文科系开设文艺理论讲座。为尝试教改，除讲一些基本理论外，邀请了音乐学院、戏剧学院、美术学院、电影学院的一些教师，来北大介绍不同艺术部类的知识，以扩大艺术视野。喻宜萱、黎信昌、汪毓和等均曾参与，甚至带来了小乐队，且讲且演。

是年，有机会赴哈尔滨，参加了"文革"中唯一的一次文艺理论学术研讨会，讨论今后文艺理论怎么讲。此外，就埋头读《资本论》《剩余价值学说史》《1844年经济学哲学手稿》。

1973

和陈熙中等合撰长文《〈红楼梦〉——封建社会没落史》，先是被《北京日报》拿走发表，后国内有多种报刊转载，或印成小册，广为流传。

1974

集中精力研读《红楼梦》，只写评"红"文章，不写其他，堕入"红楼梦"中，不能自拔，直至1976年冬。三年间在北大图书馆读了大量清代线装小说，以便弄清为什么《红楼梦》是古典小说中最好的一部。

1975

继续研究《红楼梦》，分别拜访周汝昌、吴世昌、吴恩裕等红学前辈，交流读"红"心得。

1976

初春，和周一良、田余庆等赴承德考察。后又和汤一介、张世英等赴山西大寨参观。

1977

集中到"红楼"学习,清理"文革"遗毒。白天学习,晚上回家,却因此在两年多中,常能和老师林庚共聚一室,畅谈文学艺术的美学问题,从诗文之美一直到西域音乐,无所不谈。正是在这审美谈中,精神才有所解脱。同室还有老师魏建功副校长,但他只听交谈,偶亦莞尔一笑,却不插嘴,常常闷闷不乐,一言不发。两年多后,他与世长逝(79岁)。

1978

读到台湾学者王梦鸥《文艺美学》这本谈论文学的小书,论证亦嫌简略,但能继承朱光潜、宗白华40年代的学统,贯通中西文学,融会美学、文艺学,深受启发。于是开始构想自己心目中的文艺美学。

1979

应《马恩文论百题》一书之约,撰写《艺术掌握世界的方式》《具体—抽象—具体》等题,后陆续写成论文发表。清理"文革"遗毒结束,立即投入中文系教学。受老师杨晦之命,协助他为曾镇南、董学文、郭建模、杨星映等安排一些文艺学硕士课程,并为"文艺美学"一课做准备。

1980

因开设"文艺美学"课程,开始撰写《文艺美学》讲稿。在《北京大学学报》发表《中国美学史方法论略谈》。应《文史知识》杨牧之所约,陆续撰写古典名诗赏析数篇。

初春,赴昆明参加中华全国美学学会成立大会,和杨辛一起受命照顾老师朱光潜,陪他畅游昆明,临滇池,登西山,走石林。这是他离开西南后第一次也是最后一次到昆明。

受中国社会科学院文学研究所之聘,任《红楼梦研究集刊》编委,常和邓绍基、刘世德、蒋和森等聚会审稿。

秋,和李泽厚、朱立人等赴北戴河,参加河北省美学学会成立大会。《中国美学史方法论略论》一文在《北京大学学报》上发表。

1981

应中国社科院研究生院院长周扬之聘,任蔡仪首届美学硕士许明等人的毕业论文答辩委员会委员。

1月，参加季羡林为会长的北京大学比较文学研究会成立大会。由此逐步开展国际学术交流活动。美籍华人学者叶维廉、刘若愚、叶嘉莹，美国学者李达三等分别来访北大，和季羡林、杨周翰、张隆溪等一起接待，参加学术座谈。写成《比较文艺学漫说》一文，在《光明日报》上发表。《论艺术形象——兼论艺术的审美本质》在上海文艺出版社《文艺论丛》刊载，后收入中国社会科学院文学研究所编纂的《中国新文艺大系——理论卷》。在中国艺术研究院的《词刊》连载《艺术的意境》一文。遵朱光潜先生嘱托，为伍蠡甫《中国画论研究》作评。

《论艺术掌握——兼论人对世界的审美掌握》一文在《求是学刊》1981年第2期上发表。

秋，在北大另辟硕士研究生新的专业方向，于"文艺理论"之外，新设"文艺美学"。当年，新设的"文艺美学"专业方向首届有98人报考，录取王一川、陈伟、丁涛3人。和童庆炳相识。

赴南宁、桂林，参加蔡仪主持的马克思主义美学研讨会。

冬，和阴法鲁、朱立人、叶朗、江溶一起共5人，组成《文艺美学丛书》编辑委员会，由江溶、胡经之、叶朗任常务，聘请朱光潜、杨晦、宗白华为顾问，先编辑出版《美学导向》，首印12万册。开始为《文艺美学丛书》组织、推荐书稿，最早推荐的是谭霈生的《论戏剧性》。

1982

开始整理1980年开课的《文艺美学》讲稿，改写为专著。先发表《"文艺美学"是什么》（载北京大学出版社《大学生》丛刊1982年第1期），又发表《文艺美学及其他》（载北京大学出版社1982年1月出版的《美学向导》）。为中央广播电视大学撰写《艺术美略论》，先在中央电视台播放，次年收入中央广播出版社的《美学专题汇编》一书。

受周扬之邀，陪朱光潜先生一起赴中宣部参加纪念《在延安文艺座谈会上的讲话》40周年，论文《艺术创造为人民》在《北京大学学报》发表。

在中国社会科学院文学研究所的《红楼梦研究集刊》陆续发表《美学与红学》《红楼梦里的石头故事》等文。

受吉林大学副校长公木之邀，参加文艺学硕士杨春时、张德厚等的毕业论文答辩。

赴长沙参加毛泽东文艺思想研讨会,和李衍柱相识,决定共同编写"西方文艺理论"教科书。会后,赴上海,访伍蠡甫、蒋孔阳,讨教西方文论。

赴南京、苏州、扬州等地讲学。

1983

经过一年的筹备,开始在北京大学出版社出版《文艺美学丛书》。继续整理、改写《文艺美学》,完成第二稿。同时开始组织、审阅《文艺美学丛书》书稿(佛雏的《王国维诗学思想研究》、叶朗的《中国小说美学》等)。

初夏,恩师杨晦逝世,享年86岁。在八宝山告别遗体,回校后即写一篇悼文,和赵齐平所写哀诗,同在北大校刊发表。

1984

由胡经之、盛天启等发起成立北京大学文艺美学研究会。胡经之被推为会长,负责主编《文艺美学》论丛。应山东大学吕慧鹃之约,撰写《郑板桥评传》,收入《中国历代著名文学家评传》第五卷。

年初,应约和汤一介同赴清华园寓所见张维院士,商谈在深圳大学创办中文系事。张维答允,可从北大调入一批年轻教师和研究生。"五一"赴深圳作实地考察。先到厦门,再到汕头,然后第一次踏上深圳土地。暑假后,和汤一介、乐黛云一起,随张维校长赴深圳大学,参与创办中文系。以后数年,常来往于京、深两地。在中文系成立大会上,认识了香港著名学者饶宗颐,并从此开始了和香港学界的交往。

秋,赴武汉和王朝闻、伍蠡甫、蒋孔阳等相聚,参加艺术美学研讨会。后又随王朝闻、蒋孔阳赴张家界考察。

1985

主编《文艺美学》论丛第一辑,在内蒙古人民出版社出版,发表《文艺美学——文学艺术的系统研究》一文。

受邀参加王朝闻主编《艺术美学丛书》任编委。和乐黛云共同筹划在深圳大学举办中国比较文学学会成立大会,名誉会长季羡林、会长杨周翰莅会,国际比较文学会会长佛克马,美、英、日等国比较文学学会会长等云集深圳大学。和佛克马、孙景尧等共同主持学术委员会。

暑假，应中国人民大学陆贵山之邀，赴北戴河"文艺学方法论"研讨班讲学，和鲁枢元等相识。

初春，赴扬州参加中国社会科学院文学研究所举办的"文艺学方法论"学术研究会，和钱中文、刘再复、汤学智等相识。

在北大继续招收文艺美学研究生，王岳川、张首映、王坤、荣伟、谢欣、柳杰等入读。香港中文大学袁鹤翔、李达三应邀来北大作学术访问，陪同袁鹤翔赴季羡林寓所长谈。应辽宁省比较文学研究会之邀，和李达三、乐黛云赴沈阳作学术演讲。

1986

受中国社科院胡绳院长之聘，担任蔡仪的美学硕士生答辩委员。主编《文艺美学》论丛第二辑，继续出版，胡经之、张首映合撰《论接受美学》发表。

春，深大举办高校西方文艺理论研讨会，讨论国家教委推荐教材《西方文艺理论名著教程》（胡经之主编），钱中文、曾繁仁、饶芃子等与会。

夏，由胡经之主编的全国高校文科教材《西方文艺理论名著教程》在北京大学出版社出版，与伍蠡甫、胡经之主编的《西方文艺理论名著选编》三卷同时出版。接待王力、王瑶等著名学者访问深大。

应香港中文大学之邀，春季赴香港作学术访问，作"中国当代美学之嬗变"的演讲，和金耀基、饶宗颐、袁鹤翔、李达三等座谈。秋返深大，接待中华美学学会会长王朝闻夫妇来访，参加深圳市美学会成立大会，被选为会长（王朝闻受聘名誉会长）。

暑假后，从北京送小女儿燕菘到中山大学就学，访问吴宏聪、楼栖。

冬，在深大主持海外华文文学国际研讨会，接待徐中玉、陈映真、陈若曦、刘以鬯、曾敏之等华人作家、学者。深圳市长梁湘、副市长邹尔康与会。

回北大参加中国比较文学学会首届常务理事会（杨周翰主持），后赴广州参加广东省比较文学研究成立大会，被推为首任会长。

是年，朱光潜、宗白华两师逝世，均享年89岁。致电哀悼。

1987

由胡经之主编，王一川、陈伟参编的《中国现代美学丛编》在北京大学出版社出版。《论审美活动》论文在《深圳大学学报》发表。《文艺学方法论的多样和统一》论文，先后被中国社会科学院文学研究所、中国人民大学等收入专集。

夏，赴西安参加中国比较文学第二次国际学术研讨会，撰送论文《比较诗学和比较美学》。美、日、荷、捷等国佛克马、芳贺彻、高利克等与会。

是年，受聘为中国社科院文学研究所特约研究员。赴海南考察。

1988

由胡经之主编，王一川、陈伟、丁涛等参编的《中国古典美学丛编》三卷，由中华书局出版。另一高校文科教材，和张首映合著之《西方二十世纪文论史》，由中国社会科学出版社出版。

将深大中文系改建为国际文化系，同时成立特区文化研究所，担任系主任、所长，《光明日报》曾作介绍。

是年，赴新加坡考察。

1989

年前完成《文艺美学》专著，收入北京大学《文艺美学丛书》，由北京大学出版社出版。所主编的《西方文艺理论名著教程》，经改写、增补、修订，分成两卷（下卷由王岳川任副主编），由北京大学出版社重新出版。为《文心雕龙》国际研讨会撰写《〈文心雕龙〉——文化融合的结晶》，收入会议专集。向王元化、杨明照、徐中玉讨教，并和李泽厚、张磊相聚。

为加快特区建设人才培养，主持特区文化研究生班，培养了两届研究生20余人，以应特区发展之急需。

春，应邀赴长沙参加湖南省比较文学成立大会，并随会长张铁夫到湘潭大学作学术访问。

是年，赴泰国考察。

冬，杨周翰逝世，电北大西语系致哀。

1990

80年代末，被选为深圳市作家协会主席、文联副主席。年初，参加深圳市作家代表团访问香港作家联会，和曾敏之、刘以鬯、张诗剑等交流。以后数年，关注文化研究，陆续撰写论文、评论、随笔、散文，在《深圳大学学报》《特区文学》《深圳特区报》等深圳报刊发表。

被国家教委聘为全国高校教材评审委员,参加首届优秀教材评审。被中国文艺理论学会选为副会长(会长徐中玉、钱谷融)。

冬,赴江门主持广东省比较文学年会,粤港澳比较文学研讨会,继续担任广东省比较文学研究会会长。

是年,赴马来西亚考察。

1991

和陈伟一起接待美国著名美学家布洛克夫妇访深圳大学,积极开展国际文化交流。《论艺术形象》一文被收入布洛克、朱立元合作编选的《中国当代美学》,介绍到欧美。为译介此文,开始和朱立元有了交往。积极参加中华美学学会的学术活动,被选为中华美学学会常务理事。

1992

获国务院颁发之国家突出贡献证书,终身享受国家特殊津贴。被《文艺理论研究》聘为编委。所主编的《西方文艺理论名著教程》,被国家教委评选为优秀教材二等奖。

应陆梅林、敏泽之邀,赴庐山参加马克思主义文艺理论研讨会。

冬,赴肇庆参加广东省和香港比较文学研讨会等联合举办之粤港澳第二届学术研讨会,致开幕词。

1993

和暨南大学饶芃子教授合作,向国务院申报文艺学博士点,获得国务院学位委员会的通过,华南地区有了第一个文艺学博士点。在深圳大学设博士课程分教处,由此,成为深圳大学产生的第一位博士生导师。文化部和深圳市共建"特区文化研究中心",被聘为学术顾问。

夏,赴美国,访问斯坦福大学、圣荷西大学等学校,作学术交流。

深圳大学为胡经之从教40年举行庆祝会,校长蔡德麟出席致辞庆贺。

1994

开始招收和培养首届文艺学博士生,王列生到深大入读。和王岳川合作主编之《文艺学美学方法论》在北京大学出版社出版。此为教育部文科博士点科研项目,参编的有北师大王一川、人大张法、清华尹鸿等。

赴德国、荷兰、比利时、法国考察。随作义、苏薇在花园小城度假,深秋,取道香港一起回国。

1995
赴济南参加中外文艺理论学会成立大会,被选为副会长(会长钱中文、吴元迈)。11月,由中华全国美学学会在国内举办的第一个国际美学学术会议在深圳大学召开,国内外著名美学家汝信、刘纲纪、布洛克、滕守尧、高建平等云集深大。胡经之代表深大在开幕式致辞。
受聘复旦大学,任评选文艺学博士生导师的通讯评委。

1996
被任命为深圳大学学术委员会副主任,人文社会科学委员会主任。旅美著名学者赵浩生访深大和学者座谈,胡经之代表深大致欢迎辞。
深大首任校长张维院士最后一次回深圳大学,胡经之陪同在校园考察、留影。
5月,在清华大学观澜院作义、苏薇家休假,清华大学王大中校长夫妇来访,交谈人文社科如何发展。赴朝鲜考察。

1997
由国务院学位委员会聘为文艺学博士点通讯评委。为海天出版社主编《人与自然丛书》,写总序《珍重自然》。
为香港回归,在《光明日报》发表《走出家门是香港》。在广州被选为广东省美学学会会长。
赴哈萨克斯坦考察。

1998
和李灏(原深圳市委书记、市长)、姜忠(深大党委书记)同登人民大会堂,参加北大百年校庆大会。
北京大学《文艺美学丛书》出精选版,胡经之的《文艺美学》经修订增补,入选精选版,重新再版。北京大学袁行霈教授重读后致函称:"文艺美学学科经兄拓荒,目前成为显学,后继不乏其人。今重温兄之论述,远见卓识,敬佩不已。"

分别在《文艺研究》《文艺理论研究》《学术研究》等刊物发表反思文艺美学的文章,《新华文摘》曾有转载。冬,深大和暨大合作举办高校文艺学博士点建设研讨会。

是年,分别发表一组关于世界华文文学的评论,参加在北京友谊宾馆召开的世界华文文学国际研讨会,在《文学评论》发表《世界华文文学的精神魅力》。

赴海参崴考察。

1999

应《文艺研究》之约,撰《艺术:按美的规律创造》,在纪念特刊上发表。为迎接深圳特区成立20周年,受深圳市文学艺术界联合会之托,负责主编《深圳文艺20年》一书,写序言探索深圳艺术发展之路。深圳市成立艺术评审委员会,被聘为主任。

和钱中文、陆贵山等同登黄山,中途遇倾盆大雨,败兴而归。回深圳病了一场,未能赴北大参加杨晦百年诞辰学术研讨会。寄去《诲人不倦启后人》,缅怀恩师。

赴缅甸考察。

2000

为全面总结我国改革开放以来的文艺学成绩,钱中文、童庆炳主编《新时期文艺学建设丛书》,胡经之的《文艺美学论》首批入选,将新时期以来所写文艺美学论文结集出版。《文艺报》发表胡经之长文《深圳艺术之路》。

夏,赴山东田横岛,和钱中文、曾繁仁、李衍柱、邹贤敏、李寿福、王岳川、周均平、乔征胜等聚会,研讨如何修改、增补、重编《西方文艺理论名著教程》,仍由胡经之主编,特聘钱中文为顾问,王岳川、李衍柱任副主编。

应复旦大学朱立元之邀,赴上海参加"蒋孔阳美学思想"研讨会,撰《博学多思善创新》一文,缅怀蒋孔阳逝世周年。

赴清华园拜望深圳大学创校校长张维院士。这是最后一次见到张维校长。

赴越南考察。

2001

在教育部"文艺美学研究中心"(山东大学)成立大会上,宣读《发展文艺美学》论文,被聘为学术委员和《文艺美学研究》编委。受聘为中国人民大学复印资料《文艺理论》专刊编委。

由胡经之主编,李健、王一川、陈伟、王岳川、丁涛等参编的《中国古典文艺学丛编》三卷由北京大学出版社出版,胡经之写有长篇序言。此书为文艺学博士课程的参考书籍。

选收改革开放20年来发表的文艺美学、文化评论和散文随笔的《胡经之文丛》,由作家出版社出版。《文艺美学论》一书获深圳市社科一等奖。

冬,应曾敏之所邀赴香港参加世界华文文学研讨会,拜会饶宗颐,和张隆溪、刘再复、刘登翰、黄子平、许子东等聚会。

深圳市出版《治家格言》,胡经之和谭国箱为之作序。

应姚文放邀赴扬州大学参加文艺学建设研讨会,和钱中文、童庆炳等专程去兴化访察郑板桥、刘熙载故居。又去淮阴访谒周恩来故居。

2002

和郁龙余合作主编的《文化美学丛书》首批六种由中国社会科学出版社出版,撰总序《走向文化美学》。此文先在《学术研究》《江苏社会科学》发表,后又被《中国美学年鉴》等转载。

被深圳市社会科学院、社会科学联合会聘为学术顾问。

秋,被教育部聘为全国高校第三届优秀科研奖评委,为文艺理论组召集人。再次被校长任命为深圳大学学术委员会副主任,人文社科委员会主任。撰写《中华文化如何走向世界》,在中华书局90周年的学术研讨会上宣读,后在《深圳大学学报》发表。应约撰写《焕发新审美精神》长文,阐述改革开放以来审美精神的变化,在刘纲纪、王杰主编之《马克思主义美学研究》上发表。

赴韩国考察。

人民教育出版社为全国高中新编教科书出版,高中语文第五册必读课本中,选收了胡经之《文艺美学》中之《中国古典诗词虚实相生的取境美》一节。另有一节《文学的含义》被选收入高中语文《教师教学用书》第五册。《文艺美学》从大学讲堂开始进入中学课堂。

中秋前夕,离别了居住8年的深大新村,迁入益田村高层住宅,在此可俯视深圳湾、红树林,远眺香港元朗、落马洲。

2003

北京大学出版社出版《美的追寻——胡经之学术生涯》一书,金开诚、钱中文、曾繁仁、陆贵山、王臻中、王元骧、涂途、张少康、李衍柱、杜书瀛、王一川、王岳川、陈伟等均撰有诗文收载。由深圳大学举办的"胡经之教授学术生涯50年"的学术研讨会,除校长谢维信、副校长章必功、市委宣传部吴忠、王廉运,文联杨宏海等外,张炯、钱中文、包明德、曾繁仁、饶芃子、包中文、李衍柱、冯宪光、姚文放、温儒敏、王一川、王岳川、陈伟、王坤、邵宏、程郁缀、张黎明等专程从外地来深赴会。

深圳市为推动"文化立市",市委书记黄丽满参加文艺座谈会,听取专家意见。胡经之在会上做主题发言,针对深圳文化发展现状,鲜明提出:深圳文化发展方针,一要普及高雅文化,二要提升大众文化,三要鼓励创新,大力发展雅俗共赏,自成特色的深圳自己的主流文化。在晚宴席上,又对深圳大学的发展力陈己见。

受聘中山大学中文系,任文艺美学博士生导师,在中山大学"名师讲座"作学术演讲——《走向文化美学》。

应中国社会科学院之邀,赴京参加文学研究所成立50周年庆祝大会,和汝信、钱中文、邓绍基等叙谈。

为李健博士论文《比兴思维研究——对中国古代一种艺术思维方式的美学考察》一书(安徽教育出版社)作序。

夏,和深大前校长蔡德麟、牛憨笨院士等同赴日本考察。

秋,应华东师范大学之邀,赴上海参加施蛰存百岁、徐中玉九十华诞的庆祝大会,再次和徐中玉、郭豫适等叙谈。

冬,全家三代,同赴海南三亚度假(女婿张作义、长女胡苏薇、外孙张悠南一家、次婿高泰、次女胡燕菘、外孙高子骞一家)。

胡经之主编之《西方文艺理论名著教程》修订再版,在北京大学出版社出版,请钱中文为顾问。

《焕发新审美精神》在山东大学文艺美学研究中心的《文艺美学研究》上发表,《辽宁日报》选其主要部分予以转载。

秋,爱尔兰新当选总统玛丽·麦卡丽斯,原为爱尔兰大学女校长,来访中国,到深圳大学进行专访。谢维信校长和校学术委员会两位副主任牛憨笨院士和胡经之受命参与接待,生平第一次穿着博士服饰出席典礼。

2004

春,赴北京参加中外文艺理论学会举办的新世纪文学展望的国际学术研讨会。会上,中外文艺理论学会授予胡经之及吴元迈、陆贵山、李衍柱等"中国文艺理论杰出贡献奖",同时聘为中外文艺理论学会学术顾问。

应北京师范大学文艺学研究中心之邀,赴京参加博士后李健的研究成果的评审、答辩,和童庆炳、王一川、张法、李春青等一起鉴评。

胡经之在1981年发表的《文艺美学及其他》一文,作为我国新时期文艺美学代表作,被钟敬文、启功主编的大型丛书《二十世纪全球文学经典珍藏》收入《二十世纪中国文坛经典》卷中(童庆炳编)。

受聘为汝信、王德胜主编的《中国美学》编委。

夏,赴缅甸考察。又赴日照市参加山东大学主办的文艺美学研讨会。

深圳全市评选"深圳八景",胡经之和李灏、秦文俊、李伟彦等参加终审,并赴大鹏半岛、莲花山、羊台山、大小梅沙、南澳海滨作实地考察。

胡经之、杨宏海(文联副主席)和深圳特区报安裴智作文学对话,畅谈新都市文学如何发展,对话全文在《深圳特区报》发表。

参加深圳市文学艺术界代表大会,再次被推为深圳市文艺评论家协会主席。

应中国散文诗学会会长柯蓝之邀,赴北京钓鱼台参加全国散文诗颁奖。

深圳摄影家任光中《诗影选》出版,为之作序《心廊连广宇》。书法家牛黄《百年之约》出版,为之作序《美的毁灭》。

冬,惊闻美学大师王朝闻逝世(96岁),痛失良师益友忘年交,致电王朝闻夫人解驭珍慰问。

2005

初春,应东南大学素质教育中心、艺术系之邀,赴南京作学术演讲,讲题分别为:一、我们为什么需要艺术;二、生活审美和艺术创造。其间,分别和南京大学周宪、赵宪章和刚从广西师大调来的王杰聚会,和东南大学凌继尧、张燕等交流。重访中山陵、玄武湖、鸡鸣寺。

编纂7年的《深圳市志》开始面世。作为市志的特邀审定专家，胡经之受邀和李灏（前深圳市市长）等参加隆重首发仪式，并撰文发表评论。

初夏，鲁迅文学奖首次在深圳举行颁奖大会，中国作家协会邀胡经之参加得奖作家杨黎光作品研讨会（张锲主持）和新都市文学研讨会（张炯主持）。撰文评杨黎光散文，在《文艺报》发表。

夏，应山东大学文艺美学研究中心主任曾繁仁之邀，赴青岛参加"生态美学"国际研讨会，在大会上宣读《生态之美何存》。

时隔20年之后，中国比较文学学会再度在深圳大学举行国际学术研讨会，校长章必功在会上宣布深圳大学成立比较文学和比较文化研究所，所长刘洪一，副所长吴俊忠。佛克马、乐黛云、胡经之受聘为名誉所长。

秋，在《文艺报》发表《生活审美化，艺术应何为？》

继续受聘为徐中玉、钱谷融任主编的《文艺理论研究》编委，受聘为高小康主编之《南方文化评论》作顾问。

应北京师范大学文艺学研究中心主任童庆炳之约，胡经之选送50篇文艺学论文给文艺学研究中心设立的文艺学网站。首批入选的有钱中文、童庆炳、陆贵山、曾繁仁、王元骧、李衍柱、朱立元等学者的论文。

印度总统特别顾问、尼赫鲁大学校长契特夫妇来访，在家畅谈。

为推进文化美学的学术发展，和刘洪一副校长商定，继续支持《文化美学丛书》的出版，由胡经之、刘洪一任主编。

2006

春，应上海师范大学孙逊之邀，赴上海参加都市文化国际研讨会，在开幕式致辞。

夏，和李健合著《中国古典文艺学》一书，在光明日报出版社出版。继续担任深圳市宣传文化基金专家评审委员会主任。深圳大学成立文艺学研究中心，胡经之被任命为名誉主任。

秋，应中国社会科学院汝信之邀，赴香山参加美学建设与和谐社会国际研讨会，在大会发言《美在和谐》。

应中国社会科学院文学研究所之邀，参加蔡仪百年诞辰美学研讨会，作了《蔡仪的美学贡献》的发言。

应朱立元、杨春时之邀,赴厦门参加中国美学建设国际研讨会,在开幕式上致辞。在厦门大学作《审美何为》的学术演讲。

冬,中国文艺理论学会在上海换届,徐中玉、钱谷融为名誉会长,钱中文、童庆炳、胡经之等为顾问。

忘年交柯蓝在深圳逝世(86岁),发表《追忆柯蓝忘年交》;丛飞去世,发表《丛飞震撼》一文怀念。

2007

春,应中国艺术研究院刘梦溪之邀,赴京参加研究院艺术学博士论文答辩,任答辩委员会主席。分别和钱中文、严家炎、陈熙中等老友会面。

夏,应邀参加广东省文学学会年会,在大会发言《文学理论的历史命运》,后撰成《彰显人文精神》发表。

《深圳市文艺理论评论丛书》共8种在海天出版社出版,为之作总序,其中有陈吉庆著《胡经之美学生涯》一书。

《永远的柯蓝》由花城出版社出版,为之作序。

秋,经中国香港飞菲律宾,后又飞中国台湾,作环岛考察。

冬,应首都师范大学王德胜之邀,赴北京参加转型期中国美学问题学术研讨会,在大会发言《艺术与生活》。分别和汝信、钱中文、叶朗、曾繁仁等会面。

春节,全家经香港飞文莱、沙巴海边度假。

2008

春,应金雅之邀,赴杭州参加中国现代美学、文论与梁启超学术研讨会,发表《梁启超的美学贡献》一文。和汝信、钱中文、聂振斌、曾繁仁、杜书瀛等相聚。

夏,回北京,赴万安公墓参加移父灵仪式,撰《移灵志》。赴清华大学访问同乡钱逊(钱穆之子)。

秋,在《文艺报》发表《生活审美化,艺术当何为》;在《中国文化报》发表《取之应有道》。

为《祁念曾诗文集》作序《特区依然觅文心》。为诗人李晃《饮马江南》诗集作序《江南好》。为作家王丛飚长篇小说《走出大山》作序《山外风光更精彩》。

冬，参加中国作家协会在深圳举办的改革开放文学30年文学论坛，和铁凝、金炳华、陈建功等会面。

应吉林大学刘中树之邀，在深圳参加全国毛泽东思想学术研讨会，在开幕式上致辞。参加在青青世界举办的文艺学高层论坛，在开幕式上致辞《艺术何为》，和曾繁仁、王岳川、王德胜等相聚。

春节，全家去新加坡，然后，赴印度洋岛国马尔代夫一小岛上度假。

2009

春节应邀参加深圳市召开的文艺座谈会，谈多元文化如何提升。

春，应中国艺术研究院之邀，参加艺术学博士后科研成果评审，任评委会主席。参加《文艺研究》创刊30周年座谈会，发言谈日常生活审美化后艺术应担当的使命。和王文章、李希凡、张庆善、刘梦溪等相聚。会后，又分别和钱中文、严家炎、叶朗、王岳川、王一川、丁涛等畅谈。

夏，为作家黄萍的长篇报告文学《风景这边独好》作序《深圳何处水围村》。友人邹贤敏从教50年，撰《我们相识于乱世》纪念。

应《美与时代》杂志社约，撰《美学伴我悟人生》。和黄玉蓉合著的《文学创新之路——深圳文学三十年》发表，收入深圳市文化蓝皮书。

应凤凰出版社总编姜小青之约，重印20年前所主编的《中国古典美学丛编》，写重版序。

辞去广东省美学学会会长、深圳市文艺批评家协会主席之职，受聘为名誉会长、名誉主席。继续担任深圳大学学术委员会副主任、人文社科委员会主任、深圳市社会科学院顾问。

冬，赴金华浙江师范大学，和王元骧、吴中杰、张法等游富春江。

2010

初春，和香港作家寒山碧、潘耀明等座谈。美国荣伟来访。

初夏，到北京和严家炎、李光羲等会合，同赴莫斯科—彼得堡—伏尔加河，参加俄罗斯中国汉语年文化交流活动。

夏，应北京大学叶朗之邀，参加第十八届世界美学大会，主持"自然美"论坛。

冬，中国社会科学院外国文学研究所在深圳大学召开"中外文论和比较诗学研究会"成立大会，周启超任会长，胡经之被聘为学术顾问。

2011

初春,应严昭柱之邀赴苏州,参加"太湖文化论坛"首届国际学术研讨会。会后去无锡、常熟等地考察,会见范伯群、应启后、沈伟烈等老友。

秋,和董小明、蒋开儒、姚关荣等登抵上海,参加国际艺术节。

2012

春,赴北京参加中国艺术研究院博士后研究成果评审,任评审会主席。回校后辞去深圳大学学术委员会副主任、人文社会科学委员会主任之职。

冬,赴杭州,参加由中华全国美学学会主办的"蔡元培、梁启超美学"国际研讨会,在大会宣读《蔡元培的美育精神》,后发表在《深圳大学学报》及《文艺百家》等刊。

《中国古典文艺学》获得深圳市社会科学一等奖。

2013

春节前赴印尼巴厘岛,和高泰、燕菽等入住庭院别墅度假,每日游泳三次。

深圳大学咨询委员会第一次年会召开,应新任校长李清泉邀,和顾海良、吴家玮、钟南山等一起受聘为咨询委员。

深圳大学30年校庆,应校长李清泉、书记江潭瑜邀请,一起按启动仪开始校庆活动,为深大校园影集作序。

6月初,在青青世界举办"胡经之学术生涯60年"恳谈会。王一川、王岳川、王列生、张首映、陈伟、祁艳、邵宏、黄汉华、田春、张家梅、王坤等分别从北京、上海、广州专程来会,深圳大学副校长李凤亮、文学院院长景海峰等与会祝贺。

撰《周扬北大讲美学》在中国艺术研究院《传记文学》发表。李世涛访谈《从北大到深大》,亦同时刊发。

《文艺报》发表熊元义访谈《诗意的裁判,文艺的价值》。《文艺研究》发表李健访谈《心向至美人生幸》。

2014

春,参加深圳大学咨询委员会的第二次年会。

夏,应邀参加深圳市第四届文艺评论家代表大会,受邀为深圳市文艺评论家协会名誉主席。

秋，参加深圳市作家协会成立30年座谈会，回忆改革开放之初的文艺评论，赴澳门参加国际音乐节。

冬，应邀在中外文艺理论学会举办的"文化产业发展与文艺理论创新"学术论坛上致辞《文化创新人为本》，谈物质生产、精神生产和人自身的生产应协调发展、良性互动。

2015

春，获授"广东省优秀社会科学家"称号、奖章，赴香港参加国际艺术节。

夏，应市政府之邀，参加深圳特区成立35周年座谈会（五洲宾馆）。

胡经之著编书目

1. 《文艺美学》   北京大学出版社
   1989年出版,1999年增订再版。其中《艺术形象》一章被译成英文,由美国美学家布洛克和朱立元收入《中国当代美学》一书,在美国出版。谈艺术虚实的一节,被人民教育出版社选收入高中语文教科书。
2. 《文艺美学论》   华中师范大学出版社   2000
3. 《胡经之文丛》   作家出版社   2001
4. 和王岳川合作主编《文艺学美学方法论》
   北京大学出版社   1994
5. 主编《中国古典美学丛编》
   中华书局1987年分三卷出版。凤凰出版社2009年合一卷精装再版。
   陈伟、王一川、王岳川、丁涛参编
6. 主编《中国现代美学丛编》   北京大学出版社   1987
   陈伟、王一川参编
7. 和李健合著《中国古典文艺学》   光明日报出版社   2006
8. 主编《中国古典文艺学丛编》三卷   北京大学出版社   2001
   李健、陈伟、王一川、王岳川、丁涛参编
9. 主编《西方文艺理论名著教程》二卷   北京大学出版社   1986
10. 和伍蠡甫合作主编《西方文艺理论名著选编》三卷
    北京大学出版社   1986
11. 和张首映合著《西方二十世纪文论史》
    中国社会科学出版社   1988
12. 和张首映主编《西方二十世纪文论选编》四卷
    中国社会科学出版社   1989

13. 主编《论艺术创造》　　中国社会科学出版社　　2001
14. 主编《深圳文艺20年》　　花城出版社　　2000

此外，还为海天出版社主编《人与自然丛书》，和董小明合作主编《深圳市文艺理论批评丛书》，和郁龙余合作主编《文化美学丛书》。

跋

深圳,是一座典型的移民城市。深圳人多来自四面八方,五湖四海,各自带来了多样文化,在此会合交融,从而生成文化深圳。当初,我从最古老学府北大来到最年轻高校深大,带来的是一个集装箱的个人藏书。如今,31年过去,恰逢特区成立35周年,我满怀感恩深圳之情,献上我的文集五卷,为共同构筑我们的精神家园,添上些许砖瓦。

承蒙王京生、罗烈杰、吴忠、李凤亮、尹昌龙、陈新亮、于志斌等诸位忘年好友的热忱支持,责任编辑张小娟、梁萍、曾韬荔、陈嫣、孙艳的全神投入,王岳川、王一川、陈伟、丁涛、张首映、王列生、王坤、祁艳等学术挚友的鼎力相助,吴俊忠、李健、黄玉蓉和内人张景贤更直接投入了具体操作,近600万言的五卷文集得以在海天出版社如期出版。谨向各位致以深切的谢意。

在这一生,苏州是我的第一故乡,北京是我的第二故乡,但最后落地生根还是在深圳。这是我最后得以诗意地栖居的精神家园,将在这里终老,成为永久的居士。我深爱着深圳,祝愿她越来越美好!

江南书生、北大学人、深圳居士

胡经之

2015年春于望海书斋